The
AUTHENTIC LIBRETTOS
of the
FRENCH *and* GERMAN OPERAS

Uniform With This Volume

THE AUTHENTIC LIBRETTOS

of the

WAGNER OPERAS

containing

Flying Dutchman, Tannhäuser, Lohengrin, Tristan and Isolde, Meistersinger, Rheingold, Walküre, Siegfried, Götterdämmerung, Parsifal

---

THE AUTHENTIC LIBRETTOS

of the

ITALIAN OPERAS

containing

Aïda, Cavalleria Rusticana, La Forza Del Destino, Lucia di Lammermoor, Rigoletto, Barber of Seville, Don Giovanni, La Gioconda, I Pagliacci, La Traviata, Il Trovatore

The AUTHENTIC LIBRETTOS *of the* FRENCH *and* GERMAN OPERAS

CARMEN
FAUST
MANON
TALES OF HOFFMANN
LAKMÉ
HANSEL & GRETEL
ROMEO & JULIET
FIDELIO
THE MAGIC FLUTE
MIGNON
SAMSON & DELILAH
THE BARTERED BRIDE

Complete with English and French or German Texts and Music of the Principal Airs

CROWN PUBLISHERS
NEW YORK

PRINTED IN THE UNITED STATES OF AMERICA
BY J. J. LITTLE AND IVES COMPANY, NEW YORK

CONTENTS

FOREWORD

Christoph Willibald Gluck, German-born composer of French operas, defined the relation in opera of the music to the poetry: The poetry is primary, the music should illustrate it and color it and emphasize the meaning without interrupting the action or weakening it by superfluous ornament. It is much the same as the relation of harmonious color, well disposed light and shade to accurate drawing, which should animate the figures without altering the outlines.

This definition was enunciated in 1767, and since that time has been the accepted basis of opera composition.

But it is hard to make out clearly this all-important poetry when it is sung in an opera. Enunciation is sacrificed to vocal and musical considerations, and besides, there is the matter of a probably unfamiliar language.

These librettos are designed to enhance the enjoyment of operas by enabling the listener to know the words that are being sung and their meaning. Both the original libretto and the English translation are given and in parallel columns for easy reference.

Besides this volume, two others in this series have been issued: THE WAGNER OPERAS and the ITALIAN OPERAS.

The selection of the operas to be included in this volume was determined largely by importance and popularity as indicated by the number of performances at the Metropolitan Opera House in the past 57 years.

The record of performances of these operas at the Metropolitan Opera House from 1883 to 1939 is as follows: Faust 235; Carmen 195; Manon 158; Romeo & Juliet 111; Hansel & Gretel 96; Samson & Delilah 57; Fidelio 47; The Magic Flute 47; Mignon 45; Tales of Hoffmann 40; Lakmé 29; The Bartered Bride 29.

CARMEN

by

GEORGES BIZET

Libretto by

H. MEILHAC AND L. HALEVY

(*from the novel by* PROSPER MÉRIMÉE)

CHARACTERS.

DON JOSÉ, *Corporal of Dragoons*	MICAELA, *a Village Maiden*
ESCAMILLO, *Toreador*	FRASQUITA } *Companions of Carmen*
ZUNIGA, *Captain of Dragoons*	MERCEDES } *Companions of Carmen*
MORALES, *Officer*	EL DANCAIRO } *Smugglers*
LILLAS PASTIA, *Innkeeper*	EL REMENDADO } *Smugglers*
CARMEN, *a Gipsy Girl*	A GUIDE

Dragoons, Smugglers, Gipsies, Cigarette-girls, Street-boys, etc.
The scene is laid in Spain, about 1820.

ARGUMENT.

THE action passes in Seville, in the year 1820. A troop of soldiers are waiting for the guard to be changed, and watching the loungers in the public square. *Michaela*, a village girl, appears—she seeks a Brigadier (*Don José*), bearing a message from his mother. The officer on guard invites her to wait his arrival, but she refuses, and departs. The relief guard, with Don José, come on, and the square is crowded by groups of young men, anxiously looking out for the approach of the pretty girls who work at the great Tobacco Manufactory, facing the guard house, at the foot of the bridge. Don José, alone, is indifferent. The girls enter, and the young men eagerly inquire for *Carmen*, the greatest beauty and coquette of them all, who, on her arrival, though deaf to each individual in particular, asserts her desire for universal dominion by flinging at the silent Don José the flowers she wears in her dress. The factory bell rings again. The girls hasten to their work. Don José's Spanish blood is roused, but the arrival of the gentle Michaela, with a letter and purse from his mother, calms him, and he resolves to stifle the sudden passion the bewitching Carmen has excited, and devote himself, as his mother wishes, to Michaela. She has scarcely gone, and Don José is about to throw Carmen's flowers away, when a noise is heard in the factory. The girls all rush out. Two of them have quarrelled. One is wounded—her assailant is Carmen. José is ordered by the officer in command to take her into custody. She sings, and is saucy to the officer instead of expressing contrition. He resolves on sending her to prison; and, fearing further mischief from the little termagant, orders her hands to be tied, whilst he goes to write the order for José to conduct her to prison. During his absence she bewitches the unfortunate Brigadier till he promises to permit her to escape, and meet her at an Inn near the ramparts. Don José and two soldiers escort her. At the foot of the bridge a sudden push from Carmen throws Don José down, and, in the confusion which follows, Carmen, aided by the laughing girls, escapes.

The Second Act displays the Inn near the ramparts. Carmen is there with her friends, the gipsies (some of them smugglers as well). They sing and dance. Some officers and soldiers are there also. The Captain is fascinated by Carmen, but she pays him little attention till she hears José's imprisonment for suffering her to escape is ended. A new arrival, *Escamillo*, appears, the victorious bull-fighter of Granada. Soldiers and gipsies warmly welcome him. He, like the rest, devotes himself to Carmen, who,

coquette as usual, neither repulses nor accepts his admiration. 'Tis time to close the Inn as the Corregidor has ordered. Escamillo and the soldiers depart, but the two smugglers, *Il Dancairo* and *Il Remendado*, having a good booty in view. seek Carmen's assistance. She refuses to accompany them, telling them she is waiting for her lover, the Dragoon. The smugglers try to persuade Carmen to induce José to join their band. She agrees; and when the enamored Brigadier arrives, enraptured at seeing her again, Carmen tempts him to stay in spite of the trumpet of recall. He refuses, even for her, to become a deserter, and is about to quit her when the officer forces his way in, and, stung by the preference Carmen has shown to José, orders him out. Sabres are drawn. Carmen calls for aid. The gipsies appear. The officer is made prisoner, whilst the gipsies, Carmen, and José escape to the mountains.

Act the Third is the Smugglers' Haunt, in a wild, picturesque, rocky country. The night is dark, and the contrabandists are busy. José is there with Carmen, whose love is waning. He still adores her, though stung by remorse and grief for his mother, who dwells in the valleys beneath. All are quitting the Haunt, when Escamillo arrives. He has toiled up the rocks in pursuit of Carmen, and, not knowing José, reveals his passion to him. A fight is about to take place, but Carmen and the smugglers rush in and separate them. Escamillo, biding his time, bids them farewell, after inviting them to the approaching bull-fight at Seville. José upbraids Carmen, who disregards his threats; and the sudden appearance of Michaela, who by the aid of a guide has sought him out to hasten to his dying mother, compels him to leave Carmen. Torn by love, jealousy, and duty, he hesitates; but duty prevails, and he follows Michaela, while the song of Escamillo is heard in the distance.

Act the Fourth. — The bull-fight is about to begin at Seville. Escamillo is there with the faithless Carmen, in great splendor. He departs to prepare for the arena, and Carmen's gipsy friends, *Frasquita* and *Mercedes*, hasten to warn her that José is in search of her. She will not conceal herself and resolves to brave him. José comes. He vainly tries to rekindle the old love. Carmen will not listen — refuses his passionate appeals, and flings his love-token (a ring) at his feet. At last, maddened with her exclamation of joy at the populace proclaiming the triumph of Escamillo in the bull-fight, José stabs her to the heart, and Carmen falls dead as the victorious Escamillo enters.

First performed at the Opéra-Comique, Paris, March 3, 1875, with the following cast:

Don José	*M. M. Lhérie*
Escamillo	*Bouhy*
Zuniga	*Dufriche*
Morales	*Duvernoy*
Lillas Pastia	*Nathan*
Carmen	*Mmes. Galli-Marié*
Micaela	*Chapuy*
Frasquita	*Ducasse*
Mercedes	*Chevalier*

CARMEN

ACT I.

SCENE I.

(A Square in Seville. On the right the gate of the tobacco factory. At the back, facing the audience, is a practicable bridge from one side of the stage to the other, and reached from the stage by a winding staircase on the right to beyond the factory gate. The bridge is practicable underneath. In front, on the left, is a guard-house: above that, three steps lead to a covered passage. In a rack, close to the door, are the lances of the Dragoons, with their little red and yellow flags.)

MORALES, MICHAELA, Soldiers, Wayfarers.

(At the rising of the curtain, a file of Soldiers (Dragoons of Almanza) are grouped before the guard-house, smoking, and looking at the passers-by in the square, coming and going from all parts. The scene is full of animation.)

Cho. In the square
What a clamor!
Some are coming, some are going;
Strange indeed are they to see!

Mor. At the gate in this vicinity
Stops each one who likes —
Talking, smoking, and looking out
To watch the passing crowd.

(MICHAELA has been visible for some moments. She wears a blue petticoat, and her hair falls over her shoulders. She perceives the Soldiers, and stands hesitating, not knowing if to advance or recede.)

Mor.
(to Soldiers).
Look an instant at that fair one.
It seems with us she fain would speak.
She dares not; but draws near, and glances.

Cho. To encourage her we ought.

Mor.
(to MICHAELA).
Who are you seeking for, fair maid?

Mic. I'm seeking for a brigadier.

Mor. Indeed! Here am I.

Mic. You are not he. Don José he is called.
Is he not to you known?

ACTE PREMIER.

SCÈNE PREMIÈRE.

(Fine place à Seville. A droite, la porte de la manufacture de tabac Au fond, face au public, pont practicable traversant la scène dans toute son étendue. De la scène on arrive à ce pont par un escalier tournant qui fait sa révolution à droite au-dessus de la porte de la manufacture de tabac. Le dessus du pont est practicable. A gauche, au premier plan, le corps-de-garde. Devant le corps-de garde, une petite galerie couverte, exhaussée de deux ou trois marches; près du corps-de-garde, dans un râtelier, les lances des dragons avec leurs banderolles jaunes et rouges.)

MORALES, MICAELA, Soldats, Passants.

(Au lever du rideau, une quinzaine de soldats (Dragons régiment d'Almanza) sont groupés devant le corps-de-garde. Les uns assis et fumant, les autres accoudés sur la balestrade de la galerie. Mouvement de passants sur la place. Des gens pressés, affairés, vont viennent, se rencontrent, se saluent, se bousculent, etc.)

Cho. Sur la place
Chacun passe,
Chacun vient, chacun va;
Drôles de gens que ces gens-là.

Mor. A la porte du corps-de-garde,
Pour tuer le temps,
On fume, on jase, l'on regarde
Passer les passants.

Reprise du Cho.
Sur la place, etc.

(Depuis quelques minutes MICAELA est entrée. Jupe bleue, natte[illegible] [illegible]mbant sur les épaules, hésitante, embarrassée, elle regarde les sol[illegible] [illegible]s, avance, recule, etc.)

[illegible]r.
(aux Soldats).
Regardez donc cette petite
Qui semble vouloir nous parler
Voyez, elle tourne, elle hésite.

Cho. A son secours il faut aller.

Mor.
(à MICAELA).
Que cherchez-vous, la belle?

Mic. Je cherche un brigadier.

Mor. Je suis là! Voilà!

Mic. Mon brigadier, à moi, s'appelle
Don José, le connaissez-vous?

Mor. Don José is not to us known.
Mic. Is it so? How shall I find him?
Mor. He is not brigadier in this troop.
Mic. (sadly). Then he is not with you?
Mor. No, fair one; he's not of ours.
But, amidst the many, he may be
Of the guard now coming here
To replace us in this post.
Cho. He will be of the guard now coming
To replace us in our post.
Mor. But whilst he's coming
It will not be disagreeable
(And to us a great pleasure)
If within the house you enter.
Mic. Indeed.
Mor. It is the truth.
Mic. No, no, no, no.
Mor. You to enter need not fear.
On my honor I promise you
That from all you will receive
Best and heartiest welcomes.
Mic. Of it I'm sure; but, nevertheless,
It suits me best now to return.
I will come again when the guard
In your post replaces you.
Cho. (surrounding MICHAELA). You ought to stay.
Mic. No, no, no, no. I must depart.
Good-bye to you all!
(Runs out.)

Mor. José, nous le connaissons tous.
Mic. Est-il avec vous, je vous prie?
Mor. Il n'est pas brigadier dans notre com pagnie.
Mic. (désolée). Alors il n'est pas là.
Mor. Non, ma charmante, il n'est pas là,
Mais tout à l'heure il y sera.
Il y sera quand la garde montante
Remplacera la garde descendante.
Tous. Il y sera quand la garde montante
Remplacera la garde descendante.
Mor. Mais en attendant qu'il vienne,
Voulez-vous, la belle enfant,
Voulez-vous prendre la peine
D'entrer chez nous un instant?
Mic. Chez vous!
Les Soldats. Chez nous.
Mic. Non pas, non pas.
Grand merci, messieurs les soldats
Mor. Entrez sans crainte, mignonne,
Je vous promets qu'on aura,
Pour votre chère personne,
Tous les égards qu'il faudra.
Mic. Je n'en doute pas; cependant
Je reviendrai, c'est plus prudent
(Reprenant en riant la phrase du Sergent)
Je reviendrai quand la garde montante
Remplacera la garde descendante.
Les Soldats (entourant MICAELA). Vous resterez.
Mic. (cherchant à se dégager). Non pas! non pas!
Les Soldats. Vous resterez.
Mic. Non pas! non pas!
Au revoir, messieurs les soldats.
(Elle s'échappe et se sauve en courant.)

Mor. The bird has flown!
No one need fret.
What shall we do now?
Best watch who comes and goes.

Cho. In the place what a clamor, etc.

(The Square fills again with the people, who had ceased during MICHAELA's scene, and is lively as before.)

Mor. L'oiseau s'envole,
On s'en console.
Reprenons notre passe-temps,
Et regardons passer les gens.

Reprise du Cho.
Sur la place.
Chacun passe, etc.

(Le mouvement des Passants qui avait cessé pendant la scène de MICAELA a repris avec une certaine animation.)

SCENE II.

A military march of fifes and trumpets is heard in the distance. The Relief Guard arrive. An officer goes from his post. The Soldiers take their lances and place themselves in a line before the guard-house. The people on the right gather in groups, looking on. The march sounds nearer. The Guard appear on the left, and cross the bridge: first, two Trumpeters and two Fifers; then a band of street Lads, imitating the step of the Dragoons. After the Lads the Officer ZUNIGA and the Brigadier JOSÉ; then Dragoons, armed with lances.

Cho. of Street Lads.
Follow we the guard that's changing.
Quick at their heels! See, here we are!
Trumpets, strike up! be ready!
Ta, ra-ta-ta, ta, ta, ta, ra.
Each one put himself in order,
Like dragoons, all in a row;
Quick march; now all be steady—
One — two — in time we go,
Shoulders thrown back, chests well forward,
At them look, example take;
Left foot, right foot, strike the pavement,
Steady all, make no mistake.
Follow we the guard now changing,
At their heels, see! here we are!
Trumpets, strike up! be ready!
Ta, ra-ta-ta, ta, ta, ta, ra.

(The Guard, just arrived, place themselves on the right in front of the Guard relieved. The Officers salute with the sword, and stand chatting in a low voice. The sentry is changed.)

SCÈNE II.

On entend au loin, très au loin, une marche militaire, clairons et fifres. — C'est la Garde montante qui arrive. — Le vieux monsieur et le jeune homme échangent une cordiale poignée de main. Salut respectueux du jeune homme à la dame. — Un Officier sort du poste. Les Soldats du poste vont prendre leurs lances et se rengent en ligne devant le corps de garde. — Les passants à droite forment un groupe pour assister à la parade. La marche militaire se rapproche, se rapproche... La Garde montante débouche enfin venant de la gauche et traverse le pont. Deux clairons et deux fifres d'abord. Puis une bande de petits gamins qui s'efforcent de faire de grandes enjambées pour marcher au pas des Dragons. Aussi petits que possible les enfants. Derrière les enfants, le Lieutenant ZUNIGA et le Brigadier DON JOSÉ, puis les Dragons avec leurs lances.
Les Mêmes. — DON JOSÉ, Le Lieutenant.

Cho. des Gamins.
Avec la garde montante.
Nous arrivons, nous voilà....
Sonne, trompette éclatante,
Ta ra ta ta, ta ra ta ta;
Nous marchons la tête haute
Comme de petits soldats,
Marquant sans faire de faute,
Une, deux, marquant le pas.
Les épaules en arrière
Et la poitrine en dehors,
Les bras de cette manière
Tombant tout le long du corps;
Avec la garde montante
Sonne, trompette éclatante,
Nous arrivons, nous voilà,
Ta ra ta ta, ta ra ta ta.

(La Garde montante va se ranger à droite en face de la Garde descendante. Dès que les Petits Gamins qui se sont arrêtés à droite devant les curieux ont fini de chanter, les Officiers se saluent de l'épée et se mettent à causer à voix basse. On relève les Sentinelles.)

Mor.

(to Don José).

A pretty young girl
Come to ask if you were here,
With flowing hair and dress of blue —

José. It must be Michaela.

(Trumpets sound. The relieved Guard pass before the New-Comers. The Street Boys, in a line, resume the place they occupied when they entered, behind the trumpets and fifes.)

Cho.

(as before).

And the guard relieved already
The place now leaves — away they go.
Trumpets all to sound are ready;
Ta-ta-ra, ta-ra, ta, ta.
Each one put himself in order,
Like dragoons all in a row;
Quick march! now all be steady;
One — two — in time we go.
Shoulders thrown back, chests well forward,
At them look — example take:
Left foot, right foot, strike the pavement,
Steady all, make no mistake.
Follow we the guard now changing,
At their heels, see! here we are!
Trumpets, strike up! be ready!
Ta-ta-ra, ta-ta, ta-ta-ra.

(Soldiers, Lads and Spectators go off at the back; Chorus, Fifers and Trumpeters by degrees disperse. The Officer of the Guard, just arrived, during this time silently musters his Soldiers. When the Chorus is no longer heard, the Officer commands "Present!" "Carry!" "Break the line!" The Dragoons go and place their lances in the rack, and then enter the guard-house. Don José and the Officer remain.

SCENE III.

Officer.

'Tis in that large house the girls
Go to make cigarettes?

José. Yes, there, my captain; and you can assure yourself
There are some lively ones amongst them.

Mor.

(á Don José).

Il y a une jolie fille qui est venue te demander. Elle a dit qu'elle reviendrait....

José. Une jolie fille?...

Mor. Oui, et gentiment habillée, une jupe bleue, des nattes tombant sur les épaules.

José. C'est Micaela. Ce ne peut être que Micaela.

Mor. Elle n'a pas dit son nom.

(Les factionnaires sont relevés. Sonneries des clairons. La Garde descendante passe devant la Garde montante. Les Gamins en troupe reprennent derrière les clairons et les fifres de la Garde descendante la place qu'ils occupaient derrière les tambours et les fifres de la Gard montante.)

Reprise du Cho. des Gamins.

Et la garde descendante
Rentre chez elle et s'en va.
Sonne, trompette éclatante,
Ta ra ta ta, ta ra ta ta.
Nous partons la tête haute
Comme de petits soldats,
Marquant, sans faire de faute,
Une..., deux... marquant le pas.
Les épaules en arrière
Et la poitrine en dehors,
Les bras de cette manière
Tombant tout le long du corps
Et la garde descendante
Rentre chez elle s'en va.
Sonne, trompette éclatante,
Ta ra ta ta, ta ra ta ta.

(Soldats, Gamins et curieux s'éloignent par le fond; Chœur, Fifres, et Clarions, vont diminuant. L'Officier de la Garde montante, pendant ce temps, passe silencieusement l'inspection de ses hommes. Quand le Chœur des Gamins et les Fifres ont cessé de se faire entendre, le Lieutenant dit: "Présent lances! Haut lances! Rompez les rangs!" Les Dragons vont tous déposser leurs lances dans le râtelier, puis ils rentrant dans le corps de Garde. Don José et le Lieutenant restent seuls en scène.)

SCÈNE III.

Le Lieutenant, Don José.

Le Lieut.

C'est bien là n'est ce pas, dans ce grand bâtiment
Que travaillent les cigarières?

José. C'est là, mon officier, et bien certainement
On ne vit nulle part, filles aussi légères.

Officer.
You know, at least, if they are handsome?

José. In truth, I know nothing about them,
And care very little for such toys.

Officer.
I will tell you, my friend,
Who you are looking for, —
A young, fair girl;
She is named Michaela —
Golden hair and a blue petticoat.
What do you reply to this?

José. I answer that it is true,
I answer that I love her,
If the girls out there
Such beauty have or no.
Here they come; you can judge.

(The factory bell is heard ringing.)

Le Lieut.
Mais au moins sont elles jolies?

José. Mon officier, je n'en sais rien,
Et m'occupe assez peu de ces galanteries

Le Lieut.
Ce qui t'occupe, ami,
Je le sais bien,
Une jeune fille charmante,
Qu'on appelle Micaela,
Jupe bleue et nattes tombante
Tu ne réponds rien à celà?

José. Je réponds que c'est vrai,
Je réponds que je l'aime!
Quant aux ouvrières d'ici,
Quant à leur beautè, les voici!
Et vous pouvez juger vous-même.

SCENE IV.

Don José, Soldiers, Young Men and Cigar Girls.

The Square fills with Young Men coming to wait the passing of the Cigar Girls. The soldiers enter from the guard house. Don José, seated, careless of the passing scene, works at a little chain.

Cho. The bell now rings. We're here to see
The pretty faces pass along,
And follow each dark-eyed brunette
With proffered friendship and with love.

(The Cigar Girls at this moment arrive, smoking cigarettes. They pass under the bridge, and leisurely descend the stage.)

Soldiers.
What think you? Boldly they go:
True coquettes! they will not cease
Their cigarettes to smoke.

Cigar Girls.
Raise we our eyes to the skies
And lightly smoke.
As upwards in perfumed clouds it flies,
On we smoke —
Pleasant smoke,
Fragrant smoke,
Cheering smoke,
It mounts so gently, lightly,
To the brain.
Soothes the soul that's weary

SCÈNE IV.

Don José, Soldats, Jeunes Gens et Cigarières.

La place se remplit de Jeunes Gens qui viennent se placer sur le passage des Cigarières. Les Soldats sortent du posts. Don José s' assied sur une chaise, et reste là fort indifférent à toutes allées et venues, travallant à son épinglette.

Cho. La cloche a sonné, nous, des ouvrières
Nous venons ici guetter le retour;
Et nous vous suivrons, brunes cigarières,
En vous murmurant des propos d'amour.

(A ce moment paraissent les Cigarières, la cigarette aux lèvre. Elles passent sous le pont et descendent lentement en scène.)

Les Soldats.
Voyez-les. Regards impudents,
Mine coquette,
Fumant toutes du bout des dents
La cigarette.

Les Cigarières.
Dans l'air, nous suivons des yeux
La fumée
Qui vers les cieux
Monte, monte parfumée.
Dans l'air nous suivons des yeux
La fumée,
La fumée,
La fumée,
La fumée,
Cela monte doucement

To bliss from pain.
Turn we our eyes from the skies, —
All is smoke.
Words of love, how oft they prove
Nought but smoke.
Warmest sighs, fondest ties,
All end in — smoke.

SCENE V.

CARMEN, and the preceding.

Soldiers.

But Carmencita is not here amongst you.

Girls and Young Men.

Here she is.
Here is Carmencita.

CARMEN appears, in the attitude and dress described in Mérimée's novel. She has an acacia flower at her mouth and a bouquet in her bodice. All the Young Men surround and speak to her. She coquets with all. JOSÉ raises his eyes and looks at CARMEN, and quietly goes on with his work.

Young Men.

Carmen, all here wait for you alone.
Carmen, now be kind; turn this way awhile,
When will you love? — we fain would know.

Car.

When shall I be in love? Truly I don't know.
Perhaps never — and, perhaps to-morrow;
But for to-day — No; vain is the thought.

(After looking at all of them.)

Ah! love, thou art a wilful wild bird,
And none may hope thy wings to tame,

A la tête,
Cela vous met gentiment
L'âme en fête,
Dans l'air nous suivons des yeux
La fumée,
Etc.
Le doux parler des amants
C'est fumée;
Leurs transports et leurs serments
C'est fumée.
Dans l'air nous suivons des yeux
La fumée,
Etc.

SCÈNE V.

Les Mêmes, CARMEN.

Les Soldats.

Nous ne voyons pas la Carmencita.

Les Cigarières et *Les Jeunes Gens.*

La voilà,
La voilà,
Voilà la Carmencita.

Entre CARMEN. Absolument le costume et l'entrée indiqués par Mérimée. Elle a un bouquet de cassie à son corsage et un fleur de cassie dans le coin de la bouche. Trois ou quatre Jeunes Gens entrent avec CARMEN. Ils la suivent, l'entourent, lui parlent. Elle minaude et coquette avec eux. DON JOSÉ lève la tête. Il regarde CARMEN, puis se remet tranquillement à travallier à son épinglette.

Les Jeunes Gens.

(entré avec Carmen).

Carmen, sur tes pas, nous nous pressons tous;
Carmen, sois gentille, au moins réponds nous
Et dis-nous quel jour tu nous aimeras.

Carmen.

(les regardant).

Quand je vous aimerai, ma foi, je ne sais pas.
Peut-être jamais, peut-être demain;
Mais pas aujourd'hui, c'est certain.
L'amour est une oiseau rebelle
Que nul ne peut apprivoisier,
Et c'est bien en vain qu'on l'appelle,
S'il lui convient de refuser
Rien n'y fait; menace ou prière
L'un parle bien, l'autre se tait;
Et c'est autre que je préfère,

If it please thee to be a rebel,
Say, who can try and thee reclaim?
Threats and prayers alike unheeding;
Oft ardent homage thou'lt refuse,
Whilst he who doth coldly slight thee
Thou for thy master oft thou'lt choose.
Ah, love!
For love he is the lord of all,
And ne'er law's icy fetters will he wear,
If thou me lovest not, I love thee,
And if I love thee, now beware!
If thou me lovest not, beware!
The bird, so fast held in thy hand,
And which thou deemedst so secure,
Mounts, in a moment, to the skies;
Nor, till he choose, can you him lure.
He comes, he goes;
At all laughs he.
Would you seize him? he gets free!
Care not for him — then he'll prove
Thy slave instead of master — Love!

Young Men.
Carmen, we wait here only for thee.
Carmen, be kind; we are to thee devoted.

(Moment of silence. The Young Men surround CARMEN; she looks at them one by one, then leaves the circle and goes straight to JOSÉ who is at work, and flings her bouquet of flowers at him; he starts up abruptly. General burst of laughter. The bell of the factory rings a second time. The Cigar Girls and Young Men go, during the burthen of CARMEN's song. She runs off to the factory. DON JOSÉ remains on the scene alone.

Il n'a rien dit mais il me plaît.
L'amour est enfant de Bohême,
Il n'a jamais connu de loi;
Si tu ne m'aimes pas, je t'aime;
Si je t'aime, prends garde à toi.
L'oiseau que tu croyais surprendre
Battit de l'aile et s'envola—
L'amour est loin, tu peux l'attendre
Tu ne l'attends plus — il est là.
Tout autour de toi, vite, vite,
Il vient, s'en va, puis il revient—
Tu crois le tenir, il t'évite,
Tu veux l'éviter, il te tient.
L'amour est enfant de Bohême,
Il n'a jamais connu de loi;
Si tu ne m'aimes pas, je t'aime;
Si je t'aime, prends garde à toi.

Jeunes Gens.
Carmen, sur tes pas, nous nous pressons tous;
Carmen, sois gentille, au moins réponds-nous.

(Moment de silence. Les Jeunes Gens entourent CARMEN; celli-ci les regards l'un après l'autre, sort du cercle qu'ils forment autour d'elle et s'en va droit à DON JOSÉ qui est toujours occupé de son épinglette.)

Car. Eh! compère, qu'est-ce que tu fais là?
José. Je fais une chaîne avec du fil de laiton, une chaîne pour attacher mon épinglette.
Car.
(riant)
Ton éplingette, vraiment! Ton éplingette — épinglier de mon âme.

(Elle arrache de son corsage la fleur de cassie et la lance à DON JOSÉ. Il se lève brusquement. La fleur de cassie est tombée à ses pieds. Eclat de rire général; la cloche de la manufacture sonne une deuxième fois. Sortie des ouvrières et des Jeunes Gens sur la reprise de:

L'amour est enfant de Bohême, etc., etc.

(Carmen sort la première en courant et elle entre dans la manufacture Jeunes Gens sortent à droite et à gauche. Le Lieutenant qui, pendant scène bavardait avec deux un trois ouvrières, les quitte et rentre de pose après que les soldats y sont rentrés. DON JOSÉ reste seul.)

SCENE VI.

José. What glances! what a saucy air!
To my heart direct the flowers came,
As if a plummet struck me.

(After taking up the flowers, smells them.)

Subtle is the odor, and the flowers charming.
And the fair one, if witches yet there be,
One of them surely in her I behold.

SCENE VII.

Enter MICHAELA.

Mic. José!
José. Michaela!
Mic. Here am I.
José. What a pleasure!
Mic. Your mother sent me hither.

José. Ah! tell me of her — my mother far away.
Mic. Faithful messenger from her to thee, I bring a letter,
José. A letter.

Mic. And some money also;
Because a dragoon has not too much.
And, besides that —

José. Something else?
Mic. Indeed, I know not how —
It is something more,
And beyond gold
By a good son more prized would be.

José. Tell me what this may be:
Come, reveal it to me.
Mic. Yes, I will tell you.
What she has given, I will to thee render.
Your mother with me from the chapel came,
And then, lovingly, she kissed me.

SCÈNE VI.

José. Quels regards! qu'elle effronterie!
Cette fleur la m'a fait,
L'effet d'une balle qui m'arrivait!
Le parfum en est fort et la fleur est jolie!
Et la femme . . .
S'il est vraiment des sorcièrers,
C'en est une certainement.

SCÈNE VII.

DON JOSÉ, MICAELA.

Mic. José!
José. Micaela!
Mic. Me voici!
José. Quelle est jolie!
Mic. C'est votre mère qui m'envoie!

DUO.

José. Eh bien, parle — ma mère.

Mic. J'apporte de sa part, fidèle messagère,
Cette lettre.

José (regardant la lettre).
Une lettre.
Mic. Et puis un peu d'argent.

(Elle lui remet une petite bourse.)

Pour ajouter à votre traitement,
Et puis —
José. Et puis?
Mic. Et puis? vraiment je n'ose,
Et puis — encore une autre chose
Qui vaut mieux que l'argent et qui, pour un bon fils,
Aura sans doute plus de prix.
José. Cette autre chose, quelle est-elle?
Parle donc.
Mic. Oui, je parlerai;
Ce que l'on m'a donné, je vous la donnerai.
Votre mère avec moi sortrait de la chapelle.

"My daughter," said she, "to the city thou dost go;
Not long the journey.
When arrived in Seville
Thou wilt seek out José, my beloved son;
Tell him — Thou knowest that thy mother,
By night, by day, thinks of her José:
For him she always prays and hopes,
And pardons him, and loves him ever.
Tell all this, dearest,
In my name, to José.
And then this kiss, kind one,
Thou wilt to him give for me."

José. A kiss from my mother?

Mic. To her son.
José, I give it to thee — as I promised.

(MICHAELA stands on tiptoe and kisses José — a true mother's kiss. José, moved, permits her, with his eyes on her face. Moment of silence.)

José.

(regarding MICHAELA).

My home in yonder valley,
My mother lov'd shall I e'er see?
Ah, fondly in my heart I cherish
Mem'ries so dear yet to me.

Mic. Thy home in yonder valley,
Thy mother lov'd thou yet will see,
And mem'ries dear to thee.
Thou yet wilt bless the name,
Thou yet wilt fond hope cherish!
'Twill strength and courage give thee,
That one sweet hope,
That yet again thou wilt thy home
And thy dear mother once more see.

(José looks towards the factory.)

José. If perchance I may become the prey of evil power!
In thy abode afar thou'lt save me, mother.
And in thy kiss I yet may see
A guardian angel ever my steps guiding.

Et c'est alors qu'en m'embrassant,
Tu vas, m'a-t-elle dit, t-en aller â la ville;
La route n'est pas longue, une fois à Séville,
Tu chercheras mon fils, mon José, mon enfant.
Et tu lui diras que sa mère
Songe nuit et jour à l'absent.
Qu'elle regrette et qu'elle espère,
Qu'elle pardonne et qu'elle attend;
Tout cela, n'est-ce pas? mignonne,
De ma part tu le lui diras,
Et ce baiser que je te donne
De ma part tu le lui rendras.

José

(très-ému).

Un baiser de ma mère?

Mic. Un baiser pour son fils.
José, je vous le rends, comme je l'ai promis.

(MICAELA se hausse un peu sur la pointe des pieds et donne à DON JOSÉ un baiser bien franc, bien maternel. DON JOSÉ très-ému la laisse faire. Il la regarde bien dans les yeux. Un moment de silence.)

José

(continuant de regarder MICAELA).

Ma mère, je la vois, je revois mon village.
Souvenirs d'autrefois! souvenirs du pays!
Vous remplissez mon cœur de force et de courage
O souvenirs chéris,
Souvenirs d'autrefois! souvenirs du pays!

ENSEMBLE.

José. } Ma mère je la vois, etc.
Mic. } Sa mère, il la revoit, etc.

José

(les yeux fixés sur la manufacture).

Qui sait de quel démon j'allais être la proie!
Même de loin, ma mère me défend,
Et ce baiser qu'elle m'envoie
Ecarte le péril et sauve son enfant.

Mic. What pow'r? what speakest thou? I understand not.
Explain to me thy thoughts.

José. No, no.
Let us speak about thyself, my messenger;
Say, thou must return to the valley?

Mic. Yes, this evening; and to-morrow I shall be there.

José. Well, thou wilt tell her that José
Loves her always, blesses her;—
That he has altered; for he wishes
His mother, far away, may of her son be glad.
Thou wilt tell her this, dear one,
In my name, for José;
And then this kiss, oh, kindest one,
To her give thou from me.

(Kisses her.)

Mic. Yes, I promise thee—in her son José's name—
To her I'll give it.

José. } My mother, etc.
Mic. } His mother, etc.

José. Rest thou here, my dear one,
Whilst I read this.

(Kisses the letter.)

Mic. No, no; thou canst read it alone;
I will return later.

José. Why wilt thou go?

Mic. For prudence' sake,
Because it looks not well to stay.
I go, but I shall come back here.

José. Thou wilt return?

Mic. Return I will.

SCENE VIII.

JOSÉ, then the Cigar Girls and an Officer.

José. Fear not, oh, mother; thy José
Will obey thee: do as thou desirest.
I love Michaela; she shall be my wife.
And thy flowers, hateful witch——

(At the instant he is about to take the flowers from his vest, a great noise is heard in the factory. The Officer comes on the stage, followed by the Soldiers.)

Mic. Quel démon! quel péril? je ne comprends pas bien.
Que veut dire cela?

José. Rien! Rien!
Parlons de toi, la messagère
Tu vas retourner au pays.

Mic. Ce soir même, et demain je verrai votre mère.

José. Eh bien, tu lui diras que José, que son fils,
Que son fils l'aime et la vénère,
Et qu'il se conduit aujourd'hui
En bon sujet, pour que sa mère
Là-bas soit contente de lui
Tout cela, n'est-ce pas? mignonne,
De ma part tu le lui diras;
Et ce baiser que je te donne,
De ma part tu le lui rendras.

(Il l'embrasse.)

Mic. Oui, je vous le promets, de la part de son fils.
José, j'elle rendrai comme je l'ai promis.

REPRISE DE L'ENSEMBLE.

José. } Ma mère, je la vois, etc.
Mic. } Sa mère, il la revoit, etc.

José. Reste là maintenant,
Pendant que je lirai.

Mic. Non pas, lisez d'abord,
Et puis je reviendrai.

José. Pourquoi t'en aller?

Mic. C'est plus sage,
Cela me convient d'avantage.
Lisez! puis je reviendrai.

José. Tu reviendras?

Mic. Je reviendrai!

SCÈNE VIII.

JOSÉ, puis les Ouvrières, le Lieutenant, Soldats.

José. Ne crains rien, ma mère, ton fils t'obéira,
Fera ce que tu lui dis; j'aime Micaela,
Je la prendrai pour femme,
Quant à tes fleurs, sorcière infâme!

(Au moment où il va arracher les fleurs de sa veste, grande rumeur dans l'intérieur de la manufacture.—Entre le Lieutenant suivi des Soldats.)

Officer.
What means this uproar?

(The Cigar Girls run out quickly and in confusion.)

Cigar Girls.
Run, soldiers, by this way!
Run! Will no one come?

1st Group of Girls.
'Twas Carmencita.

2d Group.
No, it was not.

1st Group.
It was.

2d Group. No, it is not true.

1st Group.
But yes —

2d Group.
But no —

1st Group.
'Twas she began the quarrel.

All the Girls.
No, no; 'tis a falsehood.
Listen, gentlemen — yes, stay and listen.

1st Group
(drawing the Officer towards them).
La Manuelita said,
And to every one kept telling,
That she wished to buy —
What think you? — a fine donkey!

2d Group.
(pulling him towards them).
And then La Carmencita,
Who at making games too bold,
Said, "A donkey, at what cost? —
You'd better buy a wolf!"

1st Group.
Manuelita, wild with anger,
Made an answer rude enough:
"For your promenades
No doubt a mule would suit!"

2d Group.
"And then able will you be
To hold your head still higher,
With two servants in the mode,
With whips, to clear the way."

Le Lieut.
Eh bien! eh bien! qu'est-ce qui arrive?..

(Les ouvrières sortent rapidement et en désordre.)

Cho. Au secours! n'entendez-vous pas?
Au secours, messieurs les soldats!

Premier Groupe de Femmes.
C'est la Carmencita.

Deuxième Groupe de Femmes.
Non pas, ce n'est pas elle.

Premier Groupe.
C'est elle.

Deuxième Groupe.
Pas du tout.

Premier Groupe.
Si fait! dans la querelle
Elle a porté les premiers coups.

Toutes les Femmes
(entourant le Lieutenant).
Ne les écoutez pas, monsieur, écoutez-nous
Ecoutez-nous,
Ecoutez-nous.

Premier Groupe
(elles tirent l'officer de leur côté).
La Manuelita disait
Et répétait à voix haute
Qu'elle achèterait sans faute
Un âne qui lui plaisait.

Deuxième Groupe
(même jeu).
Alors la Carmencita,
Railleuse à son ordinaire,
Dit: un âne, pourquoi faire?
Un balai te suffira.

Premier Groupe.
Manuelita riposta
Et dit à sa camarade:
Pour certaine promenade
Mon âne te servira.

Deuxième Groupe.
Et ce jour-là tu pourras
A bon droit faire la fière;
Deux laquais suivront derrière,
T'émouchant à tour de bras.

All And then without delay,
They both began to fight.

Officer.
Deuce take them both!

(To José.)

José, take two dragoons with you,
And look after these simpletons.

(Don José takes two Soldiers with him, and they enter the factory; during this time the Girls argue amongst themselves.)

1st Group.
'Tis La Carmencita.

2d Group.
No, no; 'twas she, signor.

Officer.
Oh! oh! Be off! Get away — all of you!

(The Girls are pushed back.)

SCENE IX.

(Carmen appears at the factory door, led by Don José, and followed by the two Dragoons.)

José. Captain, there has been a fray.
From words they came to blows.
A girl is wounded.

Officer.
And by whom?

(to Carmen).

Officer.
Dost thou hear?
Thou canst not deny it.

Car.
(singing mockingly).

Tra la la, tra la la.
You may cut, you may burn,
No answer I'll make;
Steel and fire I defy!
Nor angel nor demon can compel me!

Toutes les Femmes.
Là-dessus toutes les deux
Se sont prises aux cheveux.

Le Lieut.
Au diable tout ce bavardage.

(A Don José.)

Prenez, José, deux hommes avec vous
Et voyez là-dedans qui cause ce tapage.

(Don José prend deux hommes avec lui. Les Soldats entrent dans la manufacture. Pendant ce temps les femmes se pressent, se disputent entre elles.)

Premier Groupe.
C'est la Carmencita.

Deuxième Groupe.
Non, non, écoutez-nous, etc., etc.

Le Lieut.
(assourdi).

Holà! holà!
Eloignez-moi toutes ces femmes-là.

Toutes les Femmes.
Ecoutez-nous! écoutez-nous!

(Les Soldats repoussent les femmes et les écartent.)

SCÈNE IX.

Les Mêmes, Carmen.

(Carmen parait sur la porte de la manufacture amenée par Don José et suivie par deux dragons.)

José. Mon officier, c'était une querelle;
Des injures d'abord, puis à la fin des coups.
Une femme blessée.

Le Lieut.
Et par qui?

José. Mais par elle.

Le Lieut.
Vous entendez, que nous répondrez vous?

Car. Tra la la la la la la la,
Coupe moi, brûle moi,
Je ne te dirai rien;
Tra la la la la la la la,
Je brave tout, le feu, le fer, et le ciel même!

Officer.
We're tired of your singing.
Will you answer or not? Reply!— come!

Car. The secret I'll keep, and nothing I'll tell.
If he I adore before me now stood,
I'd naught say.

Officer.
If you will not tell the truth
You will sing — in prison.

Girls
(running up).
In prison? — in prison?

Officer.
By Bacchus! She is not accustomed
To restrain her wilfulness.

(Speaks aside to a Soldier, who goes in search of a rope. CARMEN still keeps singing in a most impertinent fashion.)

Officer.
Pity indeed she's so headstrong:
Very pretty to me she seems.
Charming face, — hot brained!
Come — tie her hands.

(The Soldiers fasten her hands behind her back. All go excepting JOSÉ and CARMEN.)

SCENE X.

(CARMEN and DON JOSÉ. Silence. CARMEN raises her eyes and watches JOSÉ. He goes to the back, then returns. CARMEN looks at him.)

Car. And where am I to go?
José. To prison; and I am forced to take you.
Car. Really? Thou wilt obey the orders?
José. Yes; it is my duty.
Car. Well; I tell you that in spite of duty
You will do what I say,
Because I know that you love me.

José. I? — love you?
Car. Yes, my José.
The flowers I gave you awhile since —
Know — those flowers were enchanted.

Le Lieut.
Fais-nous grâce de tes chansons,
Et puis que l'on t'a dit de répondre, réponds!

Car. Tra la la la la la la la,
Mon secret, je le garde et je le garde bien!
Tra la la la la la la la,
J'en aime un autre et meurs en disant que je l'aime!

Le Lieut.
Puisque tu le prends sur ce ton,
Tu chanteras ton air aux murs de la prison.

Chorister.
En prison! en prison!
(CARMEN avent se précipiter sur les femmes.)

Le Lieut.
Décidément vous avez la main leste!

Car. Tra la la la la la la la!

Le Lieut.
C'est dommage
C'est grand dommage,
Car elle est gentille vraiment!
Mais il faut bien la rendre sage,
Attachez ces deux jolis bras.

SCÈNE X.

CARMEN et DON JOSÉ.

(Un petit moment de silence. CARMEN lève les yeux et regarde DON JOSÉ. Celui-ci se détourne, s'éloigne de quelques pas, puis revient à CARMEN qui le regarde toujours.)

Car. Où me conduirez-vous?
José. A la prison; et je n'y puis rien faire.
Car. Vraiment? tu n'y peux rien faire?
José. Non, rien! j'obéis à mes chefs.
Car. Eh; bien moi, je sais bien qu'en dépit de tes chefs eux mêmes
Tu feras tout ce que je veux,
Et cela parce que tu m'aimes!
José. Moi, t'aimer?
Car. Oui, José.
La fleur dont je t'ai fait présent,
Tu sais, la fleur de la sorcière.

Throw them away — 'tis no avail:
They have already done their work.

José. Speak no more! Dost thou hear me?
You must obey. Be silent!

(CARMEN looks at JOSÉ, who draws back.)

Car. Near by the ramparts of Seville
There I shall find Lillas Pastia,
We'll dance in the gay seguidille,
And the wine-cup we'll share.
There shall I go to find Lillas Pastia.
Yes, but 'tis folly to go alone;
Where there's not two no love can be,
So, to keep me from being dull,
A handsome lad will come to me.
A handsome lad — deuce take it all! —
Three days ago I sent him off.
But this new love, he loves me well;
And him to choose my mind is bent;
More lovers have I than I can count;
None of them can me in bonds retain.
Free am I yet; I know not love.
Who loves me well I'll love again;
Who wants my heart, my heart must buy.
Why linger still? the hour is nigh,
There's no time now for delay.
With the new love I'm off, — good-bye!
There, near the ramparts of Seville,
Lillas Pastia I shall find.
There shall I dance the seguidille,
And a goblet of wine I'll fill.

José. Wilt thou not be silent?
Must I tell thee yet again?

Car. Do you think I am talking to you?
No, I'm singing to myself.
Perhaps you think you can prevent me thinking?
I am thinking of such a — handsome officer!
And who, if I liked, I could make very happy.

José. Carmen!

Car. This officer is not captain yet—
Less than lieutenant — only brigadier;
Over me has he a spell cast,
And he to please me has found the way.

Tu peux la jeter maintenant,
Le charme opère!

José. Ne me parle plus! Tu m'entends?
Ne parle plus. Je le défends!

FINALE.

Car. Sur les remparts de Séville,
Chez mon ami Lillas Pastia,
J'irai danser la seguedille
Et boire du Manzanilla!...
Oui, mais toute seule on s'ennuie,
Et les vrais plaisirs sont à deux...
Donc pour me tenir compagnie,
J'emmènerai mon amoureux
Mon amoureux!... il est au diable...
Je l'ai mis à la porte hier...
Mon pauvre cœur très-consolable,
Mon cœur est libre comme l'air...
J'ai des galants à la douzaine,
Mais ils ne sont pas à mon gré;
Voici la fin de la semaine,
Qui veut m'aimer je l'aimerai,
Qui veut mon âme.. elle est à prendre...
Vous arrivez au bonne moment,
Je n'ai guère le temps d'attendre,
Car avec mon nouvel amant...
Près de la Poste de Séville,
Chez mon ami Lillas Pastia,
J'irai danser la seguedille
Et boire du Manzanilla.

José. Tais-toi, je t'avais dit ne pas me parler!

Car. Et je pense... il n'est pas défendu de penser,
Je pense à certain officier,
A certain officier qui m'aime,
Et que l'un de ces jours je pourrais bien aimer....

José. Carmen!...

Car. Mon officier n'est pas un capitaine,
Pas même un lieutenant, il n'est que brigadier.
Mais c'est assez pour une bohémienne,
Et je daigne m'en contenter!

José

(untying CARMEN's hands).

Carmen, I am bewitched;
But if I yield ever, and thou lovest me,
Thy promise, ah! do not forget!
Carmen, if I love thee, wilt thou love me too?

Car.

(scarcely singing, but murmuring).

Near the ramparts of Seville
I shall Lillas Pastia find.
There shall I dance the seguidille,
And a goblet of wine I'll fill.

(CARMEN goes and reseats herself on the stool, with her hands behind her back. The Officer enters.)

SCENE XI.

Officer.

Here is the order. Go, then!
Haste! The hour is late.

Car.

(aside to JOSÉ).

In going there I will push thee
As hard as I am able:
Fall thou on the ground — leave the rest to me.

(Places herself between the two Dragoons; JOSÉ is at her side. The Girls and Young Men come on the scene, kept back by the Soldiers. CARMEN crosses from left to right, going toward the bridge.)

Car. Love is still the lord of all;
For him no laws can fetters bear.
If thou me lovest not, I love thee;
And, if I love thee, now beware!

José

(déliant la corde qui attache les mains de CARMEN).

Carmen, je suis comme un homme ivre,
Si je cède, se je me livre,
Ta promesse, tu la tiendras...
Si je t'aime, tu m'aimeras...

Car.

(à peine chanté, murmuré).

Près de la porte de Séville,
Chez mon ami Lillas Pastia,
Nous danserons la seguedille
Et boirons du Manzanilla.

José

(paré).

Le lieutenant!... Prenez garde.

(CARMEN va se replacer sur son escabeau, les mains derrière le dos. — Rentre Le Lieutenant.)

SCÈNE XI.

Les Mêmes, Le Lieutenant, puis les Ouvrier, les Soldats, les Bourgeois.

Le Lieut.

Voici l'ordre, partez et faites bonne garde.

Car.

(bas à JOSÉ).

Sur le pont je te pousserai
Aussi fort que je le pourrai...
Laisse-toi renverser... le reste me regarde!

(Elle se place entre les deux dragons. JOSÉ à côté d'elle. Les femmes et les bourgeois pendant ce temps sont rentrés en scène toujours maintenus à distance par les dragons. ... CARMEN traverse la scène de gauche à droite allant vers le pont....)

L'amour est enfant de Bohême.
Il n'a jamais connu de loi;
Si tu ne m'aimes pas, je t'aime;
Si je t'aime, prends garde à toi.

(Arriving at the foot of the bridge on the right, CARMEN pushes JOSÉ, who falls to the ground. Confusion. CARMEN escapes. She stops a moment in the centre of the bridge, throws the cord over the parapet, and disappears; while on the stage the Cigar Girls, with great bursts of laughter, surround the Officer.)

(En arrivant à l'entrée du pont à droite, CARMEN pousse JOSÉ qui se laisse renverser. Confusion, désordre, CARMEN s'enfuit. Arrivée au milieu du pont, elle s'arrète un instant, jette sa corde à la volée par-dessus le parapet du pont, et se sauve pendant que le scène, avec de grands éclats de rire, les cigarières entourent LE LIEUTENANT.)

ACT II.

SCENE I

(CARMEN, FRASQUITA. MERCEDES, the Officer, MORALES, other Officers, Gipsies, etc.

The Tavern of Lillas Pastia. Benches right and left. Towards the end of a dinner. The table is in confusion.

FRASQUITA, MERCEDES, the Officer, MORALES, are with CARMEN. The Officers are smoking. Two Gipsies in a corner play the Guitar, and two others dance. CARMEN looks at them. The Officer speaks to her, she does not listen to him, but suddenly rises and sings.)

ACTE DEUXIÈME.

SCÈNE PREMIÈRE.

(CARMEN, LE LIEUTENANT, MORALES, Officiers et Bohémiennes.)

La taverne de LILLAS PASTIA. Tables à droite et à gauche. CARMEN, MERCEDES, FRASQUITA, le lieutenant ZUNIGA, MORALES et un lieutenant. C'est la fin d'un diner. La table est en désordre. Les Officiers et les Bohémiennes fument des cigarettes. Deux Bohémiens râclent de la guitare dans un coin de la taverne et deux Bohémiennes, au milieu de la scène, dansent. CARMEN est assise, regardent danser les Bohémiennes, le Lieutenant lui parle bas, mais elle ne fait aucune attention à lui. Elle se lève tout à coup et se met à chanter.)

I.

Car. Ah! when of gay guitars the sound
On the air in cadence ringing,
Quickly forth the gipsies springing,
To dance a merry, mazy round.
While tambourines the clang prolong,
In rhythm with the music beating,
And ev'ry voice is heard repeating
The merry burthen of our glad song,
Tra la la la.

Fras. and Mer.
Tra la la la.

(During the burthen of the song, the Gipsies dance, MERCEDES and FRASQUITA sing "Tra la la" with CARMEN.)

I.

Car. Les tringles des sistres tintaient
Avec un éclat métallique,
Et sur cette étrange musique
Les Zingarellas se levaient,
Tambours de basque allaient leur train,
Et les guitares forcenées,
Grinçaient sous des mains obstinées,
Même chanson, même refrain,
La la la la la.

(Sur le refrain les Bohémiennes dansent. MERCEDES et FRASQUITA reprennent avec CARMEN le: La la la la la la.)

II.

Cheeks now flush and jewels shine,
Scarves are floating to the wind;
Round and round in merry maze
The sun-kissed gipsies dance entwined.
So the dance and song unite,
From measure slow to fastest strain;
Voices sounding, steps rebounding —
On they whirl again, again.

II.

Les anneaux de cuivre et d'argent
Reluisaient sur les peaux bistrées;
D'orange ou de rouge zébrées
Les étoffes flottaient au vent;
La danse au chante se mariait
D'abord indécise et timide,
Plus vive ensuite et plus rapide
Cela montait, montait, montait!...
La la la la la.

Mer. et Fra.
La la la la la.

III.

Louder now vibrate the chords
As the strings the gipsies sweep,
Yet a wilder dance is on —
Faster, faster, now they leap.
And here, whilst floats around the song —
Ardent and wild — the wine-cup's passed;
The Zingarelle, love-beguiled,
Alas! find reason lost at last.

(Moment of rapid and violent dance. CARMEN also commences to dance, and as the last notes sound, unable to continue, falls on a seat near at hand.)

Fras. Pastia wishes —

Officer.
What does Master Pastia want of us now?

Fras. He tells me the chief Corregidor
Desires him to shut up the inn.

Officer.
Well, we will depart.
Shall we go together?

Fras. No, no; we shall stay.

Officer.
And thou, Carmen, art thou not coming?
Listen; thou art discontented.
Tell the truth.

Car. No, no; why indeed?

Officer.
About the soldier I put in prison,
Through thee, the other day — in prison,
From which he has only to-day been released.

Car. *Fras.* *Mer.* Ah! 'twas better thus.
Good-bye, dearest signors!

(The scene is interrupted by a song in the distance.)

Cho. Honor! honor
To the Toreador!
Honor to Escamillo!

(The officer goes to the window.)

Officer.
By the torchlight and appearance
He looks like the victor of the circus in Granada.

III.

Les Bohémiens à tour de bras,
De leurs instruments faisaient rage,
Et cet éblouissant tapage,
Ensorcelait les Zingaras!
Sous le rhythme de la chanson,
Ardentes, folles, enfiévrées,
Elles se laissaient, enivrées,
Emporter par le tourbillon!
La la la la la la.

Les Trois Vois.
La la la la la la.

(Mouvement de danse très-rapide, très-violent. CARMEN elle même danse et vient, avec les dernières notes de l'orchestre, tomber haletante sur un banc de la taverne. Après la danse, LILLAS PASTIA se met à tourner autour des officiers d'un air embarrassé.)

Fras. Messieurs, Pastia me dit —

Le Lieut.
Que nous veut-il encor, maître Pastia?

Fras. Il dit que le Corrégidor veut que l'on ferme l'auberge.

Le Lieut.
Eh! bien! nous partirons.
Vous viendrez avec nous?

Fras. Non pas! nous, nous restons.

Le Lieut.
Et toi, Carmen, tu ne viens pas?
Ecoute! Deux mots dits tout bas:
Tu m'cu veux.

Car. Vous en vouloir! pourquoi?

Le Lieut.
Ce soldat, l'autre jour, emprisonné pour toi,
Maintenant il est libre!

Car. *Fras.* *Mer.* Bon-soir messieurs nos amoureux!

(La scène est interrompue par un chœur chanté dans la coulisse.)

Cho. Vivat! vivat le Torero!
Vivat! vivat Escamillo!

Le Lieut.
Une promenade aux flambeaux!
C'est le vainqueur des courses de Grenade.

We shall be pleased to drink your health, comrade,
To triumphs past and future.

Cho. (again).
Honor! honor
To the Toreador!
Honor to Escamillo!

SCENE II.

Enter ESCAMILLO.

I.

Esc. With you to drink will be a pleasure.
With soldiers
Should Toreadors go side by side;
For both delight in combats.
Crowded the Circus on a festival day,
Crowded the Circus from floor to roof,
Wild with excitement the populace are.
Each one among them of you is speaking —
Clamoring all — questions asking;
All are shouting till the combat is over,
Because 'tis a festival rare of its kind.
Come! — on your guard! — attend!
Toreador, e'er watchful be:
Toreador, Toreador,
Do not forget the brightest of eyes!
Now fondly thee await;
And love is the prize,
Yes, love's the prize waits thee, O Toreador.

Cho. Toreador, etc.

(Between the verses CARMEN fills ESCAMILLO's glass.)

II.

Esc. At last each one is hushed to silence.
What has happened? what is this?
Forth the bull comes in his fury,
Leaping through from his retreat;
Already pierced through, a horse has fallen,
Dragging down a picador.
Bravo, bull! the mob are shrieking!
He goes, he comes, he rushes on,

Voulez-vous avec nous boire, mon camarade,
A vos succès anciens, à vos succès nouveaux!

Les Choristes (repetent).
Vivat! vivat! le Torero!
Vivat! vivat! Escamillo!
(Parait ESCAMILLO.)

SCÈNE II.

Les Mêmes ESCAMILLO.

I.

Esc. Votre toast .... je peux vous le rendre,
Senors, car avec les soldats
Les Toreros peuvent s'entendre,
Pour plaisirs ils ont les combats.
Le cirque est plein, c'est jour de fête,
Le cirque est plein du haut en bas.
Les spectateurs perdant la tête
S'interpellent à grand fracas;
Apostrophes, cris et tapage
Poussés jusques à la fureur,
Car c'est la fête du courage,
C'est la fête des gens de cœur!
Toreador, en garde,
Et songe en combattant
Qu'un œil noir te regarde
Et que l'amour t'attend.

Tout le Monde.
Toreador, en garde, etc., etc.

(Entre les deux couplets, CARMEN remplit le verre d'ESCAMILLO.)

II.

Esc. Tout d'un coup l'on a fait silence;
Plus de cris! que se passe-t-il?
C'est l'instant, le taureau s'élance
En bondissant hors du Toril....
Il entre, il frappe, un cheval roule
Entrainant un picador.
Bravo toro! .... hurle la foule,
Le taureau va, vient, frappe encor....
En secouant ses banderilles....

And tries to tear the bandrol down,
And now with blood the ring is full;
Terror throbs in every breast;
Now honor's thine, O Toreador.
Toreador, e'er watchful be, etc.

(All drink, and clasp hands with the Toreador. The Officers get ready to go. ESCAMILLO draws near CARMEN.)

Esc.

(to CARMEN).

Maiden, say what art thou called?
In peril I would invoke thy name.

Car. Carmen, or Carmencita, each one calls me.

Esc. And if one — if one might say he loved you?

Car. I should say that he must not.

Esc. Too amiable Carmen does not appear;
But I am content to hope — to wait.

Car. To wait you are permitted, and 'tis sweet to hope.

Officer

(to CARMEN).

Since you will not come, Carmen, I shall return.

Car. 'Twill be in vain if you do.

Officer. That may be, but I'll try.

All. Toreador, e'er watchful be, etc.

(All but the three Zingarelle leave the scene.)

SCENE III.

LILLAS PASTIA closes the shutters and goes out.
Enter DANCAIRO and IL REMENDADO.

Fras. Well, what news?

Il. D. Worse there can't be.
Perhaps we may yet strike out some plan:
But it is necessary for you to be with us.

The Three Girls.
We stay with you?

Il court, le cirque est plein de sang:
On se sauve . . . . on franchit les grilles;
Allons . . . . c'est ton tour maintenant.
Toreador, en garde,
Et songe en combattant
Qu'un œuil noir te regarde
Et que l'amour t'attend.

Tout le Monde.
Toreador, en garde, etc.

(On boit, on échange des poignées de main avec le Torero.
Les officiers commencent à se préparer à partir. ESCAMILLO se trouve près de CARMEN.)

Esc. La belle, un mot; comment t'appelle-t-on?
Dans mon premier danger je veux dire ton nom.

Car. Carmen, Carmencita, cela revient au même.

Esc. Si l'on te disait que l'on t'aime?

Car. Je répondrais qu'il ne faut pas m'aimer.

Esc. Cette réponse n'est pas tendre;
Je me contenterai d'espérer et d'attendre.

Car. Il est permis d'attendre, il est doux d'es pérer.

Le Lieut.
Puisque tu ne viens pas Carmen, je reviendrai.

Car. Et vous aurez grand tort.

Le Lieut.
Bah! je me risquerai!

Chorister, etc.
Toreador.

SCÈNE III.

LILLAS PASTIA fe me les postes et sort.
Entrant DANCAIRO et IL REMENDADO.

Fras. Eh! Bien! vite, quelles nouvelles?
Pas trop mauvaises les nouvelles.
Et nous pouvons encor faire quelques beaux coups!
Mais nous avons besoin de vous.

Les Trois Femmes.
Besoin de nous!

Il. D. Yes, we want your help;
We have a fine business in view.

Mer. Profitable? or, at least, said to be?
Il. R. Certain; it seems excellent:
But you must remain.

The Three Girls.
Really?
The Two Men.
Really; we the truth you tell,
With humbleness and deep respect.
When there's a question of cheating,
By deception or thieving,
To succeed as one ought,
The women must be of the party;
Without 'em to do
Is imprudent —
The attempt goes for nothing, or worse.
The Three Girls.
Ah! the attempt goes for nothing,
Or worse.
The Two Men.
You don't dispute that?
The Three Girls.
Yes, yes, indeed;
That is our opinion.
Quintette.
Where there's a question of cheating, etc.

Il D. 'Tis well; you think 'twill suit?

Mer. & Fras. When you set out.
But, at so short a notice —

Car. Ah! no, then.
If to leave it suits you, be it so;
But I shall not go on this journey.
Here shall I stay — I shall not depart.

Il D. Carmen, Carmen, thou must come;
Thou will not let us set off
Without accompanying us.

Car. Here shall I stay — I will not go.

Le Danc.
Oui, nous avons besoin de vous!
Nous avons en tête une affaire,
Merc. Est-elle bonne, dites-nous?
Le Rem.
Elle est admirable, ma chère;
Mais nous avons besoin de vous.
Les Trois Femmes.
De nous?
Les Deux Hommes.
De vous, car nous l'avouons humblement,
Et trés respectueusement,
En matière de tromperie,
De duperie, de volerie,
Il est toujours bon, sur ma foi,
D'avoir les femmes avec soi,
Et sans elles,
Mes toutes belles,
On ne fait jamais rien de bien.
Les Trois Femmes.
Quoi! sans nous jamais rien,
De bien?
Les Deux Hommes.
N'êtes-vous pas de cet avis?
Les Trois Femmes.
Si fait, je suis
De cet avis.
Tous Les Cinq.
En matière de tromperie,
De duperie, de volerie,
Il est toujours bon, sur ma foi,
D'avoir les femmes avec soi,
Et sans elles,
Les toutes belles,
On ne fait jamais rien de bien.
Le Dan.
C'est dit alors, vous partirez.
Mer. et Fras. Quand vous partirez.
Le Rem.
Mais tout de suite,
Car. Ah! permettez;
(A Mercedes et à Frasquita.)
S'il vous plait de partir, partez,
Mais je ne suis pas du voyage,
Je ne pars pas, je ne pars pas!

Il R. But at least tell us the reason why, Carmen.

Car. I will tell you why, sincerely,—
The reason is in my heart—

All the Others.
Well, then—

Car. I am in love!

Fras. Whatever is she saying?
That she is in love?

The Two Men.
In love?

The Two Gipsies.
In love?

Car. In love.

The Two Men.
Come, Carmen, this is a serious thing.

Car. I am in love, seriously, and go not.

The Two Men.
The thing is certain and extraordinary.
But yet to all 'tis known—
And well to thee, loving fair one—
That duty and love should go together.

Car. Dear sirs, I should be happy to set off
And with you go,
But I am not free to follow you;
Duty must give place to love.

Il D. Then thou wilt not come with us?

Car. I have said it.

Il R. Suffer thyself to be persuaded.

Quartette.
Ah, Carmen, come; you must come.
For this affair, with us to stay:
Thou well know'st why.

Le Dan.
Carmen, mon amour, tu viendras,
Et tu n'auras pas le courage
De nous laisser dans l'embarras.

Car. Je ne pars pas, je ne pars pas.

Le Rem.
Mais au moins la raison, Carmen, tu la diras?

Car. Je la dirai certainement;
La raison, c'est qu'en ce moment
Je suis amoureuse.

Les Deux Hommes (stupéfaits).
Qu'a-t-elle dit.

Fras. Elle dit qu'elle est amoureuse.

Les Deux Hommes.
Amoureuse!

Les Deux Femmes.
Amoureuse!

Car. Amoureuse!

Les Deux Hommes.
Voyons, Carmen, sois sérieuse.

Car. Amoureuse à perdre l'esprit.

Les Deux Hommes.
Certes, la chose nous étonne,
Mais ce n'est pas le premier jour
Où vous aurez su, ma mignonne,
Faire marcher de front le devoir et l'amour.

Car. Mes amis, je serais fort aise
De pouvoir vous suivre ce soir
Mais cette fois, ne vous déplaise,
Il faudra que l'amour passe avant le devoir

Le Dan.
Ce n'est pas là ton dernier mot?

Car. Pardonnez-moi.

Le Rem.
Carmen, il faut
Que tu te laisses attendrir

Tous les Quatre.
Il faut venir, Carmen, il faut venir
Pour notre affaire,
C'est nécessaire,
Car entre nous.

Mer. & *Fras.* Thou well know'st why.

Car. 'Tis true, 'tis true; the reason's to me known.

Quintette.

Where there'e a question of cheating, etc.

Il D. Who canst thou be expecting?

Fras. It is easily told — a dragoon.

Car. Who the other day for kindness to me
Was to prison sent.

Il R. 'Tis a delicate business.

Il D. Are you sure he will come!

Car. Stay and listen! He is here already.

(Don José's voice is heard in the distance).

José

(far away).

Halt there!
Who goes there?
Dragoon of Alcalà.
I go to death to bring
To a fellow low,
Who my rival has been.
Ah! already is it so?
Pass on, then, and go.
Affair of love,
Affair of war,
For us all the same,
Dragoon of Alcalá.

(All look through the shutters.)

Fras. What a handsome dragoon!

Mer. Yes, a handsome fellow!

Il D. Faith, he would make a good smuggler.

Il R. Tell him to join us.

Car. No; he will refuse.

Il D. But you can tempt him.

Car. Go away; I will try.

(Il Remendado signs to the others to leave Carmen alone. They all go out.)

Les Deux Femmes.

Car entre nous.

Car. Quant à cela, je l'admets avec vous.

Reprise Generale.

En matière de tromperie, etc., etc.

Le Dan.

Mais qui donc attends tu?

Car. Presque rien, un soldat qui l'autre jour
pour me rendre service
S'est fait mettre en prison.

Le Rem.

Le fait est délicat.

Le Dan.

Il se peut qu'après tout ton soldat réfléchisse,
Es-tu bien sûre qu'il viendra?

Car. Ecoutez! Le voilà!

José

(la voix trés-éloignée).

Halte là!
Qui va lá?
Dragon d'Alcala!
Où t'en vas-tu par là,
Dragon d'Alcala?
Moi je m'en vais faire,
A mon adversaire,
Mordre la poussière.
S'il en est ainsi,
Passez mon ami,
Affaire d'honneur,
Affaire de cœur,
Pour nous tout est là,
Dragons d'Alcala.

Fras. C'est un beau dragon!

Mer. Un très beau dragon!

Le Dan.

Qui serait pour nous un fier compagnon.

Le Rem.

Dis lui de nous suivre.

Car. Il refusera.

Le Dan.

Mais, essaye, au moins.

Car. Soit; on essayera.

(Le Remendado se sauve et sort. Le Dancaire le poursuit et sort á son tour entrainant Mercedes et Frasquita qui essaient de le calmer.)

José

(advancing, but still in the distance).

Halt there!
Who goes there?
Dragoon of Alcalà.
Why goest thou that way,
Dragoon of Alcalà?
Constant, true, I go there
Where love of beauty calls me.
Ah! already is it so?
Pass on, then, and go.
Affair of love,
Affair of war,
Knows not delay,
Dragoon of Alcalà.

(Comes on the scene.)

SCENE IV.

Car. Thou art here at last.
José. Carmen.
Car. And they put thee in prison?
José. For two months I was there.
Car. Poor fellow!
José. No matter
If 'twould serve thee, I would stay there yet.
Car. Thou lovest me still?
José. I adore thee!
Car. The officers were here a short time since,
And they made us dance.
José.

(Angrily.)

Is it true? Thee?
Car. May I die if he is not jealous!
José. Yes, jealous am I.
Car. Softly, softly; hear reason.
I will dance for thy pleasure,
And thou shalt see how Carmen
Accompanies herself in the dance

(Makes José sit in a corner, and dances, accompanying herself with castanets. José's eyes are fixed on her, fascinated. The recall is heard in the distance. José starts up and goes to Carmen.)

José

(la voix beaucoup plus rapprochée).

Halte là!
Qui va là?
Dragon d'Alcala!
Où t'en vas tu par là,
Dragon d'Alcala?
Exact et fidèle,
Je vais où m'appelle
L'amour de ma belle.
S'il en est ainsi,
Passez mon ami.
Affaire d'honneur,
Affaire de cœur,
Pour nous tout est là,
Dragons d'Alcala!

(Entre Don José.)

SCÈNE IV.

Car. Enfin c'est toi.
José. Carmen.
Car. Et tu sors de prison?
José. J'y suis resté deux mois.
Car. Tu t'en plains!
José. Ma foi non.
Et si c'était pour toi, j'y voudrais être encore.
Car. Tu m'aimes donc?
José. Je t'adore!
Car. Vos officiers sont venus tout à l'heure,
Ils nous ont fait danser.
José. Comment? toi?
Car. Que je meure si tu n'es pas jaloux.
José. Eh, oui, je suis jaloux.
Car. Tout doux, Monsieur, tout doux.
Je vais danser en votre honneur,
Et vous verrez, Seigneur,
Comment je sais moi-même accompagner ma danse.

(Elle fait asseoir Don José dans un coin du théâtre, Petite danse, Carmen, du bout des lèvres, fredonne un air qu'elle accompagne avec ses castagnettes, Don José la dévore des yeux. On entend au loin, très au loin, des clairons qui sonnent la retraite. Don José prête l'oreille. Il croit entendre les clairons, mais les castagnettes de Carmen clament très bruyamente. Don José rapproche de Carmen, lui prend le bras, et l'oblige à s'arrêter.)

José. Wait a moment, Carmen, stay!

Car. And why?

José. It seemed to me down yonder —
Yes, 'tis the trumpet sounding the retreat;
Say dost thou not hear?

Car. Really? I am very glad of it.
It was very wearisome
Dancing without music.
It must have been music in the air.

(Begins to dance again. The call draws nearer and passes beneath the window, then dies away in the distance. JOSÉ takes CARMEN's arm and obliges her to cease.)

José. Dost thou not understand, Carmen,
That sound orders me to return to quarters?

Car. Recall to quarters? I am a fool indeed!
I am distracting myself
Till I am exhausted,
To divert you with my dance.
I thought — Heaven pardon me! — he loved me;
And the trumpet sounds his recall!
And already he would depart!
Go — depart — and by yourself!

(Throws his cap, etc., with rage at him.)

There! thy cap, thy sabre, thy pouch!
And go directly to the barracks!

José. Carmen, thou art wrong thus to jest.
'Tis hard to part, for in my heart
Never has my soul
Felt greater ardor, warmer love for thee!

José. Attends un peu, Carmen, rien qu'un moment, arrête.

Car. Et pourquoi, s'il te plâit?

José. Il me semble, là bas. . .
Oui, ce sont nos clairons qui sonnent la retraite.
Ne les entends-tu pas?

Car. Bravo! j'avais beau faire. . . . Il est mélancolique
De danser sans orchestre, et vive la musique
Qui nous tombe du ciel!

(Elle reprend sa chanson qui se rhythme sur la retraite sonnée au dehors par les clairons. CARMEN se remet à danser et DON JOSÉ se remet à regarder CARMEN. La retraite approche . . . approche . . . approche, passe sous les fenêtres de l'auberge. . . puis s'éloigne. . . . Le son des clairons va s'affaiblissant. Nouvel effort de DON JOSÉ pour s'arracher à cette contemplation de CARMEN. . . . Il lui prend le bras et l'oblige encore à s'arrêter.

José. Tu ne m'as pas compris . . . Carmen, c'est la retraite, . . .
Il faut que, moi, je rentre au quartier pour l'appel.

(Le bruit de la retraite cesse tout à coup.)

Car.

(regardant DON JOSÉ qui remet sa giberne et rattache le ceinturon de son sabre).

Au quartier! pour l'appel! j'étais vraiment bien bête!
Je me mettais en quatre et je faisais des frais
Pour amuser monsieur! je chantais . . . je dansais. . . .
Je crois, Dieu me pardonne,
Qu'un peu plus, je l'aimais. . . .
Ta ra ta ra, c'est le clairon qui sonne!
Il part! il est parti!
Va-t'en donc, canari.

(Avec fureur, lui envoyant son shako à la vollée.)

Prends ton shako, ton sabre, ta giberne.
Et va-t'en, mon garçon, retourne à la caserne.

José. C'est mal à toi, Carmen, de te moquer de moi;
Je souffre de partir . . . car jamais, jamais femme,
Jamais femme avant toi
Aussi profondément n'avait troublé mon âme.

Car. Ta, ta, ta, ta! Great heaven! — the recall!
Ta, ta, ta, ta! I must return.
His head is turned: and this is his love.

José. Then such love thou believest not?

Car. No, no.

José. But thou must hear me —

Car. I won't hear anything.
Go: I will not punish thee.

José. Thou must listen to me, Carmen; I desire it.

(With his left hand he holds CARMEN's arm, and with his right opens his uniform and takes out the flowers she gave him in the first Act.)

The flowers once to me you gave,
Within my prison have I cherish'd;
For me still perfume they retain'd,
Though all their beauty long had perish'd.
Night and day, in dungeon gloomy,
Carmen, I swear I thought of thee:
And while their fragrance fill'd my brain,
Thy name invoked, so far from me.
My fatal love for thee I curs'd,
And I regretted in my wrath
The cruel stroke of destiny
That brought thy form across my path.
Ah! horror held me for its own,
And one sad thought filled heart and brain,
Only one hope — my sole desire —
That I might see thee once again.
Now but one tender glance I ask,
One word of kindness from thee crave:
True my heart to thine is ever;
Carmen, am I not thy slave?

Car. Ta ra ta ta, mon Dieu... c'est la retraite,
Je vais être en retard. Il court, il perd la tête,
Et voilà son amour.

José. Ainsi tu ne crois pas
A mon amour?

Car. Mais non!

José. Eh bien! tu m'entendras.

Car. Je ne veux rien entrendre....
Tu vas te faire attendre.

José (violemment).

Tu m'entendras, Carmen, tu m'entendras!

(De la main gauche il a saisi brusquement le bras de CARMEN; de la main droite, il va chercher sous sa veste d'uniforme la fleur de càssie que CARMEN lui a jetée au premier Acte. Il montre cette fleur à CARMEN.)

I.

José. La fleur que tu m'avais jetée,
Dans ma prison m'était restée
Flétrie et sèche, mais gardant
Son parfum terrible, enivrant.
Et pendant des heures entières,
Sur mes yeux fermant mes paupières
Ce parfum, je le respirais
Et dans la nuit je te voyais,
Car tu n'avais eu qu'à paraître,
Qu'à jeter un regard sur moi
Pour t'emparer de tout mon être.
Et j'étais une chose à toi.

II.

Je me prenais à te maudire,
A te détester, à me dire;
Pourquoi faut-il que le destin
L'ait mise là sur mon chemin?
Puis je m'accusais de blasphème
Et je ne sentais en moi même
Qu' un seul désir, un seul espoir,
Te revoir, Carmen, te revoir!...
Car tu n'avais eu qu'à paraître,
Qu'à jeter un regard sur moi
Pour t'emparer de tout mon être
Et j'étais une chose à toi.

Car. No, thou lov'st me not;
No; if thou didst love me,
We should go together
Up into the mountains yonder.

José. Carmen!

Car. Up there to the mountains
On thy horse would we ride,
O'er the vast plains we'd traverse,
Far, far from hence speed.

José. Carmen!

Car. If thou didst love me a little,
Together up yonder would we go;
Officer no more commanding thee,
No captain forced then to obey,
No more the trumpet wouldst thou hear
Forcing lovers fond to part.

José. Carmen!

Car. For roof, the sky — a wandering life;
For country, the whole world;
Thy will thy master;
And above all — most prized of all —
Liberty! freedom!
Up yonder, up yonder, if thou lov'st me,
Up yonder, up yonder, together we'll go.

José. Carmen!

Car. Say, is it not true?
Up yonder, up yonder, thus will we go
Away, if thou lov'st me, together.

José. No, I must not listen to thee,
Go with thee far away,
A deserter! Infamy! Dishonor!
It must not be.

Car. Then go!

José. Cruel one, thou art heartless!

Car. No; no longer do I love you; I hate you.

José. Carmen!

Car. Farewell! Never will I see you again.

José. I go: farewell for ever!

(Turns towards the door. At this moment a knocking is heard.)

Car. Non, tu ne m'aimes pas, non, car si tu m'aimais,
Là-bas, là-bas, tu me suivrais.

José. Carmen!

Car. Là bas, là bas dans la montagne,
Sur ton cheval tu me prendrais,
Et comme un brave à travers la campagne,
En croupe, tu m'emporterais.

José. Carmen!

Car. Là-bas, là-bas, si tu m'aimais,
Là-bas, là-bas, tu me suivrais.
Point d'officier à qui tu doives obéir
Et point de retraite qui sonne
Pour dire à l'amoureux qu'il est temps de partir.

José. Carmen!

Car. Le ciel ouvert, la vie errante,
Pour pays l'univers, pour loi ta volonté,
Et surtout la chose enivrante,
La liberté! la liberté!
Là-bas, là-bas, si tu m'aimais,
Là-bas, là-bas, tu me suivrais.

José (presque vaincu).
Carmen!

Car. Oui, n'est-ce pas,
Là-bas, là-bas, tu me suivras,
Tu m'aimes et tu me suivras.

José (s'arrachant brusquement des bras de CARMEN).
Non, je ne veux plus t'écouter . . .
Quitter mon drapeau . . . déserter .
C'est la honte, c'est l'infamie,
Je n'en veux pas!

Car. Eh bien, pars!

José. Carmen, je t'en prie. . . .

Car. Je ne t'aime plus, je te hais!

José. Carmen!

Car. Adieu! mais adieu pour jamais.

José. Eh bien, soit . . . adieu pour jamais.

(Il va en courant jusqu'à la porte. . . . Au moment où il y arrive, on frappe. . . JOSÉ s'arrête, silence. On frappe encore.)

SCENE V.

(The preceding and the OFFICER.)

Officer (without).
Hola! Carmen! Hola!
José. Who knocks? Who goes there?
Car. Be silent!
Officer (bursting open the door).
Thus I open and enter.
(Enters and sees JOSÉ.)
Oh, no, my dear;
The choice does not do you honor;
You degrade yourself too much.
Prefer a soldier to his officer!
(To JOSÉ.)
Will you go about your business?
José. No!
Officer. But yes; you must depart.
José. No, no; I will not!
Officer (strikes him).
Go!
José (drawing his sabre).
Infernal! thy blood for this shall pay!
Car. (running across).
There will be mischief done.
Hola! hola!
(Calls for help.)

(IL DANCAIRO, IL REMENDADO, and the Gipsies enter from different sides. CARMEN points to the Officer. IL DANCAIRO and REMENDADO seize him.)

Car. My gallant captain,
Love an ugly trick has played you.
Pity 'tis you came here,
Since we're compell'd
(Not wishing you to denounce us)
To keep you close prisoner
For an hour at least.

SCENE V.

Les Mêmes, LE LIEUTENANT.

Le Lieut. (au dehors).
Holà! vient Carmen! Holà! holà!
José. Qui frappe? qui vient là?
Car. Tais toi! . . .
Le Lieut. (faisant sauter la porte).
J'ouvre moi-même et j'entre.
(Il entre et voit DON JOSÉ. — A CARMEN.)
Ah! fi, la belle,
Le choix n'est pas heureux; c'est se mésallier,
De prendre le soldat quand on a l'officier
Allons! décampe.
(A DON JOSÉ.)
José. Non.
Le Lieut. Si fait tu partiras.
José. Je ne partirai pas.
Le Lieut. (le frappant).
Drôle!
José (sautant sur son sabre).
Tonnerre! il va pleuvoir des coups.
(LE LIEUTENANT dégaine à moitié.)
Car. (se jetant entre eux deux)
Au diable le jaloux!
A moi! a moi.
(Appelant.)

(LE DANCAIRE, LE REMENDADO, et les Bohémiens paraissent de tous les côtés. CARMEN d'un geste montre LE LIEUTENANT aux Bohémiens. LE DANCAIRE et LE REMENDADO se jettent sur lui, le désarment.)

Car. Mon officier, l'amour
Vous joue en ce moment un assez vilain tour,
Vous arrivez fort mal et nous sommes forcés,
Ne voulant être dénoncès,
De vous garder au moins pendant une heure.

Il D. and Il R.
We from this inn must go soon;
You will accompany us.

Car. 'Twill be a walk.
Will you or will you not?

Il D. and Il R.
(drawing their pistols).
Say, then, comrade — yes or no?

Officer.
There is no doubt
You have forcible reasons:
Resistance is vain, and I must yield;
But I shall know how to punish you.

Il D.
(philosophically).
Every one has an unpleasant moment,
And it is your turn now, my gay captain.
May it please you march, without more words.

(The Officer goes between four Gipsies with pistols levelled at him.)

Car.
(to José).
And wilt thou now come with us?

José. How can I say no?

Car. 'Tis much against thy wish,
But whate'er may be,
Thou wilt be glad when thou seest
How pleasant is this wandering life, —
The wide world our dwelling —
Our will the law — and, above all,
The rest surpassing —
Liberty! Liberty!

All. The heaven over all — the wandering life —
The wide world our dwelling —
Our will the law — and, above all,
The rest surpassing —
Liberty! liberty!

Le Dan. et Le Rem.
Nous allons, cher monsieur,
Quitter cette demeure,
Vous viendrez avec nous. . . .

Car. C'est une promenade;
Consentez-vous?

Le Dan. et Le Rem.
(le pistolet à la main).
Répondez, camarade,
Consentez-vous?

Le Lieut.
Certainement,
D'autant plus que votre argument
Est un de ceux auxquels on ne résiste guère
Mais gare à vous plus tard.

Le Dan.
(avec philosophie).
La guerre, c'est la guerre,
En attendant, mon officier,
Passez devant sans vous faire prier.

Cho. Passez devant sans vous faire prier.

(L'Officier sort, emmené par quatre Bohémiens le pistolet à la main.)

Car.
(à Don José).
Es-tu des nôtres maintenant?

José. Il le faut bien.

Car. Le mot n'est pas galant,
Mais qu'importe, tu t'y feras
Quand tu verras
Comme c'est beau la vie errante
Pour pays l'univers, pour loi ta volonté,
Et surtout la chose enivrante.
La liberté! la liberté!

Tous. Le ciel ouvert! la vie errante,
Pour pays l'univers, pour loi sa volonté,
Et surtout la chose enivrante,
La liberté! la liberté!

ACT III.

SCENE I.

(Rocks. A picturesque and wild spot. Dark night and complete solitude. Musical prelude. After a few moments a Smuggler appears on the summit of a rock, then another, then two, then twenty, descending and scrambling down the mass of rocks; some of them carrying heavy bales on their shoulders.)

CARMEN, JOSÉ, IL DANCAIRO, IL REMENDADO, FRASQUITA, MERCEDES, and SMUGGLER.

Cho. Listen, comrades, listen!
Fortune waits below;
But of caution have we need,
Lest in a snare we fall.

All the Others.
This is a fine trade, but it needs
A strong heart when danger's near,
Whether from above or below — what care we?
On we go, never showing fear,
Torrents braving, cliffs we scale
On the icy north-wind's gale;
Storm and bullets we despise;
'Neath the coastguard's watchful eyes
We bring our booty safe up here.
Listen, comrades, listen, etc.

Il D. Here let us rest awhile, — the night is dark
And then forth will we go to discover
If the coast be clear,
And if without peril
The smugglers may proceed.

SCENE II.

(All stay excepting IL DANCAIRO and IL REMENDADO. During the scene between CARMEN and JOSÉ, some of the Gipsies light a fire, near which FRASQUITA and MERCEDES seat themselves; the others, folding themselves in their mantles, lying down, go to sleep. JOSÉ goes to the back, watching from the rocks.)

Car.
(to JOSÉ).
At what are you gazing?

José. I was thinking that in the world below
Dwells an aged good woman,
Who believes I am an honest man;
Alas! she is mistaken!

Car. Whoever can she be?

José. Ah, Carmen! the thought is not difficult for her, — 'tis my mother!

ACTE TROISIÈME.

SCÈNE PREMIÈRE.

(Le rideau se lève sur des rochers... site pittoresque et sauvage. Solitude complète et nuit noire. Prélude musical. Au bout de quelques instants, un contrebandier parait au haut des rochers, puis un autre, puis deux autres, puis vingt autres çà et là, descendant et escaladent des rochers. Des hommes portent de gros ballots sur les épaules.)

CARMEN, JOSÉ, DANCAIRE, REMENDADO, FRASQUITA, MERCEDES CONTREBANDIERS.

Cho. Ecoute, compagnon, écoute,
La fortune est là-bas, là-bas,
Mais prends garde pendant la route,
Prends garde de faire un faux pas.

DANCAIRE, JOSÉ, CARMEN, MERCEDES, et FRASQUITA.

Notre métier est bon, mais pour le faire il faut
Avoir unc âme forte,
Le péril est en bas, le péril est en haut,
Il est partout, qu'importe?
Nous allons devant nous, sans souci du torrent,
Sans souci de l'orage,
Sans souci du soldat qui là-bas nous attend,
Et nous guette au passage.
Ecoute, compagnon, écoute, etc.

Le Dan.
Reposons-nous une heure ici, mes camarades;
Nous, nous allons nous assurer
Si le chemin est libre,
Et que sans algarades
La contrebande peut passer.

SCÈNE II.

Les Mêmes, moins DANCAIRE et REMENDADO.

(Pendant la scène entre CARMEN et JOSÉ, quelques Bohémiens allument un feu près duquel MERCEDES et FRASQUITA viennent s'asseoir les autres se roulent dans leurs manteaux, se couchent et s'endorment.)

Car. Que regardes tu donc?

José. Je me dis que là bas
Il existe une bonne et brave vieille
Femme qui me croit honnête homme
Elle se trompe hélas.

Car. Qui donc est cette femme?

Josè. Ah! Carmen sur mon âme ne raille pas —
Car c'est ma mère.

Car. Well, you had better go to her this moment;
Indeed, the way of life here suits you not,
And you should be pleased to leave this place.

José. To go far from thee?

Car. Certainly.

José. And leave thee, Carmen? I swear
(placing his hand on his knife)
If thou sayst again, 'twill be death!
(CARMEN is silent.)
This silence — to me reveals thy thoughts.

Car. What matters it to me!
I shall die if fate wills it.

(Turns her back on JOSÉ, and goes to seat herself near FRASQUITA and MERCEDES. After a moment's hesitation, JOSÉ also turns away and throws himself full length on the rocks. During CARMEN's last words, MERCEDES and FRASQUITA draw out a pack of cards.)

Fras. Shuffle.

Mer. Throw.

Fras. Yes; so let it be.

Mer. Three cards for me.

Fras. Four to thee.

Together.
Declare to us, pretty cards,
What good the future will bring to me —
What will be — who will deceive us —
What sort of lovers we shall see.

Fras. Here I see a handsome lad,
Who to love me ever vows.

Mer. And I one who's rich and old,
Who would fain make me his spouse.

Fras. I with him on his good steed
O'er the mountains far will ride.

Mer. To his castle the old knight
Bids me welcome — queen and bride.

Fras. With great love his heart o'erflows,
Ev'ry day brings us fresh joys.

Mer. I have all that I can wish,
Robes and rings and jewell'd toys.

Fras. Mine becomes a leader bold,
With him distant paths I tread.

Mer. And mine — no, no, he don't last long —
Leaves me his money when he's dead

Car. Eh bien! va la retrouver tout de suite
Notre métier vois tu, ne te vaut rien.
Et tu ferais fort bien de partir au plus vite.

José. Partir, nous séparer?

Car. Sans doute séparer.

José. Nous séparer, Carmen?
Ecoute si tu redis ce mot.

Car. Tu me tuerais peutêtre.
Tu ne réponds rien,
Qu'importe? après tout le destin est le maître.

(Elle tourne le dos à José et va s'asseoir près de MERCEDES et de FRASQUITA. Après un instant d'indécision, JOSÉ s'éloigne à son tour et va s'étendre sur les rochers. Pendant les dernières répliques de la scène, MERCEDES et FRASQUITA ont étalé des cartes devant elles.)

TRIO.

Fras. Mêlons!

Mer. Coupons!

Fras. C'est bien cela.

Mer. Trois cartes ici. . . .

Fras. Quatre là.

Mer. and Fras.
Et maintenant, parlez, mes belles,
De l'avenir donnez-nous des nouvelles;
Dites-nous qui nous trahira,
Dites-nous qui nous aimera.

Fras. Moi, je vois un jeune amoureux
Qui m'aime on ne peut davantage.

Mer. Le mien est très riche et très-vieux
Mais il parle de mariage.

Fras. Il me campe sur son cheval
Et dans la montagne il m'entraine.

Mer. Dans un château presque royal
Le mien m'installe en souveraine.

Fras. De l'amour à n'en plus finir,
Tous les jours nouvelles folies.

Mer. De l'or tant que j'en puis tenir
Des diamants . . . des pierreries.

Fras. Le mien devient un chef fameux,
Cent hommes marchent à sa suite.

Mer. Le mien, en croirai-je mes yeux . . .
Il meurt, je suis veuve et j'hérite.

Both. Speak again, speak, pretty cards,
What good the future will bring to me —
What will be — who will deceive us —
What sort of lovers shall we see.

(Begin consulting the cards again.)

Fras. Money!
Mer. Love!

(CARMEN has watched the game throughout.)

Car. Come, let me know my destiny.

(Shuffles the cards.)

Pictures! spades! a grave!
They lie not; first to me, and then to him,
And then to both — a grave!

(In a low voice, continuing to shuffle the cards.)

In vain; to avoid the stern response
In vain I sort the cards;
'Twill nothing aid, the truth they declare,
They deceive not.
If in the book the page is clear,
Fear not; throw, and play.
The cards in thy hand will, if sorted rightly,
Pleasure to thee foretell;
But if thou must die, if the word so dread
Already in heaven is decreed,
The cards, to whose will thou art forced to yield,
Will again repeat thy doom.

(Puts them down.)

Well, be it so; death must come!
Carmen will defy it! Carmen is strong!

All Three.
Speak again, speak, pretty cards, etc.

Reprise de l'Ensemble.
Parlez encor, parlez, mes belles,
De l'avenir donnez-nous des nouvelles,
Dites-nous qui nous trahira,
Dites-nous qui nous aimera.

(Elles recommencent à consulter les cartes.)

Fras. Fortune!
Mer. Amour!

(CARMEN, depuis le commencement de la scène, suivat du regard de jeu de MERCEDES et de FRASQUITA.)

Car. Donnez que j'essaie à mon tour.

(Elle se met à tourner les cartes. Musique de scène.)

Carreau, pique... la mort!
J'ai bien lu... moi d'abord.

(Montrant DON JOSÉ endormi.)

Ensuite lui... pour tous les deux la mort.

(A voix basse, tout en continuant à mêler les cartes.)

En vain pour éviter les réponses amères,
En vain tu mêleras,
Cela ne sert à rien, les cartes sont sincères
Et ne mentiront pas!
Dans le livre d'en haut si ta page est heureuse,
Mêle et coupe sans peur,
La carte sous tes doigts se tournera joyeuse
T'annonçant le bonheur.
Mais si tu dois mourir, si le mot redoutable
Est écrit par le sort,
Recommence vingt fois... la carte impitoyable
Dira toujours: la mort!

(Se remettant.)

Bah! qu'importe après tout, qu'importe?...
Carmen bravera tout, Carmen est la plus forte!

Toutes les Trois.
Parlez encor, parlez, mes belles, etc.

(Rentrent DANCAIRE et REMENDADO.)

SCENE III.

Enter Il Dancairo and Il Remendado.

Car. What news?

Il D. We shall try to cross, and shall succeed.
José, stay here and watch the bales.

Fras. Is the path clear?

Il R. Yes, but there's risk enough. Over the ravine
Where we must cross,
Three coastguards stand! — they must die!

Car. Take up the bales, and away!
'Tis no use talking; pass you must.
The coastguard will be our affair: —
They like amusement, like other men,
And to play the gallant are willing.
Leave it to us the road to clear.

Mer. The coastguard will be very kind.

Fras. To us very humble they'll be.

Car. Yes, they'll receive us graciously.

All Three.
Our affair let the coastguard be: —
They like amusement, like other men,
And whilst the gallant with us they play,
Leave it to us your road to clear.

The Men.
Their affair will the coastguard be, etc.

Fras. No need prowess to display.
The only way with them must be
With caresses to be free,
And entice them loving words to hear.

The Girls.
Our affair will the coastguard be, etc.

SCÈNE III.

Carmen, José, Frasquita, Mercedes, Dancaire, et Remendado

Car. Eh bien?...

Le Dan.
Eh bien! nous essayerons de passer et nous passerons,
Reste là haut, José, garde les marchandises.

Fras. La route est elle libre?

Le Dan.
Oui, mais gare aux surprises
J'ai sur la brèche ou nous devons passer vu trois douaniers
Il faut nous en déharrasser.

Car. Prenez les ballots et partons
Il faut passer nous passerons.

MORCEAU D'ENSEMBLE.

Car. Quant au douanier c'est notre affaire,
Tout comme un autre il aime à plaire,
Il aime à faire le galant,
Laissez-nous passer en avant.

Car. Mer. et Fras.
Quant au douanier c'est notre affaire,
Laissez-nous passer en avant.

Mer. Et le douanier sera clément.

Fras. Et le douanier sera charmant.

Car. Il sera même entreprenant!...

ENSEMBLE.

Toutes les Femmes.
Quant au douanier c'est notre affaire,
Tout comme un autre il aime à plaire,
Il aime à faire le galant,
Laissez-nous passer en avant.

Tous les Hommes.
Quant au douanier c'est leur affaire,
Tout comme un autre il aime à plaire,
Il aime à faire le galant,
Laissons-les passer en avant.

Fras. Il ne s'agit plus de bataille,
Non, il s'agit tout simplement
De se laisser prendre la taille
Et d'écouter un compliment.

Car. Mer. et Fras.
Quant au douanier c'est notre affaire, etc., etc.

Mer. If they wish a kiss to take,
We'll not say no; they are welcome quite.
And we'll hold them in play until the hour
When you with the bales have passed out of sight.

The Girls.
Our affair, etc.

(All go. José the last; and he is examining the barrels of his gun. A man passes on the rocks above. It is a Guide.)

SCENE IV.

Mic. Here is the hidden abode of the smugglers,
And here shall I José see;
And the duty his mother has enjoined me,
Without fear I shall know how to fulfil.
I try not to own that I tremble,
But I know I'm a coward, altho' bold I appear.
Ah! how can I ever call up my courage,
While horror and dread chill my sad heart with fear!
Here, in this savage retreat,
Sad and weary am I, alone and sore afraid.
Ah! heav'n! to thee I humbly pray now:
Protect thou me, and guide and aid!
I shall see the guilty creature,
Who by infernal arts doth sever
From his country, from his duty,
Him I loved — and shall love ever!
I may tremble at her beauty,
But her power affrights me not.
Strong, in my just cause confiding,
Heaven! I trust myself to thee.
Ah! to this poor heart give courage.
Protector! guide and aid now me!
But I am not deceiv'd; no, he is on yon rock.
Ah, come! ah, come, José! —

REPRISE DE L'ENSEMBLE.

Mer. S'il faut aller jusqu'au sourire,
Que voulez-vouz? on sourira,
Et d'avance, je puis le dire,
La contrebande passera.

Car. Met. et Fras.
Quant au douanier c'est notre affaire, etc., etc.

REPRISE DE L'ENSEMBLE.

(Tout le monde sort. José ferme la marche et sort en examinant l'amorce de sa carabine; un peu avant qu'il soit sorti, on voit un homme passer sa tête au-dessus du rocher. C'est un Guide.)

SCÈNE IV.

Mic.
(regardant autour d'elle).
Mon guide avait raison... l'endroit n'a rien de bien rassurant....

I.

Je dis que rien ne m'épouvante,
Je dis que je réponds de moi,
Mais j'ai beau faire la vaillante,
Au fond du cœur, je meurs d'effroi...
Toute seule en ce lieu sauvage
J'ai peur, mais j'ai tort d'avoir peur,
Vous me donnerez du courage,
Vous me protégerez, Seigneur,
Protégez-moi, protégez-moi, Seigneur.

II.

Je vais voir de près cette femme
Dont les artifices maudits
Ont fini par faire un infâme
De celui que j'aimais jadis;
Elle est dangereuse, elle est belle,
Mais je ne veux pas avoir peur,
Je parlerai haut devant elle,
Vous me protégerez, Seigneur....
Protégez-moi, protégez-moi, Seigneur.

Mais ... je ne me trompe pas ... à cent pas d'ici ... sur ce rocher, c'est Don José. (*Appelant.*) José, José! (*Avec terreur.*) Mais que fait-il?..

My heart fails me! What can I do?—
How attract him?

(A gun is fired.)

Ah! a shot! Heaven! my heart fails me!

(Disappears behind the rocks. ESCAMILLO appears at the same moment.)

SCENE V.

Enter ESCAMILLO, then DON JOSÉ.

Esc. (holding his hat).

Two inches higher
And it would have been all over with me.

José. Who art thou? Speak out.

Esc. Eh? Softly, softly, my lad:
I am Escamillo, Toreador of Granada.

José. Escamillo?
Esc. The same.
José. The name is known to me;
Thou art welcome, comrade;
But dost thou really mean to stay here?

Esc. I can tell thee — no.
But I have been touched in my heart, lad,
And he who is so, merits not being born
If he'll not risk his life in search of his love.

José. The object of your love dwells here?
Esc. Yes, truly. A gipsy is she — charming.

José. What is her name?
Esc. Carmen.
José. Carmen?
Esc. She had a lover,
A dragoon, who became a deserter.
He loved her; she loved him;
But she is weary of him.
Carmen's love does not last.

il ne regarde pas de mon côté...il arme sa carabine, il ajuste...il fait feu...(*On entend un coup de feu.*) Ah! mon Dieu, j'ai trop présumé de mon courage...j'ai peur...j'ai peur.

(Elle disparait derrière les roches. Au même moment entre ESCAMILLO tenant son chapeau à la main.)

SCÈNE V.

ESCAMILLO, puis DON JOSÉ.

Esc. (regardant son chapeau).

Quelques lignes plus bas...
Et tout était fini.

(Entre JOSÉ.)

José (son manteau à la main).

Qu'êtes-vous? répondez.

Esc. (très calme).

Eh lá...doucement!

DUO.

Esc. Je suis Escamillo, torero de Grenade.
José. Escamillo!
Esc. C'est moi.
José (remettant son couteau à sa ceinture).

Je connais votre nom,
Soyez le bienvenu; mais vraiment, camarade,
Vous pouviez y rester?
Esc. Je ne vous dis pas non,
Mais je suis amoureux, mon cher, à la folie,
Et celui-là serait un pauvre compagnon
Qui, pour voir ses amours, ne risquerait sa vie.
José. Celle que vous aimez est ici?
Esc. Justement.
C'est une zingara, mon cher.
José. Elle s'appelle?
Esc. Carmen.
José. Carmen!
Esc. Elle avait pour amant
Un soldat qui jadis a déserté pour elle.
Ils s'adoraient, mais c'est fini, je crois.
Les amours de Carmen ne durent pas six mois.

José. In spite of that, thou lovest her?
Esc. Yes, to desperation!
José. Hold! who will the zingara seduce,
Do not forget, will pay for it.
Esc. Good! what's to pay?
José. The price is paid in knife-thrusts and slashes. Understand?
Esc. 'Tis not difficult; thou art the deserter,
The handsome dragoon she loves—
Or rather that she *did* love.
José. I am.
Esc. I am pleased, and I know not how to deny it.

(Both draw their knives, enveloping the left arm in their cloaks.)

José. At last my rage I can vent,
And this villain's heart will I pierce.
Esc. My unlucky star is in the ascendant;
While seeking the fair one, the rival I've met.
Together.
Out with thy blade, and keep at bay:
Neither will quarter give;
'Tis agreed one must fall.
Nor he nor I shall live.

(Put themselves in fighting positions. CARMEN arrives with DANCAIRO, and stays JOSÉ's arm as he is about to strike ESCAMILLO. IL REMENDADO, MERCEDES, FRASQUITA, and Gipsies rush in.)

Car. José, hold!
Esc. 'Tis well. And with great joy
I see that to thee, Carmen, my life I owe.
As to thee, my gay dragoon,
I am at thy service, and we will again,
Any day thou wishest, try our fortunes.

Il D. We shall see thee again, then.
Now we are ready to depart, and thou—
Good-bye, lad!
(To JOSÉ.)

José. Vous l'aimez cependant....
Esc. Je l'aime à la folie!
José. Mais pour nous enlever nos filles de Bohème,
Savez-vous bien qu'il faut payer.
Esc. Soit! on paiera.
José. Et que le prix se paie à coups de navaja!
Comprenez-vous?
Esc. Le discours est très net.
Ce déserteur, ce beau soldat qu'elle aime,
C'est donc vous?
José. Oui, c'est moi.
Esc. J'en suis ravi, mon cher, et le tour est complet.

(Tous les deux tirent la navaja et s'entourent le bras gauche de leurs manteau.)

José. Enfin ma colère trouve à qui parler!
Le sang je l'espère, va bientôt couler.
Esc. Quelle maladressé! j'en rirais vraiment,
Chercher la maîtresse et trouver l'amant.
Ensemble.
Mettez-vous en garde,
Et veillez sur vous!
Tant pis pour qui tarde
A parer les coups!

(Après les dernier ensemble, reprise du combat. Le Torero glisse et tombe. Entrent CARMEN et LE DANCAIRE, CARMEN arrête le bras de DON JOSÉ. Le Torero se relève; LE REMENDADO, MERCEDES, FRASQUITA et les Contrabandiers ventrent pendant ce temps.)

Car. Holà, José!...
Esc.
(se relevant).
Vrai, j'ai l'âme ravie
Que ce soit vous, Carmen, qui me sauviez la vie.
Esc.
(à DON JOSÉ).
Quant à toi, beau soldat,
Nous sommes manche à manche, et nous jouerons la belle,
Le jour où tu voudras reprendre le combat.
Le Dan.
C'est bon, plus de querelle,
Nous, nous allons partir.
(Au Torero.)
Et toi, l'ami, bonsoir.

Esc. 'Tis at least allowed me, since leave I must,
To invite you all to the bullfight at Seville;
I hope there to shine;
And whoever loves me will come.
Dragoon, don't be angry.
I go, then; perhaps we shall one day meet.

(JOSÉ tries to rush at the Toreador. IL DANCAIRO and IL REMENDADO prevent him. ESCAMILLO goes out leisurely.)

José

(to CARMEN).

Ah! Carmen, beware! I am weary of suffering.

(CARMEN shrugs her shoulders, and moves away from him.)

Il D. Come! it is agreed we leave.

All. Yes, yes, we must depart.
Il R. Look above! some one vainly tries to hide.

(Goes to see, and brings in MICHAELA.)

Car. A woman!
Il D. By heaven! a pleasant surprise!

José. Michaela!

Mic. Don José!
José. Unfortunate girl!
What doest thou in this place?
Mic. In search of thee I came.
In her cot in the far off valley,
Prays thy mother, unhappy man!
Weeps till my heart bleeds,
Weeps and waits for thee ever:
Return to her; hasten, José.
Ah. with me now come!

Esc. Souffrez au moins qu'avant de vous dire au revoir.
Je vous invite tous aux courses de Séville
Je compte pour ma part y briller de mon mieux,
Et qui m'aime y viendra.

(A DON JOSÉ qui fait un geste de menace.)

L'ami, tiens toi tranquille,
J'ai tout dit et n'ai plus qu' à faire mes adieux. . . .

(Jeu de scène. DON JOSÉ veut s'elancer sur le Torero. LE DANCAIRE et LE REMENDADO le retiennent. Le Torero sort très-lentement.)

José

(à CARMEN).

Prends garde à toi, Carmen . . . je suis las de souffrir. . . .

(CARMEN lui répond par un léger haussement d'épaules et s'éloigne de lui.)

Le Dan.
En route . . . en route . . . il faut partir . . .
Tous. En route . . . en route . . . il faut partir . . .
Le Rem.
Halte! . . . quelqu'un est là qui cherche à se cacher.

(Il ami MICAELA.)

Car. Une femme.
Le Dan.
Pardieu, la surprise est heureuse.
José

(reconnaissant MICAELA).

Micaela! . . .
Mic. Don José! . . .
José. Malheureuse!
Que viens-tu faire ici?
Mic. Moi, je viens te chercher . . .
Là-bas est la chaumière
Où sans cesse priant,
Une mère, ta mère,
Pleure son enfant. . . .
Elle pleure et t'appelle,
Elle te tend les bras;
Tu prendras pitié d'elle,
José, tu me suivras.

Car

(to José).

Go, and go quickly; stay not here;
This way of life is not for thee.

José

(to Carmen).

To depart thou dost counsel me?

Car. Yes, thou shouldst go —

José. That thou mayst follow
Another lover — the toreador.
No, on my honor, no!
I'll rather die! — all may hear me.
No, Carmen, I will not depart;
And the tie that binds us
I will not free thee from.

Mic. Be not deaf to my prayers;
Thy mother waits thee there.
The chain that binds thee, José,
Death will break.

The Others.

To my counsel yield thee;
No, José, stay not here.
The chain that binds thee,
Death alone can break.

José

(to Michaela).

Go from hence;
I cannot follow thee.
Mine thou art, accursed one!

(to Carmen).

And I will force thee to know
And submit to the fate
That both our lives unites.

Mic. Yet one word — 'twill be my last: —
Thy mother's dying!
Thou wilt not that she leaves the world
Ere she has pardoned thee?

José. My mother dying?

Mic. Yes, Don José.

José. Let us this moment depart.
Be satisfied — I quit you;

(to Carmen).

But we shall meet again.

(Going away with Michaela. The Toreador's voice is heard in the distance.)

Car. Va-t'en! va-t'en! Tu feras bien,
Notre métier ne te vaut rien.

José

(à Carmen).

Tu me dis de la suivre?

Car. Oui, tu devrais partir.

José. Pour que toi, tu puisse courir
Après ton nouvel amant.
Dût-il m'en coûter la vie,
Non, je ne partirai pas,
Et la chaîne qui nous lie
Nous liera jusqu'au trépas...

Mic. Ecoute moi, je t'en prie,
Ta mère te tend les bras,
Cette chaîne qui te lie,
José, tu la briseras.

Cho. Il t'en coutéra la vie,
José, si tu ne pars pas,
Et la chaine qui vous lie
Se rompra par ton trépas.

José

(à Micaela).

Laisse-moi!
Je suis condamné!

(à Carmen).

Ah! je te tiens, fille damnée,
Je te tiens et te forcerai
A subir la destinée
Qui rive ton sort au mien!
Dût-il m'en coûter la vie,
Non, je ne partirai pas!

Mic. Une parole encor, ce sera la dernière!
Hélas! José, ta mère se meurt... et ta mère
Ne voudrait pas mourir sans t'avoir pardonné.

José. Ma mère se meurt?

Mic. Oui, Don José.

José. Partons, ah, partons!
Sois contente; je pars mais nous nous reverrons!

(Il entraine Micaela. On entend Le Torero.)

Esc.

(without)

Toreador, e'er watchful be;
Do not forget the brightest of eyes
Are fondly thee waiting,
And love is the prize.

(José stops at the back on the rocks. He hesitates, but decides at last, and goes on his way with Michaela. Carmen, leaning on a large stone, watches his departure. The Gipsies take up their bales and proceed on their journey.)

ACT IV.

SCENE I.

(A Square in Seville. At the back are the walls of the old Arena. The entrance to the Circus is shut in by a long curtain. It is the day of the bullfight. The square is animated. Watersellers, others with oranges, fans, etc., etc.)

Officers, Frasquita, Mercedes, afterwards Carmen and Escamillo.

Cho. Who'll buy? who'll buy?
A little fan I'll sell you cheap.
Fine oranges I have here,
Who'll buy? who'll buy?
Come here, for all you want I keep.

(During this first chorus, the two Officers of the second Act give their arms to Frasquita and Mercedes.)

1st Officer.
Some oranges here, and quickly.

Fruit Sellers

(running).

Here they are, and fine ones, too.

A Fruit Seller

(to the Officer who pays).

These are all right, captain.

Other Fruit Sellers.
But these more juicy are.

All the Venders.
Who'll buy? who'll buy?
Come here to me,
All sorts I keep.

Programme Sellers.
Who wants to know the lists?

Esc.

(au loin).

Toreador, engarde,
Et songe en combattant,
Qu'un œil noir le regarde
Et que l'amour t'attend.

(José s'arrête au fond . . dans les rochers. . . . Il hésite, puis après un instant.)

José. Partons, Micaela, partons.

(Carmen écoute et se penche sur les rochers. . . . Les Bohémiens chargent leurs ballots et se mettent en marche.)

ACTE QUATRIÈME.

SCÈNE PREMIÈRE.

(Une place à Seville. Au fond du théâtre les muraillet de vielles Arènes. L 'entrée du Cirque est fermée par un long velum. C'est le jour d'un combat de taureaux. Grand mouvement sur la place. Marchands d'eau, d'oranges, d'éventails, etc., etc.)

Le Lieutenant, Andres, Frasquita, Mercedes, etc., puis Carmen et Escamillo.

Cho. A deux cuartos,
A deux cuartos,
Des éventails pour s'éventer,
Des oranges pour grignotter.
A deux cuartos,
A deux cuartos,
Senoras et caballeros. . . .

(Pendant ce premier chœur sont entrés les deux Officiers du deuxième Acte ayant au bras les deux Bohémiennes Mercedes et Frasquita.)

Premier Officier.
Des oranges, vite.

Plusieurs Marchands

(se précipitant).

En voici.
Prenez, prenez, mesdemoiselles.

Un Marchand

(à l'Officier qui paie).

Merci, mon officier, merci.

Les autres Marchands.
Celles-ci, senor, sont plus belles.

Tous les Marchands.
A deux cuartos,
A deux cuartos,
Senoras et caballeros.

Marchand de Programme.
Le programme avec les détails.

Others.
Good wine!
Others.
Water here!
Others.
Cigarettes!
2d Officer.
You, there! I want to buy a fan.
Cho.
(repeated).
Who'll buy? who'll buy, etc.

VARIATIONS FOR THE DANCE.

Cho. Dance, dance,
Twirl, twirl.
Girls and lads, come here and dance.
At sound so gay of tambourine we go;
Pleasure 'tis divine!
At sounds of castanet,
Lads and lassies thus to twine.
Dance, ye nimble lads;
Yes, we girls will dance:
With more pleasure! — brisker yet
With ardor round and round.
Dance! for soon shall we see
The Toreador.
Girls and lads, come, dance.
To sound so gay of tambourine
And merry castanet
Dance on.
Already on his road
He comes — the Toreador!
Dance on, dance on;
Dance, ye nimble lads, yes, dance;
We girls will in the dance go round.

(Noise of trumpets heard outside. The Band arrives.)

Here comes the Band;
'Tis the band of the Toreadors:
Wonders will be done in Seville.
Haste! quick! all good places seek.

(The Band begins to pass.)

And the first to come, as the custom is,
Grave in his walk,

Autres Marchands.
Du vin . . . .
Autres Marchands.
De l'eau.
Autres Marchands.
Des cigarettes.
Deuxième Officier.
Holà! marchand, des éventails.
Un Bohémien
(se précipitant).
Voulez-vous aussi de lorgnettes?

Reprise du Cho.
A deux cuartos,
A deux cuartos,
Des éventails pour s'éventer,
Des oranges pour grignotter.
A deux cuartos,
A deux cuartos,
Senoras et caballeros.
Le Lieut.
Qu'avez-vous donc fait de la Carmencita! je ne la vois pas.
Fras. Nous la verrons tout a l'heure. . . . Escamillo est ici, la Carmencita ne doit pas être loin.
Audres.
Ah! c'est Escamillo maintenant?
Mer. Elle en est folie. . . .
Fras. Et son ancien amoureux José, sait-on ce qu'il est devenu? . . .
Le Lieut.
Il a reparu dans le village où sa mère habitait . . . l'ordre avait même été donné de l'arrêter, mais quand les soldats sont arrivés, José, n'était plus là. . . .
Mer. En sorte qu'il est libre?
Le Lieut.
Oui, pour le moment.
Fras. Hum! je ne serais pas tranquille à la place de Carmen, je ne serais pas tranquille du tout.

(On entend de grande cris au dehors, des fanfares etc., etc. C'est l'arrivée de la Cuadrilla.)

On he'll stalk.
See, the Alguazil, with his ugly phiz:
At him hiss till he's out of this.
Now we'll salute, as they pass along,
All these youths so handsome, strong;
See their banners, how they wave!
Glory and honor to the brave!
Now they appear!
They are here!
Warlike and noble seem they all,
To find their equals there's no fear;
See their vests all shining with golden lace.
Now to the best of all give place —
To the Toreador:
Amongst them all in valor and grace,
He the chief they call.

(ESCAMILLO enters with CARMEN, magnificently dressed.)

Now hail to the sword with the keenest blade!
To him who can the death-stroke give,
Conq'ror most dexterous we'll proclaim him.
Hail, Escamillo! Long may he live!
Hail, Escamillo! Evviva, evviva!
Honor and glory to Escamillo!

Cho. Les voici, voici la quadrille,
La quadrille des Toreros,
Sur les lances le soleil brille
En l'air toques et sombreros
Les voici, voici la quadrille,
La quadrille des Toreros.

(Défilé de la quadrille. Pendant ce défilé, le Chœur chante le morceau suivant. Entrée des Alguazils.)

Voici, débouchant sur la place,
Voici d'abord, marchant au pas,
L'alguazil à villaine face.

(Entrée des Chulos et des Banderilleros.)

Et puis saluons au passage,
Saluons les hardis chulos,
Bravo! vivi! gloire au courage
Voyez les banderilleros!
Voyez quel air de crânerie,
Quels regards et de quel éclat
Etincelle la broderie
De leur costume de combat.

(Entrée des Picadors.)

Une autre quadrille s'avance,
Les picadors comme ils sont beaux!
Comme ils vont du fer de leur lance
Harceler le flanc des taureaux.

(Parait enfin ESCAMILLO, ayant près de lui CARMEN radieuse et dans un costume éclatant.)

Esc. (to CARMEN).

If thou lovest me, Carmen,
Thou wilt see me ere long yonder,
And be proud of me.

Car. Ah! if I love thee, Escamillo?
May death be mine
If this heart holds other love than thine!

Cho. Bravo, Escamillo! Hail!
To Escamillo glory and honor!

(Trumpets outside. Two Trumpeters enter followed by four Alguazils.)

Esc. (à CARMEN).

Si tu m'aimes, Carmen, tu pourras tout à l'heure
En me voyant à l'œuvre être fière de moi.

Car. Je t'aime, Escamillo, je t'aime et que je meure
Si j'ai jamais aimé quelqu'un autant que toi.

Le Cho.
Bravo, bravo, Escamillo!
Escamillo. bravo!

(Trompettes au dehors. Paraissent deux trompettes suivis de quatre Alguazils.)

Voices
(without).

Make way for the Alcade!

(The Orchestra plays a brief march. The Alcade crosses the scene, preceded by the Alguazils, and enters into the Circus. During this, FRASQUITA and MERCEDES approach CARMEN.)

Fras. Carmen, listen to our advice,
Go far away from this place.

Car. And tell me why?

Fras. He is there!

Car. Who?

Fras. José! Yes, José,
Lurking in the crowd, watching thee.

Car. I know well he is there.

Fras. Depart from here!

Car. I am no coward to tremble at José.
If he will speak to me, I am here.

(The Alcade has entered the Circus; after him the Cavalcade; then the people make their way in. JOSÉ appears. CARMEN is in a corner of the scene, and is alone with him.)

SCENE II.

Car. Thou art here.

José. I am.

Car. I was warned that you were not far off —
That you *would* come.
It was even said, "Fear for thy life!"
But I do not fear! and I will not fly!

Plusieurs voix
(au fond).

L'alcade,
L'alcade.
Le seigneur alcade!

Cho.
(de la foule si rangeant sur le passage de l'alcade).

Pas de bousculade,
Regardons passer
Et se prélasser
Le seigneur alcade.

Les Alguazils.
Place, place au seigneur alcade!

(Petite marche à l'orchestre. Sur cette marche descend leutement au fond l'alcade précédé et suivi des Alguazils. Pendant ce temps Frasquita et Mercédés s'approchent de CARMEN.)

Fras. Carmen, un bon conseil, ne reste pas ici.

Car. Et pourquoi, s'il te plaîte?

Fras. Il est là.

Car. Qui donc?

Fras. Lui,
Don José... dans la foule il se cache; regarde.

Car. Oui, je le vois.

Fras. Prends garde.

Car. Je ne suis pas femme à trembler,
Je reste, je l'attends... et je vais lui parler.

(L'alcade est entré dans le cirque. Derrière l'alcade, le cortége de la quadrille reprend sa marche et entre dans le cirque. Le populaire suit.... L'orchestre joue le motif. Les voici, voici la quadrille, et la foule en se retirant a dégagé, DON JOSÉ.... CARMEN reste seule au premier plan. Tous deux se regardent pendant que la foule se dissipe et que le motif de la marche va diminuant et se mourant à l'orchestre. Sur les dernières notes, CARMEN et DON JOSÉ restent seuls, en presence l'un de l'autre.)

SCÈNE II.

CARMEN, DON JOSÉ.

DUO.

Car. C'est toi?

José. C'est moi.

Car. L'on m'avait avertie,
Que tu n'étais pas loin, que tu devais venir,
L'on m'avait même dit de craindre pour ma vie,
Mais je suis brave et n'ai pas voulu fuir.

José. I will not threaten thee;
But weep, implore, and pray.
All rançor, Carmen, I abjure.
We, Carmen, ought now a new life begin
Far from here, beneath another sky.

Car. What you ask 'tis vain to hope for.
No; Carmen knows not falsehood;
Nor is to-day as yesterday.
Between us, José, all is ended.

José. Carmen, hear me! Yet there is time:
I wish to save thee.
Thou knowest I adore thee,
My Carmen: I would save thee!

Car. No! I know well the hour has come,
And that I must die!
But if I live, or if I perish —
Thine I will not be!
Ah! why yet seek a heart not thine?
José, in vain thou dost adore me!

José. Ah! Carmen, to save thee yet there's time!
Thou knowest my heart ever must adore thee!
Thy heart owns no longer love for me?

Car. No, no, I love thee not!

José. Spite of this, Carmen, I love thee yet!
Yes, yes, Carmen — José adores thee!

Car. What worth thy love if 'tis not shared?

José. To give thee pleasure,
To make thee love me,
I will be a smuggler
And worse! but abandon me not!
Carmen, no! thou canst not forget me!

Car. No, never will Carmen consent, —
Free was I born! free will I die!

(Noise of trumpets in the Circus.)

José. Je ne menace pas, j'implore, je supplie,
Notre passé, je l'oublie.
Carmen, nous allons tous deux
Commencer une autre vie,
Loin d'ici, sous d'autres cieux.

Car. Tu demandes l'impossible.
Carmen jamais n'a menti,
Son âme reste inflexible
Entre elle et toi, c'est fini.

José. Carmen, il en est temps encore.
O ma Carmen, laisse-moi
Te sauver, toi que j'adore
Et me sauver avec toi.

Car. Non, je sais bien que c'est l'heure,
Je sais que tu me tueras.
Mais que je vive ou je meure,
Je ne te céderai pas.

Ensemble.

José. Carmen, il en est temps encore.
O ma Carmen, laisse-moi
Te sauver, toi que j'adore,
Et me sauver avec toi.

Car. Pourquoi t'occuper encore
D'un cœur qui n'est plus à toi?
En vain tu dis: "je t'adore,"
Tu n'obtiendras rien de moi.

José. Tu ne m'aimes donc plus?

(Silence de Carmen et Don José répète.)

Tu ne m'aimes donc plus?

Car. Non, je ne t'aime plus.

José. Mais moi, Carmen, je t'aime encore;
Carmen, Carmen, moi je t'adore.

Car. A quoi bon tout cela? que de mots super-flus!

José. Eh bien, s'il le faut, pour te plaire,
Je resterai bandit, tout ce que tu voudras,
Tout, tu m'entends, mais ne me quitte pas,
Souviens-toi du passé, nous nous aimions naguère.

Car. Jamais Carmen ne cédera,
Libre elle est née et libre elle mourra.

Cho.

(in the Arena).

Hurrah! a splendid race!
Full of ire and fury,
Mad with anger goes the bull
Straight at the Toreador!
Clap your hands! Victoria!
Struck to the heart,
On the ground he lies!
Glory to the brave Toreador!
Honor to the victor!

(During the chorus, JOSÉ and CARMEN are silent. They listen. At the shouts of victory, a cry of joy escapes from CARMEN. JOSÉ observes it. At the end of the chorus, CARMEN moves towards the Circus.)

José

(placing himself before her).

Whither goest thou?

Car. Let me pass.

José. That man they now so loudly applaud,
To me thou dost prefer.

Car. Leave me.

José. No, by Heaven!
Thou shalt not with him go.
Thou shalt follow me!

Car. Leave me, Don José! with thee I will not come.

José. Thou goest to meet him! Thou lovest him then?

Car. I love him! I love him, and die I must;
I love him, and to you declare it.

(Noise of trumpets and chorus again in Circus.)

Cho. Viva! a splendid race,
Full of ire, etc.

José. Now thou refusest my prayers,
Inhuman girl! For thy sake am I lost!
And then to know thee shameless, infamous!
Laughing in his arms at my despair!
No, no! it shall not be, by Heaven!
Carmen, thou must be mine, mine only!

Cho. et Fanfares

(dans le Cirque).

Viva! la course est belle,
Sur le sable sanglant
Le taureau qu'on harcèle
S'élance en bondissant....
Viva! bravo! victoire,
Frappé juste en plein cœur,
Le taurau tombe! gloire
Au Torero! vainqueur!
Victoire! victoire!

(Pendant ce chœur, silence de CARMEN et de DON JOSÉ ... Tous deux écoutent ... En entendant les cris de: "Victoire, victoire!" CARMEN a laissé échapper un "Ah!" d'orgueil et de joie. ... DON JOSÉ ne perd pas CARMEN de vue. ... Le chœur terminé, CARMEN fait un pas du côte de Cirque.)

José

(se plaçant devant elle).

Où vas-tu?

Car. Laisse-moi.

José. Cet homme qu'on acclame,
C'est ton nouvel amant!

Car.

(voulant passer).

Laisse-moi.

José. Sur mon âme,
Carmen, tu ne passeras pas,
Carmen, c'est moi que tu suivras!

Car. Laisse-moi, Don José! ... je ne te suivrai pas.

José. Tu vas le retrouver, dis ... tu l'aimes donc?

Car. Je l'aime,
Je l'aime, et devant la mort même,
Je répéterai que je l'aime.

(Fanfares et reprise du cho. dans le Cirque.)

Cho. Viva! bravo! victoire!
Frappé juste en plein cœur,
Le taureau tombe! gloire
Au Torero vainqueur!
Victoire! victoire!...

José. Ainsi, le salut de mon âme,
Je l'aurai perdu pour que toi,
Pour que tu t'en ailles, infâme!
Entre ses bras, rire de moi.
Non, par le sang, tu n'iras pas,
Carmen, c'est moi que tu suivras!

Car. No, no, never!

José. Ah! weary am I of threats.

Car. Cease, then, — or let me pass.

Cho.

(in Circus).

Victory! victory!

José. Again I beseech thee, Carmen,
Wilt thou with me depart?

Car. No!
This ring thou one day on my finger plac'd,
Take it!

(Throws it down.)

José

(drawing his poniard).

All is ended!

(Rushes to CARMEN, who draws back. Noise in Circus.)

Cho.

(without).

Toreador, e'er watchful be,
Do not forget the brightest of eyes
Are fondly thee waiting,
And love is the prize.

(JOSÉ stabs CARMEN, who falls dead. The curtain of the Circus is opened, and the crowd come from the Circus.)

José. I yield me prisoner. I have killed her!

(ESCAMILLO appears on the steps of the Circus. JOSÉ throws himself near CARMEN's body.)

Oh, Carmen! my adored Carmen!

END OF THE OPERA.

Car. Non! non! jamais!

José. Je suis las de te menacer.

Car. Eh bien! frappe-moi donc ou laisse-moi passer.

Cho. Victoire! victoire!

José. Pour la dernière fois, démon,
Veux-tu me suivre?

Car. Non! non!
Cette bague autrefois tu me l'avais donnée,
Tiens.

(Elle la jette à la volée.)

José

(le poignard à la main, s'avançant sur Carmen).

Eh bien, damnée. . . .

(CARMEN, recul. JOSÉ a poursuit. Pendent ce temps fanfares et dans le Cirque.)

Cho. Toréador, en garde,
Et songe en combattant
Qu'un œil noir te regarde
Et que l'amour t'attend.

(JOSÉ a frappé CARMEN. . . . Elle tombe morte. . . . Le velum s'ouvre. La sort du Cirque.)

José. Vous pouvez m'arrêter . . . c'est moi qui l'ai tuée.

(ESCAMILLO paraît sur les marche du Cirque . . . . JOSÉ se jette sur la CARMEN.)

O ma Carmen! ma Carmen adorée!

FIN.

ACT I: L'AMOUR EST UN OISEAU (LOVE IS A WILFUL BIRD) (HABANERA)

ACT I: PRÈS DES REMPARTS DE SÉVILLE (ON THE WALLS OF SEVILLE)

(SEGUIDILLA)

ACT II: VOTRE TOAST, JE PEUX VOUS RENDRE, (FOR A TOAST YOUR OWN WILL AVAIL.) TOREADOR SONG.

ACT III: MÊLONS, COUPONS (SHUFFLE, CUT THEM!) CARD TRIO.

FAUST

by

CHARLES GOUNOD

CHARACTERS

FAUST	*Tenor*	MARGUERITE	*Soprano*
MEPHISTOPHELES	*Bass-Baritone*	SIEBEL, A YOUTH	*Soprano*
VALENTINE, MARGUERITE'S BROTHER	*Baritone*	MARTHA, FRIEND OF MARGUERITE	*Mezzo-Soprano*
WAGNER, A STUDENT	*Baritone*		

PEASANTS, TOWNSPEOPLE, SOLDIERS, STUDENTS, PRIESTS, BOYS, ETC.

The scene is in Germany in the sixteenth century.

PREFATORY NOTE

THE legend of the magician Faust and his compact with the Devil comes from remote antiquity. At first in the form of folk tales in many lands, through ballads and the primitive drama it found its way into literature. It remained for the master-poet, Goethe, to fuse all the elements of the legend into an imaginative drama of unequaled ethical and poetic interest, to give the story the form in which it appeals most strongly to the modern mind.

Innumerable musical works of every form have drawn inspiration from the story of Faust. Wagner's concert-overture, Liszt's symphony, and the beautiful fragments by Schumann are among the noblest of such works. Stage versions of the legend have been numerous, but the first really poetic creation was Spohr's opera of "Faust," composed in 1813. Since its appearance there has been an abundance of Faust operas by English, German, French and Italian composers down to the imaginative but fragmentary "Mefistofele" of Boito (1868). But of all the stage versions that have claimed the public attention, that of Barbier and Carré, made after Goethe's drama and set to music by Charles Gounod, is far and away the most popular, and may be regarded, in its lyric dress, as the most successful also. There exists scarcely a single rival to the popularity of Gounod's "Faust" among opera-goers.

The love story with which the French librettists concerned themselves exclusively is wholly Goethe's conception, and finds no place in the old legends concerning the magician Faust. With true Gallic instinct they seized this pathetic episode as being best adapted for a lyric setting, and making the most potent appeal to the emotions of the spectators. But to the composer himself is due the credit of suggesting the story of Faust as a suitable subject for musical treatment.

THE STORY OF THE ACTION

ACT I. — Faust, an aged philosopher, who has grown weary of life, and of the vain search for the source of all knowledge, decides, after a night-long vigil, to end his existence by taking poison. In the act of raising the cup to his lips his hand is arrested by the sound of merry voices of maidens singing in the early morning of the joy of living. Again he essays to drink, but pauses to listen to the song of the reapers on their way to the fields, voicing their gratitude to God. Excited to a frenzy of rage, Faust curses all that is good and calls upon the Evil One to aid him. Mephistopheles appears, and offers gold, glory, boundless power; but the aged doctor craves youth, its passions and delights. The fiend agrees that all shall be his if he but sign a compact, by

which the devil serves Faust on earth, but in the hereafter below the relation is to be reversed. Faust wavers at first, but a vision of Marguerite appears, which inflames his ardor and dispels his hesitation; he drinks the potion and is transformed into a young and handsome man.

Act II. — A Kirmesse or town fair. Groups of students, soldiers, old men, maids and matrons fill the scene. Valentine, the brother of Marguerite, about to leave for the wars, commends his sister to the care of Siebel, who timidly adores her. While Wagner, a student, is attempting a song, he is interrupted by Mephistopheles who volunteers to sing him a better one (the mocking "Calf of Gold"). Then the fiend causes a fiery liquor to flow miraculously from the tavern sign, and proposes the health of Marguerite. Valentine resents the insult, but his sword is broken in his hand, and Mephistopheles draws a magic circle around himself and bids defiance to the rapiers of the soldiers. These, now suspecting his evil nature, hold their cruciform sword-hilts toward Mephistopheles, who cowers away at the holy symbol. The fête is resumed; in the midst of the revelry Marguerite enters, returning home from church. Faust offers to escort her home, but she timidly declines his assistance, and leaves him enamoured of her beauty. The act closes with a merry dance of the townspeople.

Act III. — The scene shows the garden of Marguerite's dwelling. Siebel enters to leave a nosegay on the doorstep of his charmer. The flowers he plucks wither at his touch, due to an evil spell cast upon him by the fiend, which he, however, breaks by dipping his hand in holy water. Faust and Mephistopheles conceal themselves in the garden after having left a casket of jewels on the doorstep near Siebel's modest offering. Marguerite returns home and seats herself at the spinning-wheel, singing the while a song of the "King of Thule." But she interrupts the song to dream of the handsome stranger who had spoken to her at the fête. Upon discovering the jewels, she cannot forbear to adorn herself. While thus occupied, Faust and his evil ally appear. The latter engages the girl's flighty neighbor, Martha, in conversation, while Faust pleads his passion's cause successfully with Marguerite.

Act IV. — Betrayed and deserted by her lover, Marguerite must bear the scorn of her former companions. Siebel alone is faithful, and speaks comforting words. She goes to the church to pray; but her supplications are interrupted by the mocking fiend at her elbow, by the accusing cries of demons, and by the stern chants of the worshipers. Finally Mephistopheles appears to the sight of the wretched girl, who swoons with terror.

The return of the victorious soldiers brings back Valentine, who hears evil stories of his sister's condition. Aroused by an insulting serenade which Mephistopheles, accompanied by Faust, sings beneath Marguerite's window, Valentine engages in a duel with the latter and is wounded to the death. Dying, he curses Marguerite, who comes from the church to his side, and accuses her of bringing him to his end.

Act V. — Marguerite, her reason shaken by her misfortunes, has killed her child, and for this crime she is thrown into prison, and condemned to die. Faust, aided by Mephistopheles, obtains access to her cell and urges her to fly with him; but her poor mind cannot grasp the situation, and recurs only to the scenes of their love. When she sees Faust's companion, she turns from him in horror, falls upon her knees, and implores the mercy of heaven. As she sinks in death, Mephistopheles pronounces her damned, but a heavenly voice proclaims her pardoned; and while a celestial choir chants the Easter hymn the soul of Marguerite is seen borne up to heaven by angels. Faust falls to his knees, and the devil crouches beneath the shining sword of an archangel.

First performed at the Théâtre Lyrique, Paris, March 19, 1859, with the following cast:

Le Docteur Faust	*MM. Barbot*
Méphistophélès	*Balanqué*
Valentin	*Reynald*
Wagner	*Cibot*
Marguerite	*Mmes. Miolan-Carvalho*
Siebel	*Faivre*
Martha	*Duclos*

FAUST

ACT I.

SCENE I.

Faust's Study.

(Night. FAUST discovered, alone. He is seated at a table covered with books and parchments; an open book lies before him. His lamp is flickering in the socket.)

Faust. No! In vain hath my soul aspired, with ardent longing,
All to know, — all in earth and heaven.
No light illumines the visions, ever thronging
My brain; no peace is given,
And I linger, thus sad and weary,
Without power to sunder the chain
Binding my soul to life always dreary.
Nought do I see! Nought do I know!

(He closes the book and rises. Day begins to dawn.)

Again 'tis light!
On its westward course flying,
The somber night vanishes.

(Despairingly.)

Again the light of a new day!
O death! when will thy dusky wings
Above me hover and give me — rest?

(Seizing a flask on the table.)

Well, then! Since death thus evades me,
Why should I not go in search of him?
Hail, my final day, all hail!
No fears my heart assail;
On earth my days I number;
For this draught immortal slumber
Will secure me, and care dispel!

(Pours liquid from the flask into a crystal goblet. Just as he is about to raise it to his lips, the following chorus is heard, without.)

Cho. of Maidens. Why thy eyes so lustrous
Hidest thou from sight?
Bright Sol now is scatt'ring
Beams of golden light;
The nightingale is warbling
Its carol of love;

ACTE PREMIER.

SCÈNE PREMIERE.

Le Cabinet de Faust.

(FAUST, seul. Sa lampe est près de s'eteindre. Il est assis devant une table chargée de parchemins. Un livre est ouvert devant lui.)

Faust. Rien!... — En vain j'interroge, en mon ardente veille,
La nature et le Créateur;
Pas une voix ne glisse à mon oreille
Un mot consolateur!
J'ai langui triste et solitaire,
Sans pouvoir briser le lien
Qui m'attache encore à la terre!...
Je ne vois rien! — Je ne sais rien!...

(Il ferme le livre et se lève. Le jour commence à naitre.)

Le ciel pâlit! — Devant l'aube nouvelle
La sombre nuit
S'évanouit!...

(Avec désespoir.)

Encore un jour! — encore un jour qui luit!...
O mort, quand viendras-tu m'abriter sous ton aile?

(Saisissant une fiole sur la table.)

Eh bien! puisque la mort me fuit,
Pourquoi n'irais-je pas vers elle?...
Salut! ô mon dernier matin!
J'arrive sans terreur au terme du voyage;
Et je suis, avec ce breuvage,
Le seul maître de mon destin!

(Il verse le contenu de la fiole dans une coupe de cristal. Au moment où il va porter la coupe à ses lèvres, des voix de jeunes filles se font entendre au dehors.)

Choeur de Jeunes Filles. Paresseuse fille
Qui sommeille encor!
Déjà le jour brille
Sous son manteau d'or.
Déjà l'oiseau chante
Ses folles chansons;

Rosy tints of morning
Now gleam from above;
Flow'rs unfold their beauty
To the scented gale;
Nature all awakens —
Of love tells its tale.

Faust. Hence, empty sounds of human joys
Flee far from me.
O goblet, which my ancestors
So many times have filled,
Why tremblest thou in my grasp?

(Again raising the goblet to his lips.)

Cho. of Laborers (without).
The morn into the fields doth summon us,
The swallow hastes away!
Why tarry, then?
To labor let's away! to work let's on,
The sky is bright, the earth is fair,
Our tribute, then, let's pay to heav'n.

Cho. of Maidens and Laborers.
Praises to God!

Faust. God! God!

(He sinks into a chair.)

But this God, what will he do for me?

(Rising.)

Will he return to me youth, love, and faith?

(With rage.)

Cursed be all of man's vile race!
Cursed be the chains which bind him in his place!
Cursed be visions false, deceiving!
Cursed the folly of believing!
Cursed be dreams of love or hate!
Cursed be souls with joy elate.
Cursed be science, prayer, and faith!
Cursed my fate in life and death!
Infernal king, arise!

SCENE II.

FAUST and MEPHISTOPHELES.

Mep. (suddenly appearing).
Here am I! So, I surprise you?
SATAN, Sir, at your service!

L'aube caressante
Sourit aux moissons;
Le ruisseau murmure,
La fleur s'ouvre au jour,
Toute la nature
S'éveille à l'amour!

Faust. Vains échos de la joie humaine,
Passez, passex votre chemin!...
O coupe des aïeux, qui tant fois fus pleine,
Pourquoi trembles-tu dans ma main?...

(Il porte de nouveau la coupe à ses lèvres.)

Choeur des Laboureurs (dehors).
Aux champs l'aurore nous rappelle;
Le temps est beau, la terre est belle;
Béni soit Dieu!
A peine voit-on l'hirondelle,
Qui vole et plonge d'un coup d'aile
Dans le profondeur du ciel bleu!

Jeunes Filles et Labs. Béni soit Dieu!

Faust. (*reposant la coupe*) Dieu!

(Il se laisse retomber dans son fauteuil.)

Mais ce Dieu, que peut-il pour moi!

(Se levant.)

Me rendra-t'il l'amour, l'espérance et la foi?

(Avec rage.)

Maudites soyez-vous, ô voluptés humaines!
Maudites soient les chaînes
Qui me font ramper ici-bas!
Maudit soit tout ce qui nous leurre,
Vain espoir qui passe avec l'heure,
Rêves d'amour ou de combats!
Maudit soit le bonheur, maudites la science,
La prière et la foi!
Maudite sois-tu, patience!
A moi, Satan! à moi!

SCÈNE II.

FAUST, MEPHISTOPHELES.

Mep. (apparaissant).
Me voici!... D'où vient ta surprise!
Ne suis-je pas mis à ta guise?

A sword at my side; on my hat a gay feather; —
A cloak o'er my shoulder; and altogether,
Why, gotten up quite in the fashion!

(Briskly.)

But come, Doctor Faust, what is your will?
Behold! Speak! Are you afraid of me?

Faust. No.

Mep. Do you doubt my power?

Faust. Perhaps.

Mep. Prove it, then.

Faust. Begone!

Mep. Fie! Fie! Is this your politeness!
But learn, my friend, that with Satan
One should conduct in a different way.
I've entered your door with infinite trouble.
Would you kick me out the very same day?

Faust. Then what will you do for me?

Mep. Anything in the world! All things. But
Say first what you would have.
Abundance of gold?

Faust. And what can I do with riches?

Mep. Good. I see where the shoe pinches.
You will have glory.

Faust. Still wrong.

Mep. Power, then.

Faust. No. I would have a treasure
Which contains all. I wish for youth.
Oh! I would have pleasure,
And love, and caresses,
For youth is the season
When joy most impresses.
One round of enjoyment,
One scene of delight,
Should be my employment
From day-dawn till night.
Oh, I would have pleasure,
And love, and caresses;
If youth you restore me,
My joys I'll renew!

Mep. 'Tis well — all thou desirest I can give thee.

Faust. Ah! but what must I give in return?

L'épée au côté, la plume au chapeau,
L'escarcelle pleine, un riche manteau
Sur l'épaule; — en somme
Un vrai gentilhomme!
Eh bien! que me veux-tu, docteur!
Parle, voyons!... — Te fais-je peur?

Faust. Non.

Mep. Doutes-tu ma puissance?...

Faust. Peut- tre!

Mep. Mets-la donc à l'épreuve!...

Faust. Va-t'en!

Mep. Fi! — c'est là ta reconnaissance!
Apprends de moi qu'avec Satan
L'on en doit user d'autre sorte,
Et qu'il n'était pas besoin
De l'appeler de si loin
Pour le mettre ensuite à la porte!

Faust. Et que peux-tu pour moi?

Mep. Tout. — Mais dis-moi d'abord
Ce que tu veux; — est-ce de l'or?

Faust. Que ferais-je de la richesse?

Mep. Bien! je vois où le bât te blesse!
Tu veux la gloire?

Faust. Plus encor!

Mep. La puissance!

Faust. Non! je veux un trésor
Qui les contient tous!... je veux la jeunesse!
A moi les plaisirs,
Les jeunes maîtresses!
A moi leurs caresses!
A moi leurs désirs?
A moi l'énergie
Des instincts puissants,
Et la folle orgie
Du cœur et des sens!
Ardente jeunesse,
A moi tes désirs!
A moi ton ivresse!
A moi tes plaisirs!...

Mep. Fort bien! je puis contenter ton caprice

Faust. Et que te donnerai-je en retour?

Mep. 'Tis but little :
In this world I will be thy slave,
But down below thou must be mine.
Faust. Below !
Mep. Below.

(Unfolding a scroll.)

Come, write. What ! does thy hand tremble ?
Whence this dire trepidation ?
'Tis youth that now awaits thee — Behold !

(At a sign from MEPHISTOPHELES, the scene opens and discloses MARGUERITE, spinning.)

Faust. Oh, wonder !
Mep. Well, how do you like it ?

(Taking parchment.)

Faust. Give me the scroll !

(Signs.)

Mep. Come on then ! And now, master,

(Taking cup from the table.)

I invite thee to empty a cup,
In which there is neither poison nor death,
But young and vigorous life.

Faust.

(Taking cup and turning toward MARGUERITE.)

O beautiful, adorable vision ! I drink to thee !

(He drinks the contents of the cup, and is transformed into a young and handsome man. The vision disappears.)

Mep. Come, then.
Faust. Say, shall I again behold her ?
Mep. Most surely !
Faust. When ?
Mep. This very day !
Faust. 'Tis well.
Mep. Then let's away.
Both. 'Tis pleasure I covet,
'Tis beauty I crave ;
I sigh for its kisses,
Its love I demand !
With ardor unwonted
I long now to burn ;
I sigh for the rapture
Of heart and of sense.

(Exeunt. The curtain falls.)

Mep. Presque rien :
Ici, je suis à ton service,
Mais là-bas tu seras au mien.
Faust. Là-bas ?...
Mep. Là-bas.

(Lui présentant un parchemin.)

Allons, signe. — Eh quoi ! ta main tremble !
Que faut-il pour te décider ?
La jeunesse t'appelle ; ôse la regarder !...

(Il fait un geste. Au fond du théâtre s'ouvre et laisse voir MARGUERITE assise devant son rouet et filant.)

Faust. O merveille !...
Mep. Eh bien ! que t'ensemble ?

(Prenant le parchemin.)

Faust. Donne !...

(Il signe.)

Mep. Allons donc !

(Prenant la coupe restée sur la table.)

Et maintenant,
Maître, c'est moi qui te convie
A vider cette coupe où fume en bouillonnant
Non plus la mort, non plus le poison ; — mais la vie !

Faust.

(Prenant la coupe et se tournant vers MARGUERITE.)

A toi, fantôme adorable et charmant !...

(Il vide la coupe et se trouve métamorphosé en jeune et élégant seigneur. La vision disparait.)

Mep. Viens !
Faust. Je la reverrai ?
Mep. Sans doute.
Faust. Quand ?
Mep. Aujourd'hui.
Faust. C'est bien !
Mep. En route !
Faust. A moi les plaisirs,
Les jeunes maîtresses !
A moi leurs caresses !
A moi leurs désirs !
Mep. A toi la jeunesse,
A toi ses désirs,
A toi son ivresse,
A toi ses plaisirs !

(Ils sortent. — La toile tombe.)

ACT II.

SCENE I.

The Kermesse.

(One of the city gates. To the left, an Inn, bearing the sign of the god Bacchus.)
WAGNER, Students, Burghers, Soldiers, Maidens, and Matrons.

Studs. Wine or beer, now, which you will!
So the glass quick you fill!
And replenish at our need:
At our bouts we drink with speed!

Wag. Now, young tipplers at the cask,
Don't refuse what I ask—
Drink to glory! drink to love!
Drain the sparkling glass!

Studs. We young tipplers at the cask
Won't refuse what you ask—
Here's to glory! here's to love!
Drain the sparkling glass!
(They drink.)

Soldiers.
Castles, hearts, or fortresses,
Are to us all one.
Strong towers, maids with fair tresses,
By the brave are won;
He, who hath the art to take them,
Shows no little skill;
He, who knows the way to keep them,
Hath more wisdom still.

Citizens.
On holy-days and feast-days,
I love to talk of war and battles.
While the toiling crowds around
Worry their brains with affairs,
I stroll calmly to this retreat
On the banks of the gliding river,
And behold the boats which pass
While I leisurely empty my glass.
(Citizens and soldiers go to back of stage.)

(A group of young girls enters.)

Girls. Merry fellows come this way,
Yes, they now advance;
Let us, then, our steps delay,
Just to take one glance.

(They go to right of stage. A second chorus of students enters after them.)

ACTE DEUXIÈME.

SCÈNE PREMIÈRE.

La Kermesse.

(Une des portes de la ville. A gauche un caborte à l'enseigne du Bacchus.)
WAGNER, Etudiants, Bourgeois, Soldats, Jeunes Filles, Matrones

Etuds. Vin ou bière,
Bière ou vin,
Que mon verre
Soit plein!
Sans vergogne,
Coup sur coup,
Un ivrogne
Boit tout!

Wag. Jeune adepte
De tonneau
N'en excepte
Que l'eau!
Que ta gloire,
Tes amours,
Soient de boire
Toujours!
(Ils trinquent et boivent.)

Soldats.
Filles ou forteresses,
C'est tout un, morbleu!
Vieux burgs, jeunes maîtresses
Sont pour nous un jeu!
Celui qui sait s'y prendre
Sans trop de façon,
Les oblige à se rendre
En payant rançon!

Bourgeois.
Aux jours de dimanche et de fête,
J'aime à parler guerre et combats;
Tandis que les peuples là-bas
Se cassent la tête.
Je vais m'asseoir sur les coteaux
Qui sont voisins de la rivière,
Et je vois passer les bateaux
En vidant mon verre!
(Bourgeois et Soldats remontent vers le fond du théâtre.)

(Un groupe de jeunes filles entre en scène.)

Les Jeunes Filles
(regardant de côté).
Voyez ces hardis compères
Qui viennent làbas;
Ne soyons pas trop sévères,
Retardons le pas.

(Elles gagnent la droite du théâtre. Un second chœur d'étudiants entre à leur suite.)

Studs. Sprightly maidens now advance,
Watch their conquering airs ;
Friends be guarded, lest a glance
Take you unawares.

Matrons.
(watching the students and young girls).
Behold the silly damsels,
And the foolish young men ;
We were once as young as they are,
And as pretty again.

(All join in the following chorus, each singing as follows.)

Mats.
(to the Maidens).
Ye strive hard to please,
Your object is plain.

Studs. Beer or wine, wine or beer,
Nought care I, with heart of cheer.

Soldiers.
On, then, let's on;
Brave soldiers are we,
To conquest we'll on.

Citizens.
Come, neighbor ! In this fine weather
Let us empty a bottle together !

Maidens.
They wish to please us, but 'tis in vain !
If you are angry, little you'll gain.

Young Students.
They are bright little maidens, 'tis plain ;
We'll contrive their favor to gain.

(The soldiers and students, laughing, separate the women. All the groups depart.)

SCENE II.

WAGNER, SIEBEL, VALENTINE, Students, and afterwards MEPHISTOPHELES.

Val.
(advancing from the back of the stage and holding in his hand a small silver medal).
O sacred medallion,
Gift of my sister dear
To ward off danger and fear,
As I charge with my brave battalion,
Rest thou upon my heart.

Deuxième Cho. d'Etuds.
Voyez ces mines gaillardes
Et ces airs vainqueurs !
Amis, soyons sur nos gardes,
Tenons bien nos cœurs !

Cho. De Mats.
(observant les étudiants et les jeunes filles).
Voyez après ces donzelles
Courir ces messieurs !
Nous sommes aussi bien qu'elles,
Sinon beaucoup mieux !

(Ensemble.)

Mats.
(aux jeunes filles).
Vous voulez leur plaire
Nous le voyons bien

Etuds. Vin ou bière,
Bière ou vin,
Que mon verre
Soit plein !

Sols.
Pas be beauté fière !
Nous savons leur plaire
En un tour de main !

Bourg. Vidons un verre
De ce bon vin !

Jeunes Filles.
De votre colère
Nous ne craignons rien !

Jeunes Etuds.
Voyez leur colère,
Voyez leur maintien !

(Les étudiants et les soldats séparent les femmes en riant. Tous les groupes s'éloignent et disparaissent.)

SCÈNE II.

WAGNER, SIEBEL, Etudiants, VALENTIN.

Val.
(paraissant au fond; il tient une petite médaille à la main).
O sainte médaille,
Qui me viens de ma sœur,
Au jour de la bataille,
Pour écarter la mort, reste là sur mon cœur !

Wag. Here comes Valentine, in search of us, doubtless.

Val. Let us drain the parting cup, comrades,
It is time we were on the road.

Wag. What sayst thou?
Why this sorrowful farewell?

Val. Like you, I soon must quit these scenes,
Leaving behind me Marguerite.
Alas! my mother no longer lives,
To care for and protect her.

Sie. More than one friend hast thou
Who faithfully will thy place supply.

Val. My thanks!

Sie. On me you may rely.

Stud. In us thou surely mayst confide.

Val. Even bravest heart may swell
In the moment of farewell.
Loving smile of sister kind,
Quiet home I leave behind.
Oft shall I think of you
Whene'er the wine-cup passes round,
When alone my watch I keep.
But when danger to glory shall call me,
I still will be first in the fray,
As blithe as a knight in his bridal array.
Careless what fate shall befall me
When glory shall call me.

Wag. Come on, friends! No tears nor vain alarms;
Quaff we good wine, to the success of our arms!
Drink, boys, drink!
In a joyous refrain
Bid farewell, till we meet again.

Cho. We'll drink! Fill high!
Once more in song our voices
Let us raise.

Wag. Ah! voici Valentin qui nous cherche sans doute!

Val. Un dernier coup, messieurs, et mettons-nous en route!

Wag. Qu'as-tu donc? ... quels regrets attristent nos adieux?

Val. Comme vous, pour longtemps, je vais quitter ces lieux;
J'y laisse Marguerite, et, pour veiller sur elle,
Ma mère n'est plus là!

Sie. Plus d'un ami fidèle
Saura te remplacer a ses côtés!

Val. (lui serrant la main)
Merci!

Sie. Sur moi tu peux compter!

Etuds. Compte sur nous aussi!

Val. Avant de quitter ces lieux,
Sol natal de mes aïeux,
A toi, Seigneur et Roi des Cieux,
Ma sœur je confie.
Daigne de tout danger
Toujours la protéger,
Cette sœur si chérie.
Délivré d'une triste pensée,
J'irais chercher la gloire au sein des ennemis,
Le premier, le plus brave au fort de la mêlée,
J'irai combattre pour mon pays.
Et si vers lui Dieu me rappelle,
Je viellerai sur toi fidèle,
O Marguerite!

Wag. Allons, amis! point de vaines alarmes!
A ce bon vin ne mêlons pas de larmes!
Buvons, trinquons, et qu'un joyeux refrain
Nous mette en train!

Etuds. Buvons, trinquons, et qu'un joyeux refrain
Nous mette en train!

Wag.

(mounting on a table).

A rat, more coward than brave,
And with an exceedingly ugly head,
Lodged in a sort of hole or cave,
Under an ancient hogshead.
A cat —

SCENE III.

MEPHISTOPHELES and the preceding.

Mep.

(appearing suddenly among the students and interrupting WAGNER).

Good sir!

Wag. What!

Mep. If it so please ye I should wish
To mingle with ye a short time.
If your good friend will kindly end his song,
I'll tell ye a few things well worth the hearing.

Wag. One will suffice, but let that one be good.

Mep. My utmost I will do
Your worships not to bore.

I.

Calf of Gold! aye in all the world
To your mightiness they proffer,
Incense at your fane they offer
From end to end of all the world.
And in honor of the idol
Kings and peoples everywhere
To the sound of jingling coins
Dance with zeal in festive circle,
Round about the pedestal.
Satan, he conducts the ball.

II.

Calf of Gold, strongest god below!
To his temple overflowing
Crowds before his vile shape bowing,
The monster dares insult the skies.
With contempt he views around him
All the vaunted human race,

Wag.

(montant sur un escabeau.)

Un rat plus poltron que brave,
Et plus laid que beau,
Logeait au fond d'une cave,
Sous un vieux tonneau;
Un chat...

SCÈNE III.

Les mêmes. MEPHISTOPHELES.

Mep.

(paraissant tout à coup au milieu des étudiants et interrompant WAGNER).

Pardon!

Wag. Hein?

Mep. Parmi vous, de grâce
Permettez-moi de prendre place!
Que votre ami d'abord achève sa chanson!
Moi, je vous en promets plusieurs de ma façon!

Wag.

(descendant de son escabeau).

Une seule suffit, pourvu qu'elle soit bonne!

Mep. Je ferai de mon mieux pour n'ennuyer personne!

I.

Le veau d'or est toujours debout;
On encense
Sa puissance
D'un bout du monde à l'autre bout!
Pour fêter l'infâme idole,
Peuples et rois confondus,
Au bruit sombre des écus
Dansent une ronde folle
Autour de son piédestal?...
Et Satan conduit le bal!

II.

Le veau d'or est vainqueur des dieux;
Dans son gloire
Dérisoire
Le monstre abjecte insulte aux cieux!
Il contemple, ô rage étrange!
A ses pieds le genre humain

As they strive in abject toil,
As with souls debased they circle
Round about the pedestal.
Satan, he conducts the ball.

All. Satan, he conducts the ball.

Cho. A strange story this of thine.

Val.

(aside).

And stranger still is he who sings it.

Wag.

(offering a cup to MEPHISTOPHELES).

Will you honor us by partaking of wine?

Mep. With pleasure. Ah!

(Taking WAGNER by the hand, and scrutinizing his palm.)

Behold what saddens me to view.
See you this line?

Wag. Well!

Mep. A sudden death it presages, —
You will be killed in mounting to th' assault!

Sie. You are then a sorcerer!

Mep. Even so. And your own hand shows plainly
To what fate condemns. What flower you would gather
Shall wither in the grasp.

Sie. I?

Mep. No more bouquets for Marguerite.

Val. My sister! How knew you her name?

Mep. Take care, my brave fellow!
Some one I know is destined to kill you.

(Taking the cup.)

Your health, gentlemen!
Pah! What miserable wine!
Allow me to offer you some from my cellar?

(Jumps on the table, and strikes on a little cask, surmounted by the effigy of the god Bacchus, which serves as a sign to the Inn.)

What ho! thou god of wine, now give us drink!

(Wine gushes forth from cask, and MEPHISTOPHELES fills his goblet.)

Approach, my friends!
Each one shall be served to his liking.

Se ruant, le fer en main,
Dans le sang et dans la fange
Où brille l'ardent métal!...
Et Satan conduit le bal!

Tous. Et Satan conduit le bal!

Cho. Merci de ta chanson!

Val.

(à part).

Singulier personnage!

Wag.

(tendant un verre à MEPHISTOPHELES).

Nous ferez vous l'honneur de trinquer avec nous?

Mep. Volontiers!...

(Saisissant la main de WAGNER et l'examinant.)

Ah! voici qui m'attriste pour vous!
Vous voyez cette ligne?

Wag. Eh bien?

Mep. Fâcheux présage!
Vous vous ferez tuer en montant à l'assaut!

Sie. Vous êtes donc sorcier?

Mep. Tout juste autant qu'il faut
Pour lire dans ta main que le ciel te condamne
A ne plus toucher une fleur
Sans qu'elle se fane!

Sie. Moi!

Mep. Plus de bouquets à Marguerite!...

Val. Ma sœur!...
Qui vous a dit son nom?

Mep. Prenez garde, mon brave!
Vous vous ferez tuer par quelqu'un que je sais!

(Prenant le verre des mains de WAGNER.)

A votre santé!...

(Jetant le contenu du verre, après y avoir trempé ses lèvres.)

Peuh! que ton vin est mauvais!...
Permettez-moi de vous en offrir de ma cave!

(Frappant sur le tonneau, surmonté d'un Bacchus, qui sert d'enseigne au cabaret.)

Holà! seigneur Bacchus! à boire!...

(Le vin jaillit du tonneau. Aux étudiants.)

Approchez-vous!
Chacun sera servi selon ses goûts!

To your health, now and hereafter!
To Marguerite!

Val. Enough! If I do not silence him,
And that instantly, I will die.

(The wine bursts into flame.)

Wag. Hola!

Cho. Hola!

(They draw their swords.)

Mep. Ah, ha! Why do you tremble so, you who menace me?

(He draws a circle around him with his sword. VALENTINE attacks; his sword is broken.)

Val. My sword, O amazement!
Is broken asunder.

All

(forcing MEPHISTOPHELES to retire by holding toward him the cross-shaped handles of their swords).

Gainst the powers of evil our arms assailing,
Strongest earthly might is unavailing.
But thou canst not charm us,
Look hither!
While this blest sign we wear
Thou canst not harm us.

(Exeunt.)

SCENE IV.

MEPHISTOPHELES, then FAUST.

Mep.

(replacing his sword).

We'll meet anon, good sirs,— adieu!

Faust

(enters).

Why, what has happened?

Mep. Oh, nothing! let us change the subject!
Say, Doctor, what would you of me?
With what shall we begin?

Faust. Where bides the beauteous maid
Thine art did show to me?
Or was't mere witchcraft?

Mep. No, but her virtue doth protect her from thee.
And heaven itself would keep her pure.

A la santé que tout à l'heure
Vous portiez, mes amis, à Marguerite!

Val.

(lui arrachant le verre des mains).

Assez!....
Si je ne te fais taire à l'instant, que je meure!

(Le vin s'enflamme dans la vasque placée audessous du tonneau.)

Wag. et les Etuds.

Holà!...

(Ils tirent leurs épées.)

Mep. Pourquoi trembler, vous qui me menacez?

(Il tire un cercle autour de lui avec son épée.—VALENTIN s'avance pour l'attaquer.—Son épée se brise.)

Val. Mon fer, ô surprise!
Dans les airs se brise!...

Val., Wag., Sie. et les Etuds.

(forçant MEPHISTOPHELES à reculer et lui présentant la garde de leurs épées).

De l'enfer qui vient émousser
Nos armes!
Nous ne pouvons pas repousser
Les charmes!
Mais puisque tu brises le fer,
Regarde!...
C'est une croix qui, de l'enfer,
Nous garde!

(Ils sortent.)

SCÈNE IV.

MEPHISTOPHELES, puis FAUST.

Mep.

(remettant son épée au fourreau).

Nous nous retrouverons, mes amis!—Serviteur!

Faust

(entrant en scène).

Qu'as-tu donc?

Mep. Rien!—A nous deux, cher docteur!
Qu'attendez-vous de moi? par où commencerai-je?

Faust. Où se cache la belle enfant
Que ton art m'a fait voir?—Est-ce un vain sortilège?

Mep. Non pas! mais contre nous sa vertu la protège;
Et le ciel même la défend!

Faust. It matters not!
Come, lead me to her,
Or I straightway abandon thee.

Mep. Then I'll comply! 'twere pity you should think
So meanly of the magic power which I possess.
Have patience! and to this joyous tune.
Right sure am I, the maiden will appear.

SCENE V.

(Students, with Maidens on their arms, preceded by Musicians, take possession of the stage. Burghers in the rear, as at the commencement of the act.)

Students, Maidens, Burghers, etc., afterwards SIEBEL and MARGUERITE.

Cho.

(marking waltz time with their feet).

As the wind that sportively plays,
At first will light dust only raise,
Yet, at last, becomes a gale,
So our dancing and our singing,
Soft at first, then loudly ringing,
Will resound o'er hill and dale.

(The Musicians mount upon the table, and dancing begins.)

Mep.

(to FAUST).

See those lovely young maidens.
Will you not ask of them
To accept you?

Faust. No! desist from thy idle sport,
And leave my heart free to reflection.

Sie.

(entering).

Marguerite this way alone can arrive.

Some of the Maidens

(approaching SIEBEL).

Pray seek you a partner to join in the dance?

Faust. Qu'importe? je le veux! viens! conduis-mois vers elle!
Ou je me sépare de toi!

Mep. Il suffit!...je tiens trop à mon nouvel emploi
Pour vous laisser douter un instant de mon zèle!
Attendons!...Ici même, à ce signal joyeux,
La belle et chaste enfant va paraître à vos yeux!

SCÈNE V.

(Les étudiants et les jeunes filles, bras dessus, bras dessous, et précédés par des joueurs de violon, envahissent la scène. Ils sont suivis par les bourgeois qui ont paru au commencement de l'acte.)

Les Mêmes, Etudiants, Jeunes Filles, Bourgeois, puis SIEBEL et MARGUERITE.

Cho.

(marquant la mesure en marchant).

Ainsi que la brise légère
Soulève en épais tourbillons
La poussière
Des sillons,
Que la valse nous entraîne!
Faites retentir la plaine
De l'éclat de nos chansons!

(Les Musiciens montent sur les bancs; la valse commence.)

Mep.

(à FAUST).

Vois ces filles
Gentilles!
Ne veux-tu pas
Aus plus belles
D'entre elles
Offrir ton bras?

Faust. Non! fais trêve
A ce ton moqueur!
Et laisse mon cœur
A son rêve!...

Sie.

(rentrant en scène).

C'est par ici que doit passer
Marguerite!

Quelques Jeunes Filles.

(s'approchant de SIEBEL).

Faut-il qu'une fille à danser
Vous invite?

Sie. No: it has no charm for me.

Cho. As the wind that sportively plays,
At first will light dust only raise,
Yet, at last, becomes a gale,
So our dancing and our singing,
Soft at first, then loudly ringing,
Will resound o'er hill and dale.

(MARGUERITE enters.)

Faust. It is she! behold her!

Mep. 'Tis well! now, then, approach!

Sie. (perceiving MARGUERITE and approaching her).
Marguerite!

Mep. (turning round and finding himself face to face with SIEBEL).
What say you?

Sie. (aside).
Malediction! here again!

Mep. (coaxingly).
What, here again, dear boy?
(laughing).
Ha, ha! a right good jest!

(SIEBEL retreats before MEPHISTOPHELES, who then compels him to make a circuit of the stage, passing behind the dancers.)

Faust (approaching MARGUERITE, who crosses the stage).
Will you not permit me, my fairest demoiselle,
To offer you my arm, and clear for you the way?

Mar. No, sir. I am no demoiselle, neither am I fair;
And I have no need to accept your offered arm.
(Passes FAUST and retires.)

Faust (gazing after her).
What beauty! What grace! What modesty!
O lovely child, I love thee! I love thee!

Sie. (coming forward, without having seen what has occurred).
She has gone!

(He is about to hurry after MARGUERITE, when he suddenly finds himself face to face with MEPHISTOPHELES — he hastily turns away and leaves the stage.)

Sie. Non!...non! je ne veux pas valser!...

Cho. Ainsi que la brise légère
Soulève en épais tourbillons
La poussière
Des sillons,
Que la valse nous entraîne!
Faites retentir la plaine
De l'éclat de nos chansons!...

(MARGUERITE parait.)

Faust. Ah!...la voici...c'est elle!...

Mep. Eh bien, aborde-la!

Sie. (apercevant MARGUERITE et faisant un pas vers elle).
Marguerite!...

Mep. (se retournant et se trouvant face à face avec SIEBEL).
Plaît-il!...

Sie. (à part).
Maudit homme! encor là!...

Mep. (d'un ton milleux).
Eh quoi! mon ami! vous voilà!...
(en riant).
Ah, vraiment, mon ami!

(SIEBEL recule devant MEPHISTOPHELES, qui lui fait faire ainsi le our du théâtre en passant derrière le groupe des danseurs.)

Faust (abordant MARGUERITE qui traverse la scène).
Ne permettrez-vous pas, ma belle demoiselle,
Qu'on vous offre le bras pour faire le chemin?

Mar. Non, monsieur! je ne suis demoiselle, ni belle,
Et je n'ai pas besoin qu'on me donne la main?
(Elle passe devant FAUST et s'éloigne.)

Faust (la suivant des yeux).
Pas le ciel! que de grâce...et quelle modestie!...
O belle enfant, je t'aime!...

Sie. (redescendant en scene sans avoir vu ce qui vient de se passer).
Elle est partie!

(Il va pour s'élancer sur la trace de MARGUERITE; mais, se trouvant de nouveau face à face avec MEPHISTOPHELES, il lui tourne le dos et s'éloigne par le fond du théâtre.)

Mep. Well, Doctor!

Faust. Well. She has repulsed me.

Mep.

(laughing).

Ay, truly, I see, in love,
You know not how to make the first move.

(He retires with FAUST, in the direction taken by MARGUERITE.)

Some of the Maidens

(who have noticed the meeting between FAUST and MARGUERITE).

What is it?

Others.

Marguerite. She has refused the escort
Of yonder elegant gentleman.

Studs.

(approaching).

Waltz again!

Maidens.

Waltz alway!

Mep.

(à FAUST).

Eh bien?

Faust. On me repousse!...

Mep.

(en riant).

Allons! à tes amours
Je vois qu'il faut prêter secours!...

(Il s'éloigne avec FAUST du même côté que MARGUERITE.)

Quelques Jeunes Filles

(s'adressant à trois ou quatre d'entre elles qui ont observé la rencontre de FAUST et de MARGUERITE).

Qu'est-ce donc!...

Deuxième Groupe de Jeunes Filles.

Marguerite,
Qui de ce beau seigneur refuse la conduite!...

Etuds.

(se rapprochant).

Valsons encor!

Jeunes Filles.

Valsons toujours!

ACT III.

SCENE I.

MARGUERITE'S Garden.

(At the back a wall, with a little door. To the left a bower. On the right a pavilion, with a window facing the audience. Trees, shrubs, etc.)

SIEBEL, alone. (He enters through the little door at the back, and stops on the threshold of the pavilion, near a group of roses and lilies.)

Sie.

I.

Gently whisper to her of love, dear flow'r;
Tell her that I adore her,
And for me, oh, implore her,
For my heart feels alone for her love's pow'r.

Say in sighing I languish,
That for her, in my anguish,
Beats alone, dearest flow'r,
My aching heart.

(Plucks flowers.)

ACTE TROISIÈME.

SCÈNE PREMIÈRE.

Le Jardin de MARGUERITE.

(Au fond, un mur percé d'une petite porte. A gauche, un bosquet. A droite, un pavillon dont la fenêtre fait face au public. Arbres et massifs.)

Sie.

(seul).

(Il est arrêté près d'un massif de roses et de lilas.)

I.

Faites-lui mes aveux,
Portez mes vœux,
Fleurs écloses près d'elle,
Dites-lui qu'elle est belle...
Que mon cœur nuit et jour
Languit d'amour!

Révélez à son âme
Le secret de ma flamme!
Qu'il s'exhale avec vous
Parfums plus doux!....

(Il cueille une fleur.)

Alas! they are wither'd!

(Throws them away.)

Can the accursed wizard's words be true?

(Plucks another flower, which, on touching his hand, immediately withers.)

"Thou shalt ne'er touch flower again
But it shall wither!"
I'll bathe my hand in holy water!

(Approaches the pavilion, and dips his fingers in a little font suspended to the wall.)

When day declines, Marguerite hither
Comes to pray, so we'll try again.

(Plucks more flowers.)

Are they wither'd? No!
Satan, thou art conquer'd!

II.

In these flowers alone I've faith,
For they will plead for me;
To her they will reveal
My hapless state.
The sole cause of my woe is she,
And yet she knows it not.
But in these flowers I've faith,
For they will plead for me.

(Plucks flowers in order to make a bouquet, and disappears amongst the shrubs.)

SCENE II.

MEPHISTOPHELES, FAUST, and SIEBEL.

Faust. (cautiously entering through the garden door). We are here!

Mep Follow me.

Faust. Whom dost thou see?

Mep. Siebel, your rival.

Faust. Siebel?

Mep. Hush! He comes.

(They enter the bower.)

Sie. (entering with a bouquet in his hand). My bouquet is charming indeed?

Fanée!...hélas!

(Il jette la fleur avec dépit.)

Ce sorcier que Dieu damne
M'a porté malheur!

(Il cueille une autre fleur qui s'effeuille encore.)

Je ne puis sans qu'elle se fane
Toucher une fleur!...
Si je trempais mes doigts dans l'eau bénite?...

(Il s'approche du pavillon et trempe ses doigts dans un bénitier accroché au mur.)

C'est là que chaque soir vient prier Marguerite!
Voyons maintenant! voyons vite!...

(Il cueille deux ou trois fleurs.)

Elles se fanent?...Non!...Satan, je ris de toi...

II.

C'est en vous que j'ai foi;
Parlez pour moi!
Qu'elle puisse connaître
L'ardeur qu'elle a fait naître,
Et dont mon cœur troublé
N'a point parlé!
Si l'amour l'effarouche,
Que la fleur sur sa bouche
Sache au moins déposer
Un doux baiser!...

(Il cueille des fleurs pour former un bouquet et disparaît dans les massifs du jardin.)

SCÈNE II.

MEPHISTOPHELES, FAUST, puis SIEBEL.

Faust (entrant doucement en scène). C'est ici?

Mep. Suivez-moi!

Faust. Que regardes-tu là?

Mep. Siebel, votre rival.

Faust. Siebel!

Mep. Chut!...le violà!

(Il se cache avec FAUST dans un bosquet.)

Sie. (rentrant en scène, avec un bouquet à la main). Mon bouquet n'est-il pas charmant?

Mep. (aside).
It is indeed!

Sie. Victory!
Tomorrow I'll reveal all to her.
I will disclose to her the secret
That lies concealed in my heart:
A kiss will tell the rest.

Mep. (aside, mockingly).
Seducer!

(Exit SIEBEL, after fastening bouquet to the door of the pavilion.)

Mep. (à part).
Charmant!

Sie. Victoire!
Je lui raconterai demain toute l'histoire;
Et, si l'on veut savoir le secret de mon cœur,
Un baiser lui dira le reste!

Mep. (à part).
Séducteur!

(SIEBEL attache le bouquet à la porte du pavillon et sort.)

SCENE III.

FAUST and MEPHISTOPHELES.

Mep. Now attend, my dear doctor!
To keep company with the flowers of our friend,
I go to bring you a treasure,
Which outshines them beyond measure,
And of beauty past believing.

Faust. Leave me!

Mep. I obey. Deign to await me here.
(Disappears.)

SCENE III.

FAUST, MEPHISTOPHELES.

Mep. Attendez-moi là, cher docteur!
Pour tenir compagnie aux fleurs de votre élève,
Je vais vous chercher un trésor
Plus merveilleux, plus riche encor
Que tous ceux qu'elle voit en rêve!

Faust. Laisse-moi!

Mep. J'obéis!...daignez m'attendre ici?
(Il sort.)

SCENE IV.

FAUST.

Faust (alone).
What new emotion penetrates my soul!
Love, a pure and holy love, pervades my being.
O Marguerite, behold me at thy feet!
All hail, thou dwelling pure and lowly,
Home of an angel fair and holy,
All mortal beauty excelling!
What wealth is here, a wealth outbidding gold,
Of peace, and love, and innocence untold!
Bounteous Nature! 'twas here by day thy love was taught her,
Thou here with kindly care didst o'ershadow thy daughter
Through hours of night!
Here waving tree and flower

SCÈNE IV.

FAUST.

Faust (seul).
Quel trouble inconnu me pénètre!
Je sens l'amour s'emparer de mon être.
O Marguerite! tes pieds me voici!
Salut! demeure chaste et pure, où se devine
La présence d'une âme innocente et divine!...
Que de richesse en cette pauvreté!
En ce réduit, que de félicité!...
O nature, c'est là que tu la fis si belle!
C'est là que cette enfant a grandi sous ton aile,
A dormi sous tes yeux?
Là que, de ton haleine enveloppant son âme,
Tu fis avec amour épanouir la femme

Made her an Eden bower
Of beauty and delight,
For one whose very birth
Brought down heaven to our earth.
All hail, thou dwelling pure and lowly,
Home of an angel fair and holy.

En cet ange des cieux!
Salut! demeure chaste et pure, où se devine!
La prèsence d'une âme innocente et divine!...
Que de richesse en cette pauvreté!
En ce réduit, que de félicité!...
Salut! demeure chaste et pure, où se devine
La présence d'une âme innocente et divine!...

SCENE V.

FAUST, MEPHISTOPHELES.

Mep. (carrying a casket under his arm).
What ho! see here!
If flowers are more potent than bright jewels,
Then I consent to lose my power.

(Opens the casket and displays the jewels.)

Faust. Let us fly; I ne'er will see her more.

Mep. What scruple now assails thee?

(Lays the casket on the threshold of the pavilion.)

See on yonder step,
The jewels snugly lie;
We've reason now to hope.

(Draws FAUST after him, and disappears in the garden. MARGUERITE enters through the doorway at the back, and advances silently to the front.)

SCÈNE V.

FAUST, MEPHISTOPHELES.

(MEPHISTOPHELES reparaît, une cassette sous le bras.)

Mep. Alerte! la voilà!...Si le bouquet l'emporte
Sur l'écrin, je consens à perdre mon pouvoir!

(Il ouvre l'écrin.)

Faust. Fuyons!...je veux ne jamais la revoir!

Mep. Quel scrupule vous prend!...

(Plaçant l'écrin sur le seuil du pavillon.)

Sur le seuil de la porte,
Voici l'écrin placé!...venez!...j'ai bon espoir!

(Il entraine FAUST et disparaît avec lui dans le jardin. MARGUERITE entre par la porte du fond et descend en silence jusque sur le devant de la scène.)

SCENE VI.

MARGUERITE.

Mar. (alone).
Fain would I know the name
Of the fair youth I met?
Fain would I his birth
And station also know?

(Seats herself at her wheel in the arbor, and arranges the flax upon the spindle.)

I.

" Once there was a king in Thulé,
Who was until death always faithful,
And in memory of his loved one

SCÈNE VI.

MARGUERITE.

Mar. (seule).
Je voudrais bien savoir quel était ce jeune homme,
Si c'est un grand seigneur, et comment il se nomme?

(Elle s'assied dans le bosquet, devant son rouet, et prend son fuseau autour duquel elle prépare de la laine.)

I.

"Il était un roi de Thulé,
Qui, jusqu' à la tombe fidèle,
Eut, en souvenir de sa belle,

Caused a cup of gold to be made."

(Breaking off.)

His manner was so gentle! 'Twas true politeness.

(Resuming the song.)

"Never treasure prized he so dearly,
Naught else would use on festive days,
And always when he drank from it,
His eyes with tears would be o'erflowing."

II.

(She rises, and takes a few paces.)

"When he knew that death was near,
As he lay on his cold couch smiling,
Once more he raised with greatest effort
To his lips the golden vase."

(Breaking off.)

I knew not what to say, my face red with blushes!

(Resuming the song.)

"And when he, to honor his lady,
Drank from the cup the last, last time,
Soon falling from his trembling grasp,
Then gently passed his soul away."
Nobles alone can bear them with so bold a mien,
So tender, too, withal!

(She goes toward the pavilion.)

I'll think of him no more! Good Valentine!
If heav'n heeds my prayer, we shall meet again.
Meanwhile I am alone!

(Suddenly perceiving the bouquet attached to the door of the pavilion.)

Flowers!

(Unfastens the bouquet.)

They are Siebel's, surely!
Poor faithful boy!

(Perceiving the casket.)

But what is this?
From whom did this splendid casket come?
I dare not touch it —
Yet see, here is the key! — I'll take one look!
How I tremble — yet why? — can it be
Much harm just to look in a casket!

(Opens the casket and lets the bouquet fall.)

Une coupe en or ciselé!..."

(S'interrompant.)

Il avait bonne grâce, à ce qu'il m'a semble.

(Reprenant sa chanson.)

"Nul trésor n'avait plus de charmes!
Dans les grands jours il s'en servait,
Et chaque fois qu'il y buvait,
Ses yeux se remplissaient de larmes!..."

II.

(Elle se lève et fait quelques pas.)

"Quand il sentit venir la mort,
Etendu sur sa froide couche,
Pour la porter jusqu'à sa bouche
Sa main fit un suprême effort!..."

(S'interrompant.)

Je ne savais que dire, et j'ai rougi d'abord.

(Reprenant sa chanson.)

"Et puis, en l'honneur de sa dame,
Il but un dernière fois;
La coupe trembla dans ses doigts.
Et doucement il rendit l'âme!"
Les grands seigneurs ont seuls des air si résolus,
Avec cette douceur.

(Elle se dirige vers le pavillon.)

Allons! n'y pensons plus!
Cher Valentin, si Dieu m'écoute,
Je te reverrai!...me voilà
Toute seule!...

(Au moment d'entrer dans la pavillon, elle aperçoit la bouquet suspendu à la porte.)

Un bouquet!

(Elle prend le bouquet.)

C'est de Siebel, sans doute!
Pauvre garçon!

(Apercevant la cassette.)

Que vois-je là?
D'où ce riche coffret peut-il venir?..Je n'ose
Y toucher, et pourtant... — Voici la clef, je crois!...
Si je l'ouvrais!...ma main tremble!... Pourquoi!
Je ne fais, en l'ouvrant, rien de mal, je suppose!...

(Elle ouvre la cassette et laisse tombre le bouquet.)

Oh, heaven! what jewels!
Can I be dreaming?
Or am I really awake?
Ne'er have I seen such costly things before!

(Puts down the casket on a rustic seat, and kneels down in order to adorn herself with the jewels.)

I should just like to see
How they'd look upon me
Those brightly sparkling ear-drops!

(Takes out the ear-rings.)

Ah! at the bottom of the casket is a glass:
I there can see myself!—
But am I not becoming vain?

(Puts on the ear-rings, rises, and looks at herself in the glass.)

Ah! I laugh, as I pass, to look into a glass;
Is it truly Marguerite, then?
Is it you?
Tell me true!
No, no, no, 'tis not you!
No, no, that bright face there reflected
Must belong to a queen!
It reflects some fair queen, whom I greet as I pass her.
Ah! could he see me now,
Here, deck'd like this, I vow,
He surely would mistake me,
And for noble lady take me!
I'll try on the rest.
The necklace and the bracelets
I fain would try!

(She adorns herself with the bracelets and necklace, then rises.)

Heavens! 'Tis like a hand
That on mine arm doth rest!
Ah! I laugh, as I pass, to look into a glass;
Is it truly Marguerite, then?
Is it you?
Tell me true!
No, no, no, 'tis not you!
No, no, that bright face there reflected
Must belong to a queen!
It reflects some fair queen, whom I greet as I pass her.

O Dieu! que de bijoux!...est-ce un rêve charmant
Qui m'éblouit, ou si je veille!-
Mes yeux n'ont jamais vu de richesse pareille!...

(Elle place la cassette tout ouverte sur une chaise et s'agenouille pour se parer.)

Si j'osais seulement
Me parer un moment
De ces pendants d'oreille!

(Elle tire des boucles d'oreilles de la cassette.)

Voici tout justement,
Au fond de la cassette,
Un miroir!...comment
N'être pas coquette?

(Elle se pare des boucles d'oreilles, se lève et se regarde dans le miroir.)

Ah! je ris de me voir
Si belle en ce miroir!...
Est-ce toi, Marguerite?
Réponds-moi, réponds vite!—
Non! non!—ce n'est plus toi!
Ce n'est plus ton visage!
C'est la fille d'un roi,
Qu'on salue au passage!
Ah! s'il était ici!
S'il me voyait ainsi!...
Comme une demoiselle
Il me trouverait belle!...
Achevons la métamorphose!
Il me tarde encor d'essayer
Le bracelet et le collier.

(Elle se pare du collier d'abord, puis du bracelet.—Se levant.)

Dieu! c'est comme une main qui sur mon bras se pose!
Ah! je ris de me voir
Si belle en ce miroir!
Est-ce toi, Marguerite?
Réponds-moi, réponds vite!—
Non! non!—ce n'est plus toi!
Ce n'est plus ton visage!
C'est la fille d'un roi,
Qu'on salue au passage!...
Ah! s'il était ici!
S'il me voyait ainsi!...

Oh ! could he see me now,
Here, deck'd like this, I vow,
He surely would mistake me,
And for noble lady take me !

SCENE VII.

MARGUERITE and MARTHA.

Mart. Just heaven ! what is't I see?
How fair you now do seem !
Why, what has happened?
Who gave to you these jewels?

Mar. (confused).
Alas ! by some mistake
They have been hither brought.

Mart. Why so?
No, beauteous maiden,
These jewels are for you;
The gift are they of some enamor'd lord.
My husband, I must say,
Was of a less generous turn !

(MEPHISTOPHELES and FAUST enter.)

SCENE VIII.

MEPHISTOPHELES, FAUST, and the before-named.

Mep. (making a profound bow).
Tell me, I pray, are you Martha Schwerlein?

Mart. Sir, I am !

Mep. Pray pardon me,
If thus I venture to present myself.
(Aside, to FAUST.)
You see your presents
Are right graciously received.
(To MARTHA.)
Are you, then, Martha Schwerlein?

Mart. Sir, I am.

Mep. The news I bring
Is of an unpleasant kind:
Your much-loved spouse is dead,
And sends you greeting.

Comme une demoiselle
Il me trouverait belle !...
Ah ! s'il était ici !...

SCÈNE VII.

MARGUERITE, MARTHE.

Mart. (entrant par le fond).
Que vois-je, Seigneur Dieu !...comme vous voilà belle,
Mon ange !...—D'où vous vient ce riche écrin?

Mar. (avec confusion).
Hélas !
On l'aura par mégarde apporté !

Mart. Que non pas !
Ces bijoux sont á vous, ma chère demoiselle !
Oui ! c'est là le cadeau d'un seigneur amoureux !
(Soupirant.)
Mon cher époux jadîs était moins généreux !

(MEPHISTOPHELES et FAUST entrent en scène.)

SCÈNE VIII.

Les Mêmes, MEPHISTOPHELES, FAUST.

Mep. Dame Marthe Schwerlein, s'il vous plait?

Mart. Qui m'appelle?

Mep. Pardon d'oser ainsi nous présenter chez vous !
(Bas à FAUST.)
Vous voyez qu'elle a fait bel accueil aux bijoux?
(Haut.)
Dame Marthe Schwerlein?

Mart. Me voici !

Mep. La nouvelle
Que j'apporte n'est pas pour vous mettre en gaité: —
Votre mari, madame, est mort et vous salue !

Mart. Great heaven!
Mar. Why, what has happened?
Mep. Stuff!

(MARGUERITE hastily takes off the jewels, and is about to replace them in the casket.)

Mart. Oh woe! oh, unexpected news!

Mar.
(aside).
How beats my heart
Now he is near!

Faust
(aside).
The fever of my love
Is lull'd when at her side!

Mep.
(to MARTHA).
Your much-loved spouse is dead,
And sends you greeting!

Mart.
(to MEPHISTOPHELES).
Sent he nothing else to me?

Mep.
(to MARTHA).
No. We'll punish him for't;
Upon this very day
We'll find him a successor.

Faust
(to MARGUERITE).
Wherefore lay aside these jewels?

Mar.
(to FAUST).
Jewels are not made for me;
'Tis meet I leave them where they are.

Mep.
(to MARTHA).
Who would not gladly unto
You present the wedding-ring!

Mart.
(aside).
Indeed!
(to MEPHISTOPHELES).
You think so?

Mep.
(sighing).
Ah me! ah, cruel fate!

Faust
(to MARGUERITE).
Pray lean upon mine arm;

787

Mart. Ah!... grand Dieu!...
Mar. Qu'est ce donc?
Mep. Rien!...

(MARGUERITE baisse les yeux sous le regard de MEPHISTOPHELES, se hâte d'ôter le collier, le bracelet et les pendants d'oreilles et de les remettre dans la cassette.)

Mart. O calamité!
O nouvelle imprévue!...

ENSEMBLE.

Mar.
(à part).
Malgré moi mon cœur tremble et tressaille à sa vue!

Faust
(à part).
La fièvre de mes sens se dissipe à sa vue!

Mep.
(à MARTHE).
Votre mari, madame, est mort et vous salue!

Mart. Ne m'apportez-vous rien de lui!

Mep. Rien! ... et, pour le punir, il faut dès aujourd'hui
Chercher quelqu'un qui le remplace!

Faust
(à MARGUERITE).
Pourquoi donc quitter ces bijoux?

Mar. Ces bijoux ne sont pas à moi!... Laissez, de grâce!

Mep.
(à MARTHE).
Que ne serait heureux d'échanger avec vous
La bague d'hyménée?

Mart.
(à part).
Ah, bah!
(Haut.)
Plait-il?

Mep.
(soupirant).
Hélas! cruelle destinée!...

Faust
(à MARGUERITE).
Prenez mon bras un moment!

Mar.

(retiring).

Leave me, I humbly pray!

Mep.

(offering his arm to MARTHA).

Take mine!

Mart.

(aside).

In sooth, a comely knight!

(Taking his arm.)

Mep.

(aside).

The dame is somewhat tough!

(MARGUERITE yields her arm to FAUST, and withdraws with him. MEPHISTOPHELES and MARTHA remain together.)

Mart. And so you are always traveling!

Mep. A hard necessity it is, madame!
Alone and loveless. Ah!

Mart. In youth it matters not so much,
But in late years 'tis sad indeed!
Right melancholy it is in solitude
Our olden age to pass!

Mep. The very thought doth make me shudder.
But still, alas! what can I do?

Mart. If I were you, I'd not delay,
But think on't seriously at once.

Mep. I'll think on't!

Mart. At once and seriously!

(They withdraw. FAUST and MARGUERITE re-enter.)

Faust. Art always thus alone?

Mar. My brother is at the wars,
My mother dear is dead!
By misadventure, too,
My dear sister have I lost.
Dear sister mine!
My greatest happiness was she.
Sad sorrows these;
When our souls with love are filled,
Death tears the loved one from us!
At morn, no sooner did she wake,
Than I was always at her side!
The darling of my life was she!
To see her once again,
I'd gladly suffer all.

Faust. If heaven, in joyous mood,
Did make her like to thee,
An angel must she indeed have been!

Mar.

(se défendant).

Laissez!...Je vous en conjure!...

Mep.

(de l'autre côté du théâtre, à MARTHE).

Votre bras!...

Mart.

(à part).

Il est charmant!

Mep.

(à part).

La voisine est un peu mûre!

(MARGUERITE abandonne son bras à FAUST et s'éloigne avec MEPHISTOPHELES et MARTHE restent seuls en scène.)

Mart. Ainsi vous voyagez toujours?

Mep. Dure nécessité, madame!
Sans ami, sans parents!... sans femme.

Mart. Cela sied encore aux beaux jours!
Mais plus tard, combien il est triste
De vieillir seul, en égoïste!

Mep. J'ai frémi souvent, j'en conviens,
Devant cette horrible pensée!

Mart. Avant que l'heure en soit passée!
Digne seigneur, songez-y bien!

Mep. J'y songerai!

Mart. Songez-y bien!

(Ils sortent. Entre FAUST et MARGUERITE.)

Faust. Eh quoi! toujours seule?...

Mar. Mon frère
Est soldat; j'ai perdu ma mère;
Puis ce fut un autre malheur,
Je perdis ma petite sœur!
Pauvre ange!...Elle m'était bien chère!..
C'était mon unique souci;
Que de soins, hélas!... que de peines!
C'est quand nos âmes en sont pleines
Que la mort nous les prend ainsi!...
Sitôt qu'elle s'éveillait, vite
Il fallait que je fusse là!...
Elle n'aimait que Marguerite!
Pour la voir, la pauvre petite,
Je reprendrais bien tout cela!...

Faust. Si le ciel, avec un sourire,
L'avait faite semblable à toi,
C'était un ange!... Oui, je le croi!...

Mar. Thou mock'st me!

Faust. Nay, I do love thee!

Mar.

(sighing).

Flatterer! thou mock'st me!
I believe thee not! thou seekest to deceive.
No longer will I stay, thy words to hear.

Faust

(to MARGUERITE).

Nay, I do love thee! Stay, oh stay!
Heaven hath with an angel crown'd my path.
Why fear'st thou to listen?
It is my heart that speaks.

(Re-enter MEPHISTOPHELES and MARTHA.)

Mart.

(to MEPHISTOPHELES).

Of what now are you thinking?
You heed me not — perchance you mock me.
Now list to what I say.—
You really must not leave us thus!

Mep.

(to MARTHA).

Ah, chide me not, if my wanderings I resume.
Suspect me not; to roam I am compelled!
Need I attest how gladly I remain.
I hear but thee alone.

(Night comes on.)

Mar.

(to FAUST).

It grows dark,— you must away.

Faust

(embracing her).

My loved one!

Mar. Ah! no more!

(Escapes.)

Faust. Ah, cruel one, would'st fly?

(Pursuing her.)

Mep.

(aside, whilst MARTHA angrily turns her back to him).

The matter's getting serious,
I must away.

(Conceals himself behind a tree.)

Mar. Vous moquez-vous!...

Faust. Non! je t'admire!

Mar.

(souriant).

Je ne vous crois pas
Et de moi tout bas
Vous riez sans doute!...
J'ai tort de rester
Pour vous écouter!...
Et pourtant j'écoute!...

Faust. Laisse-moi ton bras!...
Dieu ne m'a t'il pas
Conduit sur ta route?...
Pourquoi redouter,
Hélas! d'écouter?...
Mon cœur parle; écoute!...

(MEPHISTOPHELES et MARTHE reparaissent.)

Mart. Vous n'entendez pas,
Ou de moi tout bas
Vous riez sans doute!
Avant d'écouter,
Pourquoi vous hâter
De vous mettre en route?

Mep. Ne m'accusez pas,
Si je dois, hélas!
Me remettre en route.
Faut-il attester
Qu'on voudrait rester
Quand on vous écoute?

(La nuit commence à tomber.)

Mar.

(à FAUST).

Retirez-vous!...voici la nuit.

Faust

(passant son bras autour de la taille de MARGUERITE.)

Chère âme!

Mar. Laissez-moi!

(Elle se dégage et s'enfuit.)

Faust

(la poursuivant).

Quoi! méchante!...on me fuit!

Mep.

(à part, tandis que MARTHE, dépitée, lui tourne le dos.)

L'entretien devient trop tendre!
Esquivons nous!

(Il se cache derrière un arbre.)

Mart.
(aside).
What's to be done? he's gone!
What ho, good sir!

(Retires.)

Mep. Yes, seek for me — that's right.
I really do believe
The aged beldame would
Actually have married Satan!

Faust
(without).
Marguerite!

Mart.
(without).
Good sir!

Mep. Your servant!

SCENE IX.

MEPHISTOPHELES.

Mep. 'Twas high time!
By night, protected,
In earnest talk of love,
They will return! 'Tis well!
I'll not disturb
Their amorous confabulation!
Night, conceal them in thy darkest shade.
Love, from their fond hearts
Shut out all troublesome remorse.
And ye, O flowers of fragrance subtle,
This hand accurs'd
Doth cause ye all to open!
Bewilder the heart of Marguerite!

(Disappears amid the darkness.)

SCENE X.

FAUST and MARGUERITE.

Mar. It groweth late, farewell!
Faust. I but implore in vain.
Let me thy hand take, and clasp it,
And behold but thy face once again,
Illum'd by that pale light,
From yonder moon that shines,

Mart.
(à part).
Comment m'y prendre?
(Se retournant.)
Eh bien! il est parti!...Seigneur!...
(Elle s'éloigne.)

Mep. Oui! Cours après moi!...
Ouf! cette vieille impitoyable
De force ou de gré, je croi,
Allait épouser le diable!

Faust
(dans la coulisse).
Marguerite!

Mart.
(dans la coulisse)
Cher seigneur!

Mep. Serviteur!

SCÈNE IX.

MEPHISTOPHELES.

Mep.
(seul).
Il était temps! sous le feuillage sombre
Voici nos amoureux qui reviennent!...
C'est bien!
Gardons nous de troubler un si doux entretien!
O nuit, étends sur eux ton ombre!
Amour, ferme leur âme aux remords importuns!
Et vous, fleurs aux subtils parfums,
Epanouissez-vous sous cette main maudite!
Achevez de troubler le cœur de Marguerite!...
(Il s'éloigne et disparaît dans l'ombre.)

SCÈNE X.

FAUST, MARGUERITE.

Mar. Il se fait tard! adieu!
Faust
(la retenant).
Quoi! je t'implore en vain!
Attends! laisse ma main s'oublier dans la tienne!
(S'agenouillant devant MARGUERITE.)

O'er thy beauteous features shedding
Its faint but golden ray.

Mar. Oh, what stillness reigns around,
Oh, ineffable mystery!
Sweetest, happiest feeling,
I list; a secret voice
Now seems to fill my heart.
Still its tone again resoundeth in my bosom.
Leave me awhile, I pray.

(Stoops and picks a daisy.)

Faust. What is it thou doest?
Mar. This flower I consult.

(She plucks the petals of the daisy.)

Faust (aside).
What utters she in tones subdued?
Mar. He loves me!—no, he loves me not!
He loves me!—no!—He loves me!

Faust. Yes, believe thou this flower,
The flower of loves.
To thine heart let it tell
The truth it would teach,—
He loves thee! Know'st thou not
How happy 'tis to love?
To cherish in the heart a flame that never dies!
To drink forever from the fount of love!
Both. We'll love for ever!

Faust. Oh, night of love! oh, radiant night!
The bright stars shine above;
Oh, joy, this is divine!
I love, I do adore thee!

Mar. Mine idol fond art thou!
Speak, speak again!
Thine, thine I'll be;
For thee I'll gladly die.
Faust. Oh, Marguerite!

Laisse-moi, laisse-moi contempler ton visage
Sous la pâle clarté
Dont l'astre de la nuit, comme dans un nuage,
Caresse ta beauté!...
Mar. O silence! ô bonheur! ineffable mystère!
Enivrante langueur!
J'écoute!..Et je comprends cette voix solitaire
Qui chante dans mon cœur!

(Dégageant sa main de celle de Faust.)

Laissez un peu, de grâce!...

(Elle se penche et cueille une marguerite.)

Faust. Qu'est se donc?
Mar. Un simple jeu!
Laissez un peu!

(Elle effeuille la marguerite.)

Faust. Que dit ta bouche à voix basse!...

Mar. Il m'aime!—Il ne m'aime pas!—
Il m'aime!—pas!—Il m'aime!—pas!
—Il m'aime!
Faust. Oui!...crois en cette fleur éclose sous tes pas!...
Qu'elle soit pour ton cœur l'oracle du ciel même!...
Il t'aime!...comprends-tu ce mot sublime et doux?...
Aimer! porter en nous
Une ardeur toujours nouvelle!...
Nous enivrer sans fin d'une joie éternelle!
Faust et Mar.
Eternelle!...
Faust. O nuit d'amour...ciel radieux!,..
O douces flammes!...
Le bonheur silencieux
Verse les cieux
Dans nos deux âmes!...
Mar. Je veux t'aimer et te chérir!
Parle encore!
Je t'appartiens!...je t'adore!...
Pour toi je veux mourir!...
Faust. Marguerite!...

Mar. (suddenly tearing herself from FAUST's arms). Ah, leave me!	*Mar.* (se dégageant des bras de FAUST). Ah!... partez!...
Faust. Cruel one!	*Faust.* Cruelle!.. Me séparer de toi!...
Mar. Fly hence! alas! I tremble!	*Mar.* Je chancelle!...
Faust. Cruel one!	*Faust.* Ah! cruelle!...
Mar. Pray leave me!	*Mar.* (suppliante). Laissez-moi!...
Faust Would'st thou have me leave thee? Ah! see'st thou not my grief? Ah, Marguerite, thou breakest my heart!	*Faust.* Tu veux que je te quitte Hélas!...vois ma douleur. Tu me brises le cœur, O Marguerite!...
Mar. Go hence! I waver! mercy, pray! Fly hence! alas! I tremble! Break not, I pray, thy Marguerite's heart!	*Mar.* Partez! oui, partez vite! Je tremble!...hélas!...J'ai peur! Ne brisez pas la cœur De Marguerite!
Faust. In pity —	*Faust.* Par pitié!...
Mar. If to thee I'm dear, I conjure thee, by thy love, By this fond heart, That too readily its secret hath revealed, Yield thee to my prayer, — In mercy get thee hence! (Kneels at the feet of FAUST.)	*Mar.* Si je vous suis chère, Par votre amour, par ces aveux Que je devais taire, Cédez à ma priére!... Cédez à mes vœux! (Elle tombe aux pieds de FAUST.)
Faust (after remaining a few moments silent, gently raising her). O fairest child, Angel so holy, Thou shalt control me, Shalt curb my will. I obey; but at morn —	*Faust* (après un silence, la relevant doucement). Divine pureté!... Chaste innocence, Dont la puissance Triomphe de ma volonté!... J'obéis!...Mais demain!
Mar. Yes, at morn, Very early.	*Mar.* Oui, demain!...dès l'aurore!... Demain toujours!...
Faust. One word at parting. Repeat thou lovest me.	*Faust.* Un mot encore!... Répète-moi ce doux aveu!... Tu m'aimes!...
Mar. Adieu! (Hastens towards the pavilion, then stops short on the threshold, and wafts a kiss to FAUST.)	*Mar.* Adieu!... (Elle entre dans le pavillon.)
Faust. Adieu! Were it already morn!	*Faust.* Félicité du ciel....Ah....fuyons.... (Il s'élance vers la porte du jardin. MEPHISTOPHELES lui barre le passage.)

SCENE XI.

FAUST, MEPHISTOPHELES.

Mep. Fool!
Faust. You overheard us?
Mep. Happily. You have great need, learned Doctor,
To be sent again to school.
Faust. Leave me!
Mep. Deign first to listen for a moment,
To the speech she rehearses to the stars.
Dear master, delay. She opens her window.

(MARGUERITE opens the window of the pavilion, and remains with her head resting on her hand.)

SCENE XII.

The preceding. MARGUERITE.

Mar. He loves me! Wildly beats my heart!
The night-bird's song,
The evening breeze,
All nature's sounds together say,
"He loves thee!"
Ah! sweet, sweet indeed
Now is this life to me!
Another world it seems;
The very ecstasy of love is this!
With to-morrow's dawn,
Haste thee, oh dear one,
Haste thee to return! Yes, come!
Faust.
(rushing to the window, and grasping her hand).
Marguerite!
Mar. Ah!
Mep.
(mockingly).
Ho! ho!

(MARGUERITE, overcome, allows her head to fall on FAUST'S shoulder. MEPHISTOPHELES opens the door of the garden, and departs, laughing derisively. The curtain falls.)

ACT IV.

SCENE I.

Marguerite's Room.

SIEBEL and MARGUERITE.

Sie.
(quietly approaching).
Marguerite!
Mar. Siebel!

SCÈNE XI.

FAUST, MEPHISTOPHELES.

Mep. Tête folle!...
Faust. Tu nous écoutais.
Mep. Par bonheur.
Vous auriez grand besoin, docteur,
Qu'on vous renvoyât à l'école.
Faust. Laisse-moi.
Mep. Daignez seulement
Ecouter un moment
Ce qu'elle va conter aux étoiles, cher maître.
Tenez; elle ouvre sa fenêtre.

(MARGUERITE ouvre la fenêtre du pavillon et s'y appuie un momen en silence, la tête entre les mains.)

SCÈNE XII.

Les mêmes. MARGUERITE.

Mar. Il m'aime;...quel trouble en mon cœur,
L'oiseau chante!...le vent murmure!...
Toutes les voix de la nature
Semblent me répéter en chœur:
Il t'aime!... — Ah! qu'il est doux de vivre!...
Le ciel me sourit;...l'air m'enivre!...
Est-ce de plaisir et d'amour
Que la feuille tremble et palpite?...
Demain?... — Ah! presse ton retour,
Cher bien-aimé!...viens!...
Faust
(s'élançant vers la fenêtre et saisissant la main de MARGUERITE)
Marguerite!...
Mar. Ah!...
Mep. Ho! ho!

(MARGUERITE rest un moment interdite et laisse tomber sa tête sur l'épaule de FAUST; MEPHISTOPHELES ouvre la porte du jardin et sort en ricanant. La toile tombe.)

ACTE QUATRIÈME.

SCÈNE PREMIÈRE.

La Chambre de Marguerite.

MARGUERITE, SIEBEL.

Sie.
(s'approchant doucement de MARGUERITE).
Marguerite!
Mar. Siebel!...

Sie. What, weeping still!

Mar. Alas! thou alone art kind to me.

Sie. A mere youth am I.
And yet I have a manly heart,
And I will sure avenge thee.
The seducer's life shall forfeit pay.

Mar. Whose life?

Sie. Need I name him? The wretch
Who thus hast deserted thee!

Mar. In mercy, speak not thus!

Sie. Dost love him still, then?

Mar. Ay, I love him still!
But not to you, good Siebel, should I repeat this tale.

Sie.

I.

When all was young, and pleasant May was blooming,
I, thy poor friend, took part with thee in play;
Now that the cloud of autumn dark is glooming,
Now is for me, too, mournful the day.
Hope and delight have passed from life away.

II.

We were not born with true love to trifle,
Nor born to part because the wind blows cold.
What though the storm the summer garden rifle,
Oh, Marguerite! oh, Marguerite!
Still on the bough is left a leaf of gold.

Mar Bless you, my friend, your sympathy is sweet.
The cruel ones who wrong me thus
Cannot close against me
The gates of the holy temple.
Thither will I go to pray
For him and for our child.

(Exit. SIEBEL follows slowly after.)

Sie. Encor des pleurs.

Mar. (se levant).
Hélas!
Vous seul ne me maudissez pas.

Sie. Je ne suis qu'un enfant, mais j'ai le cœur d'un homme
Et je vous vengerai de son lâche abandon!
Je le tuerai!

Mar. Qui donc?

Sie. Faut-il que je le nomme?
L'ingrat qui vous trahit!...

Mar. Non!...taisez-vous?...

Sie. Pardon!
Vous l'aimez encore?

Mar. Oui!... toujours!
Mais ce n'est pas à vous de plaindre mon ennui
J'ai tort, Siebel, de vous parler de lui.

Sie.

I.

Si la bonheur à sourire t'invite,
Joyeux alors, je sens un doux émoi;
Si la douleur t'accable, Marguerite,
O Marguerite, je pleure alors,
Je pleure comme toi!

II.

Comme deux fleurs sur une même tige,
Notre destin suivant le même cours,
De tes chagrins en fière je m'afflige,
O Marguerite, comme une sœur,
Je t'aimerai toujours!

Mar. Soyez béni, Siebel! votre amitié m'est douce!
Ceux dont la main cruelle me repousse,
N'ont pas fermé pour moi la porte du saint lieu;
J'y vais pour mon enfant...et pour **lui** prier Dieu!

(Elle sort; SIEBEL la suit à pas lents.)

SCENE II.

Interior of a Church.

MARGUERITE, then MEPHISTOPHELES.

(Women enter the church and cross the stage. MARGUERITE enters after them, and kneels.)

Mar. O heaven!
Permit thy lowly handmaiden
To prostrate herself before thine altar.

Mep. No, thou shalt not pray!
Spirits of evil, haste ye at my call,
And drive this woman hence!

Cho. of Demons. Marguerite!

Mar. Who calls me?

Cho. Marguerite!

Mar. I tremble! — oh, heaven!
My last hour is surely nigh!

(The tomb opens and discloses MEPHISTOPHELES, who bends over to MARGUERITE's ear.)

Mep. Remember the glorious days
When an angel's wings
Protected thy young heart.
To church thou camest then to worship,
Nor hadst thou then sinned 'gainst heaven.
Thy prayers then issued
From an unstained heart
And on the wings of faith
Did rise to the Creator.
Hear'st thou their call?
'Tis hell that summons thee!
Hell claims thee for its own!
Eternal pain, and woe, and tribulation,
Will be thy portion!

Mar. Heaven! what voice is this
That in the shade doth speak to me?
What mysterious tones are these!

Religious Cho. When the last day shall have come,
The cross in heaven shall shine forth,
This world to dust shall crumble.

SCÈNE II.

L'Eglise.

MARGUERITE, puis MEPHISTOPHELES.

(Quelques femmes traversent la scène et entrent dans l'eglise. MARGUERITE entre après elles et s'agenouille.)

Mar. Seigneur, daignez permettre à votre humble servante
De s'agenouiller devant vous!

Mep. Non!...tu ne prieras pas!...Frappez-la d'épouvante!
Esprits du mal, accourez tous!

Voix de Démons Invisibles. Marguerite!

Mar. Qui m'appelle?

Voix. Marguerite!

Mar. Je chancelle!
Je meurs! — Dieu bon! Dieu clément!
Est-ce déjà l'heure du châtiment?

(MEPHISTOPHELES parait derrière un pilier et se penche à l'oreille de MARGUERITE.)

Mep. Souviens-toi du passé, quand sous l'aile des anges,
Abritant ton bonheur,
Tu venais dans son temple, enchantant ses louanges,
Adorer le Seigneur!
Lorsque tu bégayais une chaste prière
D'une timide voix,
Et portais dans ton cœur les baisers de ta mère,
Et Dieu tout à la fois!
Écoute ces clameurs! c'est l'enfer qui t'appelle!...
C'est l'enfer qui te suit!
C'est l'éternel remords et l'angoisse éternelle
Dans l'éternelle nuit!

Mar. Dieu! quelle est cette voix qui me parle dans l'ombre?
Dieu tout puissant!
Quel voile sombre
Sur moi descend!...

Chant Religieux
(accompagné par les orgues).

Quand du Seigneur le jour luira,
Sa croix au ciel resplendira,
Et l'univers s'écroulera...

Mar. Ah me! more fearful still becomes their song.
Mep. No pardon hath heaven left for thee!
For thee e'en heaven hath no more light!

Religious Cho. What shall we say unto high heav'n?
Who shall protection find
When innocence such persecution meets?
Mar. A heavy weight my breast o'erpowers, —
I can no longer breathe!
Mep. Nights of love, farewell!
Ye days of joy, adieu!
Lost, lost for aye art thou!
Mar. and Cho.
Heav'n! hear thou the prayer
Of a sad, broken heart!
A bright ray send thou
From the starry sphere
Her anguish to allay!
Mep. Marguerite, lost, lost art thou!
Mar. Ah!
(He disappears.)

SCENE III.

The Street.

VALENTINE, Soldiers, then SIEBEL.

Cho. Our swords we will suspend
Over the paternal hearth;
At length we have returned.
Sorrowing mothers no longer
Will bewail their absent sons.

SCENE IV.

VALENTINE and SIEBEL.

Val. (perceiving SIEBEL, who enters).
Ah, Siebel, is it thou?
Sie. Dear Valentine!
Val. Come, then, to my heart!
(Embracing him.)
And Marguerite?

Mar. Hélas!...ce chant pieux est plus terrible encore!...
Mep. Non!
Dieu pour toi n'a plus de pardon!
Le ciel pour toi n'a plus d'aurore!

Cho. Religieux. Que dirai-je alors au Seigneur?
Où trouverai-je un protecteur,
Quand l'innocent n'est pas sans peur!

Mar. Ah! ce chant m'ètouffe et m'oppresse!
Je suis dans un cercle de fer!
Mep. Adieu les nuits d'amour et les jours pleins d'ivresse!
A toi malheur! A toi l'enfer!
Mar. et le Cho. Religieux.
Seigneur, accueillez la prière
Des cœurs malheureux!
Qu'un rayon de votre lumière
Descende sur eux!

Mep. Marguerite!
Sois maudite! A toi l'enfer!
Mar. Ah!
(Il disparait.)

SCÈNE III.

La Rue.

VALENTIN, Soldats, puis SIEBEL.

Cho. Déposons les armes;
Dans nos foyers enfin nous voici revenus!
Nos mères en larmes,
Nos mères et nos sœurs ne nous attendront plus.

SCÈNE IV.

VALENTIN, SIEBEL.

Val. (apercevant SIEBEL).
Eh! parbleu! c'est Siebel!
Sie. Cher Valentin...
Val. Viens vite!
Viens dans mes bras.
(Il l'embrasse.)
Et Marguerite?

Sie.

(confused).

Perhaps she's yonder at the church.

Val. She doubtless prays for my return.
Dear girl, how pleased
She'll be to hear me tell
My warlike deeds!

Cho. Glory to those who in battle fall,
Their bright deeds we can with pride recall.
May we, then, honor and fame acquire,
Their glorious deeds our hearts will inspire!
For that dear native land where we first drew breath,
Her sons, at her command proudly brave e'en death.
At their sacred demand who on us depend,
Our swords we will draw, their rights to defend.
Homeward our steps we now will turn,—
Joy and peace await us there!
On, on at once, nor loiter here;
On, then, our lov'd ones to embrace,—
Affection calls, fond love doth summon us,
Yes, many a heart will beat
When they our tale shall hear.

Val. Come, Siebel, we'll to my dwelling
And o'er a flask of wine hold converse.

(Approaching MARGUERITE's house.)

Sie. Nay, enter not!

Val. Why not, I pray?—Thou turn'st away;
Thy silent glance doth seek the ground—
Speak, Siebel—what hath happened?

Sie.

(with an effort.)

No! I cannot tell thee!

Val. What mean'st thou?

(Rushing toward house.)

Sie.

(withholding him.)

Hold, good Valentine, take heart!

Sie.

(avec embarras).

Elle est à l'église, je crois.

Val. Oui, priant Dieu pour moi...
Chère sœur, tremblante et craintive,
Comme elle va prêter une oreille attentive
Au récit de nos combats!

Cho. Gloire immortelle
De nos aïeux,
Sois-nous fidèle
Mourons comme eux!
Et sous ton aile,
Soldats vainqueurs,
Dirige nos pas, enflamme nos cœurs!
Vers nos foyers hâtons le pas!
On nous attend; la paix est faite!
Plus de soupirs! ne tardons pas!
Notre pays nous tend les bras!
L'amour nous rit! l'amour nous fête!
Et plus d'un cœur frémit tout bas
Au souvenir de nos combats!
L'amour nous rit! l'amour nous fête!
El plus d'un cœur frémit tout bas
Au souvenir de nos combats!
Gloire immortelle.

Val. Allons, Siebel! entrons dans la maison!
Le verre en main, tu me feras raison!

Sie.

(vivement).

Non! n'entre pas!

Val. Pourquoi?..—tu détournes la tête?
Ton regard fuit le mien?..—Siebel, explique-toi!

Sie. Eh bien!—non, je ne puis!

Val. Que veux-tu dire?

(Il se dirige vers la maison.)

Sie.

(l'arretant).

Arrête!

Sois clément, Valentin!

Val. What is't thou mean'st!

(Enters the house.)

Sie. Forgive her!
Shield her, gracious Heaven!

(Approaches the church. FAUST and MEPHISTOPHELES enter at the back; MEPHISTOPHELES carries a guitar.)

SCENE V.

FAUST and MEPHISTOPHELES.

(FAUST goes towards MARGUERITE's house, but hesitates.)

Mep. Why tarry ye?
Let us enter the house.

Faust. Peace! I grieve to think that I
Brought shame and sorrow hither.

Mep. Why see her again, then, after leaving her?
Some other sight might be more pleasing.
To the sabbath let us on.

Faust

(sighing).

Oh, Marguerite!

Mep. My advice, I know,
Availeth but little
Against thy stubborn will.
Doctor, you need my voice!

(Throwing back his mantle, and accompanying himself on the guitar.)

I.

Maiden, now in peace reposing,
From thy sleep awake,
Hear my voice with love imploring,
Wilt thou pity take?
But beware how thou confidest
Even in thy friend,
Ha! ha! ha!
If not for thy wedding finger
He a ring doth send.

II.

Yes, sweet maiden, I implore thee,—
Oh, refuse not this,—

Val.

(furieux).

Laisse-moi! laissi-moi!

(Il entre dans la maison.)

Sie. Pardonne-lui!

(Seul.)

Mon Dieu! je vous implore!
Mon Dieu, protégez-là.

(Il s'éloigne; MEPHISTOPHELES et FAUST entrent en scène; MEPHISTOPHELES tient une guitare à la main.)

SCÈNE V.

FAUST, MEPHISTOPHELES.

(FAUST se dirige vers la maison de MARGUERITE et s'arrête.)

Mep. Qu'attendez-vous encore?
Entrons dans la maison.

Faust. Tais-toi, maudit!...j'ai peur
De rapporter ici la honte et le malheur,

Mep. A quoi bon la revoir, après l'avoir quitté?
Notre présence ailleurs serait bien mieux fêtée!
La sabbat nous attend!

Faust. Marguerite!

Mep. Je vois
Que mes avis sont vains et que l'amour l'emporte!
Mais, pour vous faire ouvrir la porte,
Vous avez grand besoin du secours de ma voix!

(FAUST, pensif, se tient à l'écart. MEPHISTOPHELES s'accompagne sur sa guitare.)

I.

"Vous qui faites l'endormie,
N'entendez-vous pas,
O Catherine, ma mie,
Ma voix et mes pas...?"
Ainsi ton galant t'appelle,
Et ton cœur l'en croit!
N'ouvre ta porte, ma belle,
Que la bague au doigt!

II.

"Catherine que j'adore,
Pourquoi refuser

Smile on him who doth adore thee,
Bless him with thy kiss.
But beware how thou confidest,
Even in thy friend,
Ha! ha! ha!
If not for thy wedding finger
He a ring doth send.

(VALENTINE rushes from the house.)

SCENE VI.

VALENTINE and the before-named.

Val. Good sir, what want you here?
Mep. My worthy fellow, it was not to you
That we addressed our serenade!
Val. My sister, perhaps, would more gladly hear it!
(VALENTINE draws his sword, and breaks MEPHISTOPHELES' guitar.)
Faust. His sister!
Mep.
(to VALENTINE).
Why this anger?
Do ye not like my singing?
Val. Your insults cease!
From which of ye must I demand
Satisfaction for this foul outrage?
Which of ye must I now slay?
(FAUST draws his sword.)
'Tis he!
Mep. Your mind's made up, then!
On, then, doctor, at him, pray!
Val. Oh, heaven, thine aid afford,
Increase my strength and courage,
That in his blood my sword
May wipe out this fell outrage!
Faust. What fear is this unnerves my arm?
Why falters now my courage?
Dare I to take his life,
Who but resents an outrage?
Mep. His wrath and his courage
I laugh alike to scorn!
To horse, then, for his last journey
The youth right soon will take!

A l'amant qui vous implore
Un si doux baiser?..."
Ainsi ton galant supplie,
Et ton cœur l'en croit!
Ne donne un baiser, ma mie,
Que la bague au doigt!

(VALENTIN sort de la maison.)

SCÈNE VI.

Les mêmes. VALENTIN.

Val. Que voulez-vous, messieurs?
Mep. Pardon! mon camarade,
Mais ce n'est pas pour vous qu'était la sérénade!
Val. Ma sœur l'écouterait mieux que moi, je le sais!
(Il degaine et brise la guitare de MEPHISTOPHELES d'un coup d'épée.)
Faust. Sa sœur!
Mep.
(à VALENTIN).
Quelle mouche vous pique?
Vous n'aimez donc pas le musique?
Val. Assez d'outrage!...assez!...
A qui de vous dois-je demander compte
De mon malheur et de ma honte?...
Qui de vous deux doit tomber sous mes coups?...
(FAUST tire son épée.)
C'est lui!...
Mep. Vous le voulez?...—Allons, docteu, à vous!...
Val. Redouble, ô Dieu puissant,
Ma force et mon courage!
Permets que dans son sang
Je lave mon outrage!
Faust
(à part).
Terrible et frémissant,
Il glace mon courage!
Dois-je verser le sang
Du frère que j'outrage?...
Mep. De son air menaçant,
De son aveugle rage,
Je ris!...mon bras puissant
Va détourner l'orage!..

Val.
(taking in his hand the medallion suspended round his neck).
Thou gift of Marguerite,
Which till now hath ever saved me,
I'll no more of thee — I cast thee hence!
Accursed gift, I throw thee from me!
(Throws it angrily away.)

Mep.
(aside).
Thou'll repent it!

Val.
(to FAUST).
Come on, defend thyself!

Mep.
(to FAUST, in a whisper).
Stand near to me, and attack him only;
I'll take care to parry!
(They fight.)

Val.
(falling).
Ah!

Mep. Behold our hero,
Lifeless on the ground!
Come, we must hence — quick, fly!
(Exit, dragging FAUST after him.)

SCENE VII.

(Enter Citizens, with lighted torches; afterwards SIEBEL and MARGUERITE.)

Cho. Hither, hither, come this way —
They're fighting here hard by!
See, one has fallen;
The unhappy man lies prostrate there.
Ah! he moves — yes, still he breathes;
Quick, then, draw nigh
To raise and succor him!

Val. 'Tis useless, cease these vain laments.
Too often have I gazed
On death, to heed it
When my own time hath come!

(MARGUERITE appears at the back, supported by SIEBEL.)

Mar.
(advancing, and falling on her knees at VALENTINE's side).

Val. Valentine! ah, Valentine!
(thrusting her from him).
Marguerite!
What would'st thou here? — away!

Val.
(tirant de son sein la médaille que lui a donnée MARGUERITE).
Et toi qui préservas mes jours,
Toi qui me viens de Marguerite,
Je ne veux plus de ton secours,
Médaille maudite!...
(Il jette la médaille loin de lui.)

Mep.
(à part).
Tu t'en repentiras!

Val. En garde!...et défends-toi!...

Mep.
(à FAUST).
Serrez-vous contre moi!...
Et poussez seulement, cher docteur!...
moi, je pare.

Val. Ah!
(VALENTIN tombe.)

Mep. Voici notre héros étendu sur le sable!...
Au large maintenant! au large!...

(Il entraine FAUST. Arrivent MARTHE et des bourgeois portant des torches.)

SCÈNE VII.

VALENTIN, MARTHE, Bourgeois, puis SIEBEL et MARGUERITE.

Mart. et les Bourg.
Par ici!...
Par ici, mes amis! on se bat dans la rue!...—
L'un d'eux est tombé là! — Regardez... le voici!...
Il n'est pas encore mort!...— on dirait qu'il remue!... —
Vite, approchez!...il faut le secourir!

Val.
(se soulevant avec effort).
Merci!
De vos plaintes, faites-moi grace!...
J'ai vu, morbleu! la mort en face
Trop souvent pour en avoir peur!...
(MARGUERITE parait au fond soutenue par SIEBEL.)

Mar. Valentin!...Valentin!...
(Elle écarte la foule et tombe à genoux près de VALENTIN.)

Val. Marguerite! ma sœur!...
(Il la repousse.)
Que me veux-tu?...va-t'en

Mar. O heav'n!

Val. For her I die! Poor fool!
I thought to chastise her seducer!

Cho.
(in a low voice, pointing to MARGUERITE).
He dies, slain by her seducer!

Mar. Fresh grief is this! ah, bitter punishment.

Sie. Have pity on her, pray!

Val.
(supported by those around him).
Marguerite, give ear awhile;
That which was decreed
Hath duly come to pass.
Death comes at its good pleasure:
All mortals must obey its behest.
But for you intervenes an evil life!
Those white hands will never work more;
The labors and sorrows that others employ,
Will be forgotten in hours of joy.
Darest thou live, ingrate?
Darest thou still exist?
Go! Shame overwhelm thee! Remorse follow thee!
At length *thy* hour will sound.
Die! And if God pardons thee hereafter,
So may this life be a continual curse!

Cho. Terrible wish! Unchristian thought!
In thy last sad hour, unfortunate!
Think of thy own soul's welfare.
Forgive, if thou wouldst be forgiven

Val. Marguerite; I curse you! Death awaits me.
I die by your hand; but I die a soldier.

(Dies.)

Cho. God receive thy spirit!
God pardon thy sins!

(Curtain.)

Mar. O Dieu!...

Val. Je meurs par elle!...
J'ai sottement
Cherché querelle
A son amant!

La Foule
(à demi voix, montrant MARGUERITE).
Il meurt, frappé par son amant!

Mar. Douleur cruelle!
O châtiment!...

Sie.
(à VALENTIN).
Grâce pour elle!...
Soyez clément!

Val.
(soutenu par ceux qui l'entourent).
Ecoute-moi bien, Marguerite!...
Ce qui doit arriver arrive à l'heure dite!
La mort nous frappe quand il faut,
Et chacun obéit aux volontés d'en haut!..
—Toi!...te voilà dans la mauvaise voie!
Tes blanches mains ne travailleront plus!
Tu renîras, pour vivre dans la joie,
Tous les devoirs et toutes les vertus!
Va! la honte t'accable
Le remords suit tes pas!
Mais enfin l'heure sonne!
Meurs! et si Dieu te pardonne,
Soit maudite ici-bas.

La Foule.
O terreur, ô blasphème
A ton heure suprême, infortuné,
Songe, hélas, a toi-même,
Pardonne, si tu veux tre un jour pardonné!

Val. Marguerite! Soit maudite!
La mort t'attend sur ton grabat!
Moi je meurs de ta main
Et je tombe en soldat!

(Il meurt.)

La Foule.
Que le Seigneur ait son âme
Et pardonne au pêcheur.

(La toile tombe.)

ACT V.

SCENE I.

A Prison.

MARGUERITE asleep; FAUST and MEPHISTOPHELES.

Faust. Go! get thee hence!

Mep. The morn appears, black night is on the wing.
Quickly prevail upon Marguerite to follow thee.
The jailer soundly sleeps — here is the key,
Thine own hand now can ope the door.

Faust. Good! Get thee gone!

Mep. Be sure thou tarry not!
I will keep watch without.

(Exit.)

Faust. With grief my heart is wrung!
Oh, torture! oh, source of agony
And remorse eternal! Behold her there
The good, the beauteous girl,
Cast like a criminal
Into this vile dungeon;
Grief must her reason have disturbed,
For, with her own hand, alas!
Her child she slew!
Oh, Marguerite!

Mar.

(waking).

His voice did sure
Unto my heart resound.

(Rises.)

Faust. Marguerite!

Mar. At that glad sound it wildly throbs again
Amid the mocking laugh of demons.

Faust. Marguerite!

Mar. Now am I free. He is here. It is his voice.
Yes, thou art he whom I love.
Fetters, death, have no terrors for me;
Thou hast found me. Thou hast returned.
Now am I saved! Now rest I on thy heart!

ACTE CINQUIÈME.

SCÈNE PREMIÈRE.

La Prison.

MARGUERITE, endormie, FAUST, MEPHISTOPHELES.

Faust. Va t'en!

Mep. Le jour va luire. — On dresse l'échafaud!
Décide sans retard Marguerite à te suivre.
Le geôlier dort. — Voici les clefs. — Il faut
Que ta main d'homme la délivre.

Faust. Laisse-moi!

Mep. Hâtez-vous. — Moi, je veille au dehors.

(Il sort.)

Faust. Mon cœur est pénétré d'épouvante! — O torture
O source de regrets et d'éternels remords!
C'est elle! — La voici, la douce créature
Jetée au fond d'une prison
Comme une vile criminelle!
Le desespoir égara sa raison
Son pauvre enfant, ô Dieu! tué par elle!
Marguerite!

Mar.

(s'eveillant).

Ah! c'est lui! — c'est lui! le bien-aimé!

(Elle se lève.)

A son appel mon cœur s'est ranimé.

Faust. Marguerite!

Mar. Au milieu de vos éclats de rire,
Démons qui m'entourez, j'ai reconnu sa voix!

Faust. Marguerite!

Mar. Sa main, sa douce main m'attire!
Je suis libre! Il est là! je l'entends! je la vois.
Oui, c'est toi, je t'aime,
Les fers, la mort même
Ne me font plus peur!
Tu m'as retrouvé,
Me voilà sauvé!
C'est toi, je suis sur ton cœur!

Faust. Yes, I am here, and I love thee,
In spite of the efforts of yon mocking demon.

(FAUST attempts to draw her with him. She gently disengages herself from his arms.)

Mar. Stay! this is the spot
Where one day thou didst meet me.
Thine hand sought mine to clasp.
"Will you not permit me, my fairest demoiselle,
To offer you my arm, and clear for you the way?"
"No, sir. I am no demoiselle, neither am I fair;
And I have no need to accept your offered arm."

Faust. What is't she says? Ah me! Ah me!

Mar. And the garden I love is here,
Odorous of myrtle and roses,
Where every eve thou camest in
With careful step, as night was falling.

Faust. Come, Marguerite, let us fly!

Mar. No! stay a moment!

Faust. O heav'n, she does not understand!

SCENE II.

MEPHISTOPHELES and the preceding.

Mep. Away at once, while yet there's time!
If longer ye delay,
Not e'en my power can save ye.

Mar. See'st thou yon demon crouching in the shade?
His deadly glance is fixed on us;
Quick! drive him from these sacred walls.

Mep. Away! leave we this spot,
The dawn hath appeared;
Hear'st thou not the fiery chargers,

Faust. Oui, c'est moi, je t'aime,
Malgré l'effort même
Du démon moqueur,
Je t'ai retrouvé,
Te voilà sauvé,
C'est moi, viens sur mon cœur!

Mar.
(se dégageant doucement de ses bras).

Attends!...voici la rue
Où tu m'as vue
Pour la première fois!...
Où votre main osa presque effleurer mes doigts!
"— Ne permettez-vous pas, ma belle demoiselle,
Qu'on vous offre le bras pour faire le chemin?"
"— Non, monsieur, je ne suis demoiselle ni belle,
Et je n'ai pas besoin qu'on me donne la main!"

Faust. Oui, mon cœur se souvient! — Mais fuyons! l'heure passe!

Mar. Et voici le jardin charmant,
Perfumé de myrte et de rose,
Où chaque soir discrètement
Tu pénétrais à la nuit close.

Faust. Viens, Marguerite, fuyons!

Mar. Non, reste encore.

Faust. O ciel, elle ne m'entends pas!

SCÈNE II.

Les mêmes. MEPHISTOPHELES.

Mep. Alerte! alerte! ou vous êtes perdus!
Si vous tardez encor, je ne m'en mêle plus!

Mar. Le démon! le démon! — Le vois-tu?... là ..dans l'ombre
Fixant sur nous son œil de feu!
Que nous veut-il? — Chasse-le du saint lieu!

Mep. L'aube depuis longtemps a percé la nuit sombre,
La jour est levé

	As with sonorous hoof they paw the ground ?		De leur pied sonore J'entends nos chevaux frapper le pavé.
	(Endeavoring to drag FAUST with him.)		(Cherchant à entraîner FAUST.)
	Haste ye, then, — perchance there yet Is time to save her !		Viens ! sauvons-la. Peut-être il en est temps encore !
Mar.	O Heaven, I crave thy help ! Thine aid alone I do implore !	*Mar.*	Mon Dieu, protégez-moi ! — Mon Dieu je vous implore !
	(Kneeling.)		(Tombant à genoux.)
	Holy angels, in heaven bless'd, My spirit longs with ye to rest ! Great Heaven, pardon grant, I implore thee, For soon shall I appear before thee !		Anges purs ! anges radieux ! Portez mon âme au sein des cieux ! Dieu juste, à toi je m'abandonne ! Dieu bon, je suis à toi ! — pardonne !
Faust.	Marguerite ! Follow me, I implore !	*Faust.*	Viens, suis-moi ! je le veux !
Mar.	Holy angels, in heaven bless'd, My spirit longs with ye to rest ! Great Heaven, pardon grant, I implore thee, For soon shall I appear before thee !	*Mar.*	Anges purs, anges radieux ! Portez mon âme au sein des cieux ! Dieu juste, à toi je m'abandonne ! Dieu bon, je suis à toi ! — pardonne ! Anges purs, anges radieux ! Portez mon âme au sein des cieux !
			(Bruit au dehors.)
Faust.	O Marguerite !	*Faust.*	Marguerite !
Mar.	Why that glance with anger fraught ?	*Mar.*	Pourquoi ce regard menaçant ?
Faust.	Marguerite !	*Faust.*	Marguerite !
Mar.	What blood is that which stains thy hand !	*Mar.*	Pourquoi ces mains rouges de sang ?
			(Le repoussant.)
	Away ! thy sight doth cause me horror !		Va !...tu me fais horreur !
	(Falls.)		(Elle tombe sans mouvement.)
Mep.	Condemned !	*Mep.*	Jugée !
Cho.	Saved ! Christ hath arisen ! Christ hath arisen ! Christ is born again ! Peace and felicity To all disciples of the Master ! Christ hath arisen !	*Cho. des Anges.*	Sauvée ! Christ est ressuscité ! Christ vient de renaître ! Paix et félicité Aux disciples du Maître ! Christ vient de renaître. Christ est ressuscité !
	(The prison walls open. The soul of MARGUERITE rises towards heaven. FAUST gazes despairingly after her, then falls on his knees and prays. MEPHISTOPHELES turns away, barred by the shining sword of an archangel.)		(Les murs de la prison se sont ouverts. L'âme de MARGUERITE s'élève dans les cieux. FAUST la suit des yeux avec désespoir; il tombe à genoux et prie. MEPHISTOPHELES est à demi renversé sous l'épée lumineuse de l'archange.)
	END OF THE OPERA.		FIN.

ACT I: A MOI LES PLAISIRS (OH, I WOULD HAVE PLEASURE)

ACT II. WALTZ AND CHORUS

pp
cres - cen - - - do.
cres -
- - cen - - do.
f

ACT III: O NUIT D'AMOUR (O NIGHT OF LOVE)

ACT IV: SOLDIERS CHORUS

ACT V: ANGES PUR, ANGES RADIEUX (HOLY ANGELS, IN HEAVEN BLEST)

ROMEO AND JULIET

by

CHARLES GOUNOD

CHARACTERS OF THE DRAMA

JULIET	Soprano	MERCUTIO . . .	Baritone
STEPHANO . . .	Soprano	PARIS	Baritone
GERTRUDE . . .	Mezzo Soprano	GREGORIO . . .	Baritone
ROMEO	Tenor	CAPULET . . .	Basso Cantante
TYBALT	Tenor	FRIAR LAWRENCE . .	Bass
BENVOLIO . . .	Tenor	THE DUKE . . .	Bass

Guests of the Capulets; Relatives and retainers of the Capulets and Montagues.

SCENE, VERONA

ACT I.—Capulet's Palace. ACT II.—The Garden of Juliet. ACT III.—The Cell of Friar Lawrence; then a Public Square before Capulet's Palace. ACT IV.—Juliet's Chamber. ACT V.—The Tomb of the Capulets.

NOTE

The opera of "Roméo et Juliette," which was Charles Gounod's next contribution to the lyric drama after "Faust," ranks likewise next to "Faust" in merit and popular success. The excellence of the libretto of the latter opera naturally led Gounod to choose its makers, when he conceived the idea of writing a lyric work which would follow the famous drama of Shakespeare. The classic love story had tempted many composers before Gounod, but in spite of its somewhat obvious faults Gounod's musical version of the tragedy is the only one to have obtained a hold upon the public taste. First performed at the Théâtre Lyrique at Paris, April 27, 1867, it has ever been a favorite with the Parisian public, and in recent years, sung by a remarkable cast of singers, the opera has been received with marked favor in American cities.

STORY OF THE ACTION

The famous story of Romeo and Juliet scarcely needs to be rehearsed for English-speaking people; but an outline of the plot as rearranged by Barbier and Carré will be helpful to operagoers. The overture contains a vocal prologue, sung by all the characters of the drama, which refers to the unhappy feud between the two houses.

ACT I. This act takes place in the palace of the Capulets. A ball is in progress in honor of Juliet, the daughter of the house. After she is formally introduced to the guests by her father she gives expression to her joyous emotions in the famous waltz. To this ball, masked, come Romeo, Mercutio and some of their friends, adherents of the

Montagues. Romeo and Juliet meet and love at first sight follows; but the entrance of Tybalt, who recognizes Romeo, gives rise to some dialogue which reveals to the lovers the identity of their respective families. Romeo and his friends leave the ball, but Capulet forbids any interference with their departure.

Act II.—This act contains the famous balcony scene of the Shakespearian drama, and is almost literally transcribed from Shakespeare, with an episodical interruption caused by some of the retainers of the Capulets, who fancy that something is amiss. The nurse, however, quiets their suspicions, and the love scene continues to the end of the act.

Act III.—This act is divided into two scenes. The first is in the cell of Friar Lawrence, to whom come the lovers with the story of their passion. They wish to be married, and Friar Lawrence performs the ceremony. In the second scene Romeo's page Stephano (an invention of the librettist) is discovered searching near Capulet's house for his missing master A boyish bit of bravado provokes the Capulet retainers into drawing upon him, and speedily the combat becomes general through the entrance of Mercutio, Paris, Benvolio, Tybalt and then Romeo. The historic feud breaks out with violence and claims Mercutio as its first victim; then Tybalt is slain by Romeo. Capulet arrives on the scene and demands justice of the Duke who opportunely appears. After a brief investigation the latter decrees sentence of banishment upon Romeo, who vows, however, that at all risks he will see Juliet once more. So closes the act.

Act IV.—The rising curtain discloses Romeo and Juliet together in Juliet's chamber. Their love scene is brought to a painful termination by the breaking of the dawn which must not see Romeo in Verona, and he is compelled to depart. Capulet enters and informs his daughter that she is betrothed to the Count Paris. In despair she asks Friar Lawrence, who is present, to assist her, and he gives her a phial containing a drug which will produce in her the semblance of death. She drinks the potion and during the festivities attendant upon the wedding she falls lifeless.

Act V.—After an orchestral introduction descriptive of Juliet's slumber, the scene shows us Juliet unconscious in the tomb of the Capulets. As in the original drama Romeo arrives and, thinking his beloved dead, takes poison. Juliet revives before he dies, and after a brief expression of joy, which is soon turned to an outburst of despairing love, Romeo expires from the effects of the potion and Juliet, seizing a dagger, stabs herself, and dies also in her lover's arms.

The opera was first performed at the Théâtre Lyrique, Paris, April 27, 1867, with the following cast:

Juliet	*Mme. Carvalho*
Stephano . . .	*Mme. Daram*
Gertrude . . .	*Mme. Duclos*
Romeo . . .	*M. Michot*
Tybalt . . .	*M. Puget*
Benvolio . . .	*M. Laurent*
Mercutio . . .	*M. Barré*
Paris	*M. Laveissière*
Gregorio . . .	*M. Troy (jeune)*
Capulet . . .	*M. Troy*
Friar Lawrence . .	*M. Cazaux*
The Duke . . .	*M. Christophe*

ROMÉO ET JULIETTE

PROLOGUE.

Chorus.

There were once in Verona
Two rival families,
The Montagues and the Capulets.
By their everlasting wars,
To both fatal,
They stained their palaces with blood.
As a glittering ray in a cloudy sky
Juliette came and Romeo loved her;
Forgetting their family dissensions
The same love united them.
Sorrowful fate! Blind ill-fortune!
The unhappy lovers paid with their lives
For the hatred of centuries which had nurtured their love.

PROLOGUE.

Le Choeur.

Vérone vit jadis deux familles rivales,
Les Montaigus, les Capulets,
De leurs guerres sans fin, à toutes deux fatales,
Ensanglanter le seuil de ses palais.
Comme un rayon vermeil brille en un ciel d'orage,
Juliette parut, et Roméo l'aima!
Et tous deux, oubliant le nom qui les outrage,
Un même amour les enflamma.
Sort funeste! aveugles colères!
Ces malheureux amants payèrent de leurs jours
La fin des haines séculaires
Qui virent naître leurs amours!

ACT I.

A hall magnificently decorated in CAPULET'S house.

SCENE I—LORDS and LADIES in masks and dominoes are discovered.

Chorus.

Swift hours of pleasure
Pass to gay measure
Danced in the maze of glimmering feet;
While at the closes
Red wreck of roses
From our chaplets fall crushed but sweet!

Lords.

Happy masks that kiss fair maid,
Do but tell the grace they shade,
Half concealing,
Half revealing,
Love, in every charm arrayed!
Gleams of heaven—but sparely given—

ACTE PREMIER.

Une galérie splendidement illuminée, chez les CAPULETS.

SCÈNE I—SEIGNEURS et DAMES, en dominos et masqués.

Choeur.

L'heure s'envole,
Joyeuse et folle;
Au passage il faut la saisir!
Cueillons les roses
Pour nous écloses
Dans la joie et dans le plaisir!

Les Hommes.

Chœur fantasque
Des amours,
Sous le masque
De velours,
Ton empire
Nous attire

Yet for these a heart is paid!

D'un sourire,
D'un regard!
Et, complice,
Le cœur glisse
Au caprice
Du hasard!

Ladies.

Night of fancy—lustrous night,
All thy stars to love invite;
Sweet laugh calling,
Light foot falling,
And low cadence,
Sung by maidens,
Smooth rough man to woman's will!

Les Femmes.

Nuit d'ivresse!
Folle nuit!
L'on nous presse,
L'on nous suit!
Le moins tendre
Va se rendre,
Et se prendre
Dans nos rêts.
De la belle
Qui l'appelle
Tout révèle
Les attraits.

Chorus.

Swift hours of pleasure, etc.

Tous.

L'heure s'envole, etc.

SCENE II—PARIS, TYBALT, and the above.

(Enter PARIS and TYBALT with their masks in their hands.)

SCÈNE II—Les Mêmes, TYBALT, PÂRIS.

(TYBALT et PÂRIS entrent en scène, leur masque à la main.)

Tybalt.

Well, Paris, my friend, what say'st thou?
Was there ever a nobler feast?

Tybalt.

Eh bien! cher Pâris, que vous semble
De la fête des Capulets?

Paris.

What earth holds of beauty excelling
Have these halls assembled as guest!

Pâris.

Richesse et beauté tout ensemble
Sont les hôtes de ce palais.

Tybalt.

Still, of one thou'rt thinking, it seemeth,
Of us all the marvel and pride—
Fairest Juliet—thy promised bride!

Tybalt.

Vous n'en voyez pas la merveille;
Le trésor unique et sans prix
Qu'on destine à l'heureux Pâris.

Paris.

Ay! my heart of her ever dreameth,
And *will* dream, till, radiant and bright,
She rises star-like on the dark of night!

Pâris.

Si mon cœur encore sommeille,
Le moment est proche où l'amour
Viendra l'éveiller à son tour.

Tybalt.

Then thou wilt awake—happy Paris!
Lo! she comes—'tis her father leads
The timid maiden!

Tybalt (souriant).

Il s'éveillera, je l'espère.
Regardez!...... la voici, conduite par son père.

SCENE III—CAPULET, JULIET, and the above.
(Enter CAPULET with JULIET, all the guests unmask.)

Capulet.
I bid you welcome, gentlemen,
To my house! And you, fair dames;
To-night we hold an old accustomed feast.
This, my child, commend I now unto you,
A slip that hath not seen the change
Of many years. Of all earth's hopes
She alone now is left me—my Juliet!
Sweetest daughter! I pray you pardon me—
A father's weak heart!

Lords.
Ah! she is charming,
No such beauty hath all Verona,
And our summer hath no such flower!

Ladies.
Ah! she is charming,
All the radiance of heaven indwelling,
All the grace of earth for her dower!

All.
Ah, she is charming, etc.
(Prelude of the dance heard.)

SCÈNE III—Les Mêmes, CAPULET, JULIETTE.
(CAPULET entre en scène conduisant JULIETTE par la main. A son aspect tout le monde se démasque.)

Capulet.
Soyez les bienvenus, amis, dans ma maison!
A cette fête de famille
La joie est de saison!.....
Pareil jour vit naître ma fille;
Mon cœur bat de plaisir encore en y songeant!....
Mais excusez ma tendresse indiscrète!
(Présentant JULIETTE.)
Voici ma Juliette!...
Accueillez-la d'un regard indulgent.

Les Hommes (à demi-voix).
Ah! qu'elle est belle!
On dirait une fleur nouvelle
Qui s'épanouit au matin!

Les Femmes (de même).
Ah! qu'elle est belle!
Elle semble porter en elle
Toutes les faveurs du destin!......

Tous (à demi-voix).
Ah! qu'elle est belle!
(On entend le prélude d'un air de danse).

ECOUTEZ! — *LET US HARK* **Arietta (Juliet)**

Light to life now is flowing,
Strange hopes are in me glowing.
Bird-like the starry vault I'd dare
For now my home seems lying there.

Et mon âme ravie
S'élance dans la vie,
Comme un oiseau s'envole aux cieux!

ALLONS! JEUNES GENS! — *UP, UP, GALLANT YOUTHS!* Canzone (Capulet)

Ha! my mistresses—will ye foot it now?
If you do not—then your toes have corns,
I'll vow!
By're lady! my day
For a measure is gone,
Though gallant more gay
Never vizor put on!
To ladies' ear oft
A love-tale I'd tell,
And whispering soft,
I'd please her right well!
Gone! lady and lover—
My beard now is hoar,
I'll mask me no more
My gay time is over!

Up, up, gallant youths, etc.

Qui reste à sa place
Et ne danse pas
De quelque disgrâce
Fait l'aveu tout bas.
O regret extrême!
Quand j'étais moins vieux,
Je guidais moi-même
Vos ébats joyeux.
Les douces paroles
Ne me coûtaient rien.
Que d'aveux frivoles
Dont je me souviens!
O folles années
Qu'emporte le temps!
O fleurs du printemps
A jamais fanées!...

Allons! jeunes gens? etc.

Chorus.

Like to April on the heel
Of lame Winter pressing,
Its coldness caressing,
So love young hearts feel!

(All the guests go off by the various entrances, JULIET leaning on PARIS' arm. CAPULET and TYBALT follow them. Enter ROMEO, MERCUTIO, and BENVOLIO, with half a dozen friends.)

Le Choeur.

Nargue des censeurs
Qui grondent sans cesse!
Fêtons la jeunesse!
Et place aux danseurs!

(Tout le monde s'éloigne et circule dans les galéries voisines, JULIETTE sort au bras de PÂRIS. CAPULET et TYBALT les suivent en causant. ROMÉO et MERCUTIO paraissent avec leurs amis.)

SCENE IV—ROMEO, MERCUTIO, BENVOLIO, and friends.

SCÈNE IV—ROMÉO, MERCUTIO, BENVOLIO, et quelques-uns de leurs amis.

Mercutio.

At last we are alone, my friends!
O beetle brows that blush for me, I now
May doff ye!

Romeo.

No—take not off your mask,
Be prudent still—that no one may suspect
us!
The Capulet's our foe—beware his anger!

Mercutio.

Bah! If they think we come to scorn and
jeer
Their feast—why then we're not the
cowards to hide!
And should they question us our swords shall
give
The answer!

Mercutio.

La place est libre, mes amis!
Pour un instant qu'il soit permis
D'ôter son masque!

Roméo.

Non!... non! vous l'avez promis;
Soyons prudents! nul ne doit nous connaître.
Quittons cette maison sans affronter son
maître.

Mercutio.

Bah! si les Capulets sont gens à se fâcher,
C'est lâcheté de nous cacher,
(Frappant sur son épée.)
Car nous avons tous là de quoi leur tenir
tête!

Romeo.
Pray you, forbear—
My soul is sad with foreboding—
Mercutio.
How's that?
Romeo.
I have been dreaming!
Mercutio.
Ah! but dreams oft lie!
So then Queen Mab hath been with you?
Romeo.
Queen Mab?

Roméo.
Mieux eût valu, ne pas nous mêler à la fête!
Mercutio.
Pourquoi?
Roméo.
J'ai fait un rêve!
Mercutio.
O présage alarmant!
La reine Mab t'a visité?
Roméo.
Comment?

BALLADE DE REINE MAB — *BALLAD OF QUEEN MAB* (Mercutio)

For atomies draw her ('tis said),
Athwart poor sleeping mortals' noses,
In chariot then she reposes,
That of a hazel-nut is made;
And the wagon-spokes, of the spinner's legs,
slender and long;
The coachman, a small gray-coated gnat,

Son char, que l'atôme rapide
Entraîne dans l'éther limpide,
Fut fait d'une noisette vide
Par Ver-de-Terre, le charron;
Les harnais, subtile dentelle,
Ont été découpés dans l'aile
De quelque verte sauterelle

Who wields a cricket-bone whip, filmed for a thong!
The traces are made of a small spider's web,
Collars of the moonshine's watery beam,
So in royal state she comes,
While we sleep and dream!
While he sleeps—the husband dreaming of widowhood,
The lover dreaming of love,
And a better living to boot!
Then the miser in dreams beholdeth
Vain wealth that wicked Mab upholdeth,
And to captive pining all lone,
Liberty smileth through bar and stone!
O'er the neck of the soldier driving,
Swift he dreameth of foreign battle,
Of Spanish blade and cannon's rattle,
Then wakes—and swears a prayer or two!
To thee Mab will come, gentle maiden,
Sleeping thy tender grace arrayed in,
And, sly kisses on thee bestowing,
Make thee dream of love's kisses too!
Mab! Queen Mab, etc.

Par son cocher, le moucheron;
Un os de grillon sert de manche
A son fouet, dont la mèche blanche
Est prise au rayon qui s'épanche
De Phœbé rassemblant sa cour;
Chaque nuit, dans cet équipage,
Mab visite sur son passage
L'epoux, qui rêve de veuvage,
Et l'amant, qui rêve d'amour!
A son approche, la coquette
Rêve d'atours et de toilette;
Le courtisan fait la courbette;
Le poète rim ses vers;
A l'avare, en son gîte sombre,
Elle offre des trésors sans nombre;
Et la liberté rit dans l'ombre
Au prisonnier chargé de fers!
Le soldat rêve d'embuscades,
De batailles et d'estocades;
Elle lui verse les rasades
Dont ses lauriers sont arrosés;
—Et toi qu'un soupir effarouche,
Quand tu reposes sur ta couche,
O vierge, elle effleure ta bouche,
Et te fait rêver de baisers!
Mab, la reine des mensonges, etc.

Romeo.
No more—Might the advice
Come from Mab or others,
In this home which is not ours.
My mind misgives me of some sad consequence.

Roméo.
Eh bien!... que l'avertissement
Me vienne de Mab ou d'un autre,
Sous ce toit qui n'est pas le nôtre,
Je me sens attraisté d'un noir pressentiment.

Mercutio.
Little marvel
Thy sad demeanor. The pretty Rosaline
Is not among the dancers. But faces fair
There are here that, once shown thee,
Will make thee think thy swan is but a crow!
Come!

Mercutio.
Ta tristesse, je le devine,
Est de ne pas trouver ici ta Rosaline;
Cent autres dans ce bal te feront oublier
Ton fol amour d'écolier!
Viens!...

Romeo
(looking off).
Ah! behold!

Roméo
(regardant au dehors).
Ah! voyez!

Mercutio.
What is't now?

Mercutio.
Qu' est-ce donc?

Romeo.
Beauty that showeth the torches
To burn in the darkness more bright!

Mercutio.
(The beldame that follows behind
Is not, by my troth, so lovely!)

Romeo.
Like rich gem on Ethiop's ear,
Her beauty hangs upon the cheek of night!
....Oh, never till this hour
Have I met with true beauty! Did my heart
Love then before? No—ne'er till now!

Mercutio.
Good!
Gone is Rosaline's dominion,
Dead the old desire doth lie!
The fair he groaned for, and would gladly die,
With the tender Juliet matched, is now not fair!

Chorus.
Gone is Rosaline's dominion, etc.
(MERCUTIO, ROMEO, etc., exeunt.)

SCENE V—Enter JULIET, followed by GERTRUDE.

Juliet.
What is't you'd tell me? Good nurse, speak!
Speak, I pray thee!

Gertrude.
Take breath! Is it me you escape,
Or Paris you endeavor to meet?

Juliet.
Paris!

Gertrude.
A proper man, I trow; you've made a happy choice.

Juliet
(laughing).
Ah, Ah! Good nurse, my maiden heart
Thinks not of marriage.

Gertrude.
Go to! go to!
At your age, i'faith I was married.

Roméo.
Cette beauté céleste
Qui semble un rayon dans la nuit!

Mercutio.
Le porte-respect qui la suit
Est d'une beauté plus modeste!

Roméo.
O trésor digne des cieux!
Quelle clarté soudaine a dessillé mes yeux?
Je ne connaissais pas la beauté véritable!
Ai-je aimé jusqu'ici?......

Mercutio
(en riant, à BENVOLIO et aux autres jeunes gens).
Bon! Bon! voilà Rosaline au diable!
Et nous avions prévu ceci!
On la congédie
Sans plus de souci;
Et la comédie
Se termine ainsi!

Tous
(moins ROMÉO, à demi-voix, et en riant).
On la congédie
Sans plus de souci, etc.
(MERCUTIO entraîne ROMÉO, au moment oú parait JULIETTE suivie de GERTRUDE.)

SCÈNE V—JULIETTE, GERTRUDE.

Juliette.
Voyons, nourrice, on m'attend! parle vite!

Gertrude.
Respirez un moment!... est-ce moi qu'on évite,
Ou le comte Pâris que l'on cherche?

Juliette.
Pâris?

Gertrude.
Vous aurez là, dit-on, la perle des maris!

Juliette
(riant).
Ah! ah! je songe bien vraiment au mariage!

Gertrude.
Par ma vertu! j'étais marié à votre âge!

Juliet.
No more! Leave me now, I pray, to the fair dream
Of youth!

Juliette.
Non, non; je ne veux pas t'écouter plus longtemps;
Laisse mon âme à son printemps!...

JE VEUX VIVRE — *IN THE CALMNESS OF A VISION* Arietta Valse (Juliet)

As in fair dream enfolden,
Born of fantasy golden,
Spirits from fairy land olden,
On me now tend!
Ah! forever would this gladness
Shine on me brightly as now,
Would that never age and sadness
Threw their shade o'er my brow!
But short as day,
Youth passes away!
Then ere the summer's failing,
Pluck the rose that bloometh to die,
Love with its breath inhaling,
Love that steals in its odorous sigh!
In the calmness of a vision, etc.

(GREGORIO enters at back and meets ROMEO.)

Cette ivresse
De jeunesse
Ne dure, hélas! qu'un jour!
Puis vient l'heure
Où l'on pleure;
Le cœur cède à l'amour,
Et le bonheur fuit sans retour!
Loin de l'hiver morose
Laisse-moi sommeiller,
Et respirer la rose
Avant de l'effeuiller!
Je veux vivre, etc.

(GRÉGORIO parait au fond et se rencontre avec ROMÉO.)

SCENE VI—ROMEO, GREGORIO, and the above.

Romeo.

What lady's that holds converse there?

Gregorio.

Easily told; that is Gertrude.

Gertrude.

Who calls?

Gregorio

(to GERTRUDE).

Lady! for thee they're seeking; and the varlets
But lag without thee to bestir them.

Gertrude.

Good lack! it's true!

Juliet.

Go!

(JULIET is following when ROMEO restrains her.)

SCENE VII—ROMEO and JULIET.

Romeo.

I pray thee go not yet!

SCÈNE VI—Les Mêmes, GRÉGORIO, ROMÉO.

Roméo

(à GRÉGORIO, en lui montrant JULIETTE).

Le nom de cette belle enfant?

Grégorio.

Vous l'ignorez?
C'est Gertrude!

Gertrude

(se retournant).

Plaît-il?

Grégorio

(à GERTRUDE).

Très-gracieuse dame,
Pour les soins du souper je crois qu'on vous réclame.

Gertrude.

C'est bien! me voici!

Juliette.

Va!

(GERTRUDE sort avec GRÉGORIO. ROMÉO arrête JULIETTE au moment où elle va sortir.)

SCÈNE VII—ROMÉO, JULIETTE.

Roméo.

De grâce, demeurez!

(Il se démasque et prend la main de JULIETTE.)

ANGE ADORABLE—*ANGEL THAT WEAREST* (Romeo)

Juliet.

Thy hand, good pilgrim, this fine but wrongeth,
For thou dost blame it o'ermuch,
To pure devotion surely belongeth,
Saintly palm that thou may'st touch.
Hands there are, sacred to pilgrim's greeting,
But, ah me! not such as this,
Palm unto palm, not red lips meeting,
Is a holy palmer's kiss!

Romeo.

To palmer and to saint, have not lips too been given?

Juliet.

Yes, but only for prayer!

Romeo.

Then grant my prayer, dear saint, or faith may else be driven
Unto deepest despair!

Juliet.

Know, the saints ne'er are moved,
And if they grant a prayer, 'tis for the prayer's sake!

Romeo.

Then move not, sweetest saint,
Whilst th' effect of my prayer, from thy lips I shall take!

(He kisses her.)

Juliet.

Ah! now my lips, from thine burning,
Have the sin that they have taken.

Juliette.

Calmez vos craintes!
A ces étreintes
Du pélerin prosterné
Les saintes même,
Pourvu qu'il aime,
Ont d'avance pardonné;
Mais à sa bouche
La main qu'il touche
Doit prudemment refuser
Cette caresse
Enchanteresse
Qu'il implore en un baiser!

Roméo.

Les saintes ont pourtant une bouche vermeille.

Juliette.

Pour prier seulement.

Roméo.

N'entendent-elles pas la voix qui leur conseille
Un arrêt plus clément?

Juliette.

Aux prières d'amour leur cœur est insensible,
Même en les exauçant.

Roméo.

Exaucez donc mes vœux, et gardez impassible
Votre front rougissant!

(Il baise la main de JULIETTE.)

Juliette (souriant).

Ah! je n'ai pu m'en défendre:
J'ai pris le péché pour moi!

Romeo.
O give that sin back again,
To my lips their fault returning.
Juliet. No, not again! no, not again!
Romeo. O give the sin to me again!

SCENE VIII—TYBALT, and the above.

Romeo.
Who comes?
(ROMEO remasks.)
Juliet.
Tybalt, my cousin dear!
Romeo.
Then say, who art thou?
Juliet.
Daughter
Of Capulet, sir, am I!
Romeo.
Ah!
Tybalt
(coming down).
I' faith, sweet Juliet, though our sport
Be not yet at the best, still our guests will go,
An' thou art not there! Come away—come away!
(Aside to JULIET.)
And tell me true, sweet coz; knowest thou
That stranger pilgrim, who so quickly masked?
Juliet.
No—not I!
Tybalt.
It would seem that he shuns me!
Romeo
(to TYBALT).
Sir, I give thee good den!
(Exit.)

SCENE IX—TYBALT, JULIET, afterwards CAPULET.

Tybalt.
Ha! 'tis a Montague by his voice—it is Romeo!
Even so—it is he, I'll swear!
Juliet.
Romeo! ah!

Roméo.
Pour apaiser votre émoi.
Vous plait-il de me le rendre?
Juliette. Non! je l'ai pris!... Laissez-le moi!
Roméo. Vous l'avez pris!... rendez-le moi!

SCÈNE VIII—Les Mêmes, TYBALT.

Roméo.
Quelqu'un!
(Il remet son masque.)
Juliette.
C'est mon cousin Tybalt.
Roméo.
Eh! quoi! vous êtes?...
Juliette.
La fille du seigneur Capulet.

Roméo
(à part).
Dieu!...
Tybalt
(s'avançant).
Pardon,
Cousine!... nos amis déserteront nos fêtes,
Si vous fuyez ainsi leurs regards.
Venez donc!
(Bas.)
Quel est ce beau galant qui s'est masqué si vite
En me voyant venir?
Juliette.
Je ne sais.
Tybalt
(avec défiance).
On dirait qu'il m'évite!
Roméo.
Dieu vous garde, seigneur.
(Il sort.)

SCÈNE IX—TYBALT, JULIETTE, puis CAPULET.

Tybalt.
Ah! je le reconnais à sa voix!... à ma haine!
C'est lui! c'est Roméo!

Juliette
(à part).
Roméo!

Tybalt.

Daring slave! now by my stock and honor of kin,

I will slay him!

(Exit.)

Juliet

(alone).

'Twas Romeo, he said!

Ah! 'twas the only son of our great foeman—

The cold grave then is to be my wedding-bed!

—Only love springing from my only hate!

Seen all too early—and known all too late!

SCENE X—TYBALT, PARIS, ROMEO, MERCUTIO, BENVOLIO, guests, afterwards CAPULET.

Tybalt.

There he stands!

Paris.

What is't now?

Tybalt (pointing off at ROMEO).

Romeo's there!

(TYBALT is about to face the group of the Montagues when he is met by CAPULET entering, who makes him silent at a sign.)

Romeo (aside).

To be a Romeo is a crime in her eyes! fatal name!

Capulet is her father; and I love her!

Mercutio (to his friends).

Beware—

For see how with anger the fiery Tybalt is chafing:

There's a storm brewing fast!

Tybalt.

I burn for vengeance!

Capulet.

What! quit the floor so soon? Nay, then, gentlemen,

Prepare not to be gone, for a trifling banquet awaits.

Tybalt, Paris and Friends.

Vengeance cometh! Vengeance cometh!

And for this intrusion shameful, blood

Tybalt.

Sur l'honneur,

Je punirai le traître, et sa mort est certaine!

(Il sort.)

Juliette

(seule).

C'était Roméo! Ah! je l'ai vu trop tôt sans le connaître!

La haine est le berceau de cet amour fatal!

C'en est fait, si je ne puis être

A lui, que le cercueil soit mon lit nuptial!

(Elle s'éloigne lentement; les invités reparaissent.—TYBALT entre d'un côté avec PÂRIS, ROMÉO, MERCUTIO, BENVOLIO et leurs amis masqués entrent de l'autre.)

SCÈNE X—TYBALT, PÂRIS, ROMÉO, MERCUTIO, BENVOLIO, Invités, puis CAPULET.

Tybalt (aperçevant ROMÉO).

Le voici!

Pâris (abordant TYBALT).

Qu'est-ce donc?

Tybalt (lui montrant ROMÉO).

Roméo!

(TYBALT va pour s'élancer vers le groupe dès qui rentre en scène; il lui montre ROMÉO; CAPULET, d'un geste impérieux, lui impose silence.)

Roméo (à part).

Mon nom même

Est un crime à ses yeux!

O douleur!...Capulet est son père! et je l'aime!

Mercutio (bas à ses amis).

Voyez de quel air furieux

Tybalt nous regarde! Un orage

Est dans l'air!

Tybalt.

Je tremble de rage!

Capulet

(à ses invités).

Quoi! partez-vous déjà! demeurez un instant!

Un souper joyeux vous attend!

ENSEMBLE.

Tybalt, Pâris et quelques jeunes gens.

Patience! patience!

De cette mortelle offense

Alone shall make amends; death to Romeo
Then I swear!

Benvolio, Mercutio and Friends.

See how they watch us!
Nay, stir not—and use thy wit more than valor;
We beard the foe in their camp; let us not
Wake their ire!

Capulet.

Rouse again the sound of pleasure,
Crush the wine-cup, tread the measure,
Time has been (I swear to you)
When I danced and drank for two!

Chorus.

Rouse again the sound of pleasure,
Crush the wine-cup, tread the measure,
Youth's a stuff that will not endure,
Nought beyond the present's sure!

(MERCUTIO drags ROMEO away, followed by BENVOLIO and friends. Exeunt.)

Tybalt.

Romeo will 'scape me! let who will, follow.
I shall stroke his pretty face with my gauntlet.

(Makes as if to pursue ROMEO.)

Capulet (aside to TYBALT).

Not so! I will not brook disorder!
Dost thou hear? Thou shalt not follow Romeo!
What a plague is't to me what this youngster is called?
From this thy place thou shalt not stir!

(To the guests.)

A hall, sirs, a hall!
Lead forth now each maiden,
Earth treading stars all,
With bright beauty laden!
Like to April on the heel
Of lame Winter pressing,
Its coldness caressing,
So love young hearts feel!

Chorus.

Like to April on the heel
Of lame Winter pressing,
Its coldness caressing,
So love young hearts feel!

(The curtain falls.)

Roméo, j'en fais serment,
Subira le châtiment!

Mercutio, Benvolio et leurs amis.

On nous observe! silence!
Il faut user de prudence!
N'attendons pas follement,
Un funeste évènement!

Capulet (à ses invités).

Que la fête recommence!
Que l'on boive et que l'on danse!
Nous autres, j'en fais serment,
Nous dansions plus vaillamment!

Le Choeur.

Que la fête recommence!
Que l'on boive et que l'on danse!
Le plaisir n'a qu'un moment,
Terminons la nuit gaîment!

(MERCUTIO entraine ROMÉO; ils sont suivis de BENVOLIO et de leurs amis.)

Tybalt (à demi-voix).

Il nous échappe!
Qui veut me suivre!..—Je le frappe
De mon gant au visage!

(Il se dispose à suivre ROMÉO avec PÂRIS et quelques jeunes gens.)

Capulet (qui s'est rapproché de TYBALT, à demi-voix).

Et moi, je ne veux pas
D'esclandre, tu m'entends?..Laisse en paix ce jeune homme!
Il me plaît d'ignorer de quel nom il se nomme!
Je te défends de faire un pas!

(à ses invités).

Allons! jeunes gens!
Allons! belles dames!
Aux plus diligents,
Ces yeux pleins de flammes!
Nargue des rêveurs
Qui grondent sans cesse,
Fêtez la jeunesse,
Et place aux danseurs!

Le Choeur.

Nargue des rêveurs
Qui grondent sans cesse.
Fêtons la jeunesse,
Et place aux danseurs!

(La toile tombe.)

ACT II.

A garden. JULIET'S apartments. Practicable window and balcony. At back a parapet overhanging the gardens.

SCENE I—STEPHANO and ROMEO.

(STEPHANO, the page, discovered against the parapet, helping up ROMEO by means of a rope ladder. Exit the page, bearing away the ladder.)

Romeo.

O night! spread thy pinions above me,
And hide me now!

Mercutio

(off).

Romeo! Romeo!

Romeo.

'Tis Mercutio that mocking calls! Ever so
He jesteth at scars that never felt a wound!

Mercutio, Benvolio and Chorus

(off).

Love sick, and sad and pining,
Hither Romeo was seen to wend;
May night, fond lovers shrining,
Now to the pair a covert lend!

Romeo.

Ah! it is love that hath stirred all my being.
(A light is seen at the window.)
Soft! what is that light that so sudden and strange,
Breaks from yonder window? O heart,
It is thy east and Juliet is the sun!

ACTE DEUXIÈME.

Un jardin.—A gauche le pavillon habité par JULIETTE.—Au premier étage, une fenêtre avec un balcon.—Au fond, une balustrade dominant d'autres jardins.

SCÈNE I—STÉFANO, ROMÉO.

(STÉFANO, appuyé contre la balustrade du fond, tient une échelle de corde et aide ROMÉO à escalader la balustrade; puis il se retire en emportant l'échelle.)

Roméo

(seule).

O nuit sous tes ailes obscures
Abrite moi!

La voix de Mercutio

(au dehors).

Roméo! Roméo!

Roméo.

C'est la voix de Mercutio!
Celui-la se rit des blessures
Qui n'en reçut jamais!

Mercutio, Benvolio et leurs amis

(au dehors).

Mysterieux et sombre,
Roméo ne nous entend pas!
L'amour se plaît dans l'ombre;
Puisse l'amour guider ses pas!
(Les voix s'éloignent.)

Roméo.

L'amour!...Oui, son ardeur a troublé tout mon être!
(La fenêtre de JULIETTE s'éclaire.)
Mais quelle soudaine clarté
Resplendit à cette fenêtre!
C'est la que dans la nuit rayonne sa beauté!

AH! LEVE-TOI, SOLEIL! — *RISE, FAIREST SUN!* Cavatina (Romeo)

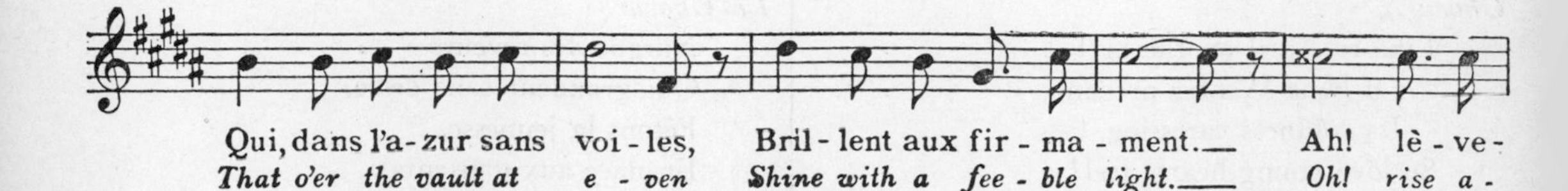

What she said I have not heard,
 But her sparkling eyes
Have spoken to my heart;
 Ah! fairest sun, arise. Etc.

(The window opens, JULIET comes on to the balcony. ROMEO conceals himself.)

SCENE II—ROMEO and JULIET.

Juliet.

Ah, me!—And still I love him!
Romeo, why art thou Romeo?
Doff then thy name, for 'tis no part,
My love, of thee! What rose we call
By other name would smell as sweetly;
Thou'rt no foe, 'tis thy name!

Romeo.

Can it be
That thou'rt mine? Romeo henceforth
I never more will be!

Juliet.

Who art thou, say,

Ah! je n'ai rien entendu!
Mais ses yeux parlent pour elle,
Et mon cœur a repondu!
Ah! lève-toi, soleil! etc.

SCÈNE II—ROMÉO, JULIETTE.

(La fenêtre s'ouvre. JULIETTE parait à son balcon. ROMÉO se cache dans l'ombre.)

Juliette.

Hélas!...moi, le haïr! ...haine aveugle et barbare!
O Roméo! pourquoi ce nom est-il le tien!
Abjure-le, ce nom fatal qui nous sépare,
Ou j'abjure le mien!...

Roméo

(s'avançant).

Est-il vrai?..l'as-tu dit?...Ah! dissipe le doute
D'un cœur trop heureux!

Juliette.

Qui m'écoute,

That, be-screened by the night,
So stumblest on my dream?

Romeo.

I know not how
To tell thee who I am by name.

Juliet.

Thou art Romeo, I know!

Romeo.

Nay,
Ne'er shall I be known again, dear saint,
By a name that is foe unto thee!
Yet, oh, speak!—speak to my soul, bright angel,
To the night thou'rt glorious, as a messenger from heaven!

Juliet.

Ah! thou knowest the mask of night
Is on my face,—or my brow would be red
With a maidenly blush for the words
I've spoken unto thee; wherefore yet deny
What I've said! then, compliment, farewell!
Lovest thou me?
If so be that thou answerest me, ay,
Swear thou not by the moon—th' inconstant moon
That monthly in circled orb changeth;
But by thy gracious self, and the oath I'll believe!
If me thou lovest—pronounce it faithfully.
"I love thee!"—and I am thine!
O impute not to light love
My passion so true, which the night hath discovered!

Romeo.

Ah! my heart is true—and 'tis all, love, for thee!

Juliet.

But hearken!—a noise, ah, Romeo,
Fly, ere they come.

(Exit from balcony.)
(ROMEO hides among the trees.)

Et surprend mes secrets sous le voile des nuits.

Roméo.

Je n'ose, en me nommant, te dire qui je suis!

Juliette.

N'es-tu pas Roméo!

Roméo.

Non! je ne veux plus l'être,
Si ce nom détesté me sépare de toi!
Pour t'aimer, laisse-moi renaître
Dans un autre que moi!

Juliette.

Ah! Tu sais que la nuit te cache mon visage!
Tu le sais!..Si tes yeux en voyaient la rougeur.
Elle te rendrait témoignage
De la pureté de mon cœur?...
Adieu les vains détours!...M'aimes-tu?...Je devine
Ce que tu répondras. Ne fais pas de serments!
Phœbé, de ses rayons inconstants, j'imagine,
Eclaire le parjure et se rit des amants!...
Cher Roméo, dis-moi loyalement: je t'aime!
Et je te crois!......Et mon honneur
Se fie au tien, ô mon seigneur,
Comme tu peux te fier à moi-même!...
N'accuse pas mon cœur, dont tu sais le secret,
D'être léger, pour n'avoir pu se taire;
Mais accuse la nuit dont le voile indiscret
A trahi le mistère!

Roméo.

Devant Dieu qui m'entend, je t'engage ma foi!

Juliette.

Ecoute! ..Silence!...éloigne-toi!....

(ROMÉO s'éloigne et disparaît sous les arbres.—JULIETTE se retire du balcon.)

SCENE III—GREGORIO, SERVANTS, then GERTRUDE.

(GREGORIO enters with retainers, all have lanterns in their hands.)

Gregorio and Retainers.

There's no one—there's no one,
The page has fled,
Satan his patron
Has protected him.

Gregorio.

The sorry, scurvy knave
Was waiting his master!
Jealous fortune
Saved him from our blows;
He will tell to-morrow
How the slip he gave!

Chorus.

There's no one—there's no one! Etc.

Gertrude (entering).

Whom are you speaking of!

Gregorio.

Of a page of the Montagues!
Page and master have dared
To outrage Capulet,
In passing this door!

Gertrude.

You are mad!

Gregorio.

No! By heavens!
With his friends, a Montague
Has come to this festival!

Gertrude and Servants.

One of the Montagues!

The Servants (to GERTRUDE).

Has love for you, Gertrude,
Brought him here?

Gertrude.

Let him come again, and on my life
I will so well receive him
That he no more will fancy to return!

Gregorio.

This we believe.

Servants (laughing).

This we believe!

SCÈNE III—GRÉGORIO, quelques valets, puis GERTRUDE.

(GRÉGORIO et les valets entrent en scène avec des lanternes sourdes à la main.)

Grégorio et les Valets.

Personne! personne!
Le page aura fui!
Au diable on le donne!
Le diable est pour lui!

Grégorio.

Le fourbe, le traître
Attendait son maître!
Le destin jaloux
L'arrache à nos coups;
Et demain peut-être
Il rira de nous!

Grégorio et les Valets.

Personne! personne, etc.

Gertrude (entrant en scène).

De qui parlez-vous donc?

Grégorio.

D'un page
Des Montaigus—Maître et valet,
En passant notre seuil, ont osé faire outrage
Au seigneur Capulet.

Gertrude.

Vous moquez-vous?

Grégorio.

Non, sur ma tête!
Un des Montaigus s'est permis
De venir avec ses amis
A notre fête!

Gertrude et les Valets.

Un Montaigu!

Les Valets (à GERTRUDE).

Est-ce pour vos beaux yeux que le traîre est venu?

Gertrude.

Qu'il vienne encore, et sur ma vie!
Je vous le ferai marcher droit,
Si droit, qu'il n'aura pas envie
De recommencer!

Grégorio.

On vous croit!

Les Valets (riant).

Pour cela, nourrice. on vous croit.

Gregorio and Servants.
Good night, charming nurse!
May heaven bless your virtues,
And confound the Montagues!
(GREGORIO and SERVANTS exeunt.)

SCENE IV—GERTRUDE, then JULIET.

Gertrude.
Blessed be the one
Who would avenge me
Of those rascals!.....

Juliet
(appears at the door of the pavilion).
Is it you, Gertrude?

Gertrude.
Yes, my angel!
But how is it you don't rest
At this time of night?

Juliet.
I was waiting for you!

Gertrude.
Come in!

Juliet.
Pray do not scold!
(She looks around and, followed by GERTRUDE, steps inside. ROMEO reappears.)

SCENE V—ROMEO, then JULIET.

Romeo.
Night all too blessed! I am fearful,
Being in night, this is all but a dream,
That, waking, I may find too flattering sweet,
To bide the dawn.
(Enter JULIET from house.)

Juliet
(in a low voice).
Romeo!

Romeo
(turning around).
Speak, my dearest!

Juliet
(stopping him).
But a word,
Then farewell!
If that the faith thou pledgest be true,

Grégorio et les Valets.
Bonne nuit, charmante nourrice!
Joignez la grace à vos vertus!
Que le ciel vous bénisse,
Et confonde les Montaigus!
(GRÉGORIO et les valets s'éloignent.)

SCÈNE IV—GERTRUDE, puis JULIETTE.

Gertrude.
Béni soit le bâton qui tôt ou tard me venge
De ces coquins!

Juliette
(paraissant sur le seuil du pavillon).
C'est toi, Gertrude?

Gertrude.
Oui, mon bel ange!
Mais comment à cette heure
Ne reposez-vous pas?

Juliette.
Je t'attendais!....

Gertrude.
Rentrons!

Juliette.
Ne gronde pas!
(Elle jette un regard autour d'elle, et rentre dans le pavillon, suivie de GERTRUDE.—ROMÉO reparait.)

SCÈNE V—ROMÉO, puis JULIETTE.

Roméo.
O nuit divine! je t'implore!
Laisse mon cœur à ce rêve enchanté!
Je crains de m'éveiller et n'ose croire encore
A sa réalité!

Juliette
(reparaissant sur le seuil du pavillon, à demi-voix).
Roméo!

Roméo
(se retournant).
Douce amie!

Juliette
(l'arrêtant du geste et toujours sur le seuil).
Un seul mot! puis adieu!
Quelqu'un ira demain te trouver! ... —Sur ton âme,

If in honor me for thy wife thou takest,
Then to-morrow, my love, send a message unto me,
Telling me where and when will be performed
The rite of marriage. Then all I have, my lord,
Low at thy feet I'll lay; through the whole world
Thy steps I'll follow, though my kinsmen,
Dearest, should say me nay!
If true love feigning thou mean'st not well,
And thy vows all are vain,
I do beseech thee then
Cease thy wooing and leave me—
Leave me to my grief that will always fill my days!

Romeo

(kneeling before JULIET).

Doubt not my affection,
For so thrive my soul, I do love thee!
And my life is in thy love;
Like a queen dispose of my life!
Fill my unsatiated soul
With all the bliss of heavens!

Juliet.

She is calling!

Romeo

(seizing JULIET's hand).

Ah, not yet!

Juliet.

Go! I tremble!
One might see us together!
I come!

Romeo.

A moment more!

Juliet.

Speak low.

Romeo

(drawing JULIET to him).

No! no! they don't call thee!

Juliet.

Beware! Pray thee, beware!

Si tu me veux pour femme
Fais-moi dire quelque jour, à quelle heure, en quel lieu
Notre union sera bénie!
Alors, ô mon seigneur, sois mon unique loi!
Je te livre ma vie entière, et je renie
Tout ce qui n'est pas toi!
Mais, si ta tendresse
Ne veut de moi que de folles amours......
Ah! je t'en conjure alors
Par cette heure d'ivresse,
Ne me revois plus, et me laisse
A la douleur qui remplira mes jours!

Roméo.

(à genoux devant JULIETTE).

Ah! je te l'ai dit!...je t'adore!......
Dissipe ma nuit! sois l'aurore
Où va mon cœur, où vont mes yeux!
Dispose en reine de ma vie!
Verse à mon âme inassouvie
Toute la lumière des cieux!

Juliette.

On m'appelle!

Roméo

(se relevant et saisissant la main de JULIETTE).

Ah! Déjà!

Juliette.

Pars! Je tremble
Qu'on ne nous voie ensemble!
Je viens!

Roméo.

Ecoute-moi!

Juliette.

Plus bas!

Roméo

(attirant JULIETTE à lui et l'amenant en scène).

Non! non! l'on ne t'appelle pas.

Juliette.

Plus bas! Parle plus bas!

AH! NE FUIS PAS —*AH! GO NOT YET* Duet (Romeo and Juliet)

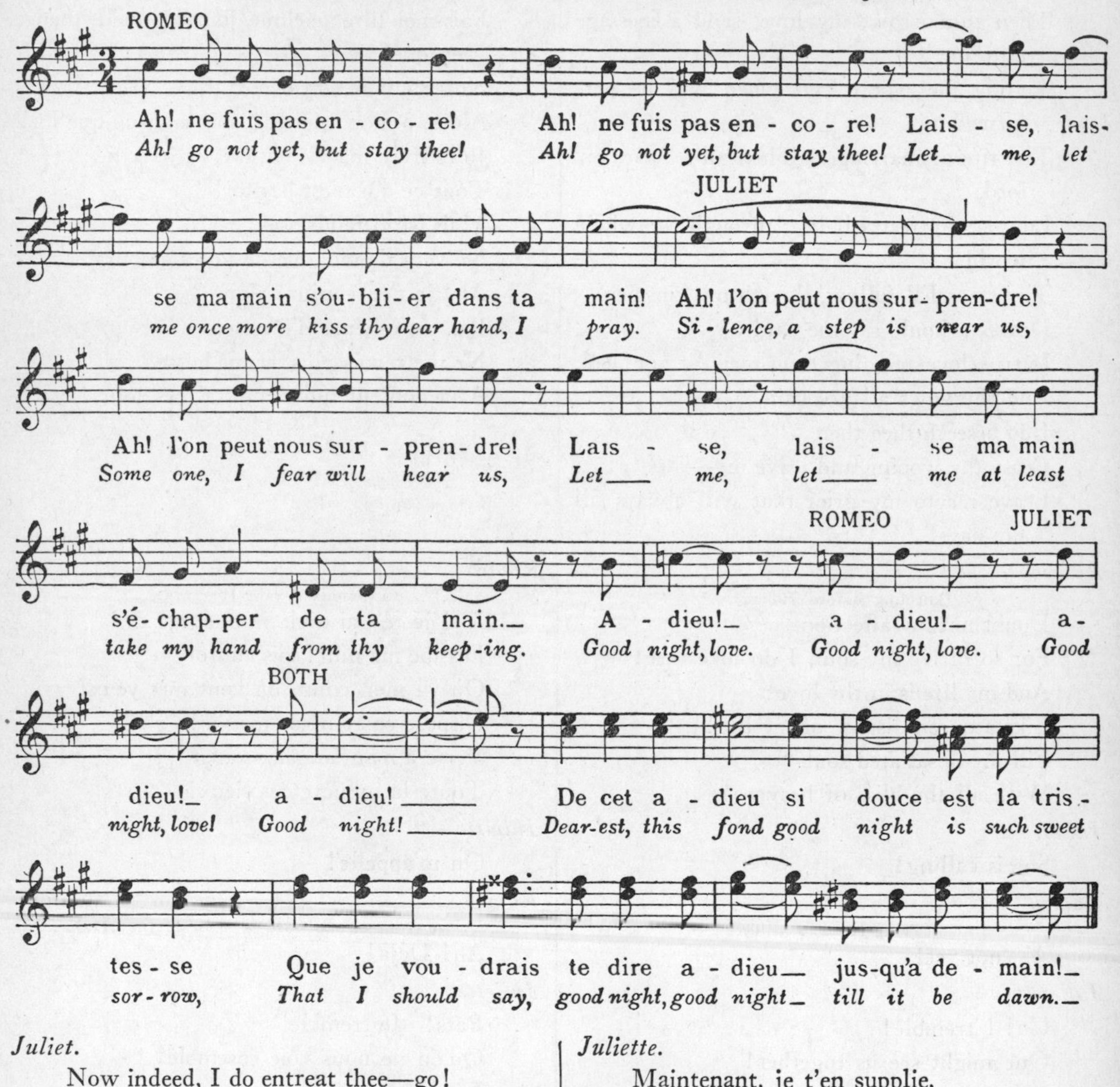

Juliet.

Now indeed, I do entreat thee—go!

Romeo.

Ah! cruel one!......

(Is going, when she beckons him involuntarily to return.)

Juliet.

For what do I recall thee?
Ah, I know not! and when thou'rt near me,
All the less do I remember. Yes!
I would have thee gone, but no further from me,

Juliette.

Maintenant, je t'en supplie,
Pars!

Roméo.

Ah! cruelle!...

(ROMÉO s'en va involontairement, elle lui fait signe de revenir.)

Juliette.

Pourquoi?
Te rappelais-je, ô folie?
A peine es-tu près de moi
Que soudain mon cœur l'oublie!
Je te voudrais parti, pas trop loin cependant;

Than hops the captive bird from lady's idle hand,
With silken gyves its flight restraining,
And as she plucks it back with a gentle command,
So, if thou wert my bird within my bower remaining,
I too would hold thee captive, bound with silken hand!

Romeo.
Ah, might I stay forever?

Juliet.
Alas, we must part!
Farewell!

Both.
Farewell, parting from thee is, oh, so sweet a sorrow,
That I could say "good night" till dawn!

Juliet.
Good night, O my love!
(Withdraws from ROMEO's arms and exit to the house.)

Romeo
(alone).
Soft be thy repose! . .Sleep!
Let a youthful smile of thy rosy lips
Whisper again! I love thee!....
Let the night breeze bring this kiss to thee.
(Exit. Curtain falls.)

THIRD ACT.

FIRST TABLEAU—The cell of FRIAR LAWRENCE.

SCENE I—FRIAR LAWRENCE and ROMEO.

Romeo.
Holy Father, may God have thee in His mercy.

Lawrence.
Romeo! how comest thou so early?
What brings thee to me?
Art thou uproused by some secret care,
Or is it love alone that brings thee?

Comme un oiseau captif que la main d'un enfant
Tient enchaîné d'un fil de soie,
A peine vole-t-il, dans l'espace emporté,
Que l'enfant le ramène avec des cris de joie,
Tant son amour jaloux lui plaint la liberté!

Roméo.
Ah! ne fuis pas encore!

Juliette.
Hélas! il le faut! Adieu!

Ensemble.
Adieu! De cet adieu si douce est la tristesse,
Que je voudrais te dire adieu jusqu'à demain!

Juliette.
Adieu, mille fois!......
(elle s'échappe des bras de ROMÉO et rentre dans le pavillon).

Roméo
(seule).
Va!...repose en paix! sommeille!
Qu'un sourire d'enfant sur ta bouche vermeille.
Vienne doucement se poser!...
Et, murmurant encore: Je t'aime! à ton oreille,
Que la brise des nuits te porte ce baiser!
(Il s'éloigne.—La toile tombe.)

ACTE TROISIÈME.

PREMIER TABLEAU—La cellule du Frère LAURENT.

SCÈNE I—FRÈRE LAURENT, ROMÉO.

Roméo.
Mon père, Dieu vous garde!...

Frère Laurent.
Eh! quoi! le jour à peine
Se lève, et le sommeil te fuit?
Quel espoir vers moi te conduit?
Quel amoureux souci t'amène?

Romeo.
You have guessed right, holy father,
It is love.

Lawrence.
How! Rosaline?

Romeo.
The name you pronounce I know not,
Shall then the eye
That opens on the light of morning, weep,
With fond regret, the darkness that hath fled!
Rosaline is no match, I trow,
For my fairest Juliet.

Lawrence.
What is it then, Juliet Capulet?
(JULIET enters, followed by GERTRUDE.)

SCENE II—The above, JULIET and GERTRUDE.

Romeo.
Lo! She comes!

Juliet
(throwing herself into ROMEO's arms).
Romeo!

Romeo.
My heart was calling thee!
Thou art here now! I can speak no more!

Juliet
(to LAWRENCE).
My father! 'Tis marriage we seek;
To none but Romeo shall I e'er be wedded,
So are we come to seek thy office,
That holy church makes us two one!

Lawrence.
Strange! that children of two rival houses
Should marry; but in this your help I shall prove:
Who knoweth but this match may bind the foes
Together, and turn all their rancor to love!

Romeo
(to GERTRUDE).
Nurse, wait thou outside.
(Exit GERTRUDE.)

SCENE III—ROMEO, JULIET, FRIAR LAWRENCE.

Lawrence.
Guardian of your love,
And of your promises,

Roméo.
Vous l'avez deviné, mon père! c'est l'amour.

Frère Laurent.
Eh! quoi! l'indigne Rosaline?...

Roméo.
Quel nom prononcez-vous? Je ne le connais pas!
L'œuil des élus s'ouvrant à la clarté divine
Se s'ouvient-il encore des ombres d'ici-bas?—
Aime-t-on Rosaline, ayant vu Juliette?

Frère Laurent.
Quoi!..Juliette Capulet?
(JULIETTE paraît suivie de GERTRUDE.)

SCÈNE II—Les Mêmes, JULIETTE, GERTRUDE.

Roméo.
La voici!

Juliette
(s'élançant dans les bras de ROMÉO).
Roméo!...

Roméo.
Mon âme t'appelait!
Je te vois!...ma bouche est muette!..

Juliette
(à FRÈRE LAURENT).
Mon père, voici mon époux;
Vous connaissez ce cœur que je lui donne,
A son amour je m'abandonne.
Devant le ciel unissons-nous!

Frère Laurent.
Oui! dussé-je affronter une aveugle colère
Je vous prêterai mon secours.
Puisse de vos maisons la haine séculaire,
S'éteindre en vos jeunes amours!

Roméo
(à GERTRUDE).
Toi veille au dehors!...
(GERTRUDE sort.)

SCÈNE III—ROMÉO, JULIETTE, FRÈRE LAURENT.

Frère Laurent.
Témoin de vos promesses,
Gardien de vos tendresses.

May the Lord be with you!
Let us pray.

Romeo and Juliet.
Let us pray.

(They kneel.)

Lawrence.
God, who made man to his image,
Also created the woman,
And uniting them both
By the sacred links of marriage,
On the heights of Sion,
Consecrated their inseparable union.
O Lord, in thy mercy,
Cast a favorable eye on them!
Who bow before thy throne!

Que le Seigneur soit avec vous!
A genoux!

Roméo et Juliette.
A genoux!

(Ils s'agenouillent.)

Frère Laurent.
Dieu, qui fit l'homme à ton image,
Et de sa chair et de son sang
Créas la femme, et, l'unissant
A l'homme par le mariage,
Consacras du haut de Sion
Leur inséparable union!......
Regarde d'un œil favorable
Ta créature misérable
Qui se prosterne devant toi!......

SEIGNEUR! NOUS PROMETTONS — *O LORD, WE PROMISE* Trio (Romeo, Juliet and Lawrence)

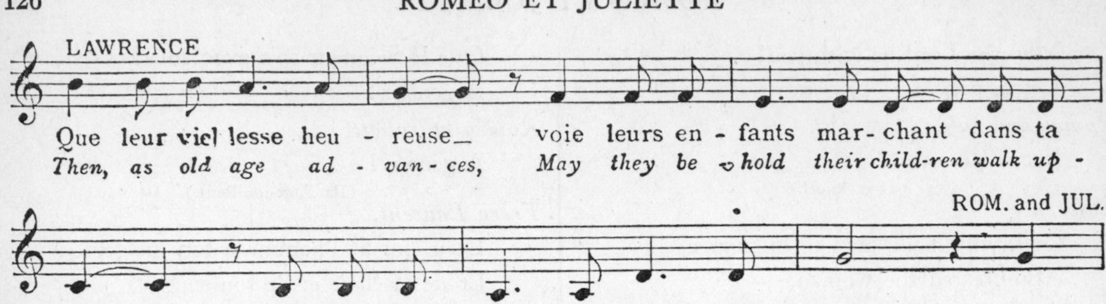

Lawrence.

And when life and love both are over,
And death breaks the dream of the lover,
O grant that they yet meet above!

Romeo and Juliet.

O thou father of all! deign now to bless our love!

Lawrence.

Romeo, say, for thy wife takest now this woman!

Romeo.

Yes, my father!

Lawrence

(to Juliet).

For husband thou takest this man?

Juliet.

Yes, my father!

(They exchange rings.)

Lawrence

(joining their hands together).

In his name who marriage ordaineth,
I join your hands—be man and wife!

(Romeo and Juliet rise.)

SCENE IV—The above, Gertrude.

(Romeo and Juliet embrace each other.)

All.

Holy father, O heavenly bliss,
Heaven has received our oaths!
To hearts now one, no more to sever!
Bless thy name, O Lord.

(Romeo and Juliet exeunt separately, Juliet with Gertrude, Romeo with Lawrence.)

Frère Laurent.

Que ce couple chaste et fidèle,
Uni dans la vie éternelle,
Parvienne au royaume des cieux!......

Roméo et Juliette.

Seigneur, sur notre amour daigne abaisser les yeux!

Frère Laurent.

Roméo, tu choisis Juliette pour femme?

Roméo.

Oui, mon père.

Frère Laurent

(à Juliette).

Tu prends Roméo pour époux?

Juliette.

Oui, mon père.

(Roméo et Juliette échange leurs anneaux.)

Frère Laurent

(mettant la main de Juliette dans celle de Roméo).

Devant Dieu qui lit dans votre âme,
Je vous unis!... Relevez-vous!

(Roméo et Juliette se relèvant.)

SCÈNE IV—Les Mêmes, Gertrude.

(Roméo et Juliette dans les bras l'un de l'autre.)

Ensemble.

O pur bonheur! ô joie immense!
Le ciel reçoit nos serments amoureux!
Dieu de bonté, Dieu de clémence,
Sois béni par deux cœurs heureux!

(Roméo et Juliette se séparent.—Juliette sort avec Gertrude.—Roméo sort avec Frère Laurent.)

SECOND TABLEAU—A street in Verona. CAPULET'S house at left.

SCENE I—Enter STEPHANO.

Stephano.

Since yesterday, I've sought in vain my master.
O Capulet, perchance he yet honors thy house.
I'll sing a stave, so the servants will rouse.
(He seems to play guitar on his shoulder.)

DEUXIÈME TABLEAU—Une rue.—A gauche la maison des CAPULETS.

SCÈNE I—STEPHANO, seul

Stephano.

Depuis hier je cherche en vain mon maître!
Est-il encor chez vous, ô Capulets?
Voyons un peu si vos dignes valets
A ma voix ce matin oseront reparaître!
(Il fait mine de pincer de la guitare sur son épée.)

QUE FAIS-TU, BLANCHE TOURTERELLE — *AH! WITH KITES OF MURDEROUS INSTINCTS*

Canzone (Stephano)

Unlike thine, soft and true and slender,
Unlike thine, laid to lips more tender,
In kisses warm and long!
See you guard her safely,
They that live will know;
Or your dove may flutter
From her cage and go!
Now it happened that a ring-dove flying
From his wood-land so green,
To that eyrie came one eve sighing
For her young love, I ween!
O'er a banquet of prey they'd mangled,

Laisse-là ces oiseaux de proie,
Tourterelle qui fais ta joie
Des amoureux baisers!....
Gardez bien la belle!
Qui vivra verra!
Votre tourterelle
Vous échappera!
Un ramier, loin du vert bocage
Par l'amour attiré,
A l'entour de ce nid sauvage
A, je crois, soupiré.
Les vautours sont à la curée:

In the vale the vultures loud wrangled,
Harsh rose their cry afar;
But the doves, for the past atoning,
Heeded not, while their love-vows moaning;
And rose the first bright star!
See you guard her safely,
They that live will know;
Or your dove may flutter
From her cage and go!

SCENE II—STEPHANO, GREGORIO and retainers.

Stephano.
At last the warriors come!

Gregorio.
In truth I'm in a passion!
Disturbed in this fashion!

Stephano.
(They object to my song!)

Gregorio.
What! I' faith,
'Tis the page, that, sword in hand, last night
We hunted to the door!

Chorus.
'Tis the rascal!

Gregorio.
Audacious varlet!

Stephano.
See you guard her safely, etc.

Gregorio.
A quarrel dost thou seek,
O minstrel most alarming?
And is it to provoke
Thou trollest songs so charming?

Stephano.
I'm fond of music!

Gregorio.
Of course—of course!
Yet I've known for such pranks the gay serenader
Has had his guitar broke in two!

Stephano.
Ah!
Very likely—but then, good fellow,
My guitar's a sword, hard to break!

Leurs chansons, que fuit Cythérée,
Résonnent à grand bruit!
Cependant qu'en leur douce ivresse
Nos amants content leur tendresse
Aux astres de la nuit!....
Gardez bien la belle!
Qui vivra verra!
Votre tourterelle
Vous échappera!

SCÈNE II—STEPHANO, GRÉGORIO, Valets.

Stephano.
Ah! ah! voici nos gens!...

Grégorio.
Qui diable à notre porte
S'en vient roucouler de la sorte?

Stephano
(à part, en riant).
La chanson leur déplaît!

Grégorio
(aux autres valets).
Mais pardieu! n'est-ce point
Celui que nous chassions hier la dague au poing?

Les Valets.
C'est lui-même!

Grégorio.
L'audace est forte!

Stephano.
Gardez bien la belle!

Grégorio.
Est-ce pour nous narguer, mon jeune camarade,
Que vous nous régalez de votre sérénade?

Stephano.
J'aime la musique!

Grégorio.
C'est clair;
On t'aura sur le dos, en pareille équipée,
Cassé ta guitare, mon cher!

Stephano.
Pour guitare j'ai mon épée,
Et j'en sais jouer plus d'un air.

Gregorio.
Save my soul! if that be your music,
Perhaps we may give you the answer!

Stephano
(drawing).
Let's try then, if we are in tune!

Gregorio
(drawing).
Have at you!
(They fight.)

Chorus
(laughing).
We will hear how they play!
How they parry—how they thrust,
Quick as lightning; soon shall one bite the dust!
Strong the boy is in defence;
Faith! the issue's in suspense!
Was a soldier ever bolder,
Than this slip of a boy?
(Enter MERCUTIO and BENVOLIO.)

Grégorio.
Ah! pardieu! pour cette musique
On peut te donner la réplique!

Stephano.
(dégainant).
Viens donc en prendre une leçon!

Grégorio.
(dégainant).
En garde!

Les Valets
(riant).
Ecoutons leur chanson!
(Pendant que GRÉGORIO et STEPHANO se battent.)
Quelle rage!
Vertudieu!
Bon courage,
Et franc jeu!
Voyez comme
Cet enfant
Contre un homme
Se défend!
Fine lame,
Sur mon âme!
Il se bat
En soldat!
(MERCUTIO et BENEVOLIO entrent en scène.)

SCENE III—The above, MERCUTIO, BENVOLIO, then TYBALT, PARIS, ROMEO and retainers of the two houses.

Mercutio.
So you draw on a child! Go to!
'Tis an achievement worthy Capulet's fame:
Like master—so, like man!
(Enter TYBALT, PARIS and friends.)

Tybalt.
(drawing, to MERCUTIO).
Sir, your word
Seemeth over-ready to me!

Mercutio.
We'll join it
With a blow!

Tybalt.
You'll find me apt enough.

Mercutio.
That I can prove at once!
(They engage. ROMEO enters hastily and throws himself between them.)

SCÉNE III—Les Mêmes, MERCUTIO, BENVOLIO, puis TYBALT, PÂRIS, ROMÉO et Partisans des deux maisons.

Mercutio.
Attaquer un enfant!
(Il tire l'épée et se jette entre les combattants.)
Morbleu! c'est une honte
Digne des Capulets!
Tels maîtres, tels valets!
(TYBALT entre en scène suivi de PÂRIS et de quelques amis.)

Tybalt.
Vous avez la parole prompte,
Monsieur!

Mercutio.
Moins prompte que le bras!

Tybalt.
C'est ce qu'il faudrait voir!

Mercutio.
C'est ce que tu verras!
(Au moment où ils se mettent en garde, ROMÉO entre en scène et se précipite entre eux.)

Romeo.

Gentles, hold!

Mercutio.

Romeo!

Tybalt.

Romeo here!
It is fate that hath led him!
(To MERCUTIO, with ironical politeness.)
For a time peace be with you; here cometh
The man I must fight!
(To ROMEO.)
Now draw!
Draw for your life! A spy thou art
And traitor,—draw an' thou be a man!
Dost thou think I forget the night thou camest
Without a bidding? Now for that insult
Thou shalt pay!......
Ay! and the more by this token,
That to my Juliet thou hast spoken.
Unhappy man, thou'lt rue the day!
No better term than this my hatred affords me—
Thou art a villain!
(ROMEO half draws his sword, then sheathes it calmly.)

Romeo.

But no—yet villain am I none, Tybalt.
Reason have I to love thee—which doth excusc
All the rage of thy words. Be satisfied,
Nor seek quarrel with me! I see
Thou dost not know me—farewell!
(Retires a step.)

Tybalt.

Thou canst not thus, boy, excuse
All the wrong that thou hast done me!
Traitor!

Romeo.

Never have I wronged thee, I do protest!
Thy name to me is dear as my own.

Mercutio.

Calm and dishonorable yielding!
How is this? Heard I aright? So be it!
I'll reply with an à la stoccata.
(Draws.)
So, sir, pluck out your sword—for now I am your man!

Roméo.

Arrêtez!

Mercutio.

Roméo!

Tybalt.

Roméo! Son démon me l'amène!
(A MERCUTIO.)
Permettez que sur vous je lui donne le pas!
(A ROMÉO.)
Allons! Vil Montaigu!...... flamberge au vent!.... dégaîne!......
Toi qui nous insultas jusqu'en notre maison,
C'est toi qui porteras la peine
De cette indigne trahison!
Toi dont la bouche maudite
A Juliette interdite
Osa, je crois, parler tout bas,
Ecoute le seul mot que m'inspire ma haine!
Tu n'es qu'un lâche!....
(ROMÉO porte vivement la main à son épée, la tire à moitié du fourreau, puis l'y remet.)

Roméo.

Allons! tu ne me connais pas,
Tybalt!...... et ton insulte est vaine!
J'ai dans le cœur des raisons de t'aimer
Qui malgré moi me viennent désarmer!
Je ne suis pas un lâche!.... Adieu!
(Il fait un pas pour s'éloigner.)

Tybalt.

Tu crois peut-être
Obtenir le pardon de tes offenses, traître?

Roméo.

Je ne t'ai jamais offensé
Le temps des haines est passé!

Mercutio.

Tu souffrirais ce nom de lâche?
O Roméo, t'ai-je entendu?
Eh bien, donc, si ton bras doit faillir à sa tâche.
C'est à moi désormais que l'honneur en est dû!

Romeo

(restraining him).

Put up thy rapier,
Good Mercutio—

Mercutio.

No! Come now, sir,
Show your passion; draw, you rat-catcher, draw.

Tybalt.

I am for you!

Romeo.

I pray you, hold!

Mercutio.

No! let us be!

Stephano, Benvolio and the Montagues.

It is well! on honor!

Paris and the Capulets.

In him I trust!
Montagues—Montagues—race offending,
Tremble all in alarm;
May demon, dark aid lending,
Now nerve his 'venging arm!

Benvolio, Stephano and Montague's retainers.

Capulets—Capulets—race offending,
Tremble all in alarm;
May demon, dark aid lending,
Now nerve his 'venging arm!

Romeo.

Rancor and hate ne'er ending,
From age to age yet stronger grow;
Our homes rending
In sorrow and in woe!

(They fight.)

Mercutio.

I am wounded!

Romeo.

Wounded!

Mercutio.

Plague of your houses, both!. . . .but why
Did you come us between?

Romeo.

Alas!
Hurt for my honor! A surgeon, quick!

Roméo.

Mercutio, je t'en conjure!

Mercutio.

Non!.... Je vengerai ton injure!...
Misérable Tybalt, en garde, et défends-toi!

Tybalt.

Je suis à toi!

Roméo.

Ecoute-moi!

Mercutio.

Non! laisse-moi!

Stephano, Benvolio et les Montaigus.

Bien! sur ma foi!

Pâris et les Capulets.

En lui j'ai foi!
Montaigus!... race immonde!
Frémissez de terreur!
Et que l'enfer seconde
Sa haine et sa fureur!

Benvolio, Stephano et les Montaigus.

Capulets! race immonde!
Frémissez de terreur!
Et que l'enfer seconde
Sa haine et sa fureur!

Roméo.

Haine en malheurs féconde,
Dois-tu par ta fureur
Toujours donner au monde
Un spectacle d'horreur?

(Tybalt et Mercutio se battent.)

Mercutio.

Ah blessé!

Roméo.

Blessé!...

Mercutio.

Que le diable
Soit de vos deux maisons!... Pourquoi
Te jeter entre nous?

Roméo.

O sort impitoyable!

(A ses amis.)

Secourez-le!

Mercutio

(staggering).

Now help me, there!

(Exit, leaning on his friends.)

Romeo.

Ah! he is slain!—Away to heav'n,
O shameful caution!
And thou, O fire-eyed fury,
Shalt be alone my conduct now.

(Drawing sword and advancing.)

Tybalt!
There is no coward here but thee.
Fall on!

(Wounds him mortally. TYBALT totters, and falls. Enter CAPULET, who rushes to him, and supports him in his arms. The fight ceases.)

SCENE IV—The above, CAPULET, Citizens, afterwards the DUKE.

Capulet.

Ah heaven! Tybalt!

(CAPULET, assisted by his friends, supports TYBALT'S head.)

Benvolio

(to ROMEO).

He is mortally wounded.
Hence, begone!
Quick, away!

Romeo

(apart).

O, evil fate—dead!—
And he was her kinsman!

Benvolio.

If thou stay, it is death!

Romeo.

Let it then be so,

(With despair.)

I am ready!

Tybalt

(dying, to CAPULET).

Yet a word more—
This my last prayer—see ye fulfill.

Capulet.

On my soul do I swear that thy will
Shall be done!

(Enter Citizens.)

Citizens.

How now? Tybalt is slain!

Mercutio

(chancelant).

Soutenez-moi!

(On emmène MERCUTIO.)

Roméo.

Ah! maintenant, remonte au ciel, prudence infâme!
Et toi, fureur à l'œil de flamme,
Sois de mon cœur l'unique loi!

(Tirant son épée.)

Tybalt, il n'est ici d'autre lâche que toi!

(poussant une botte à TYBALT).

A toi!

(TYBALT est touché et chancelle; CAPULET entre en scène, court à lui et le soutient dans ses bras.—On cesse de se battre.)

SCÈNE IV—Les Mêmes, CAPULET, Bourgeois, puis le Duc et sa Suite.

Capulet.

Grand Dieu!... Tybalt!...

(CAPULET, aidé des siens, étend TYBALT à terre et lui soutient la tête.)

Benvolio

(à ROMÉO).

Sa blessure est mortelle!
Fuis sans perdre un instant!

Roméo

(à part).

Ah! qu'ai-je fait?... Moi, fuir! maudit par elle!

Benvolio.

C'est la mort qui t'attend!

Roméo

(avec désespoir).

Qu'elle vienne donc! Je l'appelle!

Tybalt

(d'une voix mourante).

Un dernier mot! et sur votre âme... exaucez-moi!

Capulet.

Tu seras obéi!... Je t'en donne ma foi!

(Une foule de bourgeois a envahi la scène.)

Le Bourgeois.

Qu'est-ce donc?... C'est Tybalt! il meurt!...

Capulet

(to TYBALT).

Revive again!

(Procession march heard off.)

Chorus.

O day of woe! O day of weeping!
Blind revenge hath our blades
In their blood now been steeping
And baleful stars hang o'er our heads.
The Duke! The Duke!

(Enter the DUKE with suite and torch-bearers.)

Capulet

(to DUKE).

Avenge me!

Retainers.

Avenge us!

Capulet

(pointing to TYBALT'S corpse).

Tybalt's slain—my near friend; on Romeo
Is his blood.

Romeo.

From Mercutio first
He struck out lusty life. Then I swore
His revenge; for my fate I am ready!

Montagues.

Avenge us!

All.

Avenge us!

Duke.

How now? In this sad fray
Hath your anger found vent? Oh, deem ye not
My love for your brawls lies a-bleeding?
Nought seemeth strong to keep your hands
From off your hilts. Who knoweth, I
May be next victim of your faction!

(To ROMEO.)

For this offence, Romeo, thou
Deservest death; but as thou didst speak him fair,
Then thou art banished!

Romeo.

Banished!

Duke.

And ye, who in hate ever prone to occasion,
Do inflame in our town woeful strife and aggression,

Capulet

(à TYBALT).

Reviens à toi!

(On entend des fanfares.)

Le Choeur.

O jour de deuil! ô jour de larmes!
Un aveugle courroux,
Ensanglante nos armes!
Et le malheur plane sur nous.
Le Duc! Le Duc!

(LE DUC entre en scène suivi de son cortège de gentilshommes et de pages portant des torches.)

Capulet

(se relevant).

Justice!

Les Capulets.

Justice!

Capulet

(montrant le corps de TYBALT).

C'est Tybalt.. mon neveu... tué par Roméo!

Roméo.

Il avait le premier, frappé Mercutio!
J'ai vengé mon ami, que mon sort s'accomplisse!

Les Montaigus.

Justice!

Tous.

Justice!

Le Duc.

Eh quoi! toujours du sang!—De vos cœurs inhumains
Rien ne pourra calmer les fureurs criminelles!
Rien ne fera tomber les armes de vos mains,
Et je serai moi-même atteint par vos querelles!

(à ROMÉO).

Selon nos lois, ton crime a mérité la mort!
Mais tu n'es pas l'agresseur!... Je t'exile!

Roméo.

Ciel!

Le Duc.

Et vous, dont la haine en prétextes fertiles
Entretient la discorde et l'effroi dans la ville,
Prêtez tous devant moi le serment solennel.

Swear ye all on your lives, or at home or abroad,
Ye will obey the laws of the Duke and your God!

D'obéissance aux lois et du prince et du ciel!

Romeo and the others.
Ah! direful day, day of woe and of mourning,
Breaking, my heart fails in pain and despair!
Though we disarm, how untimely the warning!
For we may never thy ravage repair!
Every desire, every hope grimly scorning,
Weeping and blood alone in thee may we share.

Roméo et les Autres.
Ah! jour de deuil et d'horreur et d'alarmes,
Mon cœur se brise éperdu de douleur!
Injuste arrêt qui trop tard nous désarmes,
Tu mets le comble à ce jour de malheur!
Je vois périr dans le sang et les larmes
Tous les espoirs et tous les voeux de mon cœur!

Duke.
Do thou avoid the city ere the night.

Le Duc.
Tu quitteras la ville dès ce soir.

Romeo.
Oh, I am banished! Despair!
No! Tho' I die, I will see her again.

Roméo.
O désespoir! l'exil!
Non! je mourrai—
Mais je veux la revoir!

Chorus.
Disarm? No! Revenge!
(The curtain falls.)

Choeur.
La paix? non! jamais!
(La toile tombe.)

ACT IV.

FIRST TABLEAU—The chamber of JULIET. It is night. The room is lit by a torch.

SCENE I—ROMEO, JULIET.

(JULIET discovered on a couch, ROMEO at her feet.)

ACTE QUATRIÈME

PREMIER TABLEAU—La chambre de JULIETTE. Il fait nuit. La scène est éclairée par un flambeau.

SCÈNE I—ROMÉO, JULIETTE.

(JULIETTE est assise; ROMÉO est à ses pieds.)

Juliet.
Yes, I pardon thee this—
That Tybalt thou hast killed; for if Tybalt
Had lived, perchance thou wouldst have fallen.
Comfort all this to me! 'twas thy life he sought,
And I love thee!

Juliette.
Va! je t'ai pardonneé! Tybalt voulait ta mort;
S'il n'avait succombé, tu succombais toi-même
Loin de moi la douleur! loin de moi le remord!
Il te haïssait!... et je t'aime!

Romeo.
O speak again
That word so fair!

Roméo.
Ah! redis-le, ce mot si doux!

Juliet.
Ah, Romeo,
Thee I love—my husband—dear unto me!

Juliette.
Je t'aime, ô Roméo! je t'aime, ô mon épou

NUIT D'HYMENEE — *OH! BLESSED NIGHT HYMENIAL* Duet (Romeo and Juliet)

JULIET

Nuit d'hy-mé-ne - e! O___ dou-ce nuit d'a - mour!_

Oh! bless - ed night hy-me - nial, Hours to the heart so dear,___

ROMEO

La des-ti-né - e M'en-chaîne à toi sans re - tour. ___

Love weaves the chains we wear Of bloom-ing ro - ses_ per - en - nial,_

O___ vo-lup-té de viv-re! O___ char-mes tout puis-sants!_

Ho - ly and dear con - fes - sion, Mys - te - ry sweet of love._

Ton_ doux re-gard m'en - i - vre, Ta voix___ ra-vit___ mes

No___ more en - rap - tured mo - ments Are found___ in heav'n a -

Ton___ doux re - gard m'en - i - vre, Ta

No___ more en - rap - tured mo - ments Are

sens!_ Sous_ tes bai-sers de flam - me ______

bove,_ Thou_ dost un - fold the por - tal, ______

voix ___ ra - vit ___ mes sens!_ Sous___ tes bai - sers de

found___ in heav'n a - bove,_ Thou___ dost un - fold the

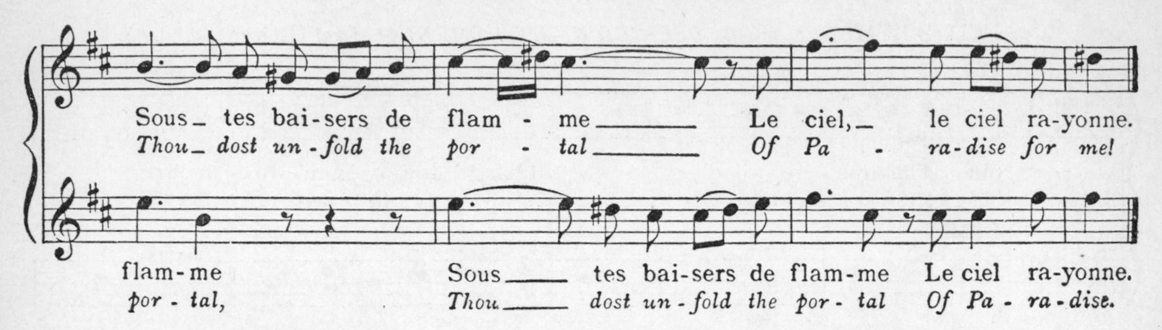

Ah! dearest, I will love thee
Till death that love from life shall part!
(Day breaks; the lark is heard.)

Juliet.
Wilt begone?—Nay, not yet!

Romeo
(rising).
Ah, hearken!
Dearest Juliet, 'tis the lark that thou hearest,
The herald of morn.

Juliet
(restraining him).
No! 'tis not yet near day,
'Twas no lark pierced thine ear, love.
'Tis the nightingale's note,
That she nightly sings there!

Romeo.
Nay, 'tis the lark, alas!
Early herald of morn; look, love,
(They come to the window.)
What envious streaks, clouds in the east
Are lacing! now night's candles
Are burning palely: on the mountains,
On tip-toe standeth jocund day.

Juliet.
No, love, it is not day—
Rather some wandering meteor. Remain!
Remain!
(ROMEO embraces JULIET passionately.)

Romeo.
Let me be put to death—thou willest!

Juliet.
Ah! thou wert right, it is day!
Go! hie hence away—tarry no longer!

Je t'ai donné mon âme!
A toi!... toujours à toi!...
(Les premières lueurs du jour éclairent les vitraux de la fenêtre.—On extend chanter l'alouette.)

Juliette.
Roméo, qu'as tu donc?

Roméo
(se levant).
Ecoute, ô Juliette!
L'alouette déja nous annonce le jour!

Juliette
(le retenant).
Non! ce n'est pas le jour,
Ce n'est pas l'alouette
Dont te chant a frappé ton oreille inquiète!
C'est le doux rossignol, confident de l'amour!

Roméo.
C'est l'alouette, hélas! messagère du jour.
(Ils s'approchent de la fenêtre.)
Vois ces rayons jaloux dont l'horizon se dore!
Les flambeaux de la nuit pâlissent!... et l'aurore
Dans les vapeurs de l'orient
Se lève en souriant!

Juliette.
Non!... ce n'est pas le jour!—Cette lueur funeste
N'est qu'un doux reflet de l'astre des nuits!
Reste! Reste!

Roméo (serrant JULIETTE dans ses bras).
Ah! Vienne donc la mort!... je reste!

Juliette.
Ah! tu dis vrai!... C'est le jour!... fuis!
Il faut quitter ta Juliette!

Romeo.

No, no! 'tis not yet near day,
'Twas no lark pierced thine ear, love;
'Twas the nightingale's note
On the pomegranate tree!

Juliet.

Nay!
'Tis the lark, alas! early herald of morn,
Love, now leave me!

Romeo.

One kiss more,
And I go!

Juliet.

Cruel fate!

Romeo.

Yet doubt not
That we'll meet, my Juliet, again!
And all these woes shall serve, love,
For sweet discourses in our time to come!

Juliet.

But now indeed farewell!
For dawn doth end the spell
With young love glowing,
And thou my soul's delight
Afar art going!

Romeo.

But now indeed farewell!
For dawn doth end the spell
With young love glowing,
From thee my soul's delight
Afar I'm going!

Juliet.

O fortune, grant
Though we part now in sorrow,
Our love may blossom
More brightly to-morrow!

Juliet and Romeo.

Farewell! my soul, my love!

(ROMEO goes off the balcony. JULIET watches his descent.)

Juliet.

Farewell, oh, dear one! Angels above,
To you, to you, I now confide my love!

Roméo.

Non! ce n'est pas le jour, ce n'est pas l'alouette!
C'est le doux rossignol, confident de l'amour!

Juliette.

C'est l'alouette, hélas! messagère du jour!
Pars, ma vie!

Roméo.

Un baiser, et je pars!...

Juliette

(s'abandonnant à l'étreinte de ROMÉO).

Loi cruelle!

Roméo.

Ah! reste! reste encore dans mes bras enlacés!
Un jour il sera doux à notre amour fidèle
De se ressouvenir de ses tourments passés!

Juliette.

Il faut partir, hélas!
Il faut quitter ces bras
Où je te presse,
Et t'arracher à cette ardente ivresse!

Roméo.

Il faut partir, hélas!
Alors qu'entre ses bras
Elle me presse!
Et c'en est fait de cette ardente ivresse!

Juliette.

Ah! que le sort
Qui de toi me sépare
Plus que la mort
Est cruel et barbare!

Roméo.

Adieu, mon âme!
Adieu, ma vie!...

(ROMÉO franchit le balcon et disparaît.)

Juliette.

Anges du ciel, à vous je le confie!...

SCENE II—JULIET, GERTRUDE, afterwards CAPULET and FRIAR LAWRENCE.

Gertrude

(entering).

Where is Juliet?

(Sees her.)

Ah! a mercy, my child,
That your husband is gone! your father is coming!

Juliet.

Heaven! will he know?

Gertrude.

Nay, that he will not;
With him the friar comes—

Juliet.

In heaven
I put my trust!

(Enter CAPULET and FRIAR LAWRENCE.)

Capulet.

How now, daughter? the day-light yet is young
In heaven—and behold! thou'rt awake,
As if thou hadst not slumbered. Alack!
On thee, too, weigheth my care, I can see,
And a deep regret for the youth we have lost!
Let the nuptial hymns
Succeed to shocks of arm!
And faithful to Tybalt's last thought!
Receive the husband he has named!
And smile amidst thy tears!

Juliet.

Who is he I'm to wed?

Capulet.

The noblest of us all! Paris, brave and true!

Juliet

(in terror).

Ah!

Lawrence

(aside to JULIET).

Be silent!

Gertrude

(aside to JULIET).

On your guard!

Capulet.

The altar is ready! Paris has my word!
Be married this very day!

SCÈNE II—JULIETTE, GERTRUDE, puis CAPULET et FRÈRE LAURENT.

Gertrude

(paraissant).

Juliette!...Ah! le ciel soit loué!... Votre époux
Est parti! Voici votre père!

Juliette.

Dieu! saurait-il?...

Gertrude.

Rien, j'espère!...
Frère Laurent le suit.

Juliette.

Seigneur! protège-nous!

(Entre CAPULET suivi de FRÈRE LAURENT.)

Capulet.

Quoi! ma fille, la nuit est à peine achevée,
Et tes yeux sont ouverts, et te voilà levée?
Hélas! notre souci, je le vois, est pareil,
Que l'hymne nuptial succède au bruit des armes!
Fidèle au dernier vœu que Tybalt a formé,
Reçois de lui l'époux que sa bouche a nommé;
Souris au milieu de tes larmes!

Juliette.

Cet époux, quel est-il?

Capulet.

Le plus noble entre tous.
Le comte Pâris!

Juliette

(à part).

Dieu!

Frère Laurent

(bas à JULIETTE).

Silence!

Gertrude

(de même).

Calmez-vous!

Capulet.

L'autel est préparé; Pâris a ma parole.
Soyez unis tous deux sans attendre à demain.

That the soul of Tybalt,
Present to the marriage,
May rest in peace!
The will of the dead
As that of God itself,
Is a supreme and holy law
Which we must respect.

Juliet (aside).
Still my heart is thine, my love, for aye!

Gertrude (aside).
Let the dead in cold obstruction rest for aye!

Lawrence.
How she trembles! still her heart will love obey.

Capulet.
You, holy father, can instruct her in duty, I trow:
Our friends are coming, I go to receive them!
(Exit, followed by GERTRUDE.)

SCENE III—FRIAR LAWRENCE and JULIET.

Juliet (in despair).
My father!
I am past cure, past hope, past help;
Love, and my secret troth I've kept hid in my breast,
For thou didst so advise me. In my need
Now to thee I turn; from out thy long
Experience, O give present counsel.
O give me, my father, a hope—if not,
Then I'm ready to die!
(She takes a dagger from her breast.)

Lawrence.
My child! then death has for thee no terrors?

Juliet.
No!—none—far worse than death
Living a wife, shame-stained!
(LAWRENCE takes out a phial.)

Lawrence.
Drink then, drink of this potion,
When thou shalt be alone! quick, a drowsy humor

Que l'ombre de Tybalt, présente à cet hymen,
S'apaise enfin et se console!
La volonté des morts,
Comme celle de Dieu lui-même,
Est une loi sainte, une loi suprême;
Nous devons respecter la volonté des morts.

Juliette (à part).
Ne crains rien, Roméo, mon cœur est sans remords!

Gertrude (à part).
Dans leur tombe laissons dormir en paix les morts!

Frère Laurent.
Elle tremble! et mon cœur partage ses remords!

Capulet.
Frère Laurent saura te dicter ton devoir.
Nos amis vont venir; je vais les recevoir.
(Il sort, suivi de GERTRUDE.)

SCÈNE III—FRÈRE LAURENT, JULIETTE.

Juliette (avec désepoir).
Tout est perdu, mon père! tout m'accable!
J'ai, pour vous obéir,
Caché mon désespoir et mon amour coupable!
C'est à vous de me secourir,
A vous de m'arracher à mon sort misérable!
Parlez, mon père!... ou bien je suis prête à mourir!
(Elle lui montre un poignard.)

Frère Laurent.
Ainsi la mort ne trouble point votre âme?

Juliette.
Non, non, plutôt la mort que ce mensonge infâme!

Frère Laurent (lui présentant un flacon).
Buvez donc ce breuvage, et des membres au cœur,

Shall run thro' thy veins: and shall seize on
Each vital spirit: Then its progress
No pulse shall keep, but shall cease to beat!
All soon the roses on thy lips, and on
Thy cheek shall wither and fade into ashes;
Thine eyelids too will close—as life is shut
By death.
Loud will they raise the sound of lamentation
"Juliet is dead!" "Juliet is dead!" For so
Shall they deem thee reposing. But
The angels above will reply "she but sleeps!"
For two-and-forty hours, thou shalt lie in death's seeming.
And then, to life awakening as from a pleasant dreaming,
From the ancient vault thou shalt haste away;
Thy husband shall be there, in the night, to watch o'er thee,
Nigh to thee ever, on thy waking we will stay,
So shall this draught once more to life and love restore thee.
Art thou afraid?

Juliet (taking the phial).

No! no! in thy hand
My life I give up!

Lawrence.

Till to-morrow!

Juliet.

Till to-morrow!

(LAWRENCE exit.)

SCENE IV—JULIET (alone).

Juliet.

O Lord! what icy thrill pervades my veins!
Should this potion be without effect!
Vain fears! never against my will
Shall I be the Count's bride.

(Hiding the dagger in her bosom.)

No! this dagger shall be the keeper of my faith!
O Love! give strength and courage
To my heart. To hesitate is an outrage!
To tremble is a want of faith.

Va soudain se répandre une froide langueur,
De la mort mensongère image;
Dans vos veines bientôt le sang s'arrêtera;
Bientôt une pâleur livide effacera
Les roses de votre visage.
Vos yeux seront fermés ainsi que dans la mort!
En vain éclateront alors les cris d'alarmes!
"Elle n'est plus!" diront vos compagnes en larmes;
Et les anges du ciel répondront: "Elle dort!"
Dans la nuit du tombeau vous dormirez comme eux.
C'est là qu'après un jour votre corps et votre âme,
Comme d'un foyer mort se ranime la flamme,
Sortiront de ce lourd sommeil.
Par l'ombre protégés, votre époux et moi-même
Nous épîrons votre réveil,
Et vous fuirez au bras de celui qui vous aime!
Hésitez-vous?

Juliette (prenant le flacon).

Non! non! à votre main
J'abandonne ma vie!

Frère Laurent.

A demain!

Juliette.

A demain!

(FRÈRE LAURENT sort.)

SCÈNE IV—JULIETTE, seule.

Juliette.

Dieu! quel frisson court dans mes veines!
Si ce breuvage était sans pouvoir!...... Craintes vaines!
Je n'appartiendrai pas au comte malgré moi!

(Cachant le poignard dans son sein.)

Non! ce poignard sera le gardien de ma foi!
Amour, ranime mon courage,
Et de mon cœur chasse l'effroi!
Hésiter, c'est te faire outrage!
Trembler est un manque de foi!

O! pour yourself this beverage!....
O Romeo, I drink to thee!
(Having poured the contents of the phial in a cup, she stops.)

Ah! But if in those funeral cells!
I should awake before his return!....
Almighty God! this awful thought
Has struck me with horror,
What shall I become in that darkness!
In that abode of death and groans,
That the past centuries have filled with corpses!
Where Tybalt, yet bloody from his wounds
In the dark night, by my side shall rest,
Oh! should my hand meet his!
(With madness.)
What ghost is that, from death escaped?
It is Tybalt; he calls me!....he wants
From my way to drive my husband
And his fatal sword!....
No!—Away, you ghosts—
And ye! fatal dreams! away!
Let the dawn of happiness rise
Over the shadows of past torment.
(Seizing the cup.)
O Love! give strength and courage
To my heart! To hesitate is an outrage!
To tremble is a want of faith,
O pour yourself this beverage!
O! Romeo! I drink to thee!....

(She drinks,—enter GERTRUDE followed by girls. JULIET goes to meet them, and departs with them.)

SECOND TABLEAU—A hall of the Palace—At back the doors of the chapel.

SCENE I—CAPULET, PARIS, FRIAR LAWRENCE, GREGORIO, JULIET, GERTRUDE, girls, friends, and retainers of the CAPULETS. Wedding train.

(The organ is heard, the doors of the Chapel open, the priests and suite enter.)

Capulet

(taking JULIET's hand).
Daughter, yield to the will of the betrothed who loves you.

Verse toi-même ce breuvage!......
O Roméo, je bois à toi!
(Après avoir versé le contenu du flacon dans une coupe, elle s'arrête.)

Mais, si demain pourtant, en ces caveaux funèbres,
Je m'éveillais avant son retour!.... Dieu puissant!
Cette pensée horrible a glacé tout mon sang!
Que deviendrai-je en ces ténèbres,
Dans ce séjour de mort et de gémissements
Que les siècles passés ont rempli d'ossements?
Où Tybalt, tout saignant encore de sa blessure
Près de moi, dans la nuit obscure,
Dormira?... Dieu! ma main rencontrera sa main!
(Avec égarement.)
Quelle est cette ombre à la mort échappée?
C'est Tybalt!... Il m'appelle!... Il veut de mon chemin
Ecarter mon époux, et sa fatale épée....
Non!... fantômes, disparaissez!
Dissipe-toi, funeste rêve!
Que l'aube du bonheur se lève
Sur l'ombre des tourments passés!..
(Saisissant la coupe.)
Viens! Viens!
Amour, ranime mon courage,
Et de mon cœur chasse l'effroi;
Hésiter, c'est te faire outrage;
Trembler, est un manque de foi;
Verse toi-même ce breuvage,
O Roméo, je bois à toi!

(Elle boit.—GERTRUDE parait au fond suivie de jeunes filles. JULIETTE va à leur rencontre et sort avec elles.)

DEUXIÈME TABLEAU—Une galérie du palais.—Au fond, les portes de la chapelle.

SCÈNE I—CAPULET, PÂRIS, FRÈRE LAURENT, GRÉGORIO, JULIETTE, GERTRUDE, jeunes filles, amis et serviteurs des Capulets.—Cortège nuptial.

(Un prélude d'orgue se fait entendre; les portes de la chapelle s'ouvrent; un cortège de cleres et d'enfants de chœur entre en scène.)

Capulet

(offrant la main à JULIETTE).
Ma fille, cède aux vœux du fiancé qui t'aime;

God is going to unite you with eternal bonds;
Happiness waiting for you at the foot of the holy altars,
From that blessed Hymn here is the supreme moment.

(Paris comes forward to place the ring on the finger of JULIET.)

Juliet.

(withdrawing her hand, and as in a dream).

Hatred is the source of this fatal love!
Let a coffin be my wedding couch.

(She detaches her bridal wreath; her hair falls on her shoulders.)

Capulet.

O Juliet! come back to thy senses!

Juliet.

O Lord!—I totter!....

(They surround her.)

Whose is that voice that calls me? Can it be death!
O Heaven—my father!—farewell!

(She falls insensible in his arms.)

Capulet.

My Juliet!
My daughter!—lifeless!—dead!
Just God!

All.

She is dead!

(Curtain falls.)

ACT V.

(The Vault of the CAPULETS.)

SCENE I—FRIAR LAWRENCE, FRIAR JOHN, JULIET.

(As the curtain rises, FRIAR LAWRENCE is seen near the tomb on which JULIET is asleep—the stage is lighted by a lamp, burning over the tomb.)

(Enter FRIAR JOHN.)

Lawrence.

Well! my letter to Romeo!

Friar John.

His page,
Attacked by the Capulets,
Has just now been taken wounded
In his master's palace,
And could not deliver the message.

(Delivering the letter to FRIAR LAWRENCE.)

Here is the letter!

Le ciel va vous unir par des vœux éternels;
Le bonheur vous attend au pied des saints autels;
De cet hymen béni voici l'instant suprême!

(PÂRIS s'avance et se dispose à passer son anneau au doigt de JULIETTE.)

Juliette

(Retirant sa main et à demi-voix, comme dans un rêve).

La haine est le berceau de cet amour fatal!...
Que le cercueil soit mon lit nuptial!......

(Elle porte la main à sa tête et en détache sa couronne de fiancée; ses cheveux se déroulent et tombent sur ses épaules.)

Capulet.

Juliette!.. reviens à toi!..

Juliette.

Dieu... je chancelle!..

(On l'entoure et on la soutient.)

Quelle nuit m'environne?... et quelle voix m'appelle?
Est-ce la mort?... j'ai peur!... mon père!.. adieu!...

(Elle tombe inanimée dans les bras de ceux qui l'entourent.)

Capulet.

Juliette!... ma fille!... Ah!.. morte!... juste Dieu!

Tous.

Juste Dieu!

(La toile tombe.)

ACTE CINQUIÈME.

Une crypte souterraine; ça et là des tombeaux.

SCÈNE I—FRÈRE LAURENT, FRÈRE JEAN, JULIETTE.

(Au lever du rideau, FRÈRE LAURENT est debout près du tombeau sur lequel est étendue JULIETTE endormie; une lampe funéraire, placée sur le tombeau, éclaire le théatre; FRÈRE JEAN entre en scène.)

Frère Laurent.

Eh bien? ma lettre à Roméo?

Frère Jean.

Son page,
Attaqué par les Capulets,
Vient d'être ramené blessé dans le palais
De son maître, et n'a pu s'acquitter du message.

(Remettant une lettre à FRÈRE LAURENT.)

Voici la lettre!

Lawrence.

O fatal doom!
Let another messenger leave this very night!
Come—each minute we lose
Brings us to great dangers.

(Exeunt, an iron door is heard to shut behind them—great silence.)

SCENE II—JULIET, then ROMEO.

SYMPHONY.

(The noise of a crowbar is heard. The door yields. Enter ROMEO with the iron bar in his hand.)

Romeo. (Throws aside his bar.)

'Tis here!
All hail, O tomb, home of the silent dead!
Not a tomb! No! for here Juliet is lying,
Making the grim vault full of light.
All hail! O shrine radiant and bright.

(Perceives and rushes towards her.)

Ah, she is there—my Juliet!

(Takes the lamp to see her more distinctly.)

Burn,
O torch in the gloom! to me show her again!
Wife beloved—Ah! thou art not conquered;
For death, though it has drawn from thy breath
All the honey, to change thee yet lacked
The power. No, still beauty's ensign is crimson
In thy lips, love—and death's pale flag
Is not advanced there.

(Replaces the lamp on the tomb.)

Oh, is it
Unsubstantial death of thee is amorous,
And that the lean abhorred monster keeps
Thee here? For fear of that I'll stay with thee,
My beloved, nor again from this palace
Of dim night depart.
Yes, my weary yoke
Now offshaking, oh, here will I set up
My everlasting rest. Eyes, O look your last;
Arms, take your last embrace; and kiss her lips,
That are the doors of breath!

(He embraces JULIET, then takes a phial of poison from his pouch.)

Frère Laurent.

O funeste hasard!
Qu'un autre messager parte cette nuit même!
Venez! chaque instant de retard
Nous jette en un péril extrême.

(Il sort, suivi de FRÈRE JEAN.—On entend une porte de fer se refermer sur eux.—Profond silence.)

SCÈNE II—JULIETTE, puis ROMÉO.

SYMPHONIE.

(Au bout d'un moment, on entend le bruit d'un levier ébranlant la porte,—la porte cède avec bruit.—ROMÉO parait.)

Roméo (un levier à la main.)

C'est là!...

(Il jette son levier.)

Saint, tombeau sombre et silencieux!
Un tombeau!..non!—ô demeure plus belle
Que le séjour même des cieux,
Palais splendide et radieux,
Salut!

(Apercevant JULIETTE et s'élançant vers le tombeau.)

Ah! la voila!... C'est elle!...
Viens, funètre clarté; viens l'offrir à mes yeux!

(Prenant la lampe funéraire.)

O ma femme! ô ma bien-aimée!
La mort, en aspirant ton haleine embaumée,
N'a pas altéré ta beauté!
Non! cette beauté que j'adore
Sur ton front calme et pur semble régner encore
Et sourire à l'éternité.

(Il repose la lampe sur le tombeau.)

Pourquoi me la rends-tu si belle, ô mort livide?
Est-ce pour me jeter plus vite dans ses bras?
Va! c'est le seul bonheur dont mon cœur soit avide,
Et ta proie aujourd'hui ne t'échappera pas.

(Regardant autour de lui.)

Ah! je te contemple sans crainte,
Tombe, où je vais enfin près d'elle reposer!...

(Se penchant vers JULIETTE.)

O mes bras, donnez-lui votre dernière étreinte!
Mes lèvres, donnez-lui votre dernier baiser!

(Il embrasse JULIETTE, puis, tirant de son sein un petit flacon en métal et se tournant vers JULIETTE.)

My love,
Thus do I pledge thee!
(He drinks the poison.)

Juliet

(half awakening).

Where am I?

Romeo

(startled).

'Twas but fancy! Am I dreaming?
Yet surely she did speak!
(Seizes her hand.)
My hands,
Trembling the while, feel in hers
That the life-blood is still running warm!
(She opens her eyes, raises her head slightly, and looks at him.)
Now her eyes open! She ariseth!

Juliet

(moving).

Romeo! Romeo!

Romeo.

O thou merciful Heaven!
(JULIET sits up, and puts her feet on the ground.)
She's alive! she's alive!

Juliet

(coming to her senses).

Ah! methought that I heard
Tones that I loved, soft falling!

Romeo.

'Tis I! Romeo—thine own—
Who thy slumbers have stirred,
Led by my heart alone,
Thee, my bride, unto love
And the fair world recalling!
(JULIET falls into his arms.)

Juliet.

O mine own!

Romeo.

Come, let's fly hence!

Juliet.

Happy dawn!

Romeo and Juliet.

Come, the world is all before us!
Come! be joy our own, for woe departs!
Father of love, graciously bending,
Blest be Thou by two grateful hearts.

A toi!...... ma Juliette!
(Il vide le flacon d'un trait et le jette.)

Juliette

(s'éveillant peu à peu).

Où suis-je?...

Roméo

(tournant les yeux vers JULIETTE).

Dieu!... je rêve!
Sa bouche a murmuré!...
(Saisissant la main de JULIETTE.)
Mes doigts, en trémissant,
Ont senti dans les siens la chaleur de son sang!
(JULIETTE regarde ROMÉO d'un air égaré.)
Elle me regarde... et se lève!

Juliette

(soupirant).

Roméo!...... Roméo!....

Roméo

(avec éclat).

Seigneur Dieu tout-puissant!
(JULIETTE pose un pied sur les degrés du tombeau.)
Elle vit! elle vit! Juliette est vivante!

Juliette

(reprenant peu à peu ses sens).

Dieu! quelle est cette voix dont la douceur m'enchante?......

Roméo.

C'est moi! C'est ton époux
Qui, tremblant de bonheur, embrasse tes genoux,
Qui ramène à ton cœur la lumière enivrante
De l'amour et des cieux!

Juliette

(se jetant dans les bras de ROMÉO).

Ah! c'est toi!...

Roméo.

Viens, fuyons tous deux!...

Juliette.

O bonheur!

Roméo et Juliette.

Viens, fuyons au bout du monde!
Viens! soyons heureux,
Fuyons tous deux!
Dieu de bonté! Dieu de clémence!
Sois béni par deux cœurs heureux!

Romeo

(tottering).

Ah! hearts of stone—ay, harder than stone,
Have our fathers!

Juliet

(frightened).

But thy words are so wild!

Romeo.

Nor sorrow, nor entreaty, softened them
To their children's prayer! on the threshold
Of joy we are standing—yet we die!

Juliet.

We die! Romeo, sure thou dost wander!
What strange terrors seize on thy fancy?
My love—my lord, recall thee to thyself.

Romeo.

Alas! I believed thee dead, love, and—
I drank of this draught!

(Shows the phial.)

Juliet.

Of that draught?
It is death!

(They embrace.)

Romeo.

Yield not thyself to sorrow,
Our dream was all too bright,
Now dawns a fairer morrow,
Shall never set in night!
From a dull slumber waking,
In a fair dawn I rise,
Chains my soul now is breaking,
To heaven dove-like it flies!

Juliet.

O my heart—break; break in sorrow!

Romeo

(wandering).

Yet hark! Juliet my dearest—'tis the lark,
Early herald proclaiming the day!
No, no!
'Tis not yet near day! 'Tis no lark
Thou didst hear, love, but the nightingale lone
On the pomegranate tree!

(He slips from her arms, and falls on the steps of the bier.)

Roméo

(chancellant).

Ah! les parents ont tous des entrailles de pierre!

Juliette.

Roméo, que dis-tu?

Roméo.

Les larmes, la prière,
Rien, rien ne peut les attendrir!
A la porte des cieux, Juliette...—Et mourir!...

Juliette.

Mourir!—Ah! la fièvre t'égare,
De toi quel délire s'empare?..
Mon bien-aimé! Rappelle ta raison!

Roméo.

Ah! je te croyais morte.. et j'ai bu ce poison!

Juliette.

Ce poison!.. Juste Dieu!...

Roméo

(serrant JULIETTE dans ses bras).

Console-toi, pauvre âme,
Le rêve était trop beau!
L'amour, céleste flamme,
Survit, même au tombeau!
Il soulève la pierre,
Et, des anges béni,
Comme un flot de lumière
Se perd dans l'infini!...

Juliette

(égarée).

O douleur!... ô torture!...

Roméo

(d'une voix plus faible).

Ecoute, ô Juliette!......
L'alouette déjà nous annonce le jour!......
Non.... ce n'est pas le jour...... Ce n'est pas l'alouette,
C'est le doux rossignol, confident de l'amour!...

(Il glisse des bras de JULIETTE et tombe sur les degrés du tombeau.)

Juliet

(taking the phial).

Ah! cruel spouse,
Drink all! no friendly drop thou'st left me,
To help me, so I die with thee!

(She flings the phial away, then remembering the dagger, draws it from her breast.)

Ah!
Here's my dagger still! I'd forgotten thee,—
Friend: now, happy dagger, behold thy sheath!

(She stabs herself. ROMEO half raises himself.)

Romeo.

Hold! hold thy hand!

Juliet

(in his arms).

Ah, happy moment,
Stay! My soul with rapture is swelling,
Thus to die, love, with thee.

(She lets fall the dagger.)

Yet one embrace!
I love thee!

(They half rise in each other's arms.)

Both.

O, Heaven, grant us thy grace!

(They die.)

END.

Juliette

(ramassant le flacon).

Cruel époux!—De ce poison funeste
Tu ne m'as pas laissé ma part!....

(Elle rejette le flacon, et portant la main à son cœur elle y rencontre le poignard qu'elle avait caché sous ses vêtements, et l'en tire d'un geste rapide.)

Ah, fortuné poignard!
Ton secours me reste!

(Elle se frappe.)

Roméo

(se relevant à demi).

Dieu!....qu'as-tu fait?

Juliette

(dans les bras de ROMÉO).

Va! ce moment est doux!

(Elle laisse tomber le poignard.)

O joie infinie et suprême
De mourir avec toi..... Viens!... un baiser!...
Je t'aime!......

Ensemble

(se relevant tous deux à demi dans un dernier effort).

Seigneur, Seigneur, pardonnez-nous!

(Ils meurent.—La toile tombe.)

FIN.

MANON

by

JULES MASSENET

THE STORY OF THE OPERA.

The story of Manon Lescaut, as here given, is a dramatization, by Meilhac and Grille, of the famous novel by Abbe Provost. The last act of the opera, however, is original with the two librettists.

The action occurs in the year 1721. Guillot Morfontain and a party of gay friends are making merry at an Inn. Manon, escorted by her cousin Lescaut, of the Guards, arrives on her way to a convent. She is of the peasantry, but vain as well as beautiful. Guillot leaves his friends, to pay attention to the young girl. He meets with no success, and is finally compelled to retreat.

The Chevalier Des Grieux, however, who appears upon the scene during the temporary absence of the cousin Lescaut, is more successful. Although about to take holy orders and become a priest, Des Grieux is charmed and infatuated by Manon's beauty and seeming simplicity; while she, in her vanity, seeks for a higher social position, and is also fascinated by the young Chevalier's manliness. The result is an almost immediate elopement of the pair.

They occupy apartments in Paris (act second). Before Des Grieux can secure his father's consent to their marriage the young man is placed in jeopardy by Lescaut and De Brétigny (an old roue). The two men are soon pacified; but shortly afterwards Des Grieux is seized by some men in the Count's (his father's) employ, and is taken away from Manon.

In the third act we find Manon under the protection of De Brétigny. But she learns that Des Grieux (whom she really loves) is now a priest at St. Sulpice; and she flies from De Brétigny to win back her lover.

In the second scene there is an interesting and dramatic situation, wherein Manon succeeds in inducing Des Grieux to renounce the priesthood and renew a gay life.

In the fourth act is seen the interior of a gambling-house in Paris. Des Grieux is unjustly accused of cheating, and trouble ensues. He and Manon are about to be arrested when the Count Des Grieux appears and releases the Chevalier; but Manon, through the efforts of Guillot who seeks revenge, is condemned to transportation.

In the last scene (a lonely road on the way to Havre), Manon again meets her lover Des Grieux, and dies in his arms.

NOTE. In the original score of the opera, the second scene of act fourth as here given is really the fifth act.

DRAMATIS PERSONÆ.

THE CHEVALIER DES GRIEUX.
THE COUNT DES GRIEUX, his Father.
LESCAUT, of the Royal Guard; Manon's cousin.
GUILLOT MORFONTAIN, Minister of Finance, and a Roue.
DE BRÉTIGNY, a Nobleman.
AN INNKEEPER.
ATTENDANT AT ST. SULPICE.
A SERGEANT OF GUARDS.
A SOLDIER.
POUSSETTE, JAVOTTE, ROSSETTE } Actresses.
MANON, the Adventuress.

Gamblers, Croupiers, Guards, Travellers, Townspeople, Ladies, Gentlemen, etc.

MANON.

ACT I.

(The courtyard of the inn at Amiens. Enter POUSETTE, JAVOTTE, ROSETTE, GUILLOT and DE BRETIGNY.)

GUILLOT (*calling*). Hello there! Mine host! Must I shout continually to get an answer?

DE BRÉTIGNY. Bring us some drink!

GUILLOT. Something to eat! Hello there!

DE BRÉTIGNY. A fine place, indeed, is this!

GUILLOT AND B. Still no one coming?

GUILLOT. This will not do at all. We should receive better attention!

DE BRÉTIGNY (*angrily*). Are you alive or buried?

GUILLOT. It seems that the Innkeeper *is* dead!

POUSETTE. Wait, sir! keep up courage.

GUILLOT AND B. A fine place, indeed!

POUSETTE AND OTHERS. Call him again! Keep calling!

(All, in chorus, appeal to the INNKEEPER.)
(INNKEEPER appears in doorway.)

DE BRÉTIGNY. Now the rascal's come at last!

GUILLOT. This way, you rogue!

ACTE I.

(Le Grande Cour d'une Hôtellerie, à Amiens. POUSSETTE, JAVOTTE, ROSETTE, GUILLOT and DE BRÉTIGNY.)

GUILLOT (*appelant*). Holà! Hé! Monsieur l'hôtelier! Combien de temps faut-il crier avant que vous daignez entendre?

BRÉTIGNY. Nous avons soif!

GUILLOT. Nous avons faim! Holà! Hé!

BRÉTIGNY. Vous moquez-vous de faire attendre?

GUILLOT ET B. Morbleu! Viendrez-vous à la fin!

GUILLOT (*avec dépit*). Foi de Guillot morfontaine! C'est par trop de cruauté. Pour des gens de qualité!

BRÉTIGNY (*en colère*). Il est mort, la chose est certaine!

GUILLOT. Il est mort! Il est mort!

POUSSETTE. Allons, messieurs, point de couroux!

GUILLOT ET B. Que faut-il faire!

POUSSETTE ET LE AUTRES. On le rappelle! Rappelle!

(Tout, rappelle l'hôtelier.)

BRÉTIGNY (*Avec joie et surprise*). Ah! voilà le coupable!

GUILLOT. Réponds nous, misérable!

INNKEEPER. D'ye think I'm neglectful? Patience then; I'll quickly serve the food.

L'HÔTELIER. Moi! vous abandonner! Je ne dirai qu'un mot: qu'on serve le diner!

(Enter servants with the repast and wines, from inn.)

(Entrant des marmitons avec les plats.)

INNKEEPER (*graciously*). Here is much to select from.

L'HÔTELIER. Et diverses épices; poisson, poulet!

ALL. Good!

L'AUTRES. Parfait!

INNKEEPER. Ragout!

L'HÔTELIER. Ragout!

ALL. Very good indeed!

L'AUTRES. C'est bien! parfait!

POUSETTE. Heavens! 't is fine!

POUSETTE. O douce providence! On vient servir.

(All follow INNKEEPER into the house.)

(Tous rentrant dans le hôtellerie.)

NOTE. In the English production of this opera the preceding portion of Act. I is sometimes omitted and the performance begun with the following:

(The TOWNSPEOPLE enter, crowding around the hotel. The bell rings.)

(Les Bourgeois et les Bourgeoises envahissent peu à peu l'hôtellerie. Le cloche entendre.)

CHORUS OF TOWNSPEOPLE. Hark! hark! the hour is sounding,
See the coach the corner rounding!
We must see all.
At some to laugh,
To smile on beauty,
Is what we call
Our solemn duty.

CHOEUR (*Bourgeoises et Bourgeois*). Entendez vous la cloche,
Voici l'heure du coche,
Il faut tout voir! tout voir!
Les voyageurs, les voyageuses
Il faut tout voir!
Pour nous c'est un devoir!

(LESCAUT enters, followed by two GUARDSMEN.)

(LESCAUT entre suivi de GARDES.)

LESCAUT (*to his companions*). This is the place, or I'm mistaken, where the coach from Arras stops to bait man and beast.

LESCAUT. C'est bien ici l'hôtellerie
Où le coche d'Arras
Va tantôt s'arrèter!

THE GUARDS. This is the place.

LES GARDES. C'est bien ici.

LESCAUT (*dismissing them*). Good-day!

LESCAUT (*les congédiant*). Bonsoir!

THE GUARDS. Ah, surely thou art joking, Lescaut,
Thou wilt not leave us thus?

LES GARDES. Quelle plaisanterie!
Lescaut, tu pourrais quitter!

LESCAUT (*good-humoredly*). Not I!
A wine-shop there is close at hand,
Where they sell only liquor that's strong.
Here awaiting my cousin I stand,
But you I'll rejoin before long.

LESCAUT. Jamais! Jamais! Allez à l'auberge voisine,
On y vend un clairet joyeux;
Je vais attendre ma cousine,
Et je vous rejoins tous les deux!

THE GUARDS. Well; don't forget.

LES GARDES. Rappelle toi!

LESCAUT (*appearing hurt*). What do you mean? You go too far!

LESCAUT. Vous m'insultez, c'est imprudent!

THE GUARDS (*entreatingly*). Lescaut!

LES GARDES. Lescaut!

LESCAUT. Ah well!
I perhaps, shall lose my memory
When next you want a drink of me.
Be off to the wine-shop at hand,
And there let the liquor flow free.
Here awaiting my cousin I stand,
You can drink while you're waiting for me.

(Exeunt the GUARDS. Travellers appear in the courtyard, with porters and servants, carrying baggage.)
(Commotion; travellers seeking parcels, valises, etc.)

TOWNSPEOPLE (*joyfully*). Here they come! Here they come!

(The coach arrives, travellers alight from it.)

AN OLD LADY (*adjusting her head-dress*). Oh! this is shameful! My pretty bonnet!

TOWNSPEOPLE (*laughing*). Now do just look at that old woman!

A TRAVELLER. Hi! porter, here!

PORTER (*in bad temper*). All right! All right!

TOWNSPEOPLE (*laughing*). Ah, how our sides will ache with laughter!

VARIOUS TRAVELLERS.
Tell me, sir, I pray, where's my birdcage?
Hi! here I say.
Answer me!
Hi! Here, now guard!
My turn first!
My boxes!
Where's my trunk?

ALL. Answer me!

POSTILLIONS AND PORTERS. All right! All right! Just wait a bit!

TRAVELLERS (*loudly*). Why don't you give us each his luggage?

POSTILLIONS AND PORTERS. Not so much bluster. Make less noise, we say!

TRAVELLERS. Heav'ns, that this worry there should be
For harmless travellers such as we!
Ah! every man his will should make
Before he dare a journey take!

LESCAUT. C'est bon! Je perdrais la memoire
Quand il s'agit de boire!
Allez! à l'auberge voisine
On y vend un clairet joyeux!
Je vais attendre ma cousine!
Allez trinquer en m'attendant!
En m'attendant allez trinquer!

(Sortent GARDES.)
(La rue s'emplit de postillons, de porteurs portant des malles, des cartons, des valises et précédés ou suivi de voyageurs at de voyageuses qui tournent autour d'eux pour obtenir leurs bagages.)

BOURGEOIS (*avec joie*). Les voila! les voila!

(Le Coche arrivé.)

UNE VIELLE DAME. Oh! ma coiffure! Oh! ma toilette!

BOURGEOIS ET B. Voyes vous pas cette coquette!

UN VOYAGEUR. Eh! le porteur!

UN PORTEUR. Dans un instant!

BOURGEOIS ET B. Ah! le singulier personnage!

LES VOYAGEURS.
Où sont mes oiseaux et ma cage!
Hè! Postillon!
Postillon!
Ma malle!
Ma panier
Postillon!

TOUS. Postillons!

POSTILLONS ET PORTEURS. Dans un moment!

VOYAGEURS. Donnez à chacun son bagage!

POSTILLONS ET PORTEURS. Moins de tapage! Non! Non!

VOYAGEURS Dieux! quel tracas et quel tourment!
Quand il faut monter en voiture!
Ah! je le jure,
On ferait bien de faire avant son testament!

POSTILLIONS, PORTERS, AND TOWNSPEOPLE.
Ah! what a life { we / these } poor men lead!
Who would endure it but for need?
See, up and down { we / they } go in vain,
For when down, up { we / they } go again.

TRAVELLERS (*following the* POSTILLIONS). Look here, I'm the first.

POSTILLIONS (*brusquely*). You 're the last!

TRAVELLERS. I 'm the first.

POSTILLIONS. No!

TOWNSPEOPLE (*laughingly imitating*). You're the last. No!

(MANON, who has come out of the crowd, regards the scene with astonishment.)

WOMEN (*looking at* MANON). Oh, look! Look at that young woman!

LESCAUT (*observing her in turn*). I'm almost sure that yon fresh and pretty girl is Manon, my fair relation. (*To* MANON.) I am Lescaut!

MANON (*with some surprise*). You! Is that true? (*Simply and without reserve.*) Come, kiss me then!

LESCAUT. Certainly, my dear. Who would not? (*Aside.*) My word! she is a pretty maiden, and quite a credit to our family.

MANON (*embarrassed*). Ah, cousin mine! excuse me, pray.

LESCAUT (*aside*). What a charming girl!

MANON (*with expression*). A simple maid, fresh from lov'd home,
To me it is so strange to roam.
Dear cousin mine, excuse me, pray,
For awkwardness on such a day.
(*With vivacity.*) Oh! pardon me for prattling so,
Since this is my first trip, you know.
I scarce had started on my way,
Than with delight I wond'ring gazed
On meadows, woods, and mansions fair—
What marvel then that I was dazed!

POSTILLONS ET BOURGEOIS.
Ah! c'est à se damner vraiment,
Chacun gémit,
Rien qu'en montant ou descendant!
Dieux! quel tourment!

VOYAGEURS (*poursuivant les* POSTILLONS). Je suis le premier!

POSTILLONS (*brusquement*). Le dernier!

VOYAGEURS. Je suis le premier!

POSTILLONS. Non!

BOURGEOIS (*imitant les* POSTILLONS). Le dernier! Non!

(MANON qui vient de sortir de la foule considère tout ce tohu-bohu avec étonnement.)

BOURGEOISES (*regardant* MANON). Voyez cette jeunne fille!

LESCAUT. Eh! j'imagine que cette belle enfant, c'est Manon! ma cousine! (À MANON.) Je suis Lescaut!

MANON (*avec une légère surprise*). Vous mon cousin! (*Simplement.*) Embrassez moi!

LESCAUT. Mais très volontiers, sur ma foi!
Morbleu! c'est une belle fille
Qui fait honneur à la famille!

MANON (*avec embarrass.*) Ah! mon cousin, excusez moi!

LESCAUT (*à part*). Elle est charmante!

MANON. (*avec émotion*). Je suis encor tout étourdie,
Je suis encor tout engourdie,
Ah! mon cousin! Excusez moi!
Excusez un moment d'émoi.
Je suis encor tout étourdie.
Pardonnez à mon bavardage
J'en suis à mon premier voyage!
Le coche s' eloignait à peine
Que j'admirais de tous mes yeux,
Les hamaeux, les grands bois, la plaine,
Les voyageurs jeunes et vieux.

My heart was light as trees flew past,
Their branches waving in the wind,
And I forgot, so glad I felt,
That I must leave these joys behind.
Launched on the world thus beautiful,—
(Nay, mock me not, 't is truth I say,)
It seemed that I had sudden flown
To Paradise that happy day.
Then came a moment of distress;
I wept aloud, I know not why.
An instant after, how I laughed!
(*With a burst of laughter.*) To find a reason do not try.
Ah! cousin mine, excuse me, pray.

Ah! mon cousin, excusez moi!
C'est mon premier voyage!
Je regardais fuir, curieuse
Les arbres frissonnant au vent!
Et j'oubliais, toute joyeuse,
Que je partais pour le couvent!
Devant tant de choses nouvelles,
Ne riez pas, si je vous dis
Que je croyais avoir des ailes,
Et m'envoler en paradis!
Oui, mon cousin!
Puis, j'eus un moment de tristesse
Je pleurais, je ne sais pas quoi?
L'instant d'après, je le confesse
Je viais, Ah! Je viais!
Mais sans savoir pour-quoi?
Ah! mon cousin, excusez moi!

(Passengers and Attendants fill the Inn-yard. The departure bell rings.)

(Les voyageurs précédes des postillons envahissent la cour de l'hôtellerie. On sonne le depart du coche.)

POSTILLIONS (*to* TRAVELLERS). Now then, time 's up, sirs!

POSTILLONS. Partez! On sonne!

TRAVELLERS (*in comical alarm*). What 's that you say!

VOYAGEURS (*avec alarme comique*). Comment? Partir!

POSTILLIONS. We say time 's up; you see, the coach is ready!

POSTILLONS. Allons! sortez! voici l'autre voiture!

TRAVELLERS. What! now, so soon?
Ah! is not this provoking!
Heavens! that this worry, there should be
For harmless travellers such as we!
Ah! ev'ry man his will should make
Before he dare a journey take.

VOYAGEURS. Partir! Comment?
Quelle mésaventure!
Dieux! quel tracas et quel tourment!
Quand il faut monter en voiture!
Ah! je le jure,
On ferait bien de faire avant son testament!

(The crowd slowly disperse, leaving LESCAUT and MANON together.)

(La foule s'eloigne peu à peu laissant ensemble LESCAUT et MANON.)

LESCAUT (*to* MANON). Wait a moment. Be prudent; I am going to find your luggage.

LESCAUT (*au moment de sortir pour aller les paquets de* MANON). (*To* MANON.)
Attendez-moi, soyez bien sage,
Je vais chercher votre bagage!

(Exit LESCAUT.)

(Sortent LESCAUT.)

THE TOWNSPEOPLE (*finally dispersing*). We have discharged our solemn duty. (*Exeunt.*)

(MANON remains alone.)

BOURGEOIS. Il faut tout voir!
Pour nous c'est un devoir!

(Ils disparaissent.)

(MANON reste seule.)

GUILLOT (*appearing on the balcony of the pavilion*). Miserable landlord! are we never to have any wine? (*He observes* MANON.) Heavens! What do I see? Young lady! hem! hem! Young lady! (*Aside.*) Really, my head is turning round!

GUILLOT (*sur le balcon du pavillon*). Hôtelier de malheur!
Il est donc entendu,
Que nous n'aurons jamais de vin!
(*Apercevant* MANON.) Ciel! qu'aije vu!
Mademoiselle! hem! hem! Mademoiselle!
(*Apart.*) Ce qui se passe en ma cevelle!

MANON (*aside and laughing*). What a funny man!

GUILLOT. Young lady, I am Guillot de Morfontaine. I am rich and would give a good deal to hear a word of love from you. Now, what do you say to that?

MANON. That I should be ashamed, if I were not more disposed to laugh.

(MANON laughs, and her laughter is echoed by DE BRÉTIGNY, JAVOTTE, POUSETTE, and ROSETTE, who have just appeared on the balcony.)

DE BRÉTIGNY. Now then, Guillot, what 's the game? We are waiting for you.

GUILLOT. Oh! go to the devil.

POUSETTE (*to* GUILLOT). Are you not ashamed? At your age!

DE BRÉTIGNY. This time I swear the dog has by chance found a prize. Never did sweeter look light up a woman's face!

JAVOTTE, POUSETTE, AND ROSETTE (*laughingly to* GUILLOT). Oh! come back, Guillot. Oh! come back!
Where a false step leads who can tell?
Be advised, Guillot, tempt not Fate.
Have a care: back while all is well.

DE BRÉTIGNY. Now then, Guillot, let the girl alone and come in. We are calling you.

GUILLOT. Ay, ay, in a moment. (*To* MANON.) My little one, give me a word.

DE BRÉTIGNY. Guillot, let the girl alone.

GUILLOT (*softly to* MANON). A postillion is coming for me directly; when you see him, understand that a carriage is at your service. Take it, and afterwards you shall know more.

LESCAUT (*who has just entered*). What do you say?

GUILLOT (*confused*). Oh, sir! nothing, sir!

MANON (*apart*). Cet homme est fort drôle, ma foi!

GUILLOT. Mademoiselle, ecoutez moi!
On me nomme Guillot de Morfontaine,
De louis d'or ma caisse est pleine,
Et j'en donnerais beaucoup
Pour obtenir de vous un seul mot d'amour.
J'ai fini, qu' avez-vous à dire?

MANON. Que je me fàcherais si je n'aimais mieux rire!

(MANON éclate de rire, et son rire est répété par BRÉTIGNY, JAVOTTE, POUSETTE et ROSETTE, qui viennent d'arriver sur le balcon.)

BRÉTIGNY. Eh bien, Guillot, que faites-vous?
Nous vous attendons.

GUILLOT. Au diable les fous!

POUSETTE (*à Guillot*). N'avez-vous pas honte? à votre àge!

BRÉTIGNY. Cette fois-ci, le drôle a par hasard
Découvert un tresor
Jamais plus doux regard
N'illumina plus gracieux visage!

JAVOTTE, POUSETTE ROSETTE (*à Guillot en riant*). Revenez, Guillot, revenez!
Dieu sait où vous mène un faux pas!
Cher ami Guillot, n'en faites pas!
Revenez! vous allez vous casser le nez!

BRÉTIGNY. Allons, Guillot, laissez Mademoiselle,
Et revenez, l'on vous appelle!

GUILLOT. Oui, je reviens dans un moment!
(*A* MANON.) Ma mignonne, un mot seule ment!

BRÉTIGNY. Guillot, laissez Mademoiselle.

GUILLOT (*à* MANON). De ma part tout à l'heure un postillon viendra,
Quand vous l'apercevrez, cela signifiera.
Qu'une voiture attend, que vous pouvez la prendre,
Et qu'après vous devez comprendre.

LESCAUT (*vient de rentrer*). Plaît-il, Monsieur!

GUILLOT. Monsieur!

LESCAUT (*boisterously*). Oh, sir! Did you say —

GUILLOT (*returning to the pavilion*). Nothing, sir, I said.

JAVOTTE, POUSETTE, ROSETTE. Oh! come back, Guillot; oh, come back, etc.

(Laughing, they re-enter the pavilion.)

LESCAUT (*to* MANON). He spoke to you, Manon.

MANON (*lightly*). Well, can you say 'twas my fault?

LESCAUT. That's true; and in my eyes you are so good that I won't trouble myself.

(The two GUARDSMEN enter.)

FIRST GUARDSMAN (*to* LESCAUT). How now! thou comest not!

SECOND GUARDSMAN. Both cards and dice are waiting your pleasure below.

LESCAUT. I come; but first to this young lady, with your leave, good sirs, I must speak some words of counsel full of wisdom.

GUARDSMEN (*resignedly*). To his wisdom we'll listen.

LESCAUT (*to* MANON). Give good heed to what I say —
Duty calls me now away,
To consult these comrades here
Upon a point that's not quite clear.
Wait for me, Manon, just a moment, no more.
Make no mistake, but prudent be,
And one thing always bear in mind,
That safe within my hands you'll find
The honor of our family.
And if, forsooth, some silly man
Should whisper folly in your ear,
Behave as though you did not hear.
For safety's sake adopt that plan.

(To the GUARDSMEN, with a sign of departure.)

Now let us go and see on which of us the goddess of the game will look with loving eyes.

(As he goes he turns to MANON.)

Make no mistake, but prudent be.

(Exeunt LESCAUT and GUARDSMEN.)

LESCAUT. Eh bien! Vous disiez —

GUILLOT. Je ne disais rien!

(Rentrent pavillon.)

JAVOTTE, POUSETTE ET ROSETTE. Revenez Guillot! etc.

(Ils rentrent en riant dans le pavillon.)

LESCAUT (*à* MANON). Il vous parlait, Manon?

MANON (*l'egèrement et vif*). Ce n'était pas ma faute.

LESCAUT. Certes! et j'ai de vous opinion trop-haute
Pour me fàcher!

UN GARDÉ (*à* LESCAUT). Eh, bien, tu ne viens pas?

UN AUTRE GARDE. Les cartes et les dés nous attendent lábas!

LESCAUT. Je viens, mais à cette jeunesse
Permettez d'abord que j'adresse
Quel ques conseils tout remplis de sagesse!

LE GARDES. Ecoutons la sagesse.

LESCAUT (*à* MANON). Regardez-moi bien dans les yeux.
Je vais tout près à la caserne,
Discuter avec ces messieurs,
De certain point qui les concerne.
Attendez-moi donc un instant, un seu moment,
Ne bronchez pas, soyez gentille
Et n'oubliez pas, mon cher cœur,
Que je suis gardien de l'honneur
De la famille, de la famille!
Si par hazard quelque imprudent
Vous tenait un propos frivole
Dans la crainte d'un accident
Ne dites pas une parole!

(Aux GARDES leur faisant signe de partir.)

Et maintenant, voyons à qui de nous
La Déesse du jeu va faire les yeux doux!

(Au moment retourne vers MANON.)

Ne bronchez pas,
Sayez gentille!

(Ils sortent.)
(MANON reste seule.)

MANON (*with simplicity*). Yes, I will do as I am told—not a word, not a thought. Far away I will banish those wild dreams that with glittering splendor hold me in thrall. I'll dream no more! (*Appears deep in thought. Suddenly she looks towards the pavilion in which are* POUSETTE, JAVOTTE, *and* ROSETTE.) What happy lives those ladies live! Round the throat of one is a necklace of gold. (*Rising.*) Ah! beautiful dresses and gems in radiant splendor flashing! How delightful ye are to me! (*Sadly and resignedly.*)

Alas! Manon, again thou 'rt dreaming.
Struggling vainly with thy fate;
All these glories are but seeming,
Leave them at the convent gate.

Alas! Manon, dream thou no more. Ah! 't is easy said, but my eyes with their splendor are dazzled till I see naught else. How happy must the women be who spend the r lives in search of pleasure! (*She sees* DES GRIEUX *approaching.*) Who is that? Quick, to my place!

(DES GRIEUX comes forward without noticing MANON.)

DES GRIEUX. The hour is fixed when I depart, yet I pause, not knowing why. (*Resolutely.*) To-morrow, whatever betide, I shall embrace my father. Yes, he will meet me gladly, and my heart goeth forth to him. Oh, my father, soon I shall clasp thy hand!

(Involuntarily he turns towards MANON.)

Great Heaven! Am I dreaming? Yes, it is a vision! Whence comes this rapturous longing? Now I feel that my life but begins—or is ending! A hand of iron draws me, though resisting, from the way I sought to go. Spite of myself I now would kneel before her.

(He slowly approaches MANON.)

Young lady!

MANON. Sir!

MANON (*simplement*). Restons ici, puis qui'il faut
Attendons sans penser! Evitons ces folies,
Ces projets qui mettaient ma raison en défaut!
Ne revons plus! (*Semble plongée dans réflexions. Elle porte les yeux sur pavillon dans lequel sont enfermées* POUSETTE, JAVOTTE, *et* ROSETTE.)
Combiene ces femmes sont jolies!
La plus jeune portait un collier de grains d'or!
Ah! comme ces riches toilettes
Et ces parures si coquettes
Les rendaient plus belles encor!
(*Triste et resigne.*) Voyons, Manon, plus de chimères,
Où va ton esprit en rêvant?
Laisse ces desirs éphemères
A la porte de ton couvent!
Voyons, Manon! Plus de chimères,
Et cependant!
Pour mon âme ravie
Et elles tout est séduisant!
Ah! combien ce doit être amusant.
De s'amuser toute une vie!
Ah! Voyons, etc. (*Apercevant* DES GRIEUX.)
Quelqu'un! Vite, à mon banc de pierre!

(DES GRIEUX s'avance sans voir MANON.)

DES GRIEUX. J'ai marqué l'heure du départ—
J'hesitais — chose singulière.
Enfin, demain soir au plus tard
J'embrasserai mon père!
Oui je le vois souriere,
Et mon cœur ne me trompe pas!
Je le vois il m'appelle et je lui tends les bras!

(Involontairment DES GRIEUX s'est tourné vers MANON.)

O ciel! Est-ce un reve?
Est-ce la folie?
D'où vient ce que j'éprouve?
On dirait que ma vie
Va finir ou commence!
Il semble qu'une main de fer
Me mère en un autre chemin,
Et malgré moi m'entraine devant elle.

(R'approche de MANON.)

Mademoiselle!

MANON. Eh, quoi?

DES GRIEUX. Pardon me—I do not know—I obey—I am no longer master of myself. I see you assuredly for the first time, yet my heart recognizes you.

DES GRIEUX. Pardonnez moi! Je ne sais—
J'obéis je ne suis plus mon maître—
Je vous vois, j'en suis sûr,
Pour la première fois
Et mon cœur cependant vient de vous re connaitre!

rall. pp
hence-forth the mis - tress of his heart! . . . .
i - vran - tes fie - vres du bon - heur! . . . .
rall. pp
hence-forth the mis - tress of his heart! . . . .
ê - tes maî - tres - se de mon cœur! . . . .
Allegretto.
DES GRIEUX.
MANON.
Allegro. (Smiling.)
Ah, speak to me! I am on - ly a sim - ple maid-en. Be-lieve me, I'm not
Ah! par - lez-moi! Je ne suis qu'une pau - vre fille. Je ne suis pas mau-
wick - ed, But I of - ten am told by those at home, . That I love
vais - se Mais sou - vent on - m'ac - cuse dans ma fa - mil - le D' - ai - mer
(Sadly.)
Allegretto.
mf
pleas - ure too well; I am now on my way to a con - vent, That, sir, is the sto - ry
trop le plais-ir on me met au cou - vent. Tout à l'heure, et c'est là l'his - toi - re
Allegro moderato.
(with simplicity.)
DES GRIEUX (with ardour).
of Ma - non, . . of Ma - non Les - caut! No I will not be -
de Ma - non, . . de Ma - non Les - caut! Non! Je ne veux pas
lieve that fate can be so hard! That one so young . and so fair can be des - tin'd to
croire à cet - te cru - an - té Que tant de charmes, de beau - té So - ient voues à ja -
MANON.
dwell in a liv - ing tomb. But, 't is, a - las! . . the sov'-reign will of Heaven, to whose
mais à la tom - be vi - vante! Mais c'est, hé - las! . . la vo - lon - té Du ciel dont je
espressivo.
dim.
DES GRIEUX (firmly).
ser - vice I'm de - vo - ted, and no one from this fate can de - liv - er me. No!
suis la ser - van - te, Puisqu'un mal - heur si grand ne peut être é - vi - té. Non!
MANON (joyfully). DES GRIEUX.
no! . Not from you, Manon, shall hope and joy be torn. . Oh! Heaven! For on my will and my pow'r
non! . Vo - tre li - ber - té ne se - ra pas ra - vi - e! Com - ment? Au che - val - ier Des Gri - eux.

(A postillion, who has been warned by GUILLOT to take the orders of MANON, appears at back. MANON looks at him, reflects, and smiles.)

MANON (*to* DES GRIEUX). Oh, what a chance is thrown now in your way! There is a carriage awaiting here its owner. He has dared to make love to Manon. Be revenged!

DES GRIEUX. But how?

MANON. Let us take it — both of us.

DES GRIEUX. Good! Away!

(Exit postillion.)

MANON (*troubled*). But, sir — we go together?

DES GRIEUX. Yes, Manon; are not our hearts united?

MANON AND DES GRIEUX. We to Paris will go.
Heart to heart!
And, though Fortune may frown,

(A ce moment, le postilon à qui GUILLOT a dit précédement de se tenir aux ordres de MANON paraît dans le fond.)

(Elle regarde, réfléchit et sourit.)

MANON. Par aventure, peut-etre avons-nous mieux
Une voiture la chaise d'un Seigneur.
Il faisait les doux yeux a Manon.
Vengez-vous!

DES GRIEUX. Mais comment.

MANON. Tous les deux, prenons là!

DES GRIEUX. Soit, partons!

(Aussitot postillon.)

MANON (*troublée*). Eh quoi partir ensemble?

DES GRIEUX. Oui, Manon! le ciel nous rassemble!

MANON ET DES GRIEUX. Nous vivrons à Paris tous les deux!
Et nos cœurs amoureux

Never part!
Evermore bliss is ours,
And with love's sweetest flow'rs
Will we crown the bright hours.

L'un à l'autre enchainés
Pour jamais réunis
N'y vivront que des jours benis!

DES GRIEUX (*tenderly*). Soon my name will become your own. (*Recovering himself.*) Ah, excuse!

DES GRIEUX. Et mon nom de viendra le vôtre!
Ah! pardon!

MANON. All unworthy is Manon, and she desires no sacrifice; yet otherwise 't is wrong.

MANON. Dans mes yeux
Vous devez bien voir
Que je ne puis vous en vouloir
Et cependant c'est mal!

DES GRIEUX AND MANON. We to Paris will go, etc.

(Peals of laughter in the pavilion are heard.)

DES GRIEUX ET MANON. Viens! nous vivrons à Paris! etc.

(Eclats de rire dans le pavillon.)

MANON. There they are!

MANON. Ce sont elles!

DES GRIEUX. What troubles you?

DES GRIEUX. Qu'avez-vous?

MANON. Nothing! Those beautiful ladies!

MANON. Rien! ces femmes si belles!

LESCAUT (*within*). I shall expect you both at the wine-shop this evening.

LESCAUT (*au debors*, *aviné*). Ce soir, vous rendrez tout au cabaret voisin!

DES GRIEUX (*alarmed*). Ha!

DES GRIEUX (*effrayé*). La!

MANON. It is the voice of my cousin!

MANON. C'est la voix de mon cousin!

DES GRIEUX. Come! away!

DES GRIEUX. Viens! partons!

POUSETTE, JAVOTTE AND ROSETTE (*within*). Come back, Guillot!

POUSETTE JAVOTTE ET ROSETTE. Revenez Guillot!

MANON (*with excitement*). Ah! but it must indeed be delightful to abandon sorrow, and know only pleasure!

(Exit MANON and DES GRIEUX.)

MANON (*s'arrête*, *indécise*). Ah! Combien ce doit être amusant de s'amuser toute une vie! Ah! partons!

(Ils s'enfuient tous deux.)

LESCAUT (*entering intoxicated*). Not a coin!
Dame Fortune plays me false!
(*Looking for* MANON.) Hi! Manon! —
What! Gone away? Manon! Manon!

LESCAUT (*paraissant gris*). Plus un sou!
Le tour est trés plaisant!
(*Appellant.*) Hè! Manon quoi! Disparue!
Hola! Hola!

GUILLOT (*coming out of pavilion cautiously*). I 'll see her once again!

GUILLOT (*descendant doucement le perron*). Je veux la retrouver.

LESCAUT. Ah! 't is you, my fine fellow!
'T is you have taken Manon; you! Give her up! Give her to me!

(Enter TOWNSPEOPLE and INNKEEPER.)

LESCAUT. Ah! (*barrant le passage*) c'est vous!
Le gros homme! Vous avez pris Manon!
Vous, rendez-la moi!

(Les BOURGEOIS et l'HOTELIER arrivent.)

Guillot. Now, my good Lescaut, why make this noise and cause a scandal!

Lescaut. Ah! bah! What's that to me! (*To* Townspeople.) He has robbed us of our honor! And 't is a feast too good (*to* Guillot) for such a taste as yours!

Guillot (*frightened.*) What an adventure!

Innkeeper and Townspeople. Now, then, explain yourself!

Guillot. Good! Let us do it gently, sirs, and without prejudice.

Lescaut (*louder*). Answer me, as in a court of law—Where is Manon?

Innkeeper. What! She who was here lately has driven away. A young man is with her; they have gone!

Guillot (*in despair*). O heavens!

(Noise, carriage in distance.)

Townspeople. Yes, they 're off!

Lescaut (*furious*). There goes the honor of our house!

Innkeeper (*indicating* Guillot). And in the carriage of that man!

Townspeople. And in the carriage of that man!

Lescaut (*seizing* Guillot). You wretch!

Guillot. No! hear me speak! Let me go!

People. Ah! the bird has flown!
Was ever such misfortune known!

Lescaut. No, my honor says chastise him!

De Brétigny (*coming from pavilion with ladies*). Alas! my poor Guillot! Has your love, then, escaped you?

Ladies (*laughing*). Oh! measure this mischance who can,
For such a lady-killing man!

Guillot (*à* Lescaut). Regardez donc comme vous attirez la foule!

Lescaut. Ah! bah! ca m'est égal!
(*Aux* Bourgeois.) Il a pris notre honneur
(*À* Guillot.) C'est un trop beau regal
Pour ton vilain museau!

Guillot. Quelle aventure!

L'Hôtelier et Bourgeois. Voyons, expliquez-vous!

Guillot. Soit! mais très doucement, très doucement et sans injure!

Lescaut (*encor plus fort*). Repondez catégoriquement.
Je veux Manon!

L'Hôtelier. Quoi! Cette jeune fille, elle est partie avec un jeune homme!
Ecoutez!

Guillot. O ciel!

(Bruit lointain de la voiture.)

Bourgeois. Elle est partie!

Lescaut. Mais c'est l'honneur de la famille!

L'Hôtelier (*designant* Guillot.) Dans la voiture de Monsieur!

Bourgeois. Dans la voiture de Monsieur!

Lescaut. Gredin!

Guillot. Làchez! Làchez!

Bourgeois. Ah! la drôle de figure!

Lescaut. Non! il faut que je chatie!

De Brétigny (*sorti du pavillon avec les femmes*). Eh! quoi! pauvre Guillot! Votre belle est partie!

Les Femmes (*rient*). Quelle mésaventure
Pour un aussi grand séducteur!

GUILLOT. Be silent all! I will have my revenge on that perfidious girl, and also on this fool!

GUILLOT. Taisez-tous! Je veux être vengé,
Et de cette perfide et de cet enrage!

ALL. Ah! the bird has flown!
Was ever such misfortune known!

TOUT. Ah! la drole de figure!
Ah! quel malheur!

ACT II.

ACTE II.

(An apartment in the Rue Vivienne, Paris. DES GRIEUX discovered writing at his desk. MANON softly approaches him from behind and tries to read what he has written.)

(L'appartement de DES GRIEUX et de MANON. Rue Vivienne. DES GRIEUX est assis devant un petit bureau-secrétaire; MANON s'avance doucement derrière lui et cherche à lire ce qu'il écrit.)

DES GRIEUX (*ceasing to write, and in a tone of reproach*). Manon!

DES GRIEUX. Manon!

MANON (*gaily*). Are you afraid lest I should do some harm by coming so near you?

MANON (*gaîment*). Avez-vous peur que mon visage frôle votre visage?

DES GRIEUX. Indiscreet Manon!

DES GRIEUX. Indiscrète Manon!

MANON. Yes, I have looked over your shoulder, and with a smile I saw you write my name.

MANON. Oui, je lisais sur votre épaule
Et j'ai souri, voyant passer mon nom!

DES GRIEUX. This letter 's for my father, and I tremble lest he should read what I write from my heart, in his anger.

DES GRIEUX. J'écris à mon père: et je tremble.
Que cette lettre où j'ai mis tout mon cœur,
Ne l'irrite.

MANON. You are afraid?

MANON. Vous avez peur?

DES GRIEUX. Yes, Manon, I'm afraid.

DES GRIEUX. Oui, Manon, j'ai très peur!

MANON. Ah, well, then we 'll read it together.

MANON. Eh bien! Il faut relire ensemble!

DES GRIEUX. Yes, that 's the way. Together we 'll read.

DES GRIEUX. Oui, c'est cela, ensemble, relisons!

MANON (*reading with simplicity*). "She is called Manon, and is so young and fair. In her all charms unite She has grace, radiant youth and beauty; music flows in a stream from her lips; in her eyes shines the tender light of love."

MANON (*lisant, simplement*). On l'appelle
Manon, elle eut hier seize ans;
En elle tout séduit la beauté, la jeunesse,
La grâce; nulle voix n'a plus doux accents,
Nul regard, plus de charme avec plus de tendresse.

DES GRIEUX (*ardently*). In her eyes shines the tender light of love.

DES GRIEUX (*répétant*). Nul regard, plus de charme avec plus de tendresse.

MANON. Is this true? Ah! I knew it not. (*Tenderly.*) But I know how much I am loved.

MANON (*s'arrêtant de lire*). Est-ce vrai?
Moi, je n'en sais rien,
Mais je sais que vous m'aimez bien!

DES GRIEUX (*with passion*). Thou art loved! Manon, I adore thee.

MANON. Come, come, good sir, there 's more to read yet.

DES GRIEUX. "Like a bird that through all lands follows the spring, so her young soul to life is ever open. Her lips, like flowers, smile and speak to the zephyrs that kiss them in passing."

MANON (*repeating*). "To the zephyrs that kiss them in passing." (*Pensively.*) Do you think your father will give his consent?

DES GRIEUX. Yes; he will never in such a matter as this oppose me.

MANON. Dost thou desire it?

DES GRIEUX. I desire it, with all my soul!

MANON. Then embrace me, Chevalier.

(They embrace.)

And now, go;—send thy letter.

DES GRIEUX. I go at once. (*He moves quickly towards the door and pauses.*) Those flowers are very beautiful. Who gave them to thee, Manon?

MANON (*quickly*). I do not know.

DES GRIEUX. What! thou dost not know?

MANON (*laughing*). A fine theme for a quarrel! Some one threw them in at the window, and, as they were pretty, I kept them. I hope thou art not jealous.

DES GRIEUX (*tenderly*). No! I swear that in thy love I have a perfect trust.

MANON. Thou art right. My heart is thine alone.

(Knocking and voices without.)

DES GRIEUX. What means that noise?

(A MAID-SERVANT enters in alarm.)

DES GRIEUX. Vous aimer? Vous aimer! Manon!
Je t'adore!

MANON. Allons, Monsieur! lisons encore!

DES GRIEUX (*lisant*). Comme l'oiseau qui suit en tous lieux des printemps,
Sa jeune àme à la vise,
Sa jeune àme est ouverte sans cesse,
Sa lèvre en fleur sourit et parle
Au zéphir parfumé qui passe et la caresse!

MANON (*répéntat*). Au zéphir parfumé qui passe et la caresse!
(*Pensive.*) Il ne te suffit pas alors de nous aimer?

DES GRIEUX. Non, je veux que tu sois ma femme!

MANON. Tu le veux?

DES GRIEUX. Je le veux, et de toute mon âme!

MANON. Embrasse moi donc, chevalier!

(Ils s'embrassent.)

Et va porter ta lettre!

DES GRIEUX. Oui, je vais la porter! (*Il se dirige vivement vers la porte, et s'arrête.*) Violà des fleurs qui sont fort belles; d'ou te vient ce boquet, Manon?

MANON (*vivement*). Je ne sais pas.

DES GRIEUX. Comment tu ne sais pas?

MANON (*rient*). Beau motif de querelles!
Par la fenetre,on l'a lancé d'en bas
Comme il était jolie, je l'ai gardé
Je pense que tu n'es pas jaloux?

DES GRIEUX (*tendrement*). Non! je puis te jurer que je n'ai de ton cœur aucune défiance!

MANON. Et tu fais bien! ce cœur est à toi tout entier!

(On entend un bruit de voix au dehors.)

DES GRIEUX. Qui donc se permet un pareil tapage?

(La SERVANTE entrant effarée.)

SERVANT. Two gardes-du-corps are below. One calls himself a relation of madame.

MANON. Lescaut! 'T is Lescaut!

SERVANT (*to* MANON). The other is—let us speak low—some one who loves you—the State official who lives near here.

MANON (*softly*). Monsieur de Brétigny?

SERVANT. Monsieur de Brétigny.

(The noise increases.)

DES GRIEUX. This is too much. I 'll go and see for myself.

(As he is about to go, the door opens, DE BRÉTIGNY dressed as a gard-du corps and LESCAUT enter.)

LESCAUT (*brusquely*). At last, sweet pretty pair, I have found you it seems.

DE BRÉTIGNY. Some mercy show, Lescaut. Have pity on their youth.

LESCAUT (*insolently to* DES GRIEUX). I have learned, sir, from you a lesson in politeness. You precious rascal!

DES GRIEUX (*quickly*). What 's that? Use softer words, I pray.

LESCAUT (*ironically*). Use softer words!

DES GRIEUX (*menacing*). Yes, softer words!

LESCAUT. Sir, I shall choke with just rage if I keep silence. I am here, sir, to avenge the honor of our house. Redress for wrong I seek; redress for wrong I 'll find; and 't is to me you speak of softer words! Ah, bah!

DE BRÉTIGNY. Calm thyself.

LESCAUT (*to* DES GRIEUX). You knave!

DE BRÉTIGNY. Hold thy tongue.

DES GRIEUX. Well, sir, and now let me say I shall whip you.

LA SERVANTE. Deux gardes du corps sont là qui font rage;
L'un se dit le parent de Madame!

MANON. Lescaut! c'est Lescaut!

LA SERVANTE (*à* MANON). L'autre c'est ne parlons pas trop haut,
L'autre, c'est quelqu'un qui vous aime,
Ce fermier général qui loge près d'éer.

MANON. Monsieur de Brétigny?

LA SERVANTE. Monsieur de Brétigny.

(Le bruit redouble.)

DES GRIEUX. Cela devient trop fort et je vais voir moi-même.

(Au moment où il a s'elancer, la porte s'ouvre. Entrant DE BRÉTIGNY, costumé en garde, et LESCAUT.)

LESCAUT (*brusquement*). En fin, les amoureux, Je vous tiens tous les deux!

DE BRÉTIGNY. Soyez clément, Lescaut, songez à leur jeunesse.

LESCAUT (*à* DES GRIEUX). Vous m'avez, l'autre jour, brulé la politesse, Monsieur le dròle!

DES GRIEUX (*vivement*). Hé! là! parlez plus doucement.

LESCAUT. Plus doucement!

DES GRIEUX. Plus doucement.

LESCAUT. C'est à tomber foudroyé sur la place!
J'arrive pour venger l'honneur de notre race.
Je suis le redresseur, je suis le chatiment.
Et c'est à moi qu'on dit de parler doucement!

DE BRÉTIGNY. Contiens-toi!

LESCAUT (*presque porté*). Coquin!

DE BRÉTIGNY. Retiens-toi!

DES GRIEUX. C'est bien! je vais couper les oreilles!

LESCAUT. Eh? (*To* DE BRÉTIGNY.) What does he mean!

DE BRÉTIGNY. His meaning is clear. He will whip you.

LESCAUT. Was ever known such an insolent fellow! Does he threaten?

DE BRÉTIGNY. I think he does.

LESCAUT. Now by heaven and by earth! You knave! (*To* DE BRÉTIGNY.) Pray, hold me back—
Or I shall do some fearful thing!
Such vengeance through the world would ring!

DE BRÉTIGNY. Do be calm, Lescaut.
See, remorse strikes them both.
Come, Lescaut, forget thy oath.

MANON. Ah! chevalier, I die of fright,
I trust in thee;
'T is true I am the guilty one,
But watch o'er me.

DES GRIEUX. O Manon, do not yield to fear,
But trust in me;
I only am the guilty one,
I'll watch o'er thee.

DE BRÉTIGNY. Lescaut, why give way thus to anger? Explain yourself more clearly now.

LESCAUT (*pompously*). Well, I agree. (*To* DES GRIEUX.) This lady here is my cousin, and I come quite politely—yes, I come quite politely, just to say: "Good sir, I do not wish to quarrel, but—answer 'Yes,' or answer 'No'— do you agree to wed Manon?"

DE BRÉTIGNY AND LESCAUT. The thing is clear;
This is the plan
For every man
Who holds his honor dear.

DE BRÉTIGNY (*to* DES GRIEUX). And now are you satisfied?

DES GRIEUX (*laughing*). In truth I have lost all my anger. Your frankness is pleasing to me.

DE BRÉTIGNY AND LESCAUT. This is the plan, etc.

LESCAUT (*à* DE BRÉTIGNY). Hein? qu'est-ce qu'il dit?

DE BRÉTIGNY. Qu'il va vous couper les oreilles.

LESCAUT. Vit ou jamais insolences pareilles? Il menace!

DE BRÈTIGNY. Ca m'en l'air.

LESCAUT. Par la mort! par l'enfer! Coquin!
(*À* DE BRÉTIGNY.) Retenez-moi!
Je sais de quoi je suis capable!
Quand il faut punir un coupable!

DE BRÉTIGNY. Lescaut! Contiens toi!
Le remords les accabie!
Allons! de l'indulgence

MANON. Ah! chevalier, je meurs d'effroi!
Je le sais bien, je le sais coupable!
Veillez sur moi!

DES GRIEUX. O Manon, soyez sans effroi!
Comptez sur moi!
Seul de nous deux je suis coupable!
Il sera bien-tôt plus traitable!

DE BRÉTIGNY. Lescaut! Vous montrez trop de zèle!
Expliquez-vous plus posément.

LESCAUT. Soit, j'y consens. Mademoiselle est ma cousine et je venais très poliment; oui, je venais très poliment. Dire: Monsieur sans vous chercher querelle. Répondez: Oui, repondez Non, voulez vous épouser Manon?

DE BRÉTIGNY ET LESCAUT. La chose est claire,
Entre lurons
Et bons garcons
C'est ainsi qu'on traite une affaire!

DE BRÉTIGNY (*à* DES GRIEUX). Eh bien, êtes vous satisfait?

DES GRIEUX. Ma foi, je n'ai plus de colère,
Et votre franchise me plait.

DE BRÉTIGNY ET LESCAUT. La chose est claire, etc.

DES GRIEUX (*to* LESCAUT). I have just written to my father (*showing his letter*). Before I seal the letter up, will you be pleased to read my words.

LESCAUT (*taking the letter*). That I will. But who can see here? (*Observing* MANON *and* DE BRÉTIGNY). If we both go for better light (*purposely drawing* DES GRIEUX *away*) and stand here close to the window, with ease we'll read your letter.

(LESCAUT goes up the stage with DES GRIEUX.)

MANON (*to* DE BRÉTIGNY *furtively*). Wherefore come here in such a strange disguise?

DE BRÉTIGNY. Are you annoyed?

MANON. Rather say angry. Well you know that yonder stands the man I love.

DE BRÉTIGNY. I desired in my own person to warn you that, to-night, from this house he will be carried off.

MANON. To-night?

DE BRÉTIGNY. By order of his father.

MANON (*with emotion and surprise*). By order of his father!

DE BRÉTIGNY. Yes, before this night has passed he will be torn from your side.

MANON (*taking a step towards* DES GRIEUX). Ah! It shall not be. I will warn him.

DE BRÉTIGNY (*stopping her*). Say not a word. It would be dire poverty for him, for you; but keep your counsel well, and silence will lead to fortune. Is it agreed?

MANON (*excitedly and in fear*). Oh, pray speak low!

DE BRÉTIGNY. Manon, I call you to life and liberty!

MANON (*aside*). My heart is torn with doubt and fear;
Dare I listen? dare I hear?

DE BRÉTIGNY. Manon, full soon you shall be queen, reigning in beauty's right.

DES GRIEUX. Je venais d'ecrire à mon père
Avant qu'on y mette un cachet
Vous lirez bien ceci, j'espère.

LESCAUT. Volontiers! mais voici le soir,
Allons tous deux, pour y mieux voir,
Nous placer près de la fenètre
Et là nous lirons votre lettre

(LESCAUT est remonté vers le fond avec DES GRIEUX.)

MANON (*à* DE BRÉTIGNY). Venir ici sous un déguisement.

DE BRÉTIGNY. Vous m'en voulez?

MANON. Certainement. Vous savez que c'est lui que j'aime.

DE BRÉTIGNY. J'ai voulu vous avertir moi-même,
Que ce soir de chez vous, on compte l'enlever.

MANON. Ce soir?

DE BRÉTIGNY. Par ordre de son père.

MANON (*avec surprise*). Par ordre de son père!

DE BRÉTIGNY. Oui, ce soir ici même. On viendra l'arracher.

MANON. Ah! je saurai bien empêcher!

DE BRÉTIGNY. Prévenezle, c'est la misère
Pour lui, pour vous.
Ne prévenez pas,
Et c'est la fortune au contraire.
Qui vous attend?

MANON (*vivement, avec erainte*). Parlez plus bas!

DE BRÉTIGNY. Manon! Voici l'heure prochaine
De votre liberté!

MANON. (*à part*). Quel donte étrange et quel tourment!
Dans mon cœur quel délire!

DE BRÉTIGNY. Manon, bientôt vous serez reine,
Reine par la beauté!

MANON. Ah! away, away!

LESCAUT (*reading with emphasis*). "She is called Manon, and is so young and fair. In her all charms unite." Very touching these words.

DES GRIEUX. Ah! Lescaut; how madly I adore her! 'T is not in thee to know, nor can I tell.

LESCAUT. You'll marry her? (*Reading.*) "As a bird through all lands follows the spring"—'t is the poetry of love!—"so her young soul to life"—this is poetry!—"is ever open." 'T is love! You'll marry her? 'T is well! Nothing could be better. Accept, I beg, my compliments. (*To* MANON.) Dear cousin—nay, cousins both (*pompously*); my esteem is yours, believe me. Now take my hand, for it would be a crime to stand in love's sweet way. My children, I bless you both—with tears of joy. (*To* DE BRÉTIGNY, *aside.*) Let us go.

DE BRÉTIGNY. Let us go.

LESCAUT AND DE BRÉTIGNY (*as they retire*). The thing is clear, etc. (*Exit.*)

MANON (*aside*). Ah! what pain rends my heart.

DES GRIEUX (*with ecstasy, aside*). Round me shines the light of love,
The light that flows from heaven above.

(The SERVANT enters with a lamp.)

What is it now?

SERVANT. Supper-time, sir.

(The SERVANT lays the cloth for supper.)

DES GRIEUX. So it is; and my letter not yet despatched.

MANON. Then go at once.

DES GRIEUX. Manon!

MANON. Well?

DES GRIEUX. I love thee! I adore thee! Say, dost thou love me?

MANON. Truly, my dear, I love thee.

MANON. Ah! partez! partez!

LESCAUT (*lisant*). "On l'appelle Manon,
Elle eut hier seize ans
En elle tout séduit."
Que ces mots sont touchants!

DES GRIEUX. Ah! Lescaut, c'est que je l'adore!
Laissez-moi le vous dire encore!

LESCAUT. Vous l'épousez? (*Lisant.*) "Comme l'oiseau qui suit le printemps"—Poésie amour! "Sa jeune âme à la vie"—Poésie!
"Est ouverte sans cesse." Amour!
Vous l'epousez? Vraiment!
C'est parfait! On ne peut mieux dire
Et je vous fais mon compliment!
(*À* MANON). Cousine, et vous, (*à* DES GRIEUX) cousin,
Je vous rends mon estime.
Prenez ma main, car ce serait un crinte
De vous tenir rigueur;
Enfants, je vous bénis les larmes!
(*À* DE BRÈTIGNY). Partons-nous?

LESCAUT ET DE BRÉTIGNY. La chose est claire, etc. (*Depart.*)

MANON. Dans mon cœur quel tourment!

DES GRIEUX. Puisse du bonheur où j'aspire
Le jour se lever sourient!

(Entre la SERVANTE avec une lumière.)

DES GRIEUX. Que nous veut-on?

LA SERVANTE. C'est l'heure du souper, Monsieur.

(Elle dispose le couvert.)

DES GRIEUX. C'est vrai pourtant. Et je n'ai pas encore porté ma lettre.

MANON! Eh bien, va la porter.

DES GRIEUX. Manon!

MANON. Apres?

DES GRIEUX. Je t'aime! je t'adore. Et toi, dis, m'aimes-tu?

MANON. Oui, mon cher chevalier, je t'aime.

DES GRIEUX. In that case thou must promise me—

MANON. What?

DES GRIEUX (*lightly*). Nothing at all. Let me take my letter.

(Exit DES GRIEUX.)

MANON (*much moved*). Alas! it must be; even for his sake—his, poor chevalier! I love him well, yet I shrink from this great sacrifice! No! No! I am no longer worthy of him.

Once more on my ear falls the tempter's voice
Who against it can fight?
"Manon, Manon, as a queen thou shalt reign,
By beauty's right."
Ah! how feeble am I! How weak and how frail!
See my cheeks with tears!
Earth's fairest visions do not last.
Ah! will it be in future years
As in the days for ever past?

(Slowly she approaches the supper-table.)

Farewell, our pretty little table! so small, and yet so large for us. Side by side so often there we 've sat. (*With a sad smile.*) I smile as now I call to mind what narrow space we lovers filled. A single glass served both of us, and each, in drinking, sought upon its margin where dear lips had been. Ah! best of friends, how thou hast loved!

(She hears DES GRIEUX approaching.)

'T is he! My pallid face will tell a tale, I fear.

(DES GRIEUX enters.)

DES GRIEUX. At last, Manon, we 're left alone together. (*He approaches her.*) How now! thou 'rt weeping!

MANON. No!

DES GRIEUX. Thy hand too is trembling!

MANON (*forcing a smile*). Please, sir, our supper waits.

DES GRIEUX, Ah! true. My brain is wandering.
But all earth's joys soon pass away,

DES GRIEUX. Tu devrais, en ce cas, me promettre—

MANON. Quoi?

DES GRIEUX. Rien du tout, je vais porter ma lettre.

(Il sort.)

MANON (*reste seule*). (*Très troublée.*) Allons! Il le faut! pour lui même—mon pauvre chevalier! Oh! oui—c'est lui que j'aime! Et pourtant, j'hésite aujour d'hui! Non! non! Je ne suis plus digne de lui!

J'entends cette voix qui m'entraine
Contre ma volonté: "Manon! Tu serais reine,
Reine par la beauté!"
Je ne suis que faiblesse
Et que fragilité!
Ah! malgré moi je sens couler mes larmes
Devant ces rêves eɥacés,
L'avenir aura-t-il les charmes
De ces beaux jours dêja passés?

(Approche la table toute servie.)

Adieu, notre petite table, quinous réunit si souvent! (*Avec triste sourire.*) Ou tient, c'est inimaginable, si peu de place en serrant. Un même verre e'tait le nôtre, chacun de nous quand il buvait y cherchait les lèvres de l'autre. Ah! pauvre ami, comme il m'aimait!

(Entendant DES GRIEUX.)

C'est lui! que ma pâleur ne me trahisse pas!

(Entre DES GRIEUX.)

DES GRIEUX. Enfin, Manon, nous voilà seuls ensemble.
Eh quoi? des larmes?

MANON. Non!

DES GRIEUX. Si fait, ta main tremble·

MANON. Voici notre repas.

DES GRIEUX. C'est vrai! Ma tête est folle.
Mais le bonheur est passager,

And when the heart is light and gay,
Fear whispers, "No delight can stay."
Be seated.

Et le ciel l'a fait si léger,
Qu'on a toujours peur qu'il s'envole!
A table!

MANON. Be seated.

MANON. A table.

DES GRIEUX. O charming hour! when all fears are forgotten, and we freely speak of our love! Listen, Manon! On my way I dreamed the sweetest dream—

DES GRIEUX. Instant charmant, où la crainte fait, trève, où nous sommes deux seulement! Tiens, Manon, en marchant, Je viens de faire un réve.

MANON (*bitterly aside*). Alas! who of us does not dream!

MANON (*avec amertume, à part*). Helas! qui ne fait pas de rêve?

(A low knock at the door is heard.)

MANON (*aside*). Oh, heaven! already!

DES GRIEUX. That knock! It is too bad to spoil our pleasure. (*Rising.*) I'll soon send the intruder away, and then return.

MANON (*troubled*). Adieu!

DES GRIEUX (*astonished*). Adieu?

MANON. No! thou shalt not go.

DES GRIEUX. Why not?

MANON. Ah! do not leave me now, I entreat thee. I would rest within thine arms.

DES GRIEUX (*gently releasing himself*). My child, let me go.

MANON. No!

DES GRIEUX. Manon, hear me.

MANON. No!

DES GRIEUX. I pray!

MANON. Go thou shalt not!

DES GRIEUX. Who can it be? 'T is very strange. I will dismiss him in fashion most polite, then return, and together we'll laugh at thy folly.

(Exit DES GRIEUX.)

(Noise of a struggle, outside. MANON runs to the window.)

MANON (*overcome with grief*). He has gone!

(On entend frapper doucement à la porte.)

MANON. O ciel! deja!

DES GRIEUX. Quelqu'un? Il ne faut pas de trouble fête. (*Se levant.*) Je vais renvoyer l'importun, et je reviens!

MANON (*troublee*). Adieu!

DES GRIEUX (*étonné*). Comment?

MANON. Non! Je ne veux pas.

DES GRIEUX. Pour-quoi?

MANON (*de même*). Ah! Tu n'ouvriras pas cette porte. Je veux rester dans tes bras!

DES GRIEUX (*se dégageant doucement*). Enfant! laisse moi!

MANON. Non!

DES GRIEUX. Que t'importe!

MANON. Non!

DES GRIEUX. Allons!

MANON. Je ne veux pas!

DES GRIEUX. Quelque inconnu. C'est singulier. Je le congédierai d'une facon polie, Je reviens, nous rirons tous deux de ta folie!

(Il sort.)

(On entrend un bruit de futte. MANON se lève et court vers la fenetre.)

MANON (*roulement de voiture*). Mon pauvre chevalier!

ACT III.

SCENE I.

(The Cours la Reine, Paris, on the day of a popular fête. Among the trees are the stalls of Traders of all kinds. To the right is a pavilion for dancing. When the curtain rises, the Traders are following the passers-by, offering objects for sale.)

TRADERS AND PEOPLE. 'T is the fête of Cours la Reine;
Here we laugh, here we sing,

ACTE III.

SCENE I.

(La Promenade du Cours la Reine. Un jour de Fête Populaire. Entre les grands arbres, des boutiques de divers Marchands: A droite, l'ensigne d'un bal. Des Marchands poursuivent les passants offrant toutes sortes d'objets.)

MARCHANDS ET BOURGEOIS. C'est fête au Cours la Reine!

And cry "God save the King,"
Once, twice, and yet again.

(POUSSETTE and JAVOTTE come out of the pavilion, make signs to two youths in the crowd and hasten to meet them. ROSETTE follows soon after. Dance music is heard.)

POUSSETTE AND JAVOTTE. What a charming promenade!
Oh, how happy here are we!
What good fun this escapade,
Where no jealous eye can see.

POUSSETTE. It is agreed.

JAVOTTE. Ah! do not so.

ROSETTE. One word alone will ruin all.

JAVOTTE. My heart will soon be yielding all.

ROSETTE. Guillot, I hope, will nothing know.

POUSSETTE AND JAVOTTE. What a charming promenade, etc.

(POUSSETTE and JAVOTTE re-enter the pavilion. ROSETTE goes off.)

TRADERS. See here, slippers well embroidered, etc.

(They perceive LESCAUT, who is coming forward.)

Choose, sir, choose!

LESCAUT. My choice! why should I choose?
Here, this, and this!
Nothing I'll miss,
And you will nothing lose.
These I give the lovely girl
Whom I adore;
Nothing's too good for such a pearl!
Would there were more!

TRADERS. Bravo, good sir, give all to her.

LESCAUT. Enough, enough. (*Sentimentally.*)
O Rosalinda—
'T were need to climb Parnassus' height,
Would I now sing thy praise aright;
What are the maidens of far Ind,
Or even Armid and Clorind;
Near to thee thou fairest fair?

On y rit, on y boit à la santé du Roi!
Pendant une semaine!

(POUSSETTE et JAVOTTE sortent du pavillon. Deux petits clercs qui paraissaient chercher quelqu'un dans la foule les apercoivent et sur signe d'elles courent à leur rencontre. ROSETTE parait à son tour. Musique du Bal.)

POUSSETTE ET JAVOTTE. La charmant promenade!
Ah! que ce séjour est doux
Que c'est bon! une escapade!
Loin des regards d'un jaloux!

POUSSETTE. C'est entendu!

JAVOTTE. Tenez-vous bien!

ROSETTE. Un mot pourrait nous compromettre!

JAVOTTE. Mon cœur veut bien tout vous promettre!

ROSETTE. Mais que Guillot n'en sache rien!

POUSSETTE ET JAVOTTE. La charmante promenade, etc.

(POUSSETTE ET JAVOTTE rentrent dans le pavillon ROSETTE s'est éloignée.)

MARCHANDS. Rubans, cannes, etc.

(Poursuivant LESCAUT l'endant la foule.)

Choisisez, Monsieur!

LESCAUT. Choisir! et pourquoi?
Donnez! donnez! donnez encore!
Ce soir, j'achète tout!
C'est pour la beauté que j'adore,
Je m'en rapporte à votre goit!

MARCHANDS. Tenez, Monsieur!

LESCAUT. Assez! assez! (*Avec sentiment.*)
O Rosalinde—
Il me faudrait gravir le Pinde,
Pour te chanter comme il convient!
Qui sont les sultanes de l'Inde
Et les Armide et les Clorinde,
Près de toi, que sont elles?

Simply naught I declare!
Ladies fair, this chance don't miss,
I'll give a jewel for a kiss.

(Exit LESCAUT. The crowd become animated. JAVOTTE, POUSSETTE, and ROSETTE come out of the pavilion. GUILLOT sees them. Music of the minuet.)

GUILLOT. Good-day, Poussette!

POUSSETTE. Gracious!

GUILLOT. Good-day, Javotte.

JAVOTTE. Goodness!

GUILLOT. Good-day, Rosette.

ROSETTE. Goodness gracious!

GUILLOT. Confound them, leaving me like that, the minxes! And I fascinated all three because I reckoned that one at least would be faithful. Women are a bad lot!

DE BRÉTIGNY (*who has heard the last words*). Good philosophy, Guillot, but it is n't your own. (GUILLOT *looks at him angrily.*) Heavens, what a glance! Javotte, I warrant, has been leading you a pretty life.

GUILLOT (*with a gesture of contempt*). Javotte! That for Javotte!

DE BRÉTIGNY. And Poussette?

GUILLOT. That for Poussette.

DE BRÉTIGNY. Are you then free? (*Ironically.*) Guillot, I beg of you, don't take Manon from me.

GUILLOT. Take her from you!

DE BRÉTIGNY (*with mock concern*). Oh! swear that you won't!

GUILLOT. There, that's enough of such jesting. By-the-by, De Brétigny, I hear that you refused to engage the ballet for a performance at Manon's house, though she begged you with tears in her eyes. Is that true?

DE BRÉTIGNY. Yes; 't is true enough.

O belles! approchez! J'offre un bijou,
J'offre un bijou pour deux baisers!

(Sortie de LESCAUT. Mouvement dans la foule. POUSSETTE, JAVOTTE et ROSETTE sortent du pavillon. GUILLOT les apercevant. Musique du Menuet.)

GUILLOT. Bonjour, Poussette!

POUSSETTE. Ah! ciel!

GUILLOT. Bonjour, Javotte!

JAVOTTE. Ah! Dieu!

GUILLOT. Bonjour, Rosette!

ROSETTE. Ah!

GUILLOT. Parla morbleu! Elles me plantent là! coquine! Péronelle! Et j'en avais pris trois pourtant il me semblait pouvoir compter, si l'une me trompait, qu'une autre au moins serait fidèle. La femme est, je l'avoue, un méchant animal!

DE BRÉTIGNY (*qui est entré sur ces dernières paroles*). Pas mal, Guillot, ce mot là n'est pas mal! Mais il n'est pas de vous! (GUILLOT *le regarde avec fureur.*) Dieu! quel sombre visage! Dame Javotte, je la gage,vous aura fait des traits.

GUILLOT. Javotte, c'est fini!

DE BRÉTIGNY. Et Poussette?

GUILLOT. Poussette aussai!

DE BRÉTIGNY. Vous voilà libre alors? (*Ironiquement.*) Guillot, je vous en prie n'allez pas m'enleven Manon!

GUILLOT. Vous enlever.

DE BRÉTIGNY (*suppliant de même*). Non, jurez-moi que non!

GUILLOT. Laissons cette plaisanterie! mais dites-moi, mon cher, on m'a conté, apropos de Manon, que vous ayant prié de faire venir l'opéra chez elle, vous avez, en dépit des larmes de la belle. Répondu: Non.

DE BRÉTIGNY. C'est très vrai; la nouvelle est exact:

GUILLOT. Good! Excuse me for a moment! I shall soon be back.

(Exits, rubbing his hands.)

Rigadon, rigadon,
Now I'm off to steal Manon!

(The crowd return.)

TRADERS AND TOWNSPEOPLE. Great ladies of renown are these,
They nothing do save what they please.
All men's hearts they gain,
And by beauty reign.

(MANON enters, accompanied by DE BRÉTIGNY and several young gentlemen.)

DE BRÉTIGNY. O divinest Manon!

MANON. How do I look to-day?

DE BRÉTIGNY. Delightful! Alluring! Distracting!

MANON. Is that so? Many thanks. (*Coquettishly.*) I consent—say, am I not gracious?—that you all much admire my delightful and charming appearance.

(Archly and gaily.)

An empress am I, in my way,
I conquer where'er I am seen.
None so great but homage must pay,
Of love I'm the absolute queen.
All things around me are gay;
My fancy alone I obey.
And when life has no joys for me to sip,
I'll say farewell, good friends, with laughter on my lip.

DE BRÉTIGNY AND OTHERS. Bravo—bravo! Manon!

GUILLOT. Il suffit; souffrez que je vous quitte, pour un instant, mais je reviendrai vite.

(Il sort, frottant les mains.)

Dig et dig et don!
On te la prendra ta Manon!

(La foule reviennent.)

MARCHANDS ET BOURGEOIS. Voici les élegantes!
Les belles indolentes!
Maitresses des cœurs!
Aux regards vainqueurs!

(MANON paraît, DE BRÉTIGNY, l'accompagne ainsi que plasieurs jeunes Seigneurs.)

DE BRÉTIGNY. Ravissante Manon!

MANON. Suis-je gentille ainsi?

DE BRÉTIGNY. Adorable! Divine!

MANON. Est-ce vrai? grand merci! (*Avec coquetterie.*) Je consens, vu, que je suis bonne, a laisser admirer ma charmante personne!

(Avec impertinence et gaieté.)

Je marche sur tous les chemins
Aussi bien qu'une souveraine
On s'incline, on baise ma main,
Car par beauté je suis reine!
Mes chevaux courent à grands pas.
Devant ma vie aventureuse,
Les grands s'avancent chapeau bas.
Je suis belle, je suis heureuse!
Autour de moi tout doit fleurir!
Je vais à tout ce qui m'attiere!
Et, si Manon devait jamais mourir,
Ce serait, mes amis, dans un éclat de rire!

DE BRÉTIGNY ET SEIGNEURS. Bravo! bravo! Manon!

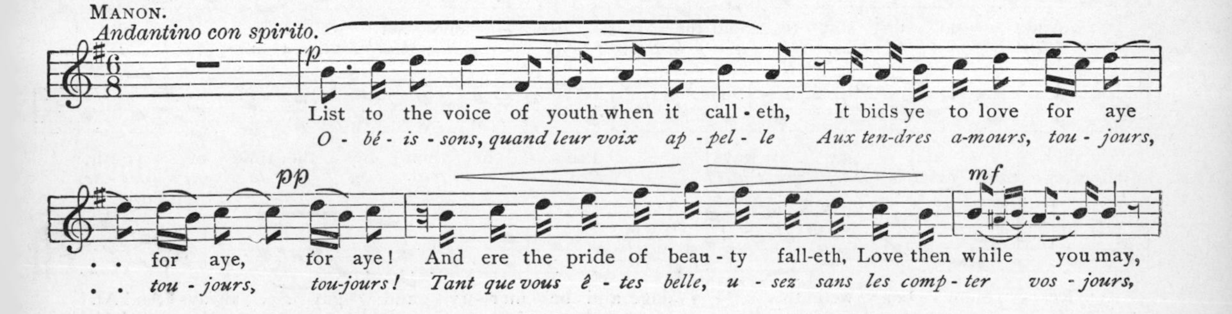

rall.
Moderato e leggiero.
while . . . you may. Pro - fit then by the time of youth,
tous . . . vos jours! Pro - fi - tons bien de la jeu - nes - se,
And do not stay to count the days, Re - mem - ber well this a-dage and be
Des jours qu'a -mè - ne le prin-temps; Ai - mons, chan - tons ri - ons, sans ces - se, nous
rall.
Tempo. 1o.
p
mer - ry and gay al - ways! Pro - fit then by the time of youth
n'a - vons en - cor qui vingt ans! Pro - fi - tons bien de la jeu - nes - se
Re - mem - ber well this a - dage and be mer - ry and gay . . al-
Ai - mons, ri - ons, chan-tons sans ces - se, nous n'a - vons encor, que . . vingt
ff
Andantino.
ways! Ah! ah! The heart a - las to love is e'er will-ing,
ans! Ah! ah! Le cœur, hé - las! le plus fi - dè - le,
pp
and ev - er will - ing to for - get, . . to for - get, to for - get,
Ou - blie en un jour l'a - mour, . l'a - mour, l'a - mour,
mf
so while its pulse is thrill - ing love ere its day hath set
Et la jeu - nesse ouv - rant son aile a dis - pa - ru sans re - tour,
pp
rall.
Moderato e leggiero.
for - ev - er - more! Pro - fit then by the time of youth,
sans . . . re - tour. Pro - fi - tons bien de la jeu - nes - se,
And do not stay to count the days, Re - mem - ber well this a-dage and be
Bien court, hé - las, est le prin-temps! Ai - mons, chan - tons, rions sans ces - se, nous
rall.
mer - ry and gay al - ways! Pro - fit then by the time of youth,
n'au - rons pas tou - jours vingt ans! Pro - fi - tons bien de la jeu - nes - se,
Allegro.
Re - mem - ber well this a - dage and be mer - ry and gay . . always! Ah! Ah!
Ai - mons, chan-tons ri-ons sans ces - se, nous n'au - rons pas tou - jours . vingt ans! Ah! Ah!

MANON (*to* DE BRÉTIGNY). Hearken, dear friends; remain here for a while. I must go some trinkets to buy.

BRÉTIGNY. With you will depart all the joy of the fête, O delightful Manon!

MANON. Ah! say you so? 'T is extremely gallant. E'en a gentleman sometimes a poet must be!

(MANON goes towards the distant stalls, followed by a curious throng.)

TOWNSPEOPLE AND TRADERS. Great ladies of renown are these, etc.

A TRADER. Best tobacco here and snuff.

(The COUNT DES GRIEUX enters.)

DE BRÉTIGNY. The Count des Grieux, if I am not mistaken!

COUNT. Monsieur de Brétigny!

DE BRÉTIGNY. I am he. But I can hardly believe my eyes. You, in Paris!

COUNT. My son brings me here.

DE BRÉTIGNY. The Chevalier des Grieux?

COUNT. Call him Chevalier no longer.

(MANON *has approached under pretence of speaking to a Trader*). Des Grieux!

DE BRÉTIGNY. What do you mean?

COUNT. He has entered the Seminary of St. Sulpice, with what intention I need not say.

DE BRÉTIGNY (*smiling*). What a change! I am astonished!

COUNT. (*also smiling*). You caused it yourself by coming between him and his love.

DE BRÉTIGNY. (*indicating Manon*). Speak lower.

COUNT. Is that she?

DE BRÉTIGNY. Yes, that is Manon.

(Dance music in the distance.)

MANON (*à* DE BRÉTIGNY). Et maintenant restez seul un instant,
Je veux faire ici quelqu'emplette.

DE BRÉTIGNY. Avec vous disparait tout l'eclat de la fête
Ravissante Manon!

MANON. Une fadeur! C'est du dernier galant! On n'est pas grand seigneur sans être un peu poëte!

(MANON s'eloigne et se dirige vers les petites boutiques du fond, escotée des curieux qui sortent peu à peu.)

BOURGEOIS ET MARCHANDS. Voici les elegantés! etc.

UN MARCHAND. Poudre, rapes à tabac!

(Entrent le COMTE DES GRIEUX.)

DE BRÉTIGNY. Je ne me trompe pas, le Comte Des Grieux.

LE COMTE. Monsieur de Brétigny.

DE BRÉTIGNY. Moi-même. C'est à peine si je puis en croire mes yeux! Vous à Paris!

LE COMTE. C'est mon fils qui m'amène.

DE BRÉTIGNY. Le Chevalier?

LE COMTE. Il n'est plus Chevalier. C'est l'abbe Des Grieux.

(MANON *uqu s'est ràpprochée tout en feignant de parler à un Marchand*). Des Grieux!

DE BRÉTIGNY. Abbe! Lui! Comment!

LE COMTE. Le Ciel l'attire! Dans les ordres. il veut entrer. Il est à St. Sulpice. Il prononce un discours.

DE BRÉTIGNY. Albe! Cela m'étonne! Un pareil changement!

LE COMTE (*sourient*). C'est vou qui l'avez fait, en vous chargeant de briser net l'amour qui l'attachait à certaine personne.

DE BRÉTIGNY (*montrant* MANON). Plus bas!

LE COMTE. C'est elle?

DE BRÉTIGNY. Oui, c'est Manon.

(Musique du bal dans le lointain.)

COUNT. Ah! now I know why you took so much interest in my son's affairs. (*Looking at* MANON, *who draws nearer.*) Excuse me, she wishes to speak with you. (*Bows, and moves away.*) (*Aside.*) She is, indeed, very beautiful.

LE COMTE. Je devine alors la raison qui vous fit, avec taut de zèle, prendre les intérêts de mon fils. (*Voyant* MANON.) Mais, pardon! elle veut vous parler. (*Il salue et s'éloigne un peu.*) (*A part.*) Ell est vraiment fort belle!

MANON (*to* DE BRÉTIGNY). I want a bracelet exactly like this, and cannot find one anywhere.

MANON (*à* DE BRÉTIGNY). Je voudrais, mon ami, avoir un bracelet pareil à celui-ci; je ne puis le trouver;

DE BRÉTIGNY. Indeed! then let me take up the search.

DE BRÉTIGNY. C'est bien, je vais moi-même.

(He bows to the COUNT and departs.)

(Il salut le COMTE et sort.)

COUNT (*aside*). She is charming, and no wonder she is loved!

LE COMTE (*à part*). Elle est charmante et je comprends qu'on l'aime!

MANON (*to the* COUNT, *with embarrassment.*) Sir, your pardon, pray! I was here — quite close by! — not that I wished to hear. It was not of my seeking.

MANON (*au* COMTE, *avec embarras*). Pardon! Mais j'etais là près de vous, à deux pas — J'entendais — malgré moi — Je suis très curieuse.

COUNT. The fault is very small. Say no more. (*About to go away.*) Madame!

LE COMTE. C'est un petit défaut — tres petit ici-bas. Madame! (*Voulant s'eloigner.*)

MANON (*drawing nearer*). But was it not of love you were speaking?

MANON (*rapprochant*). Il s'agisait d'une histoire amoureuse?

COUNT. It was!

LE COMTE. Mais oui.

MANON (*restraining her emotion*). Ah! so I thought! Nay, sir, I humbly crave forgiveness. I think the Chevalier des Grieux was one time in love.

MANON. (*contenant son émotion*). C'est qui je crois. Pardonnez moi, je vous en prie — Je crois que cet abbé Des Grieux autre fois aimait.

COUNT. With whom?

LE COMTE. Qui donc?

MANON. With a friend of mine.

MANON. Elle était mon aime.—

COUNT. Ah, indeed!

LE COMTE. Ah! très bien.

MANON. Yes, he loved. (*With emotion.*) And I would gladly know if from the struggle he has come victorious; and if, forgetting her who had caused all his pain, he has chased from his heart a remembrance so dire.

MANON (*avec émotion*). Il l'aimait, et je voudrais savoir si sa raison sortit victorieuse, et si, de l'oublieuse. Il apu parvenir, a chaser de son cœur le cruel souvenir?

COUNT. Is it here your list at length closes?
Would you know whither summer flies?
What becomes of young love when it dies?
Or where goes the scent of roses?

LE COMTE. Faut-il donc savoir tant de choses?
Que deviennent les plus beaux jours
Où vont les premieres amours,
Où vole le parfum des roses?

MANON. O heaven! give me courage for this,
That I may ask all I would know.

MANON. Mon Dieu! mon Dieu! Donnez le courage
De tout oser lui demander!

COUNT. Ignorance, they say, is bliss,
Since the past is gone, let it go.

MANON. Stay yet a moment.
Has absence wrung his heart with anguish?
And does he ever breathe her name?

COUNT (*looking steadily at her*). In silence he with grief did languish.

MANON (*greatly moved*). Does he the faithless never blame?

COUNT. No!

MANON. Does he remember that the maiden
To love was fain?

COUNT (*after some hesitation*). His heart that once was heavy laden
Is light again.

MANON. And now?

COUNT (*lightly, with significance*). The lesson 's learn'd your friend had set —
A lesson every man should know,
If he 'd be wise — is it not so?
One can forget.

MANON (*sorrowfully*). One can forget!

(The COUNT respectfully salutes and retires.)
(The people move in; among them are DE BRÉTIGNY, GUILLOT and LESCAUT.)

MANON. No! his life is bound for ever to mine. He cannot have forgotten me. Lescaut, my chair.

LESCAUT. Where must I take you, cousin!

MANON. To St. Sulpice.

LESCAUT. What is this strange fancy? Excuse my asking you again, where?

MANON. To St. Sulpice.

(Exit MANON.)
(Chorus of People and Traders.)

SCENE II.

(A parlor in the Seminary of St. Sulpice. Ladies of the Seminary and lady visitors.)

SOME OF THE LADIES (*speaking of* DES GRIEUX, *the Priest*). How well he preaches!

LE COMTE. Ignorer n'est-il pas plus sage,
Au passé pour-quoi s'attarder?

MANON. Un mot encore!
A-t-il souffert de son absence?
Vous a-t-il dit parfois son nom?

LE COMTE. Ses larmes coulaient en silence.

MANON (*très émue*). L'a-t-il maudite, en pleurant?

LE COMTE. Non!

MANON. Vous a-t-il dit que la parjure
L'avait aimé?

LE COMTE (*après avoir hésité*). Son cœur, guéri de sa blessure
S'est refermé!

MANON. Mais de puis?

LE COMTE (*légèrement*). Il a fait ainsi que votre amie
Ce que l'on doit faire ici bas,
Quand on est sage — n'est ce pas?
On oublie!

MANON. On oublie!

(Le COMTE salue respecteusement et se retire.)
(La foule — Seigneurs, Marchands et Bourgeois, — entrent; DE BRÉTIGNY, GUILLOT et LESCAUT.)

MANON. Non! sa vie à la mienne est pour jamais liée. Il ne peut m'avoir oubliée. LESCAUT.) Ma chaise, mon cousin.

LESCAUT. Où faut-il vous porter cousine?

MANON. A St. Sulpice!

LESCAUT. Quel est ce bizarre caprice? Pardonnez moi de faire répéter.

MANON. A St. Sulpice.

(Sortir.)
(Chor. Bourgeouis et Marchands.)

SCENE II.

(Le parloir du Séminaire de St. Sulpice. Dames et dévotes.)

LES DAMES. Quelle éloquence! quelle abondance!

What eloquence divine!
Of heav'n it is a sign.
What melting sweetness in his voice,
What melting sweetness and what fire!
In hearing him our souls rejoice,
And serving heaven is our desire.
With wonderful art he called from their rest
Augustine the Saint, Theresa the blest.
Himself a saint —

L'admirable orateur! le grand predicateur!
Quelle doucer, et quelle flamme!
Comme en l'ecoutant, la ferveur penètre doucement,
Jusqu'an fond de nos àmes!
De quel art divin, Il dans sa thèse,
Peint Saint Augutin et Sainte Thérèse!
Lui-meme est un Saint.

(The COUNT DES GRIEUX enters unobserved.)

(LE COMTE rapproche, non remarqué.)

A most perfect saint.
My dear, what think you?
He 's a saint, that is true!
He 's a saint!

Un Saint!
N'est-ce pas, ma chère?
C'est certain, c'est certain!
C'est un Saint!

(DES GRIEUX, the priest, enters.)

(Entre le ABBE DES GRIEUX.)

LADIES (*to each other, devoutedly*). 'T is he, the Abbé whom we prize!
How modestly he veils his eyes!

LES DAMES. C'est lui! c'est l'abbé Des Grieux, Voyez comme il baisse les yeux!

(The Ladies depart slowly, after bowing to the Priest.)

(Elles sort après avoir salué DES GRIEUX.)

COUNT DES GRIEUX. Bravo, my son! A great success! Our family should be proud of having produced a new Bossuet.

LE COMTE DES GRIEUX. Bravo, mon cher, succès complet! Notre maison doit être fière d'avoir parmi les siens un nouveau Bossuet!

DES GRIEUX. Father, for mercy's sake, spare me!

DES GRIEUX. De grâce, épargnez-moi, mon père!

COUNT. And is it well, Chevalier, that thou hast made this pretended alliance with Heaven?

LE COMTE. Et, c'est de bon, Chevalier, que tu prétends au ciel pour jamais te lier?

DES GRIEUX. Yes; for the world to me has been bitterness and disgust.

DES GRIEUX. Oui, jc n'ai trouvé dans la vie qu'amertume et dégoût.

COUNT. Brave words, Chevalier. By what road hast thou through life travelled? — what of the world canst thou have seen to suppose this the fitting end?
Go, wed some maiden fair and tender,
Worthy of our ancient race;
Obedience to Heaven's will thus render,
And meet the world with fearless face.
Than this, no more high Heaven asketh,
The path of duty, 't is for thee;
The virtue which in homage basketh
Is virtue of a mean degree.

LE COMTE. Les grands mots que voilà! Quelle route as-tu donc suivie, et que sais-tu de cette vie? Pour penser qu'elle finit là?
Epouse quelque brave fille,
Digne de nous, digne de toi;
Deviens un père de famille,
Ni pire, ni meilleur que moi:
Le ciel n'en veut pas davantage;
C'est là devoir, entends-tu?
C'est là le devoir,
La vertu qui fait du tapage
N'est déjà plus de la vertu!

DES GRIEUX. Nothing shall stop me from pronouncing my vows.

DES GRIEUX. Rien ne peut m'empécher de prononcer mes vœux!

COUNT. Thou art resolved?

LE COMTE. C'est dit alors?

DES GRIEUX. I am resolved.

DES GRIEUX. Oui, je le veux!

COUNT. Be it so. I will go and announce to all that we have a saint in the family. Whether any one will believe me is doubtful.

DES GRIEUX. I pray you, sir, do not mock me!

COUNT. One word more. As it is not certain that thou wilt not be an abbot to-morrow, I shall send thee at once a hundred thousand francs.

DES GRIEUX. Father!

COUNT. The money is thine. It comes from thy mother. And now, farewell, my son!

DE GRIEUX. Father, farewell!

COUNT. Farewell! Remain to pray. (*Exit.*)

DES GRIEUX. I'm alone at last! The supreme moment now has come. From earthly ties I'm free, and only seek the rest which faith in heaven can give. Yes; I've resolved to put firm faith between the world and me.

Ah! depart, image fair,
Leave me now at rest;
Have regard to my prayer,
Ease my poor tortured breast.
To the dregs I have drain'd
Life's most bitter cup,
Nor to Heaven once complain'd,
Though heart's blood filled it up.

Dead to me now are love and all that men call glory. I desire to chase forth from my memory an evil name—a name which haunts me! Ah! wherefore?
Great Heaven! with flame all searching, my soul now purge from stain! Oh! let thy pure and glorious light chase far away the gloom that weighs on my heart.
Ah! depart, image fair! etc.

(Exit slowly.)

(MANON enters — the Porter of the Seminary preceding her.)

MANON (*with effort*). Sir, I would speak with the Abbe des Grieux! (*Giving him money.*) Take this.

(Exit Porter.)

LE COMTE. Soit! Je franchirai donc seul cette grille, et vais leur annoncer lá-bas qu'ils ont un Saint dans la famille. J'en sais beaucoup qui ne me croiront pas!

DES GRIEUX. Ne raillez pas, monsier, je vous en prie!

LE COMTE. Un mot encore. Comme il n'est pas certain que l'on te donne ici, du jour au lendemain, un bénéfice, une abbaye, je vais dès ce soir t'envoyer trente mille livres.

DES GRIEUX. Mon père!

LE COMTE. C'est à toi, c'est ta part sur el bien de ta mere. Et maintenant, adieu, mon fils.

DES GRIEUX. Adieu, mon père!

LES COMTE. Adieu; reste à prier! (*Il sort.*)

DES GRIEUX. Je suis seul! seul enfin! C'est le moment suprême! Il n'est plus rien que j'aime, que le repose sacré que m'apporte la foi! Oui, j'ai voulu mettre Dieu même entre le monde et moi!

Ah! fuyez, douce image, a mon âme trop chere;
Respectez un repos cruellement gagne,
Et songez, si j'ai bu dans une coupe amère,
Que mon cœur l'emplirait de ce qu'il a saigne.
Ah! fuyez! fuyez! loin de moi!
Que m'importe la vie et ce semblant de gloire?
Je ne veux que chasser du fond de ma memoire,
Un nom maudit! ce nom qui m'obsède et pourquoi?
Mon Dieu! de votre flamme
Purifiez mon âme
Et disipez à sa lueur
L'ombre qui passe encor
Dans le fond de mon cœur!
Ah! fuyez, douce image, etc.

(Il s'éloigne lentement.)

(Entrer MANON et le Portier du Seminaire.)

MANON (*avec effort*). Monsieur, je veux parler à l'Abbé. (*Lui donnant de l'argent*) Tenez!

(Le Portier sort.)

These silent walls! the chilly air I breathe! — how if these things have changed his heart and made it pitiless to sin! How if he have learned to curse me!

CHORUS *in the Chapel.* Magnificat anima mea Dominum, et exultavit spiritus meus.

MANON. They are praying yonder. Ah! I also would pray.

Oh! pardon me Thou who in Heaven reignest; for if now I beg of Thee grace, if now entreat at Thy hands pity, if my voice from below can ascend to the skies, 't is to ask of Thy goodness his heart whom I love. Oh! pardon me, great Heaven!

(In the chapel.)

In Deo salutari meo.

(DES GRIEUX enters, at back.)

(She turns round and at sight of him is about to fall. DES GRIEUX advances.)

DES GRIEUX. Thou! Here!

MANON. Yes, 't is I! 't is I!

DES GRIEUX. Away! What dost thou here? Away! Make haste away.

MANON (*sorrowfully*). Ah! I have sinned against thee,
Yet do not forget all my love!
Shall I in those eyes that now fright me,
See pardon that comes from above?

DES GRIEUX. No; from my mind it has vanish'd,
That vision insensate, impure.
Holy Heaven has the foul fiend banish'd,
Vain before me spread'st thou the lure.
Ah! faithless Manon!

MANON (*approaching him*). But if I now repent?

DES GRIEUX. Ah! faithless! faithless!

MANON. Do not to forgiveness close thy heart!

DES GRIEUX. I can no longer hear thee. No; at last from my memory thou art gone for ever — gone also from my heart.

MANON (*with tears*). Alas! the bird that flies forth from its prison cage, full oft at night re-

Ces murs silencieux — cet air froid qu'on respire — pourvu que tout cela n'ait pas changé son cœur! Devenu sans pitié pour une folle erreur pourvou qu'il n'ait pas appres à maudire!

CHŒUR *dans la Chapelle.* Magnificat anima mea Dominum, et exultavit spiritus meus.

MANON. Là-bas on prie. Ah! je voudrais prier! Pardonnez-moi, Dieu de toute puissance, car si j'ose vous supplier, en implorant votre clémence, si ma voix de si bas peut monter jusqu'aux cieux, c'est pour vous demander le cœur de Des Grieux! Pardonnez-moi, mon Dieu!

(CHŒUR dans la chapelle.)

In Deo salutari meo.

(DES GRIEUX s'avance.)

(MANON se détourne, elle est prète à défaillir)

DES GRIEUX. Toi! Vous!

MANON. Oui, c'est moi, moi!

DES GRIEUX. Que viens tu faire ici? Va-t'en!

MANON (*douloureux*). Oui! je fus cruelle et coupable!
Mais rappelez-vous tant d'amour!
Ah! dans ce regard qui m'accable,
Lirai-je mon pardon, un jour?

DES GRIEUX. Non! J'avais écrit sur le sable
Ce rêve insensé d'un amour.
Que le ciel n'avait fait durable,
Que pour un instant, pour un jour!
Ah! perfide Manon!

MANON (*se rapprochant*). Si je me repentais?

DES GRIEUX. Ah! perfide! perfide!

MANON. Est-ce que tu n'aurais pas de pitié?

DES GRIEUX. Je ne veux pas vous croire. Non! vous êtes sortie enfin de ma mémoire — ainsi que mon cœur!

MANON. Helas! l'oiseau qui fuit ce qu'il l'esclavage, le plus souvent la nuit, d'un vol dé-

turns on desperate wing to beat out its life against the bars! Ah! pardon me! I die here at thy fee.! (*With passionate energy.*) Ah! give back thy dear love, or despairing I perish!

DES GRIEUX. No! all my love is dead.

MANON. All thy love is dead! No, no! Love cannot perish! Hear me, I pray. Recall thyself. (*Caressingly.*) Is it not my hand that thine own now presses? Is it not my voice? Does not touch or sound come to thee caressing as one time it did? And these eyes that oft thou hast kissed with ardor, do they shine no more, even through my weeping? Am I not myself? — Do not turn away, but look on me. Am I not Manon?

DES GRIEUX (*deeply moved*). Oh, Heaven! with thy great power help me at this moment.

MANON. I love thee.

DES GRIEUX. Hold thy peace and do not speak of love, for here 't is profanation.

MANON. I love thee!

DES GRIEUX. Hold thy peace and do not speak of love.

MANON. I love thee!

(A bell is heard.)

DES GRIEUX. The hour of prayer has come!

MANON. No; we will never part!

DES GRIEUX. Duty calls me away.

MANON. No; we will never part! Ah! is it not my hand? etc.

DES GRIEUX (*with energy*). Ah! Manon! No longer will I struggle against myself.

MANON (*with a joyful cry*). At last!

DES GRIEUX. And for thy sake I dare all Heaven's vengeance can do. My life is in thy heart! My life is in thine eyes? (*Passionately.*) Come, Manon, I love thee!

MANON. I love thee.

sespéré revient battre au vitrage! Pardonne moi! Je meurs à tes genoux! (*Avec élan et désespoir*). Ah! rends moi ton amour, si tu veux que je vie!

DES GRIEUX. Non! il est mort pour vous!

MANON. L'est-il donc à ce point que rien ne le ravive! Ecoute moi! Rapelle toi! N'est-ce plus ma main que cette main presse? N'est-ce plus ma voix? N'est-elle pour toi plus une caresse, tout comme autrefois? Et ces yeux, jadis pour toi pleins de charmes, ne brillent-ils plus à travers mes larmes? Ne suis-je plus moi? Ah! regarde moi! N'est-ce plus Manon?

DES GRIEUX (*dans trouble*). O Dieu! Soutenez moi dans cet instant supreme!

MANON. Je t'aime!

DES GRIEUX. Ah! Tais toi! Ne parle pas d'amour ici, c'est un blasphème!

MANON. Je t'aime!

DES GRIEUX. Ah! Tais toi! Ne parle pas d'amour!

MANON. Je t'aime!

(Cloche lointaine.)

DES GRIEUX. C'est l'heure de prier.

MANON. Non! Je ne te quitte pas!

DES GRIEUX. On m'appelle làbas.

MANON. Non! Je ne te quitte pas! Viens! N'est-ce plus mon main? etc.

DES GRIEUX (*avec élan*). Ah! Manon! Je ne veux plus lutter contre moi même!

MANON (*avec un cri de joie*). Enfin!

DES GRIEUX. Et dussèje sur moi faire crouler les cieux. Ma vie est dans ton cœur! Ma vie est dans tes jeux! Ah! viens, Manon, je t'aime!

MANON. Je' taime!

ACT IV.

SCENE I.

(A fashionable gambling room in Paris.)

CROUPIER. Gentlemen, make your game.

LESCAUT. Four hundred louis! A thousand! Hurrah! they are mine!

A PLAYER (*following* LESCAUT). I swear the money belongs to me.

LESCAUT. From the moment one says it with so much confidence—

PLAYER. I had the ace and king!

LESCAUT. Let us begin again. It's all the same to me.

(SHARPERS come forward cautiously.)

SHARPERS. Fools, when they do gamble,
Throw their gold to chance?
But wise men such as we are,
Look at luck askance.
We are clever fellows,
Know what steps to take,
When, as sometimes happens,
Fortune makes mistake.

LESCAUT (*pocketing money*). Because I play so honestly,
The money always falls to me.

POUSSETTE, JAVOTTE, ROSETTE. To this charming place of pleasure,
Come all the world with cash to spend;
Find delights that know no measure,
Unlucky days the nights shall mend.
Beauty never should be poor,
And we are they who win for sure.

(LESCAUT is triumphant. He is surrounded by POUSSETTE, JAVOTTE, ROSETTE, and others.)

LESCAUT (*with vigor*). It is here that my lady serene
Has deigned a lodging to take,
And some day for good company's sake,
You shall hear what verses I make,
In honor of her my queen.

(Chink of gold is heard.)

ACTE IV.

SCENE I.

(Un maison de jeu à Paris.)

LES CROUPIERS. Faites vos jeux, Messieurs!

LESCAUT. Quatre-cents louis! Vivat! j'ai gagné!

UN JOUEUR (*poursuivant* LESCAUT). Je vous jure que l'argent m'appartient!

LESCAUT. Du moment qu'on l'assure avec autant d'aplomb—

LE JOUEUR. J'avais l'As et le Roi!

LESCAUT. Recommençons alors. Cà m'est égal à moi!

(Les AIGREFINS s'avancent discrètement.)

LES AIGREFINS. Le joueur sans prudence
Livre tout au hazard;
Mais le vrai sage peuse
Que jouer est un art!
Pour la rendre opportune
Nous s'avons sans danger,
Quand il faut carriger
L'erreur de la fortune!

LESCAUT (*En empochant l'argent*). Tout en jouant honnêtement
Je n'ai jamais fait autrement!

POUSSETTE, JAVOTTE, ROSETTE. A l'Hotel de Transylvanie
Accarez tous on vous en prie;
Passe vos jours, passe vos nuits,
L'or vient tout seul aux plus belles!
Et c'est nous qui gagnons toujours
Toujours, toujours, toujours!

(LESCAUT revient, triomphant. Il est entouré par les aigrefins et par POUSSETTE, JAVOTTE, et ROSETTE.)

LESCAUT. C'est ici que celle que j'aime
Adaigné fixer son séjour,
Et je vous dirai quelque jour
Certains couplets que j'ai, moi-même
Faits en l'honneur de notre amour!

(Bruit de l'or, au fond.)

And hark, the sound divine,
That suits this muse of mine!

She whom I love — it is meet
That a lover be very discreet;
And yet I will tell you her name—

Et c'est ce bruit charmant
Qui leur sert d'accompagnement!

Celle que j'aime, je me pique
D'être plein de discrétion,
Pourtant je vous dirai son nom—

POUSSETTE, JAVOTTE, ROSETTE. Well, her name?

POUSSETTE, JAVOTTE, ROSETTE. Oui, son nom!

LESCAUT. Pallas 't is, the queen of the game;
So ends my song to her fame.

(Chink of gold is heard.)

LESCAUT. C'est Pallas, Dame de pique!
Et là s'arrête ma chanson!

(Bruit de l'or au fond.)

ALL. And hark the sound divine,
That suits this muse of { mine. / thine. }

TOUT. Et c'est ce bruit, ce bruit charmant qui lui sert d'accompagnement!

(GUILLOT enters, and afterwards MANON and DES GRIEUX appear.)

(GUILLOT qui vient d'entrer, et apres MANON et DES GRIEUX.)

GUILLOT. Who has come to cause all this stir?

GUILLOT. Mais, qui donc nous arrive et fait tout ce tapage?

POUSSETTE, JAVOTTE, ROSETTE. 'T is the charming Manon with her dear Chevalier.

POUSSETTE, JAVOTTE, ROSETTE. C'est la belle Manon avec son Chevalier.

DES GRIEUX (*looking around with a sombre expression*). So I am here; but I should have refused. Why had I not courage!

DES GRIEUX (*regardant autour*). M'y voici donc! J'aurais dû résister — Je n'en ai pas eu le courage!

GUILLOT (*annoyed*). The Chevalier!

GUILLOT (*vexé*). Le Chevalier!

LESCAUT (*to* GUILLOT). How strange you look. Has anything vexed you?

LESCAUT (*à* GUILLOT). Vous changez de visage, et quelque chose, ici parait vous irriter.

GUILLOT. I have good cause, for I adored Manon, and I find it hard to see another in my place.

GUILLOT. A bon droit je fais la grimace, car j'adorais Manon, et je trouve blessant et froissant qu'elle en aime un autre è ma place!

(LESCAUT draws GUILLOT away.)

(LESCAUT entraine GUILLOT.)

CROUPIER. Make your game, gentlemen.

LES CROUPIERS. Faites vos jeux, messieurs.

(All recommence play. MANON is left alone with DES GRIEUX. Observes his sadness and approaches him.)

(Tout le monde retourne au jeu. MANON et DES GRIEUX sont restés isolés sur le devant de la scène. MANON, voyant que DES GRIEUX continue d'être triste, s'approche de lui.)

MANON. Tell me now, Des Grieux, does thy heart own me sovereign?

MANON. De ton cœur, Des Grieux, suis-je plus souveraine?

DES GRIEUX (*with great passion*). Manon, sphinx as thou art, syren-lure to destruction, woman more than thy sex, I love thee — and hate thee. Pleasure and gold thy gods for ever must remain; yet, foolish though thou art, Manon, I love thee.

DES GRIEUX (*avec la plus violente passion*). Manon! sphinx étonant, véritable sirène! Cœur trois fois féminin! Que je t'aime et te hais! Pour le plaisir et l'or quelle ardeur inouie! Ah! Folle que tu es, comme je t'aime!

MANON. And I — oh, how I could love thee if but thou would'st —

MANON. Et moi — comme je t'aimerais si tu voulais.

DES GRIEUX. If but I would?

MANON. Our winged wealth has flown away.
Chevalier, there 's nothing left.
In this place of coin bereft,
The purse is filled by dashing play.

DES GRIEUX (*troubled*). What dost thou say, Manon?

LESCAUT (*approaching*). She is quite right?
Some minutes at the faro board —
A fortune 's yours to spend or hoard.

DES GRIEUX. Who? I a gambler? No, no, no!

LESCAUT. Ah! there you 're wrong. Manon does not love an empty purse.

MANON. Chevalier, if thou lov'st me dearly, consent, and after, thou wilt see, we shall be rich.

LESCAUT. Oh, most likely. Lady Fortune darts her angriest glances on him who has dared her and challenged her worst on full many a field. All her wealth-bestowing favors for beginners are kept.

MANON (*to* DES GRIEUX). Thou wilt yield, wilt thou not?

DES GRIEUX. Oh, infernal madness!

LESCAUT (*pressingly*). Come on!

DES GRIEUX (*to* MANON). To thee I all shall give.

LESCAUT. You 're sure to win.

DES GRIEUX. What shall I then receive?

MANON. All that I am and have — myself; my more than love. Oh, rest thee well on my affection, and never doubt a loving heart. Thus will come our happiness. To thee my love! To thee all my being!

DES GRIEUX. Oh, Manon, sphinx as thou art! etc.

LESCAUT. Your luck is assured; play like a man and conquer fate. Come on.

DES GRIEUX. Se je voulais?

MANON. Notre opulence est envolée —
Chevalier, nous n'avons plus rien!
Mais ici, quand on le veut bien
Une fortune est vite retrouvée.

DES GRIEUX (*avec trouble*). Que me distu, Manon?

LESCAUT (*se rapproche ae* MANON). Elle a raison!
En quelques coups de Pharon
Une fortune est vite retrouvée.

DES GRIEUX. Qui? Moi? Jouer? Jamais! jamais!

LESCAUT. Vous avez tort, Manon n'aime pas la misère.

MANON. Chevalier, si je te suis chère, consens, et tu verras qu'après nous serons riches!

LESCAUT. C'est probable! La fortune n'est intraitable, qu'a le joueur éprouvé, que contre elle souvent a lutté! Elle est douce, au contraire à celui qui commence!

MANON (*à* DES GRIEUX). Tu veux bien, n'estce pas?

DES GRIEUX. Infernale démence!

LESCAUT. Venez!

DES GRIEUX. Je t'aurrai tout donnè.

LESCAUT. Vous gagne-rez!

DES GRIEUX. Mais qu'aurai-je en retour?

MANON. Mon être tout entier, ma vie, et mon amour!
Repose-toi sur ma tendresse!
Ne doute jamais de mon cœur!
Ah! c'est là notre bonheur!
A toi mon amour!
A toi tout mon être!

DES GRIEUX. Manon! Sphinx étonnant, etc.

LESCAUT. Votre chance est certaine! Jouez toujours! c'est le bonheur! Venez!

GUILLOT (*to* DES GRIEUX). A word if you please, Chevalier. Say, are you willing to play with me? We shall then see if fickle Fortune stands your constant friend.

POUSSETTE (*gaily*). Bravo, Guillot! I'll back you for the winner.

JAVOTTE. And I will stake my money on the Chevalier.

GUILLOT (*to* DES GRIEUX). Are you agreed?

DES GRIEUX. Agreed.

GUILLOT. Let us begin.

POUSSETTE. Suppose we make a bet?

JAVOTTE AND ROSETTE. A bet, of course.

GUILLOT. A thousand crowns!

DES GRIEUX. Sir, with you. A thousand crowns.

LESCAUT. A thousand crowns! (*He seats himself at another table.*) O Pallas, lend thine aid!

MANON. All these senseless follies are life, or, at least, the life that I desire.

CROUPIERS. Make your game, gentlemen.

MANON. Music of gold, of laughter, and clash of joyous sounds.
Come, love me and crown me with flowers,
Gaily singing pass we the hours;
Who knows if the morrow will come?
Youth is for a day,
Beauty fades away.
Then let all our care
Be for pleasure rare,
Life's sweet honey sip
Warm on every lip.
To Manon give gold
Untold.
Come, love me, etc.

GUILLOT (*to* DES GRIEUX). I would not have your chance just now, sir. Say another thousand crowns.

DES GRIEUX (*excited*). Sir, I'm content. Just as you please.

GUILLOT (*à* DES GRIEUX). Un mot, s'il vous plait, Chevalier; je vous propose une partie. Nous verrons si sur moi vous devez l'emporter toujours.

POUSSETTE (*gaiement*). Bravo, Guillot! pour vous, moi, je parie!

JAVOTTE. Et je parie alors, moi, pour ce Chevalier.

GUILLOT (*à* DES GRIEUX). Acceptez vous?

DES GRIEUX. J'accepte!

GUILLOT. Commençons!

POUSSETTE. Nous parions toujours!

JAVOTTE ET ROSETTE. Nous parions!

GUILLOT. Mille pistoles!

DES GRIEUX. Soit, monsieur, mille pistoles.

LESCAUT. Mille pistoles. (*Il va se mettre à une autre table.*) A mois, Pallas, à moi!

MANON. Ces ivresses folles, c'est la vie! Ah! c'est la vie! Ou du moins c'est celle que je veux!

LES CROUPIERS. Faites vos jeux, Messieurs.

MANON. Ce bruit de l'or ce rire et ses éclats joyeux!
A nous les amours et les roses!
Chanter, aimer, sont douces choses.
Qui sait si nous vivrons demain!
Qui sait si nous vivrons demain!
La jeunesse passe
La beauté s'efface
Que tous nos désirs
Soient pour les plaisirs!
L'amour et les fièvres,
Sur toutes les lèvres!
Pour Manon encor
De l'or! de l'or!
A nous les amours et les roses, etc.

GUILLOT (*à* DES GRIEUX). Vous avez une chance folie! Mille louis de plus!

DES GRIEUX (*fièvreusement*). Soit! Monsieur! Mille louis!

GUILLOT. I have lost!

MANON (*to* DES GRIEUX). Well, art thou winning?

DES GRIEUX (*showing her gold and notes*). Look here!

MANON. Is that ours?

DES GRIEUX. It is ours.

MANON. How I love thee!

GUILLOT (*to* DES GRIEUX). We'll double, if you please.

DES GRIEUX. Agreed.

GUILLOT. I have lost again!

MANON (*to* DES GRIEUX). Now did I not well say that thou wert sure to win?

DES GRIEUX. Manon, I love thee! I love thee!

GUILLOT (*leaving the table*). I vow I'll play no more.

DES GRIEUX (*rising also*). That is as you will.

GUILLOT (*significantly*). I should indeed be foolish to go on thus.

DES GRIEUX. What's that?

GUILLOT. Never mind. Well I know you are indeed a clever man.

DES GRIEUX (*angrily*). What do you say?

GUILLOT. Restrain your anger. Are you of those who beat the men they have contrived to rob?

DES GRIEUX (*throwing himself upon* GUILLOT). You vile and wretched cur, 't is a lie.

(All come around.)

THE OTHERS. Come, come, good sirs, respect yourselves, for in society a man should be decent.

GUILLOT (*much agitated*). To witness I take you, sirs, and these young ladies. (*To* DES

GUILLOT. J'ai perdu!

MANON (*à* DES GRIEUX). Eh bien, gagnes tu?

DES GRIEUX. Regarde! (*Montre l'or et caisse.*)

MANON. C'est à nous?

DES GRIEUX. C'est à nous.

MANON. Je t'adore!

GUILLOT. Le double! voulez-vous?

DES GRIEUX. C'est dit!

GUILLOT. Je perds encore!

MANON (*à* DES GRIEUX). Je te l'avais bien dit que tu devais gagner.

DES GRIEUX. Manon! Je t'aime! je t'aime!

GUILLOT (*quittant la table*). J'arrête la partie!

DES GRIEUX. C'est comme vous voudrez.

GUILLOT (*avec intention*). Ce serait duperie de s'obstiner!

DES GRIEUX. Plait-il?

GUILLOT. Il suffit, je m'entends; vous avez vraiment des talents!

DES GRIEUX. Que dites vous?

GUILLOT. Quelle furie! Vouloir encor battre les gens quand on les a volés!

DES GRIEUX (*s'élancant sur* GUILLOT). Infame calomnie! Misérable!

(Tout le monde accourt.)

LES AUTRES. Messieurs! voyons, messieurs! Quand on est dans le monde. Il faut se tenir mieux!

GUILLOT (*tres agité*). Je prends à témoin, messieurs, et mesdemoiselles! Pour vous (*a*

GRIEUX *and* MANON.) As for you, you very soon shall hear some news of me.

(Exit.)

THE OTHERS. Was ever such a thing known here? Certainly not. One never cheats — in such a way.

SHARPERS. A bungler he to be found out.

LESCAUT (*interposing*). How now, my friends, pray be calm.

A CROUPIER. Make your game, gentleman.

SOME OTHERS (*pointing to* DES GRIEUX). There stands the thief, that 's he.

MANON (*to* DES GRIEUX). Away, I do implore thee! Haste away!

DES GRIEUX (*firmly*). No, on my life! for, if I go, I shall myself confess that with this crime I here am justly charged.

(Loud knocking at the door.)

POUSSETTE, JAVOTTE, PLAYERS. How now! who knocks so loudly here?

(The knocking is repeated.)

PLAYERS. Quickly cover the gold!

MANON (*aside*). Who knocks thus at the door? I tremble, though I know not why.

A VOICE (*without*). Open, in the King's name!

LESCAUT. The Police! Quick, to the roof!

(He escapes.)

(The door is opened. Officers of police enter with GUILLOT.)

GUILLOT (*indicating* DES GRIEUX). This is your prisoner, and yonder (*indicating* MANON) stands his accomplice. (*To* MANON.) Extremely sorry, but the play was too good. I told you I would have my revenge. (*To* DES GRIEUX.) I have trumped your card, my master. console yourself as best you can.

DES GRIEUX *et* MANON) deux, vous aurez bien-tôt de mes nouvelles!

(Il sort.)

LES AUTRES. La chose ne c'es jamais vue Certainement! On n'a volé jamais pareillement!

LES AIGREFINS. Le maladroit! Ah! que ennui!

LESCAUT. Voyons, messieurs! Calmez-vous

UN CROUPIER. Faites vos jeux, messieurs.

AUTRE JOUEURS. On a volé! C'est lui!

MANON (*à* DES GRIEUX). Partons! Je t'en supplie! Partons vite!

DES GRIEUX (*avec fermeté*). Non! sur ma vie, si je partais, peut être croiraiton, qu'en m'accusant cet homme avait raison!

(On frappe fortement à la porte.)

POUSSETTE; JAVOTTE ET JOUEURS. Eh mais, qui frappe de la serte?

LES JOUEURS. Vite! cachez l'argent!

MANON (*à part*). Qui frappe à cette porte? Je tremble, je ne sais pourquoi!

UNE VOIX (*au dehors*). Ouvrez! aunom du Roi!

LESCAUT. Un exempt de police! Gagnons vite la toit!

(Il se sauve.)

(Unexempt de police suivi de gardes, pénètre dans la salle avec GUILLOT.)

GUILLOT. (*désignant* DES GRIEUX). Le coupable est mansieur, et voilà sa complice. (*Désignant* MANON). (*A* MANON). Mille regrets, mademoiselle, mais la partie était trop belle! Je vous avais bien dit que je me vengerais! (*A* DES GRIEUX). J'ai pris ma revanche, mon maitre! Il faudra vous en consoler.

DES GRIEUX (*fiercely*). Well, I will try and begin on the spot by throwing you from yonder window.

GUILLOT (*with contempt*). From yonder window?

COUNT (*who has entered unobserved*). And I? Shall I be served the same?

DES GRIEUX. Father! you here! you!

MANON. His father.

COUNT. Yes, I am here from shame to save thee,
From shame so dire, and foul disgrace,
In repentant tears now lave thee,
Clear from stain an ancient race.

DES GRIEUX (*terrible*). J'y tâcherai! mais je vais commencer par vous jeter par la fenêtre!

GUILLOT (*méprisant*). Par la fenêtre!

LE COMTE (*avec calme*). Et mois! m'y jetez-vous aussi?

DES GRIEUX. Mon père! vous ici! vous!

MANON. Son père!

LE COMTE. Oui, je viens t'arracher à la honte,
Qui chaque jour grandit sur toi;
Insensé! vois-tu pas qu'elle monte
Et va s'elever jusqu' à moi!

COUNT (*indicating* DES GRIEUX *and* MANON). Take them prisoners. (*To* DES GRIEUX.) But soon shall liberty be yours.

DES GRIEUX (*indictating* MANON). And she?

GUILLOT (*interposing*). This lady has to go where many of her sort have gone.

DES GRIEUX (*with spirit*). Ah! touch her not! (*throwing himself before* MANON) with my life I'll defend her.

MANON (*fainting*). Help! I am lost! I die! Mercy!

DES GRIEUX. Oh despair! Our lives are divided forever!

LE COMTE (*désignant* DES GRIEUX *et* MANON). Qu'on l'enmène! (*Au Chevalier.*) Plus tard, on vous délivrera.

DES GRIEUX (*designant* MANON). Mais elle?

GUILLOT (*s'interposant*). Le guet la conduira où l'on emmène ses pareilles!

DES GRIEUX. N'approchez pas! Je saurai la défendre!

MANON (*s'evanouisant*). Ah! c'en est fait! je meurs! Gràce!

DES GRIEUX. O douleur! l'avenir nous sépare, à jamais!

ACTE V.

OR SCENE II OF ACT IV.

(A lonely spot on the road to Havre.)

DES GRIEUX *discovered seated by the wayside*). Manon, dearest Manon! do I see thee herded with these wretched beings and have no power to aid! O Heaven! merciless Heaven! must I then despair! (*He sees* LESCAUT *approaching*.) No, he comes! (*Advancing impetuously to* LESCAUT.) Thy fellows now make ready; see, the soldiers are yonder; they will soon reach this place. Thy men are fully armed; they will rescue Manon and give her back to me! What! can it not be done? Are all my fond hopes vain! Oh! why dost thou keep silence?

LESCAUT. Sir, I have done my best —

DES GRIEUX (*anxiously*). Go on!

LESCAUT. And grieve to say that all is lost.

DES GRIEUX (*piteously*). Lost!

ACT V.

(AU SCENE II.)

(La route du Hâvre.)

DES GRIEUX. Manon! pauvre Manon! Je te vois enchainée avec ces misérables! Et la charrette passe! O cieux inexorables, faut-il désespérer? (*Apercevant* LESCAUT.) Non! C'est lui! (*Allant à lui.*) Prèpare tons escorte! Les archers sont làbas ils arrivent ici. Tes hommes sont armés? Ils nous prêtent main forte et nous la délivrons! — quoi? N'est-ce pas ainsi que tout est convenu? Tu gardes le silence!

LESCAUT (*avec effort*). Monsieur la chevalier —

DES GRIEUX. Eh bien?

LESCAUT. Je pense que tout est perdu!

DES GRIEUX. Perdu!

LESCAUT. Scarce had the sun shone on the arms of the soldiers ere all our men fled.

DES GRIEUX (*distracted*). 'T is false! 'T is false! Great Heaven hath taken pity on my suffering, and at last comes the hour expected! In a moment my Manon shall be free.

LESCAUT (*sadly*). Since I have told the truth—

DES GRIEUX (*about to strike him*). Away!

LESCAUT. Strike, if you will. 'T is soldier's fare. He 's by the King ill-paid; and then, whate'er his worth, the good folks shake their heads and call him "wretched fellow."

DES GRIEUX (*violently*). Away!

(Voices of Soldiers in the distance. DES GRIEUX and LESCAUT listen.)

SOLDIERS. Captain, riding by,
Dost thou pitying sigh,
As we march left, right?
No, no!
'T is not so.
For a gallant bay
Carries thee all day,
And thy heart is light.

DES GRIEUX. Who is that?

LESCAUT (*going along the road*). Down the road they are coming, and almost close at hand.

DES GRIEUX (*trying to rush forward.*) Manon, Manon! (LESCAUT *stops him.*)
My sword is all I have, but let us both boldly attack them.

LESCAUT. Oh, what madness is this!

DES GRIEUX. Come on.

LESCAUT. All will be lost. Take advice. It is better to use other means.

DES GRIEUX. How then?

LESCAUT. For Manon's sake let us go.

DES GRIEUX (*resisting*). No, no!

LESCAUT. Dès qu'an soleil ont lui les mousquets des archers, tous ces làches ont fui!

DES GRIEUX (*eperdu*). Tu mens! Le ciel a pris pitié de ma souffrance. C'est l'instant de la délivrance, tout à l'heure Manon va tomber dans mes bras!

LESCAUT Je ne vous trompe pas!

DES GRIEUX (*faisant le geste de le frapper*). Va-t'en!

LESCAUT. Frappez! Que voulez-vous? On est soldat le roi paié assez mal! Alors, bien malgré soi, on devient un coquin, un homme abominable!

DES GRIEUX (*violent*). Va-t'en!

(Ils écoutent, interdits.)

LES SOLDATS (*au loin*). Capitaine, ô gué,
Es tu fatiqué
De nous voir à pied!
Mais non, mais non!
La Ramée
On n'est pas trop mal
Sur un bon cheval
Pour mener l'armée.

DES GRIEUX. Qu'est-ce là?

LESCAUT (*allant sur le chemin*). Ce sont eux, sans doute,
Je les vois sur la route!

DES GRIEUX (*voulant s'élancer*). Manon! Manon! (LESCAUT *l'arrête.*)
Je n'ai que non épée, mais mous allons les attaquer tous deux!

LESCAUT. Quelle folle équipee!

DES GRIEUX. Allons!

LESCAUT. Vous la perdrez! Croyez-moi, Il vaut mieux prendre un autre moyen.

DES GRIEUX. Sequel?

LESCAUT. Je vous en prie, partons!

DES GRIEUX (*résistant*). Non! non!

LESCAUT. Manon you'll see. I promise this.

DES GRIEUX What, go when her poor weary heart cries, "Come to me?" Oh, no!

LESCAUT. Sir, if you love her, come.

DES GRIEUX. If I love her? Would I not lose my all? — would I not gladly die that she might live?

LESCAUT. Pray, come.

DES GRIEUX. When shall I see her?

LESCAUT. This very instant.

(The Soldiers have come nearer. LESCAUT draws DES GRIEUX behind some bushes.)

SOLDIERS. Captain riding by, etc.

(Soldiers appear.)

A SERGEANT. There is no glory in escorting such fair companions as ours. But no matter, 't is our business. And what do the prisoners say?

A SOLDIER. Oh, nothing; they are very quiet, and one of them is already half dead.

SERGEANT. O, that's Manon!

DES GRIEUX (*behind the bushes*). O Heaven!

LESCAUT (*holding him*). Silence! Let me act. (*To the* SERGEANT.) Hi, comrade!

(LESCAUT and SERGEANT confer together.)

DES GRIEUX (*to* LESCAUT *as he returns*). Am I to see her?

LESCAUT. And soon I hope to carry her off.

DES GRIEUX (*pointing to the* SENTRY). That Soldier!

LESCAUT. I will attend to him. I know better than to give away all the money.

(He exits with the SERGEANT.)

(MANON appears. She comes down the path as though exhausted by fatigue.)

MANON (*with a joyful cry*). Ah, Des Grieux!

LESCAUT. Vous la verrez, je le promets!

DES GRIEUX. Partir! Lorsque son cœur me crie, "Viens a moi!" Non, jamais!

LESCAUT. Si vous l'aimez, venez!

DES GRIEUX. Ah! si je l'aime! Quand je veux tout braver; quand je voudrais mourir pour elle!

LESCAUT. Venez!

DES GRIEUX. Quand la verrai-je?

LESCAUT. A l'instant même!

(Il entraîne DES GRIEUX derrère le buisson les Soldats rapprochant.)

LES SOLDATS. Capitaine, ô gué, etc.

(Les Soldats paraissent.)

UN SERGEANT. C'est bien la moins.
Car ce n'est pas la gloire d'escorter l'arme au bras et de faire.
Embarquer des demoiselles sons vertu!
N'importe! C'est le métier? Et que desent la bas les captives?

UN SOLDAT. Oh! rien! elles ne bougent pas! L'une d'elles est déjà malade, à demi morte.

SERGEANT. Manon, alors?

DES GRIEUX. O ciel!

LESCAUT. Silence! Laissez-moi faire. Hé, camarade!

DES GRIEUX. (*à* LESCAUT). MANON! je vais la voir!

LESCAUT. Et bientôt, je l'espère vous pourrez l'emmener.

DES GRIEUX. Ce Soldat?

LESCAUT. J'en fais mon affaire! J'ai tres bien fait de ne pas tout donner!

(Il sort avec le Soldat.)

(MANON pairait; elle descend pénihlement et comme brisée par la fatigue.)

MANON (*avec cri de joie*). Ah! Des Grieux!

DES GRIEUX (*with delirious gladness*). Oh, Manon, Manon, Manon! — Thou weepest!

DES GRIEUX (*avec ivresse*). O Manon! Manon! Manon! Tu pleures!

MANON. Yes; with shame for myself, but with sorrow for thee.

MANON. Oui, de honte sur moi; mais de douleur sur toi!

DES GRIEUX (*tenderly*). Manon, be of good heart, dear love. Think of the happy hours that remain for us both.

DES GRIEUX (*tendrement*). Manon? Lève la tête et ne songe qu'aux heures d'un bonheur qui revient!

MANON (*bitterly*). Ah! sweet deceiving vision.

MANON. Ah! pourquoi me tromper?

DES GRIEUX. No; those far-away countries, where they would drag thee now, thou shalt never see. Both together we 'll fly to a place of sweet rest, where trouble may not come. (MANON *remains silent.*) Manon, wilt thou not speak?

DES GRIEUX. Non, ces terres loin taines, dont ils te menacaient, tu ne les verras pas! Nous fuirons tous les deux! Au delà de ces plaines, nous porterons nos pas! (*Silence de* MANON.) Manon, réponds-moi donc!

MANON (*with infinite tenderness*). Oh, my heart's only love; only now do I feel all thy goodness of soul, and, though fallen so low, Manon craves pity and pardon for all her sins. (DES GRIEUX *tries to interrupt her.*) No, no; I must speak. Ah! careless was I and light-hearted; e'en in loving thee beyond compare, most ungrateful.

MANON. Seul de mon âme! Je ne sais qu'aujour d'hui la bonté de ton cœur.
Et si bas qu'elle soit, hélas! Manon réclame.
Pardon, pitié pour son erreur!
(DES GRIEUX *veut l'interrompre.*) Non! non! encor! Mon cœur fut léger et volage
Et, même en vous aimant,
Eperdument, j'etais ingrate!

DES GRIEUX. Love, cease these reproaches.

DES GRIEUX. Ah! pourquoi ce langage?

MANON. Vainly I bid my wicked heart say why — by what excess of madness I have given thee pain on one day of my wasted life.

MANON. Et je ne puis m'imaginer
Comment et par quelle follie
J'ai pu vous chagriner
Un seul jour de ma vie!

DES GRIEUX. Enough!

DES GRIEUX Assez!

MANON (*weeping*). With remorse and contempt I am filled when I think of our love, by my own act destroyed. Ah! would that I could now atone with all my blood for but one of the griefs thou hast endured through me! Pardon Manon! Oh, pardon Manon!

MANON. Je me hais et maudis en pensant
A ces douces amours par ma faute brisées,
Et je ne paierais pas assez de tout mon sang
La moitie des douleurs que je vous ai causées!
Pardonnez-moi! Ah! pardonnez-moi!

DES GRIEUX (*passionately moved*). What! speakest thou of pardon when thy heart to my heart is given back again?

DES GRIEUX (*attendri et passioné*). Qu'ai-je à te pardonner
Quand ton cœur à mon cœur vient de se redonner!

MANON (*with a cry of ecstasy*). Ah!
I feel 't is purest passion,
A love free from all alloy!
I hail a future full of joy!

MANON (*avec un cri d'ivresse*). Ah! je sens une pure flamme
M'éclairer de ces feux
Je vois enfin les jours heureux!

DES GRIEUX. Manon, my adored!
Yet this day of delight
Shall our hearts re-unite.

DES GRIEUX. Manon! mon amour, ma femme,
Oui, ce jour radieux
Nous unit tous les deux!

MANON. Happiness once more is mine. (*Profoundly moved and almost inaudible.*) Let us talk of past days — of the inn, the coach and the tree-shaded route; of the letter thou didst write; of our little table and thy black robe at St. Sulpice. (*With a sad smile.*) Ah! how well I remember.

DES GRIEUX. 'T is a dream of delight. (*Joyfully.*) Come, Manon, come; liberty is ours.

MANON (*becoming more feeble*). No! vain words! All my strength is departing! Deep sleep o'er my senses is stealing! I shall wake never more!

DES GRIEUX (*alarmed*). Do not give way. See now, 't is nearly nightfall. The evening star shineth o'er us.

MANON (*opening her eyes and looking up with a smile*). Oh! what lovely gems! Thou knowest I was always fond of jewels.

DES GRIEUX. Some one comes! Let us go, Manon!

MANON (*with a stifled voice*). I love thee! Take thou this kiss; 't is my farewell for ever.

DES GRIEUX (*deeply moved*). No; believe it I will not. O Manon, hear me? Recall thyself. Is it not my hand that thine own now presses?

MANON (*vaguely*). I pray thee, wake me not.

DES GRIEUX. Shall I never more give thee sweet caresses?

MANON. Oh! rock me in thine arms.

DES GRIEUX. Know'st thou not my voice, broken though with grief?

MANON. The past let us forget.

DES GRIEUX. The past, so full of sweetness!

MANON. O most dire remorse!

DES GRIEUX. I have pardon'd thee. All is forgotten.

MANON. Nous reparlerons du passé.
De l'auberge, du coche, et de la route ombreuse.
Du billet par ta main tracé de la petit table
Et de ta robe noire à St. Sulpice.
Ah! j'ai bonne mémoire!

DES GRIEUX. C'est un rève charmant! Tout s'apprete pour notre liberté!

MANON. Non! Il m'est impossible, d'avancer davantage je sens le sommeil qui me gagne, un sommeil sans reveil!
J'étouffe — je succombe!

DES GRIEUX. Reviens à toi. Voici la nuit qui tombe; c'est la première étoile!

MANON. Ah! le beau diamant! Tu vois je suis encore coquette!

DES GRIEUX. On vient! partons! Manon!

MANON. Je t'aime! Et ce baiser — c'est un adieu suprème!

DES GRIEUX. Non! je ne veux pas croire! Écoute-moi! rappelle toi! N'est-ce plus ma main que cette main presse?

MANON. Ne me réveille pas!

DES GRIEUX. N'est-elle pour toi plus une caresse?

MANON. Berce moi dans tes bras!

DES GRIEUX. Reconnais ma voix à travers mes larmes!

MANON. Oublions le passé!

DES GRIEUX. Souvenirs pleins de charmes!

MANON. O cruels remords!

DES GRIEUX. Je t'ai pardonné! Tout est oublie!

MANON. Oh! can I forget the day of anguish and of love! Yes; is it not my hand that thine own now presses? Ah! it is his voice, and upon his heart, full of love surpassing, once again I rest! Now upon me dawneth a day of peace! (*She becomes exhausted.*) I die!

DES GRIEUX (*in affright*). Manon!

MANON (*murmurs*). Better so; better so. Now is ended the story of Manon Lescaut. (*Dies.*)

(DES GRIEUX utters a distracted cry and falls upon her body. The curtain slowly descends.)

MANON. Ah? puis-je oublier les tristes jours de nos amours! Oui, c'est bien sa main que cette main presse; ah! c'est bien sa voix! oui, c'est bien son cœur! c'est bien la tendresse des jours d'autrefois! Bientôt renaitra le bonheur passe! (*En défaillant.*) Ah! je meurs!

DES GRIEUX (*avec effroi*). Manon!

MANON. Il le faut, il le faut! Et c'est là l'histoire de Manon Lescaut! (*Elle meurt.*)

(DES GRIEUX jette un cri déchirant et tombe sur le corps de MANON. Rideau.)

TALES OF HOFFMANN

(LES CONTES D'HOFFMANN)

by

JACQUES OFFENBACH

CHARACTERS

Hoffmann	*Tenor*
Counselor Lindorf	*Bass* or *Baritone*
Coppélius	*Bass* or *Baritone*
Dapertutto	*Bass* or *Baritone*
Doctor Miracle	*Bass* or *Baritone*
Spalanzani	*Tenor*
Crespel	*Bass* or *Baritone*
Andres	*Tenor*
Cochenille	*Tenor*
Frantz	*Tenor*
Pitichinacchio	*Tenor*
Luther	*Bas.*
Nathanael	*Tenor*
Hermann	*Bass*
Stella	*Soprano*
Giulietta	*Soprano*
Olympia	*Soprano*
Antonia	*Soprano*
Nicklausse	*Mezzo-Soprano*
The Muse	*Mezzo-Soprano*
A Spirit	*Mezzo-Soprano*

NOTE

"Les Contes d'Hoffmann," opéra-comique, is one of two posthumous operas of the brilliant and facile French composer. It was his most cherished work, and his labors upon it extended over a period of years. For some time Offenbach had felt his end approaching, and he said to M. Carvalho, "Make haste to mount my piece; I am in a hurry and have only one wish in the world — to witness the première of this work." He died, however, a few months before its first production, which took place, after it was finally revised and partly orchestrated by Guiraud, at the Opéra-Comique, Feb. 10, 1881. Here it was given no less than 101 times in the year of its production. It was also performed in Germany, and was being sung at the Ring Theatre in Vienna at the time of its conflagration.

THE STORY OF THE ACTION

Act I. — This act is really a prologue, and shows Hoffmann, a young poet, at the Tavern of Luther, drinking and carousing with his companions. They ask him for a song; he commences the fantastic Ballad of Klein-Zach, but midway of the tale wanders into a rhapsodic apostrophe to a beautiful woman. His companions accuse him of being in love; but he replies that for him such joys are past, and forthwith promises to relate to them the history of his three loves.

Act. II. — Olympia. At the house of the noted scientist, Spalanzani, who has invited a large company to witness the charms and accomplishments of his daughter, Olympia. Hoffmann, who is attended by Nicklausse, has already become enamored of her by fleeting glimpses through a window. Olympia's appearance, her singing, receive enthusiastic praise from her father's guests, and Hoffmann's conquest is complete. Left alone with her while the other guests are at supper, he tells her of his passion, and thinks that it awakens in her an echo of response. Later there is dancing, and she waltzes so madly that she whirls him off his feet and is only stopped by her father, who conducts her to her room. A Dr. Coppélius enters in a rage, claiming to have been swindled by Spalanzani. He slips into Olympia's room, and presently a noise of breaking is heard. Out of

revenge Coppélius has smashed Olympia, who was only an automaton, cleverly constructed by Spalanzani. Hoffmann's dismay is pitiable.

ACT III. — GIULIETTA. The scene is in Venice at the house of Giulietta, who is beloved by Schlemil. She receives Hoffmann graciously, but Schlemil does not conceal his disgust at the young poet's arrival. Dapertutto bribes Giulietta, with a magic diamond, to enslave Hoffmann, who cares nothing for her. She succeeds in bringing him to her feet, and promises him the key of her room, which he must, however, procure from Schlemil. The latter refuses to yield the key, and a fight ensues, during which Hoffmann kills Schlemil. Hoffmann takes the key, and rushes to Giulietta's room, only to find it deserted, and to see her in a gondola, riding away in the embrace of another man, and laughing at his plight. Nicklausse drags him away to escape the police.

ACT IV. — ANTONIA. In Munich, at the house of Crespel, who seeks to keep his daughter Antonia hidden from the attentions of Hoffmann. Fearing that, together with her mother's voice, she has inherited her mother's consumption, Crespel forbids his daughter to sing. Hoffmann gains admission to the house unknown to Crespel, renews his vows to Antonia, and, at Crespel's approach, hides himself, to learn, if possible, why Antonia has been forbidden to use her voice. Through a conversation between Crespel and an evil magician named Doctor Miracle he learns the bitter truth; and later adds his entreaties to those of her father that Antonia will sing no more. She promises him; but when Hoffmann goes, Miracle appears to her, reproaches her for giving up her career in favor of a humdrum domestic existence with a lover whose unfaithfulness needs but to be proven, and fills her mind with doubt. Finally Miracle causes the ghost of Antonia's mother to appear, and the spirit adds her appeal to Miracle's reproaches, overwhelming Antonia, and finally inducing her to join in singing with the supernatural voice. She pauses breathless, but Miracle urges her on and on, until she falls dying. Her frenzied father receives her in his arms, while Hoffmann, heart-broken, witnesses the tragedy.

EPILOGUE. Takes us back to the scene of the first act. Hoffmann's recital is at an end, and his companions leave him. The Muse appears to him and offers the consolations and rewards of Art as a panacea for his broken heart. For a moment he is roused to enthusiasm; but presently, overcome with his potations at Luther's tavern and the emotion of his reminiscences, he falls face forward upon the table — and sleeps.

First performed at the Théâtre de l'Opéra-Comique, Paris, Feb. 10, 1881, with the following cast:

HOFFMANN	MM. *Talazac*
LE CONSEILLER LINDORF	*Tasquin*
COPPÉLIUS	
DAPERTUTTO	
LE DOCTEUR MIRACLE	
SPALANZANI	*Gourdon*
CRESPEL	*Belhomme*
ANDRÉS	*Grivot*
COCHENILLE	
FRANTZ	
MAÎTRE LUTHER	*Troy*
NATHANAEL	*Chenevières*
VOLFRAMM	*Piccaluga*
HERMANN	*Teste*
VILHELM	*Colin*
STELLA	Mmes. *Isaac*
GIULIETTA	
OLYMPIA	
ANTONIA	
NICKLAUSSE	*Ugalde*
LA MUSE	*Molé*
UN FANTÔME	*Dupuis*

Conductor, Léon Carvalho.

LES CONTES D'HOFFMANN

ACT I

The tavern of Master Luther.

(The interior of a German inn. Tables and benches.)

Chorus of Students.

Drig, drig, drig, master Luther,
Brand of hades,
Drig, drig, drig, bring us thy beer,
Bring us thy wine,
Till morning dawns,
Fill up my glass,
Till morning dawns,
Fill up our pewter pots!

Nathanael.

Luther is a brave man,
Tire lan laire,
On the morrow we will brain him,
Tire lan la!

Chorus.

Tire lan la!

(They strike their cups on the tables.)

Luther

(going from table to table).

Here, gentlemen, here!

Hermann.

His cellar is a goodly spot,
Tire lan laire,
We'll pillage it on the morrow,
Tire lan la!

Chorus.

Tire lan la!

(Knocking of glasses.)

Luther.

Here, gentlemen, here!

PREMIER ACTE

La taverne de Maître Luther.

(Intérieur d'une taverne allemande. Cà et là, des tables et des bancs.)

Choeur des Etudiants.

Drig! drig! drig! maître Luther,
Tison d'enfer,
Drig! drig! drig! à nous ta bière,
A nous ton vin,
Jusqu'au matin
Remplis mon verre,
Jusqu'au matin
Remplis les pots d'étain!

Nathanael.

Luther est un brave homme;
Tire lan laire!
C'est demain qu'on l'assomme;
Tire lan la!

Le Choeur.

Tire lan la!

(Ils frappent les gobelets sur les tables.)

Luther

(allant de table en table).

Voilà, messieurs, voilà!

Hermann.

Sa cave est d'un bon drille;
Tire lan laire!
C'est demain qu'on la pille
Tire lan la!

Le Choeur.

Tire lan la!

(Bruit de gobelets.)

Luther.

Voilà, messieurs, voilà!

Wilhelm.

His wife is a daughter of Eve,
Tire lan laire,
And on the morrow we will steal her,
Tire lan la.

Chorus.

Tire lan la!

Luther.

Here, gentlemen, here!

Chorus.

Drig, drig, drig, master Luther, etc., etc.

(The students seat themselves, drinking and smoking, on all sides)

Nathanael.

Praise God, my friends, for the lovely being!
As in a masterpiece of Mozart
She lends the charm of a true and pleasing voice!
It is the gift of nature
And the triumph of art!
My first toast shall be to her;
I drink to Stella!

All.

We drink to Stella!

Nathanael.

How is it Hoffmann is not here?
Ah, Luther, you portly tun,
What have you done with our Hoffmann?

Hermann.

Your wine it is that's poisoned him,
You've killed him, by my faith!
Give us our Hoffmann!

All.

Give us Hoffmann.

Lindorf

(aside).

To the devil with Hoffmann!

Nathanael.

By Heaven! Bring him to us,
Or your last day has dawned.

Wilhelm.

Sa femme est fille d'Eve;
Tire lan laire;
C'est demain qu'on l'enlève;
Tire lan la!

Le Choeur.

Tire lan la!

Luther.

Voilà, messieurs, voilà!

Le Choeur.

Drig! drig! drig! maître Luther, etc., etc.

(Les étudiants s'assoient, boivent et fument dans tous les coins.)

Nathanael.

Vive Dieu! mes amis, la belle créature!
Comme au chef-d'œuvre de Mozart
Elle prête l'accent d'une voix ferme et sûre!
C'est la grâce de la nature,
Et c'est le triomphe de l'art!
Que mon premier toast soit pour elle!
Je bois à la Stella!

Tous.

Vivat! à la Stella!

Nathanael.

Comment Hoffmann n'est-il pas là?
Eh! Luther!... ma grosse tonne!
Qu'as-tu fait de notre Hoffmann?

Hermann.

C'est ton vin qui l'empoisonne!
Tu l'as tué, foi d'Hermann!
Rends-nous Hoffmann!

Tous.

Rends-nous Hoffmann!

Lindorf

(à part).

Au diable Hoffmann!

Nathanael.

Morbleu! qu'on nous l'apporte,
Ou ton dernier jour a lui!

Luther.

Gentlemen, he is at the door,
And Nicklausse is with him.

All.

Hurrah, 'tis he.

Lindorf (aside).

Let's watch him.

Hoffmann (entering with solemn demeanor).

Good day, friends.

Nicklausse.

Good-day.

Hoffmann.

A chair, a glass,
A pipe...

Nicklausse (mocking).

Pardon, my lord, no offence intended,
But I drink, smoke and sit like you... place for two!

Chorus.

He's right... place for both of them.

(HOFFMANN and NICKLAUSSE seat themselves; HOFFMANN holds his head in his hands.)

Nicklausse (humming).

Notte a giorno mal dormire...

Hoffmann (brusquely).

Shut up, devil take you!

Nicklausse (quietly).

Yes, master.

Hermann (to HOFFMANN).

Oh, oh, why are you in such bad temper?

Nathanael (to HOFFMANN).

Indeed, one scarcely knows you.

Luther.

Messieurs, il ouvre la porte,
Et Nicklausse est avec lui!

Tous.

Vivat! c'est lui!

Lindorf (à part).

Veillons sur lui.

Hoffmann (entrant d'un air sombre).

Bonjour, amis!

Nicklausse.

Bonjour!

Hoffmann.

Un tabouret! un verre!
Une pipe!...

Nicklausse (railleur).

Pardon, seigneur!...sans vous déplaire,
Je bois, fume et m'assieds comme vous!.. part à deux!

Le Choeur.

C'est juste!...Place à tous les deux!

(HOFFMANN et NICKLAUSSE s'assoient; HOFFMANN se prend la tête entre les mains.)

Nicklausse (fredonnant).

Notte a giorno mal dormire...

Hoffmann (brusquement).

Tais-toi, par le diable!...

Nicklausse (tranquillement).

Oui, mon maître.

Hermann (à HOFFMANN).

Oh! oh! d'où vient cet air fâché?

Nathanael (à HOFFMANN).

C'est à ne pas te reconnaître.

Hermann.

What thorny path have you trodden?

Hoffmann.

Alas! I've come by a withered flower
Frozen by the northern wind.

Nicklausse.

And yonder, near this door,
Stumbled over a sleeping drunkard.

Hoffmann.

'Tis true... that rascal, by Jove, I envy him!
Let's drink, and like him, let's sleep in the gutter.

Hermann.

Without pillow?

Hoffmann.

The stones!

Nathanael.

Without curtains?

Hoffmann.

The sky!

Nathanael.

With no covering?

Hoffmann.

The rain!

Hermann.

Have you a nightmare, Hoffmann?

Hoffmann.

No, but this evening
Just now at the theatre ...

All.

Well?

Hoffmann.

I hoped to see once more...
The deuce... why reopen old wounds?
Life is short...We must enjoy it by the way.
We must drink, sing, laugh, as we may,
What though we weep to-morrow!

Hermann.

Sur quelle herbe as-tu donc marché?

Hoffmann.

Hélas! sur une herbe morte
Au souffle glacé du nord!...

Nicklausse.

Et là, près de cette porte,
Sur un ivrogne qui dort!

Hoffmann.

C'est vrai!...Ce coquin-là, pardieu! m'a fait envie!
A boire!...et, comme lui, couchons dans le ruisseau.

Hermann.

Sans oreiller?

Hoffmann.

La pierre!

Nathanael.

Et sans rideau?

Hoffmann.

Le ciel!

Nathanael.

Sans couvre-pied?

Hoffmann.

La pluie!

Hermann.

As-tu le cauchemar, Hoffmann?

Hoffmann.

Non, mais ce soir,
Tout à l'heure, au théâtre...

Tous.

Eh bien?

Hoffmann.

J'ai cru revoir...
Baste!...à quoi bon rouvrir une vieille blessure!
La vie est courte!...Il faut l'égayer en chemin
Il faut boire, chanter et rire à l'aventure,
Sauf à pleurer demain!

Nathanael.

Then sing the first without need for asking,
We'll supply the chorus.

Hoffmann.

So be it!

Nathanael.

Something gay.

Hermann.

The song of the Rat!

Nathanael.

No! in truth I'm tired of it.
What we want is the legend
Of Klein-Zach...

All.

Give us the legend of Klein-Zach.

Hoffmann.

Here goes for Klein-Zach!...
Once at the court of Eysenach
Lived a little dwarf called Klein-Zach;
He wore a big bearskin cap,
And his legs they went clic, clac!
Clic, clac!
There's Klein Zach!

Chorus.

Clic, clac!
There's Klein-Zach!

Hoffmann.

He had a hump instead of a stomach,
His webbed feet seemed to burst from a sack,
His nose with bad tobacco was black,
And his head it went crick, crack,
Crick, crack!
There's Klein-Zach!

Chorus.

Crick, crack!
There's Klein-Zach!

Nathanael.

Chante donc le premier, sans qu'on te le demande;
Nous ferons chorus.

Hoffmann.

Soit!

Nathanael.

Quelque chose de gai!

Hermann.

La chanson du Rat!

Nathanael.

Non! moi, j'en suis fatigué.
Ce qu'il nous faut, c'est la légende
De Klein-Zach?...

Tous.

C'est la légende de Klein-Zach!

Hoffmann.

Va pour Klein-Zach!
Il était une fois à la cour d'Eysenach
Un petit avorton qui se nommait Klein-Zach
Il était coiffé d'un colbac,
Et ses jambes faisaient clic, clac!
Clic, clac!
Voilà Klein-Zach!

Le Choeur.

Clic, clac!...
Voilà Klein-Zach!

Hoffmann.

Il avait une bosse en guise d'estomac;
Ses pieds ramifiés semblaient sortir d'un sac
Son nez était noir de tabac,
Et sa tête faisait cric, crac,
Cric, crac,
Voilà Klein-Zach.

Le Choeur.

Cric, crac,
Voilà Klein-Zach!

Hoffmann.

Now, for his features...
(He becomes absorbed.)

Chorus.

Now, for his features?...

Hoffmann
(very slowly).

Now, for his features...
(He rises.)

Ah, but her face was lovely! I see her
Lovely as on that day when, following after her,
I foolishly left my father's house
And fled away thro' valleys and forests.
The dusky curtains of her hair
Cast warm shadows upon her creamy throat,
Her eyes of deepest azure
Threw radiant glances, pure and serene;
And as our car without shock or tremor
Carried onward our hearts and our loves,
Her vibrant voice sang to the listening skies
A victorious chant whose eternal echo
Resounds in my heart!

Nathanael.

O most fantastic brain!
Whose portrait art thou painting? Klein-Zach?

Hoffmann.

I speak of her...

Nathanael
(touching his shoulder).

Whom?

Hoffmann.

No! Nobody!... nothing, my spirit is troubled.
Nothing!... And Klein-Zach is better, deformed though he be!

Chorus.

Flick, flack,
There's Klein-Zach.

Hoffmann.

Quant aux traits de sa figure...
(Il semble s'absorber peu à peu dans son rêve.)

Le Choeur.

Quant aux traits de sa figure?...

Hoffmann
(très lentement).

Quant aux traits de sa figure...
(Il se lève.)

Ah! sa figure était charmante!...Je la vois,
Belle comme le jour où, courant après elle,
Je quittai comme un fou la maison paternelle
Et m'enfuis à travers les vallons et les bois!
Ses cheveux en torsades sombres
Sur son col élégant jetaient leurs chaudes ombres.
Ses yeux, enveloppés d'azur,
Promenaient autour d'elle un regard frais et pur;
Et, comme notre char emportait sans secousse
Nos coeurs et nos amours, sa voix vibrante et douce
Aux cieux qui l'écoutaient jetait ce chant vainqueur
Dont l'éternel écho résonne dans mon coeur!

Nathanael.

O bizarre cervelle!
Qui diable peins-tu là! Klein-Zach?...

Hoffmann.

Je parle d'elle.

Nathanael
(lui touchant l'épaule)

Qui?

Hoffmann
(sortant de son rêve).

Non! personne!...rien! mon esprit se troublait!
Rien!...Et Klein-Zach vaut mieux, tout difforme qu'il est!...

Le Choeur.

Flic, flac!
Voilà Klein-Zach!

Hoffmann

(throwing away his glass).

Peuh!... this beer is detestable,
Let's light up the punch and drink;
And may the light-headed
Roll under the table.

Chorus.

And may the light-headed
Roll under the table.

(The lights go out and LUTHER sets fire to an immense bowl of punch)

Luther is a brave man,
Tire lan laire,
Tire lan la.
On the morrow we will brain him,
Tire lan laire,
Tire lan la.
His cellar is a goodly spot,
Tire lan laire,
Tire lan la.
We'll pillage it on the morrow,
Tire lan laire,
Tire lan la.

Nicklausse.

In good season, at least. How we vaunt
Our reason and good sense!
A curse on all faint hearts!

Nathanael.

A wager that Hoffmann's in love!

Hoffmann.

What of it?

Nathanael.

You need not blush, I fancy.
Our friend Wilhelm here
Burns for Léonore and finds her divine.
Hermann loves Gretchen; and I am near ruined
For Fausta.

Hoffmann

(to WILHELM).

Yes, Léonore, thy virtuoso!

Hoffmann

(jetant son verre).

Peuh!...cette bière est détestable!
Allumons le punch! grisons-nous!
Et que les plus fous
Roulent sous la table.

Le Choeur.

Et que les plus fous
Roulent sous la table!

(On éteint les lumières. Luther allume un immense bol de punch.)

Luther est un brave homme,
Tire lan laire,
Tire lan la,
C'est demain qu'on l'assomme,
Tire lan laire,
Tire lan la,
Sa cave est d'un bon drille,
Tire lan laire
Tire lan la,
C'est demain qu'on la pille,
Tire lan laire,
Tire lan la.

Nicklausse.

A la bonne heure, au moins! voilà que l'on se pique
De raison et de sens pratique!
Peste soit des coeurs langoureux!

Nathanael.

Gageons qu'Hoffmann est amoureux!

Hoffmann.

Après?...

Nathanael.

Il ne faut pas en rougir, j'imagine.
Notre ami Wilhelm que voilà
Brûle pour Léonor et la trouve divine;
Hermann aime Gretchen; et moi, je me ruine
Pour la Fausta!

Hoffmann

(à WILHELM).

Oui, Léonor, ta virtuose!...

(to HERMANN).

Yes, Gretchen, thy inert doll, with heart of ice.

(to NATHANAEL).

And thy Fausta, poor madman,
The courtezan with brazen mien!

Nathanael.

Morose being,
Many thanks for Fausta, Gretchen and Léonore!...

Hoffmann.

Pish. They are like all the others!

Nathanael.

Then is your mistress such a treasure
That you can despise all of ours?

Hoffmann

(aside).

My mistress?

(aloud).

No, no, say rather three mistresses,
A trio of enchantresses
Who divide my days among them.
Would you like the story of my foolish loves?...

Chorus.

Yes, yes!

Nicklausse.

What's that you say about three mistresses?

Hoffmann.

Smoke!
Before this dead pipe is relighted
Thou wilt understand me,
O thou, who in the drama where my heart was consumed,
By good judgment secured the prize!

(All the students go to their places.)

Chorus.

Attention! It is nice to drink,
And listen to a foolish tale,
While following the fragrant cloud
That a pipe throws in the air.

(à HERMANN).

Oui, Gretchen, ta poupée inerte, au coeur glacé!

(à NATHANAEL).

Et ta Fausta, pauvre insensé!...
La courtisane au front d'airain!

Nathanael.

Esprit morose,
Grand merci pour Fausta, Gretchen et Léonor!...

Hoffmann.

Baste! autant celles-là que d'autres!

Nathanael.

Ta maîtresse est donc un trésor
Que tu méprises tant les nôtres?

Hoffmann

(à part).

Ma maîtresse?

(haut).

Non pas! dites mieux, trois maîtresses,
Trois charmant d'enchanteresses
Qui se partagèrent mes jours!
Voulez-vous le récit de ces folles amours?...

Le Choeur.

Oui, oui!

Nicklausse.

Que parles-tu de trois maîtresses?

Hoffmann.

Fume!...
Avant que cette pipe éteinte se rallume
Tu m'auras sans doute compris,
O toi qui dans ce drame où mon coeur se consume
Du bon sens emportas le prix!

(Tous les étudiants vont reprendre leurs places.)

Le Choeur.

Ecoutons! il est doux de boire
Au récit d'une folle histoire,
En suivant le nuage clair
Que la pipe jette dans l'air!

Hoffmann

(sitting on a corner of table).

I begin.

Chorus.

Silence

Hoffmann.

The name of the first was Olympia...

(The curtain falls while HOFFMANN is speaking to the attentive students.)

ACT II.

(A physician's room, richly furnished.)

Hoffmann

(alone).

Come! Courage and confidence;
I've become a well of science!
I must turn with the wind that blows.
To deserve the one I love
I must find in myself
The stuff of a learned man.
She is there!.. if I dared!

(He softly lifts the portiere.)

'Tis she!
She sleeps... how beautiful she is!
Ah! to dwell together!... both with the same hope,
The same remembrance!
To share our sorrows and our joys,
To share the future!
Ah, let my flame
Bring warmth into your day;
Open your soul
To the rays of love.
Altar divine! Sun whose ardor
Penetrates and caresses us!
Ineffable desire where one feels
One's whole being melt in a single kiss!
Ah, let my flame, etc.

(NICKLAUSSE appears.)

Hoffmann

(s'asseyant sur le coin d'une table).

Je commence.

Le Choeur.

Silence!

Hoffmann.

Le nom de la première était Olympia!

(Le rideau tombe, pendant qu'HOFFMANN parle à tous les étudiants attentifs.)

ACTE DEUXIÈME

(Un riche cabinet de physician.)

Hoffmann

(seul).

Allons! Courage et confiance
Je deviens un puits de science!
Il faut tourner selon le vent.
Pour mériter celle que j'aime,
Je saurai trouver en moi-même
L'étoffe d'un savant,
Elle est là! Si j'osais!...

(Il soulève la portière.)

C'est elle!
Elle sommeille! Qu'elle est belle!
Ah! vivre deux! N'avoir qu'une même espérance
Un même souvenir!
Partager le bonheur, partager la souffrance,
Partager l'avenir!
Laisse, laisse ma flamme
Verser en toi le jour!
Laisse éclore ton âme
Aux rayons de l'amour!
Foyer divin! Soleil dont l'ardeur nous pénètre
Et nous vient embraser!
Ineffable désir où l'on sent tout son être
Se fondre en un baiser.
Laisse, laisse ma flamme
Verser en toi le jour!
Laisse éclore ton âme
Aux rayons de l'amour!

(NICKLAUSSE paraît.)

Nicklausse.

By Jove, I felt sure of finding you here.

Hoffmann

(letting portiere fall).

Chut!

Nicklausse.

Why? There breathes the dove
Who's now your amorous care,
The beautiful Olympia. Go, my son, admire!

Hoffmann.

Yes, I adore her!

Nicklausse.

And hope to know her better.

Hoffmann.

The being one loves is easy to know.

Nicklausse.

How? by a look?... through a window?

Hoffmann.

A look may suffice to embrace the heavens.

Nicklausse.

What ardor!... Does she at least know that you love her?

Hoffmann.

No.

Nicklausse.

Write her.

Hoffmann.

I dare not.

Nicklausse.

Poor lamb! Speak to her.

Hoffmann.

The dangers are as great.

Nicklausse.

Then sing your way out of your predicament.

Nicklausse.

Pardieu! j'étais bien sûr de te trouver ici

Hoffmann

(laissant retomber la portière).

Chut!

Nicklausse.

Pourquoi?... c'est là que respire
La colombe qui fait ton amoureux souci,
La belle Olympia... Va, mon enfant! admire!

Hoffmann.

Oui, je l'adore!

Nicklausse.

Attends à la connaître mieux.

Hoffmann.

L'âme qu'on aime est aisée à connaître!

Nicklausse.

Quoi? d'un regard?...par la fenêtre?

Hoffmann.

Il suffit d'un regard pour embraser les cieux!

Nicklausse.

Qu'elle chaleur! Au moins sait-elle que tu l'aimes?

Hoffmann.

Non!

Nicklausse.

Ecris-lui!

Hoffmann.

Je n'ose pas.

Nicklausse.

Pauvre agneau! Parle-lui.

Hoffmann.

Les dangers sont les mêmes.

Nicklausse.

Alors, chante, morbleu! pour sortir d'un tel pas!

Hoffmann.

Monsieur Spalanzani doesn't like music.

Nicklausse

(laughing).

Yes, I know, all for science!
A doll with china eyes
Flirted her little fan
At a brazen cock who stood near by.
They sang in unison
In a wonderful way,
Danced, talked, and seemed alive.

Hoffmann.

But why do you sing this song?

Nicklausse.

The little cock, trim and shining,
With a very saucy air
Turned about thrice;
By mechanism ingenious
The doll rolled her eyes,
Sighed, and said: "I love you!"

Chorus of the Invited Guests.

No, no host, really,
Receives more richly;
His house is radiant with good taste,
With effects delicately blended.

Spalanzani.

You will be satisfied, gentlemen, in a moment.

(He makes a sign to COCHENILLE to follow him, and exits with him.)

Nicklausse

(to HOFFMANN).

At last we shall have a nearer view of this marvel
Without equal!

Hoffmann.

Silence! here she is!

(Enter SPALANZANI conducting OLYMPIA.)

Spalanzani.

Ladies and gentlemen,
I present to you
My daughter Olympia.

Hoffmann.

Monsieur Spalanzani n'aime pas la musique

Nicklausse

(riant).

Oui, je sais, tout pour la physique!
Une poupée aux yeux d'émail
Jouait au mieux de l'éventail
Auprès d'un petit coq en cuivre;
Tous deux chantaient a l'unison
D'une merveilleuse façon,
Dansaient, caquetaient, semblaient vivre.

Hoffmann.

Plaît-il? Pourquoi cette chanson?

Nicklausse.

Le petit coq, luisant et vif,
Avec un air rébarbatif,
Tournait par trois sur lui-même;
Par un rouage ingénieux,
La poupée, en roulant les yeux
Soupirait et disait: "Je t'aime!"

Le Choeur des Invites.

Non, aucun hôte, vraiment,
Ne reçoit plus richement!
Par le goût, sa maison brille!
Tout s'y trouve réuni.

Spalanzani.

Vous serez satisfaits, messieurs.

(Il fait signe à Cochenille de le suivre et sort avec lui par la droite.)

Nicklausse

(à HOFFMANN).

Enfin, nous allons voir de près cette merveille
Sans pareille!

Hoffmann.

Silence! la voici.

(Entrée de SPALANZANI conduisant OLYMPIA.)

Spalanzani.

Mesdames et messieurs, je vous présente
Ma fille Olympia

The Chorus.

Charming!
What beautiful eyes!
And a shapely figure!
See her fine apparel!
There is nothing lacking;
She is indeed ravishing.

Hoffmann.

Ah, how adorable she is!

Nicklausse.

Charming, incomparable!

Spalanzani

(to Olympia).

What a success is thine!

Nicklausse

(taking her all in).

Really, she is ravishing.

The Chorus.

What beautiful eyes!
And a shapely figure!
See her fine apparel!
There is nothing lacking;
She is indeed ravishing.

Spalanzani.

Ladies and gentlemen, inspired by your applause,
And above all anxious to shine anew,
My daughter, obedient to your least caprice,
Will, if you please...

Nicklausse

(aside).

Pass to other exercises.

Spalanzani.

Will sing a grand air, accompanying the voice,
Rare talent!
On the clavichord, the guitar,
Or the harp, at your choice!

Cochenille

(at the rear).

The harp!

Le Choeur.

Charmante!
Elle a de très beaux yeux!
Sa taille est fort bien prise!
Voyez comme elle est mise!
Il ne lui manque rien!
Elle est très bien!

Hoffmann.

Ah qu'elle est adorable!

Nicklausse.

Charmante, incomparable!

Spalanzani

(à Olympia).

Quel succès est le tien.

Nicklausse

(en la lorgnant).

Vraiment elle est très bien.

Le Choeur.

Elle a de beaux yeux,
Sa taille est fort bien prise;
Voyez comme elle est mise!
Il ne lui manque rien.
Vraiment, elle est très bien.

Spalanzani.

Mesdames et messieurs, fière de vos bravos
Et surtout impatiente
D'en conquérir de nouveaux,
Ma fille, obéissant à vos moindres caprices
Va, s'il vous plaît...

Nicklausse

(à part)

Passer à d'autres exercices.

Spalanzani.

Vous chanter un grand air, en suivant de la voix,
Talent rare!
Le clavecin, la guitare,
Ou la harpe, à votre choix!

Cochenille

(au fond du théâtre).

La harpe!

Bass Voice
(in the wings).
The harp!

Spalanzani.
'Tis well. Cochenille.
Go quickly and bring my daughter's harp!
(COCHENILLE exits.)

Hoffmann
(aside).
I shall hear her... oh, joy!

Nicklausse
(aside).
Oh, foolish infatuation!

Spalanzani
(to OLYMPIA).
Calm your emotions, my child!

Olympia.
Yes.

Cochenille
(bringing the harp).
There!

Spalanzani
(sitting beside OLYMPIA).
Gentlemen, attention!

Cochenille.
Attention!

The Chorus.
Attention!

Olympia
(accompanied by SPALANZANI).
The birds in the shrubbery,
The sun in the sky,
All speak to a maiden
Of love, of love!
There!
The pretty song,
There!
The song of Olympia,
Ha!

The Chorus.
'Tis the song of Olympia

Une Voix de Basse
(dans la coulisse).
La harpe!

Spalanzani.
Fort bien. Cochenille!
Va vite nous chercher la harpe de ma fille!
(COCHENILLE sort.)

Hoffmann
(à part).
Je vais l'entendre... ô joie!

Nicklausse
(à part).
O folle passion!

Spalanzani
(à OLYMPIA).
Maîtrise ton émotion, mon enfant!

Olympia.
Oui.

Cochenille
(avec la harpe).
Voilà!

Spalanzani
(s'asseyant auprès d' OLYMPIA).
Messieurs, attention!

Cochenille.
Attention!

Le Choeur.
Attention!

Olympia
(accompagnée par SPALANZANI)
Les oiseaux dans la charmille,
Dans les cieux l'astre du jour,
Tout parle à la jeune fille
D'amour, d'amour,
Voilà!
La chanson gentille
Voilà!
La chanson d'Olympia,
Ha!

Le Choeur.
C'est la chanson d'Olympia.

Olympia.

All that sings and sounds,
Or sighs in its turn,
Feels its heart to tremble
With love.
There!
The little song,
There, there!
The song of Olympia.
Ha!

Chorus.

'Tis the song of Olympia.

Hoffmann

(to NICKLAUSSE).

Ah, my friend, what an accent!

Nicklausse.

What runs!...

(COCHENILLE has taken the harp and all surround OLYMPIA. A servant speaks to SPALANZANI.)

Spalanzani.

Come, gentlemen! your arm to the ladies...
Supper awaits you!

The Chorus.

Supper! That's good...

Spalanzani.

Unless you would prefer
To dance first!...

The Chorus

(with energy).

No! no! the supper is the thing!
After we'll dance.

Spalanzani.

As you please!

Hoffmann

(approaching OLYMPIA).

Might I venture?...

Spalanzani

(interrupting).

She is a bit tired;
Wait for the ball.

(He touches OLYMPIA's shoulder.)

Olympia.

Tout ce qui chante et résonne
Et soupire tour à tour,
Emeut son coeur qui frissonne
D'amour.
Voilà!
La chanson mignonne,
Voilà, voilà!
La chanson d'Olympia.
Ha!

Le Choeur.

C'est la chanson d'Olympia.

Hoffmann

(à NICKLAUSSE).

Ah! mon ami, quel accent!

Nicklausse.

Quelles gammes!...

(Tout le monde s'empresse autour d'OLYMPIA. Un laquais s'adresse à SPALANZANI.)

Spalanzani.

Allons, messieurs! la main aux dames...
Le souper nous attend!

Le Choeur.

Le souper! bon cela...

Spalanzani.

A moins qu'on ne préfère
Danser d'abord!...

Le Choeur

(avec energie).

Non, non, le souper! bonne affaire!
Ensuite on dansera.

Spalanzani.

Comme il vous plaira!

Hoffmann

(s'approchant d'OLYMPIA).

Oserai-je?

Spalanzani

(intervenant).

Elle est un peu lasse; attendez le bal.

(Il touche l'épaule d'OLYMPIA.)

Olympia.

Yes.

Spalanzani.

You see. Until then
Will you do me the favor
To remain with my Olympia?

Hoffmann.

What happiness!

Spalanzani

(aside, laughing).

We'll see what sort of a song he'll sing to her.

Nicklausse

(to SPALANZANI).

Won't she take supper?

Spalanzani.

No!

Nicklausse

(aside).

Poetic soul!

(SPALANZANI goes behind OLYMPIA. Noise of a spring is heard. NICKLAUSSE turns around.)

What did you say?

Spalanzani.

Nothing, science! ah, monsieur, science!

(He conducts OLYMPIA to a chair. Goes out with guests.)

Cochenille.

The supper awaits you.

The Chorus.

Supper, supper, supper awaits us!
No, really, no host
Receives more richly!

(They go out.)

Hoffmann.

At last they are gone. I breathe freely!
Alone, alone, we two!

(approaching OLYMPIA.)

I have so much to say to you,
O my Olympia! Let me admire you!
Let me feast my eyes upon your lovely countenance.

(He touches her shoulder.)

Olympia.

Oui.

Spalanzani.

Vous voyez, jusque-là
Voulez-vous me faire la grâce
De tenir compagnie à mon Olympia?

Hoffmann.

O bonheur!

Spalanzani

(à part, riant).

Nous verrons ce qu'il lui chantera.

Nicklausse

(à SPALANZANI).

Elle ne soupe pas?

Spalanzani.

Non!

Nicklausse

(à part).

Ame poétique!

(SPALANZANI passe derrière OLYMPIA. On entend le bruit d'un ressort)

Plaît-il?

Spalanzani.

Rien! la physique! ah, monsieur, la physique!

(Il conduit OLYMPIA à un fauteuil et sort avec les invites.)

Cochenille.

Le souper vous attend.

Le Choeur

(avec enthousiasme).

Le souper, le souper, le souper nous attend!
Non, aucun hôte vraiment,
Ne reçoit plus richement!

Hoffmann.

Ils se sont éloignés enfin! Ah! je respire!
Seuls, seuls, tous deux!

(S'approchant d'OLYMPIA)

Que j'ai de choses à te dire,
O mon Olympia! Laisse-moi t'admirer!
De ton regard charmant laisse-moi m'enivrer.

(Il touche légèrement l'épaule d'OLYMPIA.)

Olympia.

Yes.

Hoffmann.

Is it not a dream born of fever?
I thought I heard a sigh escape your lips!
(He again touches her shoulder.)

Olympia.

Yes.

Hoffmann.

Sweet avowal, pledge of our love,
You are mine, our hearts forever are united.
Ah! do you comprehend this eternal joy
Of silent hearts?
Living, to be one in soul, and with a single flight
To soar to heaven!
Ah, let my flame
Bring warmth into your day!
Open your soul
To the rays of love!
(He presses OLYMPIA's hand. She rises and walks up and down, then exits.)
You flee from me? What have I done?
You do not answer....
Speak! Have I wounded you? Ah!
I'll follow your steps!
(As HOFFMANN is about to rush out NICKLAUSSE appears.)

Nicklausse.

Ah, by heaven, moderate your zeal!
Do you want us to drink without you?...

Hoffmann
(half crazy).

Nicklausse, I am beloved by her.
Loved!... Ye gods!

Nicklausse.

By my faith!
If you knew what they are saying of your fair one!

Hoffmann.

What can they say? What?

Olympia.

Oui.

Hoffmann.

N'est-ce pas un rêve enfanté par la fièvre?
J'ai cru voir un soupir s'échapper de ta lèvre!
(Il touche de nouveau l'épaule d'OLYMPIA.)

Olympia.

Oui.

Hoffmann.

Doux aveu, gage de nos amours,
Tu m'appartiens, nos coeurs sont unis pour toujours!
Ah comprends-tu, dis-moi, cette joie éternelle
Des coeurs silencieux?
Vivants, n'être qu'une âme, et du même coup d'aile
Nous élancer aux cieux!
Laisse, laisse ma flamme
Verser en toi le jour!
Laisse éclore ton âme
Aux rayons de l'amour!
(Il presse la main d'OLYMPIA. Celle-ci se lève, parcourt la scène et sort.)
Tu me fuis? qu'ai je fait? Tu ne me réponds pas....
Parle! t'ai-je irritée? ah! je suivrai tes pas!
(HOFFMANN s'élance, NICKLAUSSE paraît.)

Nicklausse.

Eh! morbleu, modère ton zèle!
Veux-tu qu'on se grise sans toi?...

Hoffmann
(avec ivresse).

Nicklausse! Je suis aimé d'elle!
Aimé!...Dieu puissant!

Nicklausse.

Par ma foi!
Si tu savais ce qu'on dit de ta belle!

Hoffmann.

Qu'en peut-on dire? Quoi?

Nicklausse.	*Nicklausse.*
That she is dead	Qu'elle est morte
Hoffmann.	*Hoffmann.*
Great Heavens!	Juste ciel!
Nicklausse.	*Nicklausse.*
Or never was alive.	Ou ne fut pas en vie.
Hoffmann.	*Hoffmann.*
Nicklausse! I am beloved by her! Loved! Ye gods! (He exits followed by NICKLAUSSE.)	Nicklausse! je suis aimé d'elle! Aimé! Dieu puissant! (Il sort. NICKLAUSSE le suit.)
Coppélius (entering, furious).	*Coppélius* (entrant, furieux).
Thief! brigand! what a crash! Elias is bankrupt! But I shall find the right occasion To revenge myself... Robbed!... Me! I'll kill somebody. (COPPÉLIUS slips into OLYMPIA'S room.) (Everybody enters.)	Voleur! brigand! quelle déroute! Elias a fait banqueroute! Va, je saurai trouver le moment opportun Pour me venger... Volé! moi!... Je tuerai quel qu'un. (COPPÉLIUS se glisse dans la chambre d'OLYMPIA.) (Entre tout-le-monde.)
Spalanzani.	*Spalanzani.*
Here come the dancers.	Voici les valseurs.
Cochenille.	*Cochenille.*
Now comes the round dance.	Voici la ritournelle.
Hoffmann.	*Hoffmann.*
'Tis the waltz that calls us.	C'est la valse qui nous appelle.
Spalanzani (to OLYMPIA).	*Spalanzani* (à OLYMPIA).
Take the hand of the gentleman, my child. (Touching her shoulder.) Come!	Prends la main de monsieur, mon enfant. (Lui touchant l'épaule.) Allons!
Olympia.	*Olympia.*
Yes. (HOFFMANN takes OLYMPIA and they waltz. They disappear on left.)	Oui. (HOFFMANN enlace la taille d'OLYMPIA et ils disparaissent à gauche.)
Chorus.	*Le Choeur.*
She dances! In cadence! 'Tis marvelous! Prodigious! Room, room, For she flashes Through the air Like lightning.	Elle danse! En cadence! C'est merveilleux! Prodigieux! Place, place! Elle passe, Elle fend l'air Comme un éclair.

The Voice of Hoffmann

(outside).

Olympia!

Spalanzani.

Stop them!

The Chorus.

Who of us will do it?

Nicklausse.

She will break his head...

(HOFFMANN and OLYMPIA reappear. NICKLAUSSE rushes to stop them.)

A thousand devils!...

(He is violently struck and falls in an armchair.)

The Chorus.

Patatra!...

Spalanzani

(jumping in).

Halt!

(He touches OLYMPIA on the shoulder. She stops suddenly. HOFFMANN, exhausted, falls on a sofa.)

There!

(To OLYMPIA.)

Enough, enough, my child.

Olympia.

Yes.

Spalanzani.

No more waltzing.

Olympia.

Yes.

Spalanzani

(to COCHENILLE).

You, Cochenille,
Take her back.

(He touches OLYMPIA.)

Cochenille

(pushing OLYMPIA).

Go on! Go!

Olympia.

Yes.

(Going out slowly, pushed by COCHENILLE.)

Ha, ha, ha, ha, ha, ha, ha!

La Voix d'Hoffmann

(dans la coulisse.

Olympia!

Spalanzani.

Qu'on les arrête!

Le Choeur.

Qui de nous les arrêtera?

Nicklausse.

Elle va lui casser la tête!...

(HOFFMANN et OLYMPIA reparaissent et redescendent.) (NICKLAUSSE s'élance pour les arréter.)

Eh, mille diables!...

(Il est violemment bousculé et tombe sur un fauteuil.)

Le Choeur.

Patatra!

Spalanzani

(s'élançant).

Halte là!

(Il touche OLYMPIA à l'épaule. Elle s'arrête subitement. HOFFMANN étourdi tombe sur un canapé.)

Voilà!

(à OLYMPIA.)

Assez, assez, ma fille.

Olympia.

Oui.

Spalanzani.

Il ne faut plus valser.

Olympia.

Oui.

Spalanzani

(à COCHENILLE).

Toi, Cochenille,
Reconduis-la.

(Il touche OLYMPIA.)

Cochenille

(poussant OLYMPIA).

Va donc. Va!

Olympia.

Oui.

(En sortant, poussé par Cochenille.)

Ha, ha, ha, ha, ha, ha, ha, ha!

The Chorus.

What can we possibly say?
'Tis an exquisite girl,
There is nothing lacking;
She is indeed ravishing.

Nicklausse

(in dolorous voice, pointing to HOFFMANN).

Is he dead?

Spalanzani

(examining HOFFMANN).

No! in fact
His eyeglass only is smashed.
He is reviving.

The Chorus.

Poor young man!

Cochenille

(outside).

Ah!

(He enters, very agitated.)

Spalanzani.

What?

Cochenille.

The man with the glasses... there!

Spalanzani.

Mercy! Olympia!...

Hoffmann.

Olympia!...

(Sound of springs breaking with much noise.)

Spalanzani.

Ah, heaven and earth, she is broken!

Hoffmann

(rising).

Broken!

Coppélius

(entering).

Ha, ha, ha, ha, yes. Smashed!

(HOFFMANN rushes out. SPALANZANI and COPPÉLIUS go at each other, fighting.)

Spalanzani.

Rascal!

Le Choeur.

Que voulez-vous qu'on dise?
C'est une fille exquise,
Il ne lui manque rien,
Elle est très bien!

Nicklausse

(d'une voix dolente, en montrant HOFFMANN).

Est-il mort?

Spalanzani

(examinant HOFFMANN).

Non, en somme, son lorgnon seul est en débris
Il reprend ses esprits.

Le Choeur.

Pauvre jeune homme!

Cochenille

(dans la coulisse).

Ah!

(Il entre, la figure bouleversée.)

Spalanzani.

Quoi?

Cochenille.

L'homme aux lunettes... là.

Spalanzani.

Miséricorde! Olympia!...

Hoffmann.

Olympia!...

(On entend un bruit de ressorts qui se brisent avec fracas.)

Spalanzani.

Ah! terre et cieux! Elle est cassée!

Hoffmann

(se levant).

Cassée!

Coppélius

(entrant).

Ha, ha, ha, ha, oui! Fracassée.

(HOFFMANN s'élance et disparaît. SPALANZANI et COPPÉLIUS se jettent l'un sur l'autre.)

Spalanzani.

Gredin!

Coppélius.
Robber!

Spalanzani.
Brigand!

Coppélius.
Pagan!

Spalanzani.
Bandit!

Coppélius.
Pirate!

Hoffmann
(pale and terror-stricken).
An automaton, an automaton.
(He falls into an armchair. General laughter.)

The Chorus.
Ha, ha, ha, the bomb has burst,
He loved an automaton.

Spalanzani
(despairingly).
My automaton!

All.
An automaton!
Ha, ha, ha, ha!

ACT III

(In Venice. A gallery, in festival array, in a palace on the Grand Canal.)
(The guests of GIULIETTA are grouped about on cushions.)

BARCAROLE

Giulietta and *Nicklausse*
(in the wings).
Night divine, O night of love,
O smile on our caresses;
Moon and stars keep watch above
This radiant night of love!
Moments fly, and ne'er return,
Our joys, alas! are fleeting;

Coppélius.
Voleur!

Spalanzani.
Brigand!

Coppélius.
Païen!

Spalanzani.
Bandit!

Coppélius.
Pirate!

Hoffmann
(pale et épouvanté).
Un automate! Un automate!
(Il tombe sur un fauteuil. Éclat de rire général.)

Le Choeur.
Ha, ha, ha, la bombe éclate
Il aimait un automate!

Spalanzani
(avec désespoir).
Mon automate!

Tous.
Un automate!
Ha, ha, ha, ha!

ACTE TROISIÈME

(A Venise. Galerie de fête dans un palais donnant sur le grand canal. Les hôtes de GIULIETTA sont groupés sur des coussins.)

BARCAROLE.

Giulietta et *Nicklausse*
(dans la coulisse).
Belle nuit, ô nuit d'amour,
Souris à nos ivresses,
Nuit plus douce que le jour,
O belle nuit d'amour!
Le temps fuit et sans retour
Emporte nos tendresses!

Only memory's torch will burn
For hours that ne'er return.
Zephyrs passion-stirred,
Waft to us loving greeting,
Zephyrs passion-stirred,
Heed our tenderest word.
Night divine, O night of love,
O smile on our caresses;
Moon and stars keep watch above
This radiant night of love.

(GIULIETTA and NICKLAUSSE enter.)

Loin de cet heureux séjour,
Le temps fuit sans retour.
Zéphyrs embrasés
Versez-nous vos caresses;
Zéphyrs embrasés
Donnez-nous vos baisers.
Belle nuit, ô nuit d'amour,
Souris à nos ivresses,
Nuit plus douce que le jour,
O belle nuit d'amour.

(GIULIETTA et NICKLAUSSE entrent en scène.)

Hoffmann.

'Tis not that, by Heaven, which enchants me!
At the feet of the beauty who gives us joy
Shall pleasure sigh?
No, with laughing mouth hear how she sings!

Hoffmann.

Et moi, ce n'est pas là, pardieu, ce qui m' enchante!
Aux pieds de la beauté qui nous vient enivrer
Le plaisir doit-il soupirer?
Non! Le rire à la bouche, écoutez comme il chante!

BACCHIC SONG.

Friends, love which dreams in song
Is wrong!
Love in noise and wine,
Divine!
Let burning desire
Your heart enflame,
In the fevers of pleasure
Consume your soul!
The transport of love
Lasts but a day!
To the devil with him who weeps
For two soft eyes!
For us the greater bliss
Of songs of joy!
Let's live an hour
In heaven.

CHANT BACCHIQUE

Amis! l'amour tendre et rêveur,
Erreur!
L'amour dans le bruit et le vin!
Divin!
Que d'un brulant désir
Votre coeur s'enflamme,
Aux fièvres du plaisir
Consumez votre âme!
Transports d'amour,
Durez un jour!
Au diable celui qui pleure
Pour deux beaux yeux!
A nous l'ivresse meilleure
Des chants joyeux!
Vivons une heure
Dans les cieux!

The Chorus.

To the devil with him who weeps
For two soft eyes!
For us the greater bliss
Of songs of joy!
We'll live an hour
In heaven.

Le Choeur.

Au diable celui qui pleure
Pour deux beaux yeux!
A nous l'ivresse meilleure
Des chants joyeux!
Vivons une heure
Dans les cieux!

Hoffmann.

The sky its radiance lends
To beauty.
But hidden in iron hearts
Lies hell!
Bliss of paradise
Where lovers meet,
Oaths, cursed hopes,
Dreams of life!
Oh, chastity,
Oh, purity,
Lies!

The Chorus.

To the devil with him who weeps, etc., etc.

Schlemil (entering).

I see all is joy. Congratulations, madame.

Giulietta.

What! Why, I've wept for you three whole days!

Pitichinaccio.

Indeed!

Schlemil (to PITICHINACCIO).

Scoundrel!

Pitichinaccio.

Hola!

Giulietta.

Calm yourselves!
We have a stranger poet among us.
(Presenting.)
Hoffmann!

Schlemil (with bad grace).

Monsieur!

Hoffmann (ironically).

Monsieur!

Hoffmann.

Le ciel te prête sa clarté,
Beauté.
Mais vous cachez, ô coeurs de fer,
L'enfer!
Bonheur du paradis
Où l'amour convie,
Serments, espoirs maudits,
Rêves de la vie!
O chastetés,
O puretés,
Mentez!

Le Choeur.

Au diable celui qui pleure, etc., etc.

Schlemil (entrant en scène).

Je vois qu'on est en fête. A merveille, madame

Giulietta.

Comment! Mais je vous ai pleuré trois grands jours.

Pitichinaccio.

Dame!

Schlemil (à PITICHINACCIO).

Avorton!

Pitichinaccio.

Hola!

Giulietta.

Calmez-vous!
Nous avons un poète étranger parmi nous
(Présentant HOFFMANN.)
Hoffmann!

Schlemil (de mauvaise grâce).

Monsieur!

Hoffmann. (ironique)

Monsieur!

Giulietta

(to Schlemil).

Smile on us with grace,
And come take your place
At pharaoh!

The Chorus.

Bravo! To pharaoh!

(Giulietta, after having invited all to follow her, goes toward door Hoffmann offers his hand to Giulietta. Schlemil comes between.)

Schlemil

(taking Giulietta's hand).

By heavens!

Giulietta.

To the game, gentlemen, to the game!

The Chorus.

To the game, the game!

(All go out except Hoffmann and Nicklausse.)

Nicklausse.

One word! I have two horses saddled. At the first dream
That Hoffmann permits himself, I carry him off.

Hoffmann.

And what dream could ever be born
Of such realities?
Does one love a courtezan?

Nicklausse.

Yet this Schlemil...

Hoffmann.

I am not Schlemil.

Nicklausse.

Take care, the devil is clever.

(Dapertutto appears at back).

Hoffmann.

Were it so,
If he makes me love her, may he damn me,
Come!

Nicklausse.

Let us go.

(They go out.)

Giulietta

(à Schlemil).

Souriez nous, de grâce,
Et venez prendre place
Au pharaon!

Le Choeur.

Vivat! au pharaon!

(Giulietta, après avoir invité tout le monde à la suivre, se dirige vers la porte. Hoffmann offre sa main à Giulietta. Schlemil intervient vivement.)

Schlemil

(prenant la main de Giulietta).

Morbleu!

Giulietta.

Au jeu, messieurs, au jeu.

Le Choeur.

Au jeu, au jeu.

(Tout le monde sort moins Nicklausse et Hoffmann.)

Nicklausse.

Un mot! J'ai deux chevaux sellés; au premier rêve
Dont se laisse affoler mon Hoffmann, je l'enlève.

Hoffmann.

Et quels rêves, jamais, pourraient être enfantés
Par de telles réalités?
Aime-t-on une courtisane?

Nicklausse.

Ce Schlemil, cependant...

Hoffmann.

Je ne suis pas Schlemil.

Nicklausse.

Prends y garde, le diable est malin.

(Dapertutto paraît au fond.)

Hoffmann.

Le fût-il,
S'il me la fait aimer, je consens qu'il me damne.
Allons!

Nicklausse.

Allons!

(Ils sortent.)

Dapertutto

(alone).

Well, then!... to fight you
The eyes of Giulietta are a sure weapon,
Schlemil has succumbed to them!
By my faith, as captain and soldier!
You'll do likewise.
I command that Giulietta shall use her arts on you to-day.

(Drawing from his finger a ring with a big sparkling diamond.)

Turn, turn, mirror, where the lark is caught,
Sparkle, diamond, fascinate, attract her,
The lark or the woman
To this conquering bait
Flies on rapid wing;
One loses her life, the other her soul.
Turn, turn, mirror, where the lark is caught.
Sparkle, diamond, fascinate, attract her.

(GIULIETTA appears and advances, fascinated, toward the diamond that DAPERTUTTO holds towards her.)

Dapertutto

(placing the ring on GIULIETTA's finger).

Dear angel!

Giulietta.

What do you desire of your servant?

Dapertutto.

Good, you divine my wishes.
At seducing hearts skilled above all others,
You have given me
The shade of Schlemil! I vary
My pleasures, and I beg you
To get for me to-day
The image of Hoffmann!

Giulietta.

What! his image!

Dapertutto.

Yes.
His image!... You doubt
The power of your eyes?

Giulietta.

No.

Dapertutto

(seul).

Allez... pour te livrer combat
Les yeux de Giulietta sont une arme certaine
Il a fallu que Schlemil succombat!
Foi de diable et de capitaine!
Tu feras comme lui.
Je veux que Giulietta t'ensorcelle aujourd'hui.

(Tirant de son doigt une bague ou brille un gros diamant.)

Tourne, tourne, miroir où se prend l'alouette,
Scintille, diamant, fascine, attire-la...
L'alouette ou la femme
A cet appât vainqueur
Vont de l'aile ou du coeur;
L'une y laisse sa vie l'autre y perd son âme.
Tourne, tourne, miroir ou se prend l'alouctte.
Scintille, diamant, fascine, attire-la.

(GIULIETTA paraît et s'avance, fascinée, vers le diamant que DAPERTUTTO tend vers elle.)

Dapertutto

(passant la bague au doigt de GIULIETTA).

Cher ange!

Giulietta.

Qu'attendez-vous de votre servante?

Dapertutto.

Bien, tu m'as deviné,
A séduire les coeurs entre toutes savante,
Tu m'as déjà donné
L'ombre de Schlemil! Je varie
Mes plaisirs et te prie
De m'avoir aujourd'hui
Le reflet d'Hoffmann!

Giulietta.

Quoi! son reflet!

Dapertutto.

Oui!
Son reflet... tu doutes
De la puissance de tes yeux?

Giulietta.

Non.

Dapertutto.

Who knows? Your Hoffmann dreams, perhaps, otherwise.

(Severely.)

Yes, I was there, a while back, listening.

(With irony.)

He defies you...

Giulietta.

Hoffman?... 'tis well!... From this day
He shall be my toy.

(HOFFMANN enters.)

Dapertutto.

'Tis he!

(DAPERTUTTO goes out. HOFFMANN intends to do the same.)

Giulietta

(to HOFFMANN).

You leave me?

Hoffmann

(mockingly).

I have lost everything.

Giulietta.

What?... you too!...
Ah, you do me wrong.
Without pity, without mercy,
Go!... Go!...

Hoffmann.

Your tears betrayed you.
Ah! I love you... were it at the price of my life!

Giulietta.

Ah, unfortunate, but do you not know
That an hour, a moment, may prove fatal?
That my love will cost your life if you remain?
That Schlemil, this night, may strike you in my arms?
Do not deny my prayer;
My life is wholly yours.
Everywhere I promise to accompany your steps.

Hoffmann.

Ye gods! with what bliss do you fire my heart?
Like heavenly music your voice stirs me;

Dapertutto.

Qui sait? Ton Hoffmann rêve peut-être mieux.

(Avec dureté.)

Oui, j'étais là, tout à l'heure, aux écoutes,
Il te défie...

Giulietta.

Hoffmann?... c'est bien!... dès aujourd'hui
J'en ferai mon jouet.

(HOFFMANN entre.)

Dapertutto.

C'est lui!

(DAPERTUTTO sort. HOFFMANN fait mine de s'éloigner.)

Giulietta

(à HOFFMANN).

Vous me quittez?

Hoffmann

(railleur)

J'ai tout perdu.

Giulietta.

Quoi... vous aussi!...
Ah! vous me faites injure
Sans pitié, ni merci.
Partez... partez!...

Hoffmann.

Tes larmes t'ont trahie.
Ah, je t'aime!... fût-ce au prix de ma vie.

Giulietta.

Ah! malheureux, mais tu ne sais donc pas
Qu'une heure, qu'un moment, peuvent t'être funestes?
Que mon amour te perd à jamais si tu restes?
Que Schlemil peut ce soir te frapper dans mes bras?
Ne repousse pas ma prière!
Ma vie est à toi toute entière.
Partout je te promets d'accompagner tes pas.

Hoffmann.

O Dieu! de quelle ivresse embrases-tu mon âme?
Comme un concert divin ta voix me pénêtre;

With a fire soft, yet burning, my being is consumed;
Your glances in mine have spent their flame
Like radiant stars,
And I feel, O best beloved,
The perfume of your breath
Pass o'er my lips and eyes.

Giulietta.

Yet, to-day, strengthen my courage
By leaving me something of you!

Hoffmann.

What do you mean?

Giulietta.

Listen, and don't laugh at me.

(She holds HOFFMANN in her arms and takes a mirror.)

What I want is your faithful image
Which reproduces your features, your look, your visage,
The reflection that you see above me bend.

Hoffmann.

What! My reflection? What folly!

Giulietta.

No! for it can detach itself
From the polished glass,
To come and hide complete in my heart.

Hoffmann.

In your heart?

Giulietta.

In my heart. 'Tis I who beg thee,
Hoffmann, grant me my wish.

Hoffmann.

My reflection?

Giulietta.

Your reflection. Yes, wisdom or folly,
I wish it, I demand it.

Hoffmann.

Ecstasy! bliss ineffable,
O terror, strangely sweet!
My image, yes, my soul, my life
Belong always to you.

D'un feu doux et brûlant mon être est dévoré:
Tes regards dans les miens ont épanché leur flamme
Comme des astres radieux,
Et je sens, ô mon bien aimée,
Passer ton haleine embaumée
Sur mes lèvres et sur mes yeux.

Giulietta.

Aujourd'hui, cependant, affermis mon courage.
En me laissant quelque chose de toi!

Hoffmann.

Que veux-tu dire?

Giulietta.

Ecoute, et ne ris pas de moi.

(Elle enlace HOFFMANN et prend un miroir.)

Ce que je veux, c'est ta fidèle image
Qui reproduit tes traits, ton regard, ton visage,
Le reflet que tu vois sur le mien se pencher.

Hoffmann.

Quoi! mon reflet? quelle folie!

Giulietta.

Non! car il peut se détacher
De la glace polie
Pour venir tout entier dans mon coeur se cacher.

Hoffmann.

Dans ton coeur?

Giulietta.

Dans mon coeur. C'est moi qui t'en supplie,
Hoffmann, comble mes voeux!

Hoffmann.

Mon reflet?

Giulietta.

Ton reflet. Oui, sagesse ou folie,
Je l'attends, je le veux!

Hoffmann.

Extase! ivresse inassouvie,
Etrange et doux effroi!
Mon reflet, mon âme et ma vie
A toi, toujours à toi!

Giulietta.

If your sweet presence I should lose,
I still would keep of you
The image of your life and soul;
Dear one, give them to me.

(suddenly).

Schlemil!

(SCHLEMIL enters followed by NICKLAUSSE, DAPERTUTTO, PITTICHINACCIO and others.)

Schlemil.

I was sure of it! Together!
Come, gentlemen, come,
'Tis for Hoffmann, so it seems,
That we are abandoned.

(Ironic laughter.)

Hoffmann.

(almost spoken).

Monsieur!

Giulietta

(to HOFFMANN).

Silence!

(Aside.)

I love you, he has my key.

Pitichinaccio

(to SCHLEMIL).

Let us kill him.

Schlemil.

Patience!

Dapertutto

(to HOFFMANN).

How pale you are!

Hoffmann.

Me!

Dapertutto

(showing him a mirror)

See then!

Hoffmann

(amazed).

Heavens!

Giulietta.

Si ta présence m'est ravie,
Je veux garder de toi
Ton reflet, ton âme et ta vie
Ami, donne-les-moi!

(vivement).

Schlemil!

(SCHLEMIL entre suivi de NICKLAUSSE, DAPERTUTTO, PITTICHINACCIO et autres.)

Schlemil.

J'en etais sûr! Ensemble!
Venez, messieurs, venez,
C'est pour Hoffmann à ce qu'il semble,
Que nous sommes abandonnés.

(Rires ironiques.)

Hoffmann

(presque parlé).

Monsieur!

Giulietta

(à HOFFMANN).

Silence!

(Bas.)

Je t'aime, il a ma clef.

Pittichinaccio

(à SCHLEMIL).

Tuons-le.

Schlemil.

Patience!

Dapertutto

(à HOFFMANN).

Comme vous êtes pâle!

Hoffmann.

Moi!

Dapertutto

(lui présentant le miroir).

Voyez plutôt!

Hoffmann

(stupéfait, se regardant).

Ciel!

Giulietta.

Listen, gentlemen,
Here come the gondolas,
The hour of barcaroles
And of farewells!

(SCHLEMIL conducts the guests away. GIULIETTA goes out throwing a look at HOFFMANN. DAPERTUTTO remains. NICKLAUSSE goes toward HOFFMANN.)

Nicklausse.

Are you coming?

Hoffmann.

Not yet.

Nicklausse.

Why? Very well. I understand. Good-by.
(Aside.)
But I'll watch over him.
(He goes out.)

Schlemil.

What do you wait for?

Hoffmann.

To get from you a certain key I've sworn to have.

Schlemil.

You shall have this key, sir, only with my life.

Hoffmann.

Then I shall have both the one and the other.

Schlemil.

That remains to be seen. On guard!

Dapertutto.

You have no sword.
(Presenting his own.)
Take mine!

Hoffmann.

Thank you.

Chorus.

(in the wings).

Night divine, O night of love,
O smile on our caresses;
Moon and stars keep watch above
This radiant night of love.

(HOFFMANN and SCHLEMIL fight. SCHLEMIL falls mortally wounded. HOFFMANN bends and takes the key from around his neck. He rushes o GIULIETTA'S room GIULIETTA appears in a gondola.)

Giulietta.

Ecoutez, messieurs,
Voici les gondoles,
L'heure des barcarolles
Et celle des adieux!

(SCHLEMIL reconduit les invités. GIULIETTA sort, jetant un regard à HOFFMANN. DAPERTUTTO reste au fond de la scène. NICKLAUSSE revient à HOFFMANN.)

Nicklausse.

Viens-tu?

Hoffmann.

Pas encore.

Nicklausse.

Pourquoi? Bien, je comprends. Adieu!
(A part.)
Mais je veille sur toi.
(Il sort.)

Schlemil.

Qu'attendez-vous, monsieur?

Hoffmann.

Que vous me donniez certaine clef que j'ai juré d'avoir.

Schlemil.

Vous n'aurez cette clef, monsieur, qu'avec ma vie.

Hoffmann.

J'aurai donc l'une ou l'autre.

Schlemil.

C'est ce qu'il faut voir! En garde!

Dapertutto.

Vous n'avez pas d'épée.
(Lui présentant la sienne.)
Prenez la mienne!

Hoffmann.

Merci!

Choeur

(dans la coulisse).

Belle nuit, ô nuit d'amour!
Souris à nos ivresses,
Nuit plus douce que le jour,
O belle nuit d'amour!

(HOFFMANN et SCHLEMIL se battent. SCHLEMIL est blessé à mort et tombe. HOFFMANN se penche et lui prend la clef pendue à son cou et s'élance dans l'appartement de GIULIETTA, qui paraît dans une gondole.)

Hoffmann

(coming back).

No one!

Giulietta

(laughing).

Ha, ha, ha!

(HOFFMANN looks at GIULIETTA astounded.)

Dapertutto

(to GIULIETTA).

What will you do with him now?

Giulietta.

I'll resign him to you.

Pitichinaccio

(entering the gondola).

Dear angel!

(GIULIETTA takes him in her arms.)

Hoffmann

(comprehending the infamy of GIULIETTA).

Vile wretch!

Nicklausse.

Hoffmann! Hoffmann! the police!

(NICKLAUSSE drags HOFFMANN away. GIULIETTA and PITICHINACCIO laugh.)

ACT IV

(At CRESPEL's house in Munich. A room furnished in a bizarre fashion.)

Antonia

(alone. She is seated at the clavichord).

Thy dove has fled,
She has fled far from thee!

(She stops and rises.)

Ah! memory too sweet, vision too cruel!
Alas! at my feet I hear, I see him!
Thy dove has fled,
She has fled far from thee;
But she is ever faithful,
And she keeps her troth.
Beloved, my voice calls thee,
All my heart is thine.

(She approaches the clavichord again.)

Dear flower, scarcely open,
In pity answer me;

Hoffmann.

Personne!

Giulietta

(riant).

Ha, ha, ha!

(HOFFMANN regarde GIULIETTA avec stupeur.)

Dapertutto

(à GIULIETTA).

Qu'en fais-tu maintenant?

Giulietta.

Je te l'abandonne!

Pitichinaccio

(entre dans la gondole).

Cher ange!

(GIULIETTA le prend dans ses bras.)

Hoffmann

(comprenant l'infamie de GIULIETTA).

Misérable!

Nicklausse.

Hoffmann! Hoffmann! les sbires!

(NICKLAUSSE entraine HOFFMANN. GIULIETTA et DAPERTUTTO rient.)

ACTE QUATRIÈME

(A Munich chez Crespel. Une chambre bizarrement meublée.)

Antonia

(seule. Elle est assise devant le clavecin et chante).

Elle a fui, la tourterelle,
Elle a fui loin de toi!

(Elle s'arrête et se lève.)

Ah! souvenir trop doux! image trop cruelle!
Hélas! à mes genoux, je l'entends, je le vois.
Elle a fui, la tourterelle,
Elle a fui loin de toi!
Mais elle est toujours fidèle
Et te garde sa foi.
Bien-aimé, ma voix t'appelle,
Tout mon coeur est à toi.

(Elle se rapproche du clavecin.)

Chère fleur qui vient d'éclore,
Par pitié, réponds-moi.

Thou knowest if still he loves me,
If he keeps his troth!...
Beloved, my voice implores thee.
O may thy heart come to me!

(She sinks into a chair.)

Crespel

(entering suddenly).

Unhappy child, beloved daughter,
You promised me to sing no more.

Antonia.

In me my mother lived again;
My heart, while singing, fancied it heard her.

Crespel.

There lies my torment. Thy dear mother
Left to thee her voice. Vain regrets!
Through thee I hear her. No, no, I beg...

Antonia

(sadly).

Your Antonia will sing no more!

(She goes out slowly.)

Crespel

(alone).

Despair! Again I saw
Those spots of fire
Mark her face. God!
Must I lose her I adore?
Ah, that Hoffmann... 'tis he
Who put this madness into her heart. I fled
As far as Munich...

(Enter FRANTZ.)

Crespel.

You, Frantz, open to nobody.

Frantz

(false exit).

You think so...

Crespel.

Where are you going?

Frantz.

I'm going to see if anybody rang
As you just said.

Toi, qui sais s'il m'aime encore,
S'il me garde sa foi...
Bien-aimé, ma voix t'implore,
Que ton coeur vienne à moi!

(Elle se laisse tomber sur une chaise.)

Crespel

(entrant brusquement).

Malheureuse enfant, fille bien-aimée
Tu m'avais promis de ne plus chanter.

Antonia.

Ma mère s'était en moi ranimée;
Mon coeur en chantant croyait l'écouter.

Crespel.

C'est là mon tourment. Ta mère chérie
T'a légué sa voix, regrets superflus!
Par toi je l'entends. Non... non... je t en prie

Antonia

(tristement).

Votre Antonia ne chantera plus!

(Elle sort lentement.)

Crespel

(seul).

Désespoir! Tout à l'heure encore
Je voyais ces taches de feu
Colorer son visage. Dieu!
Perdrai-je l'enfant que j'adore?
Ah, c'est Hoffmann, c'est lui
Qui jeta dans son coeur ces ivresses...
J'ai fui
Jusqu'à Munich...

(Entre FRANTZ.)

Crespel.

Toi, Frantz, n'ouvre à personne.

Frantz

(fausse sortie).

Vous croyez...

Crespel.

Où vas-tu?

Frantz.

Je vais voir si l'on sonne
Comme vous avez dit...

Crespel.

I said, Open to nobody.

(Shouting.)

To nobody! Do you hear this time?

Frantz.

By Heaven, I'm not deaf!

Crespel.

Very well! May the devil seize you!

Frantz.

Yes, sir, the key is in the door.

Crespel.

Idiot! donkey!

Frantz

'Tis agreed.

Crespel.

Morbleu!

(He exits quickly.)

Frantz

(alone).

Well! What! always in a rage!
Strange, peevish, exacting!
'Tis a hard job
For his money to please him!...
Day and night I'm on all fours,
At the least sign I must be silent;
It is just as if I sang!
But no, if I sang,
His contempt he'd have to modify.
I sing alone sometimes,
But singing isn't easy!
Tra la la, tra la la!
Still it isn't voice that I lack, I think.
Tra la la, tra la la,
No, 'tis the method.
Well! one can't have all things.
I sing execrably;
But my dancing is delightful,
I may say so without flattery.
Ah! I shine in the dance,
'Tis my greatest attraction,

Crespel.

J'ai dit. n'ouvre à personne!

(Criant.)

A personne! entends-tu, cette fois?

Frantz.

Eh, mon Dieu, je ne suis pas sourd!

Crespel.

Bien! que le diable t'emporte!...

Frantz.

Oui, monsieur, la clef est sur la porte.

Crespel.

Bélître! Ane bâté!

Frantz.

C'est convenu.

Crespel.

Morbleu!

(Il sort. FRANTZ descend.)

Frantz

(seul).

Eh bien! Quoi, toujours en colère!
Bizarre, quinteux, exigeant!
Ah, l'on a du mal à lui plaire
Pour son argent...
Jour et nuit je me mets en quatre,
Au moindre signe je me tais,
C'est tout comme si je chantais!...
Encore non, si je chantais,
De ses mépris il lui faudrait rabattre.
Je chante seul quelque fois;
Mais chanter n'est pas commode!
Tra la la! tra la la!
Ce n'est pourtant pas la voix,
Qui me fait défaut, je crois...
Tra la la! Tra la la!
Non, c'est la méthode.
Dame! on n'a pas tout en partage.
Je chante pitoyablement;
Mais je danse agréablement,
Je me le dis sans compliment,
Corbleu! la danse est à mon avantage,
C'est là mon plus grand attrait,

But dancing isn't easy.
Tra la la, tra la la.

(He dances and stops.)

With women my well-turned leg
Would do me no harm,
Tra la la, tra la la.

(He falls.)

No, 'tis the method.

(HOFFMANN enters, followed by NICKLAUSSE.)

Hoffmann.

Frantz! They are here!

(Touches FRANTZ on shoulder.)

Up, my friend.

Frantz.

Hey, who's there?

(Rises, surprised.)

Monsieur Hoffmann!

Hoffmann.

Myself. Now, about Antonia?...

Frantz.

He's gone out, sir.

Hoffmann

(laughing).

Ha, ha, deafer yet than last year?

Frantz.

Sir, you honor me.
I am very well, thank Heaven.

Hoffmann.

Antonia! Go, I must see her.

Frantz.

Very well! what a joy
For monsieur Crespel!

(He goes out.)

Hoffmann

(sitting before the clavichord).

'Tis a song of love
That flies away,
Now sad, now gay,
Turn by turn...

Antonia

(entering suddenly).

Hoffmann!...

Et danser n'est pas commode.
Tra la la! Tra la la!

(Il danse. Il s'arrête.)

Près des femmes le jarret
N'est pas ce qui me nuirait,
Tra la la! Tra la la!

(Il tombe.)

Non! c'est la méthode.

(HOFFMANN entre, suivi de NICKLAUSSE.)

Hoffmann.

Frantz! C'est ici!...

(Touchant l'épaule de FRANTZ.)

Debout, l'ami.

Frantz.

Hein! qui va la?

(Il se relève.)

Monsieur Hoffmann!

Hoffmann.

Moi-même! Eh bien, Antonia?

Frantz.

Il est sorti, monsieur.

Hoffmann

(riant).

Ha, ha, plus sourd encore que l'an passé?

Frantz.

Monsieur m'honore. Je me porte bien, grâce
au ciel.

Hoffmann.

Antonia! Va, fais que je la voie!

Frantz.

Très bien...Quel joie
Pour monsieur Crespel!

(Il sort.)

Hoffmann

(s'asseyant devant le clavecin).

C'est une chanson d'amour
Qui s'envole,
Triste ou folle
Tour à tour!...

Antonia

(entrant précipitamment).

Hoffmann!

Hoffmann

(receiving her in his arms).

Antonia!

Nicklausse

(aside).

I am one too many; good evening.

(He exits.)

Antonia.

Ah, I knew well that you loved me yet!

Hoffmann.

My heart told me that you grieved for me!
But why were we separated?

Antonia.

I know not.

Hoffmann.

Ah! happiness dwells in my soul!
To-morrow you shall be my wife.
Happy pair,
The future is ours!
To love let us be faithful,
That her eternal chains
May keep our hearts
Conquerors even against time!

Antonia.

Ah! happiness dwells in my heart!
To-morrow I shall be your wife.
Happy pair,
The future is ours!
Each day will bring new songs;
Your genius spreads its wings!
My victorious song
Is the echo of your heart.

Hoffmann

(smiling).

Yet, my affianced bride,
Shall I tell the thought
Which, spite of myself, troubles me?
Music inspires a little jealousy in me,
For you love it too much!

Hoffmann

(recevant ANTONIA dans ses bras).

Antonia!

Nicklausse

(à part).

Je suis de trop; bonsoir.

(Il sort.)

Antonia.

Ah! Je savais bien que tu m'aimais encore!

Hoffmann.

Mon coeur m'avait bien dit que j'étais regretté
Mais pourquoi nous a-t-on séparés?

Antonia.

Je l'ignore.

Hoffmann.

Ah! j'ai le bonheur dans l'âme!
Demain tu seras ma femme.
Heureux époux,
L'avenir est à nous!
A l'amour soyons fidèles!
Que ses chaînes éternelles
Gardent nos coeurs,
Du temps même vainqueurs!

Antonia.

Ah! j'ai le bonheur dans l'âme!
Demain je serai ta femme.
Heureux époux,
L'avenir est à nous!
Chaque jour, chansons nouvelles!
Ton génie ouvre ses ailes!
Mon chant vainqueur
Est l'écho de ton coeur!

Hoffmann

(souriant).

Pourtant, ô ma fiancée,
Te dirai-je une pensée
Qui me trouble malgré moi?
La musique m'inspire un peu de jalousie,
Tu l'aimes trop!

Antonia

(smiling).

What a singular fancy!
Did I love you for it, or it for you?
For surely you will not forbid me
To sing, as did my father?

Hoffmann.

What say you?

Antonia.

Yes, at present my father imposes upon me
The virtue of silence.

(Rapidly.)

Would you like to hear me?

Hoffmann

(aside).

'Tis strange... can it be?...

Antonia

(drawing him to the clavichord).

But come, as in olden time;
Listen, and you'll see if I've lost my voice.

Hoffmann.

How your eye lights up, your hand trembles!

Antonia

(making him sit down).

Here, the soft song of love we sang together.

(She sings.)

'Tis a song of love
That flies away,
Now sad, now gay,
Turn by turn;
'Tis a song of love.
The opening rose
Smiles on the Spring.
Ah! how long may endure
Its little life?

Together.

'Tis a song of love
That flies away, etc., etc.

Antonia

(souriant).

Voyez l'étrange fantaisie!
T'aimé-je donc pour elle, ou l'aimé-je pour toi?
Car toi tu ne vas pas sans doute me défendre
De chanter, comme a fait mon père?

Hoffmann.

Que dis-tu?

Antonia.

Oui, mon père, à présent, m'impose la vertu
Du silence.

(Vivement.)

Veux-tu m'entendre?

Hoffmann

(à part).

C'est étrange!...Est-ce donc...

Antonia

(l'entrainant vers le clavecin).

Viens là, comme autrefois.
Ecoute, et tu verras si j'ai perdu ma voix.

Hoffmann.

Comme ton œil s'anime et comme ta main tremble!

Antonia

(le faisant s'asseoir devant le clavecin)

Tiens, ce doux chant d'amour que nous chantions ensemble.

(Elle chante.)

C'est une chanson d'amour
Qui s'envole,
Triste ou folle,
Tour à tour;
C'est une chanson d'amour.
La rose nouvelle,
Sourit au printemps.
Las! combien de temps
Vivra-t-elle?

Ensemble.

C'est une chanson d'amour,
Qui s'envole,
Triste ou folle,
Tour à tour;
C'est une chanson d'amour.

Hoffmann.

Like a ray of flame
Flashes thy beauty.
Wilt thou see the summer,
O flower of the soul?

Together.

'Tis a song of love, etc., etc.

(ANTONIA puts her hand to her heart and seems about to faint.)

Hoffmann.

What is the matter?

Antonia

(doing same again).

Nothing.

Hoffmann

(listening).

Chut!

Antonia.

Heavens, my father! Come, come!

(She goes out.)

Hoffmann.

No! I must know the solution of this mystery.

(He hides. CRESPEL appears.)

Crespel

(looking about him).

No, nothing. I thought Hoffmann was here.
May he go to the devil!

Hoffmann

(aside).

Many thanks!

Frantz

(entering).

Sir.

Crespel.

What?

Frantz.

Doctor Miracle.

Crespel.

Scoundrel! knave!
Quickly close the door.

Frantz.

Yes, sir, the doctor...

Hoffmann.

Un rayon de flamme
Pare ta beauté,
Verras tu l'été,
Fleur de l'âme?

Ensemble.

C'est une chanson d'amour, etc.

(ANTONIA porte la main à son coeur et semble prête à défaillir.)

Hoffmann.

Qu'as-tu donc?

Antonia.

Rien.

(Mettant la main à son coeur.)

Hoffmann

(écoutant).

Chut!

Antonia.

Ciel! mon père!
Viens! Viens!

(Elle sort.)

Hoffmann.

Non, je saurai le mot de ce mystère.

(Il se cache. CRESPEL paraît.)

Crespel

(regardant autour de lui).

Non, rien. J'ai cru qu'Hoffmann était ici.
Puisse-t-il être au diable!

Hoffmann

(à part).

Grand merci!

Frantz

(entrant, à CRESPEL).

Monsieur!

Crespel.

Quoi?

Frantz.

Le docteur Miracle.

Crespel.

Drôle! infâme! ferme vite la porte.

Frantz.

Oui, monsieur, médicin...

Crespel.

He a doctor? No, on my soul,
A gravedigger, an assassin!
Who would kill my daughter after my wife.
I hear the jingle of his golden vials.
Drive him away from me!

(MIRACLE suddenly appears. FRANTZ runs away.)

Miracle.

Ha, ha, ha, ha!

Crespel.

How now!

Miracle.

Well, here I am! Myself, you see.
This good monsieur Crespel, I like him,
But where is he?

Crespel

(stopping him).

Morbleu!

Miracle.

Ha, ha, ha, ha!
I sought for your Antonia.
Well, this trouble she inherited
From her mother? Still progressing?
Dear girl, we'll cure her.
Take me to her.

Crespel.

To assassinate her? If you make one step
I'll throw you out of the window.

Miracle.

There now, softly, I do not wish to displease you.

(He advances a chair.)

Crespel.

What are you doing, traitor?

Miracle.

To cope with the danger,
One must know it.
Let me question her.

Crespel and *Hoffmann.*

Terror penetrates me.

Crespel.

Lui, médecin? Non, sur mon âme,
Un fossoyeur, un assassin!
Qui me tuerait ma fille après ma femme,
J'entends le cliquetis de ses flacons dans l'air.
Loin de moi qu'on le chasse.

(MIRACLE paraît subitement. FRANTZ se sauve.)

Miracle.

Ha, ha, ha, ha!

Crespel.

Enfin!

Miracle.

Eh bien, me voilà, c'est moi-même.
Ce bon monsieur Crespel, je l'aime!
Où donc est-il?

Crespel

(l'arrêtant).

Morbleu!

Miracle.

Ha, ha, ha, ha!
Je cherchais votre Antonia!
Eh bien! ce mal qu'elle hérita
De sa mère? Toujours en progrès? chere belle,
Nous la guérirons. Menez-moi près d'elle.

Crespel.

Pour l'assassiner? Si tu fais un pas,
Je te jette par la fenêtre.

Miracle.

Eh! là! tout doux! Je ne veux pas
Vous déplaire.

(Il avance un fauteuil.)

Crespel.

Que fais-tu, traître?

Miracle.

Pour conjurer le danger,
Il faut le connaître.
Laissez-moi l'interroger

Crespel et *Hoffmann.*

L'effroi me pénètre.

Miracle

(his hand extended toward ANTONIA's room)

To my conquering power,
Give way with good grace.
Near me without terror
Come take your place,
Come.

Crespel and *Hoffmann.*

With fright and with horror
My being is chilled;
A strange terror
Chains me to this place,
Afraid.

Crespel

(seating himself).

Come, speak and be brief.

(MIRACLE continues his magnetic passes. The door of ANTONIA's room opens slowly. MIRACLE indicates that he takes ANTONIA's hand and leads her to a chair.)

Miracle.

Please sit there.

Crespel.

I am seated.

Miracle

(paying no attention).

How old are you, please?

Crespel.

Who, me?

Miracle.

I am speaking to your child.

Hoffmann

(aside).

Antonia?

Miracle.

What age?

(He listens)

Twenty!

Crespel.

What?

Miracle.

The springtime of life.

(He appears to feel the pulse.)

Let me see your hand!..

Miracle

(la main tendue vers la chambre d'ANTONIA)

A mon pouvoir vainqueur
Cède de bonne grâce!...
Près de moi sans terreur,
Viens ici prendre place,
Viens.

Crespel et *Hoffmann.*

D'épouvante et d'horreur
Tout mon être se glace,
Une étrange terreur
M'enchaîne à cette place.
J'ai peur.

Crespel

(s'asseyant).

Allons, parle et sois bref.

(MIRACLE continue ses passes magnétiques. La porte de la chambre d'ANTONIA s'ouvre lentement. MIRACLE indique qu'il prend la main d'ANTONIA invisible, et qu'il la fait asseoir.)

Miracle

(s'asseyant).

Voulez-vous asseoir là?

Crespel.

Je suis assis.

Miracle

(sans répondre).

Quel âge avez-vous, je vous prie?

Crespel.

Qui, moi?

Miracle.

Je parle à votre enfant.

Hoffmann

(à part).

Antonia?

Miracle.

Quel âge?...

(Il écoute.)

Vingt ans!

Crespel.

Hein?

Miracle.

Le printemps de la vie.

(Il fait le geste de tâter le pouls.)

Voyons la main!..

Crespel.

The hand?

Miracle

(pulling out his watch).

Chut! let me count.

Hoffmann

(aside).

God! am I the plaything of a dream? Is it a ghost?

Miracle.

The pulse is unequal and fast, a bad symptom. Sing!

Crespel

(rising).

No, no, be quiet!... Don't have her sing.

(The voice of ANTONIA is heard.)

Miracle.

See, her face brightens, her eyes are on fire;
She carries her hand to her beating heart.

(He seems to follow ANTONIA with his gestures. The door of her room closes quickly.)

Crespel.

What is he saying?

Miracle

(rising).

It would be a pity truly
To leave to death so lovely a prey!

Crespel.

Be quiet!

Miracle.

If you would accept my aid,
If you would save her days,
I have there certain vials I hold in reserve.

(He takes vials from pocket, which he makes sound like castanets.)

Crespel.

Ah, be quiet

Miracle.

Of which you should..

Crespel.

La main?

Miracle

(tirant sa montre).

Chut, laissez-moi compter.

Hoffmann

(à part)

Dieu! suis-je jouet d'un rêve? Est-ce un fantôme?

Miracle.

Le pouls est inégal et vif, mauvais symptôme Chantez!...

Crespel

(se levant).

Non, non, tais-toi!...ne la fais pas chanter

(La voix d'ANTONIA se fait entendre.)

Miracle.

Voyez, son front s'anime, et son regard flamboie;
Elle porte la main à son coeur agité.

(Il semble suivre ANTONIA du geste. La porte de la chambre se referme brusquement.)

Crespel.

Que dit-il?

Miracle

(se levant).

Il serait dommage en vérité,
De laisser à la mort une si belle proie!

Crespel.

Tais-toi!

Miracle.

Si vous voulez accepter mon secours,
Si vous voulez sauver ses jours,
J'ai là certains flacons que je tiens en réserve

(Il tire plusieurs flacons de sa poche et les fait sonner comme des castagnettes.)

Crespel.

Tais-toi!

Miracle.

Dont il faudrait...

Crespel.

Be quiet! Heaven preserve me
From listening to your advice, miserable assassin!

Miracle.

Of which you should, each morning...
Ah yes! I hear you!
At once, on the instant!
With these vials, poor father,
You will be, I hope, satisfied.

Crespel.

Be off, be off, be off!
Out of this house, Satan!
Beware of the anger
And the sorrow of a father.
Be off!

Hoffmann

(aside).

From the death that awaits thee
I shall know, poor child,
How to tear thee away, I hope!
You vainly mock a father,
Satan!

Miracle

(continuing with same coolness).

Of which you should...

Crespel.

Be off!

Miracle.

Each morning...

Crespel.

Be off!

(He pushes MIRACLE out and closes the door.)

Ah, he's outside and my door is closed
We are at last alone,
My beloved girl!

Miracle

(walking through the wall).

Of which you should each morning...

Crespel.

Tais-toi! Dieu me préserve
D'écouter tes conseils, misérable assassin!...

Miracle.

Dont il faudrait chaque matin...
Eh! oui, je vous entends,
Tout à l'heure, à l'instant!
Des flacons, pauvre père,
Vous en serez, j'espère,
Content!

Crespel.

Va-t-en, va-t-en, va-t-en!
Hors de chez moi, Satan!
Redoute la colère,
Et la douleur d'un père,
Va-t-en!

Hoffmann

(à part).

A la mort qui t'attend,
Je saurai, pauvre enfant,
T'arracher, je l'espère!
Tu ris en vain d'un père,
Satan!

Miracle

(avec le même flegme).

Dont il faudrait...

Crespel.

Va-t-en!

Miracle.

Chaque matin...

Crespel.

Va-t-en!

(Il pousse MIRACLE dehors, et referme la porte sur lui.)

Ah! le voilà dehors et ma porte est fermée;
Nous sommes seuls enfin,
Ma fille bien-aimée!

Miracle

(rentrant par la muraille).

Dont il faudrait chaque matin...

Crespel.

Ah, wretch,
Come, come, may the waves engulf thee!
We'll see if the devil
Will get thee out!
Be off, be off, be off!
etc., etc.

Hoffmann.

From the death that awaits thee,
etc., etc.

Miracle.

Of which you should...

Crespel.

Away!

Miracle.

Each morning...

Crespel.

Away!

(They disappear together.)

Hoffmann

(coming down).

To sing no more! Alas! How obtain from her
Such a sacrifice?

Antonia

(appearing).

Well? What said my father?

Hoffmann.

Ask me nothing;
Soon you shall know all.
Another road opens to us,
My Antonia!
To follow my steps dismiss from your mind
Those dreams of future success and glory
That your heart to mine confided.

Antonia.

But yourself!

Hoffmann.

Love calls to both of us,
All that is not you is as nought in my life.

Crespel.

Ah! misérable,
Viens, viens!... les flots puissent-ils t'engloutir!
Nous verrons si le diable
T'en fera sortir!...
Va-t-en, va-t-en, va-t-en!
Hors de, etc., etc.

Hoffmann.

A la mort qui t'attend,
Je saurai, etc., etc.

Miracle.

Dont il faudrait...

Crespel.

Va-t-en!...

Miracle.

Chaque matin...

Crespel.

Va-t'en!

(Ils disparaissent ensemble.)

Hoffmann

(seul).

Ne plus chanter! hélas! Comment obtenir
d'elle
Un pareil sacrifice?

Antonia

(paraît).

Eh bien, mon père, qu'a-t-il dit?

Hoffmann.

Ne me demande rien,
Plus tard tu sauras tout; une route nouvelle
S'ouvre à nous, mon Antonia!...
Pour y suivre mes pas, chasse de ta mémoire,
Ces rêves d'avenir, de succès et de gloire,
Que ton coeur au mien confia

Antonia.

Mais toi-même?

Hoffmann.

L'amour tous les deux nous convie,
Tout ce qui n'est pas toi n'est plus rien dans
ma vie.

Antonia.

Very well! Here is my hand!

Hoffmann.

Ah, dear Antonia, can I ever repay
What you do for me?

(He kisses her hands.)

Your father will perhaps return.
I leave you... until to-morrow.

Antonia.

Until to-morrow.

(HOFFMANN goes out.)

(opening one of the doors).

He has easily become the ally of my father!
But come, tears are vain;
I promised him. I shall sing no more.

(She falls in a chair.)

Miracle

(appearing suddenly behind her).

You will sing no more? Do you know what a sacrifice
He imposes on your youth, and have you measured it?
Grace, beauty, talent, sacred gift,
All these blessings that heaven has bestowed on you,
Must they be hid in the shadow of a household?
Have you not heard, in a proud dream,
Like unto a forest moved by the breeze,
The soft murmur of the besieging throng
Which speaks your name and follows you with its eyes?
That is the ardent joy and the eternal fête
Which in the flower of your years you are about to abandon
For the middle-class pleasures where they would enchain you,
And the squalling children who will rob you of your beauty!

Antonia

(without turning round).

Ah, what is this voice that troubles my soul?
Is it Hell that speaks or Heaven that warns me?
No! happiness is not there, O voice accursed,

Antonia.

Tiens donc! voici ma main!

Hoffmann.

Ah, chère Antonia! Pourrai-je reconnaître
Ce que tu fais pour moi?

(Il lui baise les mains.)

Ton père va peut-être
Revenir, je te quitte... à demain!

Antonia.

A demain!

(HOFFMANN sort.)

(allant ouvrir une porte).

De mon père aisément il s'est fait le complice!
Allons, les pleurs sont superflus,
Je l'ai promis, je ne chanterai plus.

(Elle se laisse tomber sur un fauteuil.)

Miracle

(surgissant derrière elle).

Tu ne chanteras plus? Sais-tu quel sacrifice
S'impose ta jeunesse et l'as-tu mesuré?
La grâce, la beauté, le talent, don sacré,
Tous ces biens que le ciel t'a livrés en partage,
Faut il les enfouir dans l'ombre d'un ménage?
N'as-tu pas entendu, dans un rêve orgueilleux,
Ainsi qu'une forêt par le vent balancée,
Ce doux frémissement de la foule pressée
Qui murmure ton nom et te suit des yeux?
Voilà l'ardente joie et la fête éternelle
Que tes vingt ans en fleur sont près d'abandonner
Pour les plaisirs bourgeois où l'on veut t'enchaîner,
Et des marmots d'enfants qui te rendront moins belle!

Antonia

(sans se retourner).

Ah, quelle est cette voix qui me trouble l'esprit?
Est-ce l'enfer qui parle ou Dieu qui m'avertit?
Non, non, ce n'est pas là le bonheur, voix maudite,

And against my pride my love has armed me;
Glory is not worth the happy quiet whither invites me
The home of my beloved.

Miracle.

What loves can now be yours?
Hoffmann sacrifices you to his brutality;
He only loves in you your beauty,
And for him, as for the others,
Soon will come the time of infidelity.

(He disappears.)

Antonia

(rising).

No, tempt me not! Away, thou demon!
I will no longer listen.
I have sworn to be his, my beloved awaits me,
I'm no longer my own, and may not take back my word;
And a few moments since, on his loving heart
What eternal love did he not pledge me?
Who will save me from the demon, from myself?
My mother, my mother, I love him!

(She falls weeping on the clavichord.)

Miracle

(reappears behind ANTONIA).

Your mother? Dare you invoke her?
Your mother? But is it not she
Who speaks by my voice, ingrate, and recalls to you
The splendor of the name that you would abdicate?

(The portrait lights up and becomes animated. It is the spirit of her mother.)

Listen!

The Voice.

Antonia!

Antonia.

Heavens!... my mother, my mother!

The Spirit.

Dear child, whom I call,
As I used to do,
'Tis your mother, 'tis she,
Listen to her voice.

Et contre mon orgueil, mon amour s'est armé.
La gloire ne vaut pas l'ombre heureuse où m'invite
La maison de mon bien-aimé.

Miracle.

Quels amours sont donc les vôtres?
Hoffmann te sacrifie à sa brutalité;
Il n'aime en toi que ta beauté,
Et pour lui, comme pour les autres,
Viendra bientôt le temps de l'infidélité.

(Il disparaît.)

Antonia

(se levant).

Non, ne me tente plus! Va-t-en,
Démon! Je ne veux plus t'entendre.
J'ai juré d'être à lui, mon bien-aimé m'attend,
Je ne m'appartiens plus et ne puis me reprendre
Et tout à l'heure encor, sur son coeur adoré,
Quel éternal amour ne m'a-t-il pas juré...
Ah, qui me sauvera du démon, de moi-même?..
Ma mère! ma mère, je l'aime!...

Miracle

(reparaît).

Ta mère! oses-tu l'invoquer?...
Ta mère? Mais n'est-ce pas elle
Qui parle par ma voix, ingrate, et te rappelle
La splendeur de son nom que tu veux abdiquer?

(Le portrait s'éclaire et semble s'animer. C'est le fantôme de la mère.)

Ecoute!

La Voix.

Antonia!

Antonia.

Dieu! ma mère, ma mère!

Le Fantôme.

Cher enfant, que j'appelle
Comme autrefois,
C'est ta mère, c'est elle;
Entends sa voix!

<table>
<tr><td>

Antonia.

Mother!

Miracle.

Yes, yes, 'tis her voice, do you hear?
The voice of your best counselor,
Who leaves you a talent the world has lost!

The Spirit.

Antonia!

Miracle.

Listen! She seems to live again,
And the distant public by its bravos fills her with joy!

Antonia.

Mother!

The Spirit.

Antonia!

Miracle.

Join with her!...
(He seizes a violin and plays furiously.)

Antonia.

Yes, her soul calls to me
As in days gone by!
'Tis my mother, 'tis she!
I hear her voice.

The Spirit.

Dear child whom I call
As in days of yore,
'Tis your mother, 'tis she!
List to her voice.

Antonia.

No, enough...I cannot!

Miracle.

Again!

Antonia.

I will sing no more.

Miracle.

Again!

</td><td>

Antonia.

Ma mère!

Miracle.

Oui, c'est sa voix, l'entends-tu?
Sa voix, meilleure conseillère,
Qui te lègue un talent que le monde a perdu

Le Fantôme.

Antonia!

Miracle.

Ecoute! elle semble revivre,
Et le public lointain de ses bravos l'enivre!

Antonia
(se levant).
Ma mère!

Le Fantôme.

Antonia!

Miracle.

Reprends donc avec elle!...
(Il saisit un violon et accompagne avec fureur.)

Antonia.

Qui, son âme m'appelle
Comme autrefois!
C'est ma mère, c'est elle.
J'entends sa voix!

Le Fantôme.

Cher enfant, que j'appelle
Comme autrefois!
C'est ta mère, c'est elle!
Entends sa voix!

Antonia.

Non! assez... je succombe!

Miracle.

Encore!

Antonia.

Je ne veux plus chanter.

Miracle.

Encore!

</td></tr>
</table>

Antonia.

What strength compels and devours me?

Miracle.

Again! Why stop?

Antonia

(breathless).

I give way to a transport that maddens.
What flame is it dazzles my eyes?...
But a single moment yet to live,
And my soul flies to Heaven.

The Spirit.

Dear child whom I call,
etc., etc.

Antonia.

'Tis my mother, 'tis she,
etc., etc.

Antonia.

Ah!

(She falls dying on the sofa. MIRACLE sinks in the earth uttering a peal of laughter.)

Crespel

(running in).

My child... my daughter... Antonia!

Antonia

(expiring).

My father! Listen, 'tis my mother
Who calls me. And he... has returned...
'Tis a song of love
That flies away,
Now sad, now gay.

(She dies.)

Crespel.

No!... a single word!... only one!... my child, speak!
Come, speak!... Inexorable death!
No! pity! Have mercy! Spare her!

Hoffmann

(entering hurriedly).

Why these cries?

Crespel.

Hoffmann! ah, wretch!
'Tis you who killed her!...

Antonia

Qu'elle ardeur m'entraîne et me dévore?

Miracle.

Encore! Pourquoi t'arrêter?

Antonia

(haletante).

Je cède au transport qui m'enivre!
Quelle flamme èblouit mes yeux!...
Un seul moment encore à vivre,
Et mon âme s'envole aux cieux!

Le Fantôme.

Cher enfant que j'appelle,
etc.

Antonia.

C'est ma mère, c'est elle,
etc.

Antonia.

Ah!

(Elle vient tomber mourante sur le canapé. Miracle s'englout dans la terre, en poussant un éclat de rire. Le FANTÔME disparaît.)

Crespel

(accourant).

Mon enfant!... ma fille!... Antonia!

Antonia

(expirante).

Mon père!
Ecoutez, c'est ma mère,
Qui m'appelle! Et lui... de retour...
C'est une chanson d'amour...
Qui s'envole
Triste ou folle...

(Elle meurt.)

Crespel.

Non! un seul mot! un seul! ma fille, parle-moi
Mais parle donc! Mort exécrable!
Non! pitié! grâce! Eloigne-toi!...

Hoffmann

(entrant précipitamment)

Pourquoi ces cris?

Crespel.

Hoffmann! ah, misérable!
C'est toi qui l'as tuée!...

Hoffmann

(rushing to ANTONIA).

Antonia!

Crespel

(beside himself).

Blood to color her cheek! A weapon,
A knife...

(He seizes a knife and attacks HOFFMANN.)

Nicklausse

(entering and stopping CRESPEL).

Unhappy man!

Hoffmann

(to NICKLAUSSE.)

Quick! give the alarm;
A doctor... a doctor!...

Miracle

(appearing).

Here!

(He feels ANTONIA's pulse.)

Dead!

Crespel

(crazy).

Ah, God! my child, my daughter!

Hoffmann

(despairingly).

Antonia!

EPILOGUE

(Same scene as First Act. The various personages are in the same positions they were in at the end of First Act.)

Hoffmann.

There is the history
Of my loves,
And the memory
Will never fade from my heart.

Chorus.

Bravo, bravo, Hoffmann.

Hoffmann

(courant à ANTONIA)

Antonia!...

Crespel

(avec égarement).

Du sang
Pour colorer sa joue!...
Une arme, un couteau!

(Il saisit un couteau et s'élance sur HOFFMANN.)

Nicklausse

(entrant et arrêtant CRESPEL).

Malheureux!

Hoffmann

(à NICKLAUSSE).

Vite! donne l'alarme, un médecin, un médecin!

Miracle

(paraissant).

Présent!

(Il tâte le pouls d'ANTONIA).

Morte!

Crespel

(éperdu).

Ah! Dieu, mon enfant! ma fille!

Hoffmann

(avec désespoir).

Antonia!

EPILOGUE

(Même décoration qu'au premier acte.)
(On retrouve tous les personnages dans la situation où on les a laissés à la fin du premier acte.)

Hoffmann.

Voilà quelle fut l'histoire
De mes amours,
Dont la mémoire
En mon coeur restera toujours.

Le Choeur.

Bravo, bravo, Hoffmann!

Hoffmann.

Ah, I am mad!... For us the crazy joy
Which dwells in alcohol, in beer and wine,
For us intoxication and frenzy,
And oblivion which drowns all.

Nicklausse.

Ah, I understand, three dramas in a drama.
Olympia?

Hoffmann.

Smashed!

Nicklausse.

Antonia?

Hoffmann.

Dead!

Nicklausse.

Giulietta?

Hoffmann.

Oh, for her, the last verse of the song of Klein-Zach.
When he drank too much gin or rack,
You ought to have seen the two flaps of his frock,
Like lilies in a lake.
The monster made a sound of flick, flack,
Flic, flac,
There's Klein-Zach.

Chorus.

Flic, flac,
There's Klein-Zach.

Chorus.

Light up the punch!... drunk we'll get;
And may the weakest
Roll under the table;
Luther is a brave man,
Tire lan laire, tire lan la,
etc., etc.

(The students tumultuously go in the next room. HOFFMANN remains as if in a stupor.)

Hoffmann.

Ah, je suis fou!... A nous le vertige divin
Des esprits de l'alcool, de la bière et du vin!
A nous l'ivresse et la folie,
Le néant par qui l'on oublie.

Nicklausse.

Ah! je comprends! trois drames dans un drame.
Olympia?

Hoffmann.

Fracassée!

Nicklausse.

Antonia?

Hoffmann.

Morte!

Nicklausse.

Giulietta?

Hoffmann.

Ah, pour elle le dernier couplet de la chanson de Klein-Zach!
Quand il avait but de genièvre et de rack
Il fallait voir flotter les pans de son frac
Comme des herbes dans un lac;
Le monstre faisait flic, flac,
Flic, flac,
Voilà Klein-Zach.

Le Choeur.

Flic flac,
Voilà Klein-Zach.

Le Choeur.

Allumons le punch!... grisons-nous!
Et que les plus fous
Roulent sous la table.
Luther est un brave homme,
Tire lan laire, tire lan la!
etc., etc.

(Les étudiants entrent en tumulte dans la salle voisine. HOFFMANN reste comme frappé de stupeur.)

The Muse

(appearing in an aureole of light).

And I? I, the faithful friend,
Whose hand has dried thy tears?
By whom thy latent sorrow
Is wafted in heavenly dreams?
Am I naught? May the tempest
Of passion pass away in thee!
The man is no more; the poet revives!
I love thee, Hoffmann! be mine!
Let the ashes of thy heart kindle thy genius,
In serenity smiling on thy sorrows.
The Muse will sweeten to thee thy sufferings;
Love makes thee great, but tears make greater still.

(She disappears.)

Hoffmann

(alone).

Oh, God! with what ecstasy my soul is filled!
Like a concert divine the voice hath moved me.
With soft and burning fire my being is devoured.
Thy glances in mine have kindled their flame,
Like radiant stars,
And I feel, beloved Muse,
Thy perfumed breath pass
Over my lips and my eyes!

(He falls, face on table.)

Stella

(approaching slowly).

Hoffmann asleep!...

Nicklausse.

No, dead drunk. Too late, madame!

Lindorf.

Corbleu!

Nicklausse.

Stay, here is the counselor, Lindorf, who awaits you.

(STELLA takes LINDORF's arm, but stops to look at HOFFMANN, and throws a flower from her bouquet at his feet.)

THE END.

La Muse

(paraissant).

Et moi? Moi, la fidèle amie
Dont la main essuya tes yeux?
Par qui la douleur endormie
S'exhale en rêve dans les cieux?
Ne suis-je rien? Que la tempête
Des passions s'apaise en toi!
L'homme n'est plus; renais poète!
Je t'aime, Hoffmann! appartiens-moi!
Des cendres de ton coeur réchauffe ton génie,
Dans la sérénite souris à tes douleurs,
La Muse adoucira ta souffrance bénie,
On est grand par l'amour et plus grand par les pleurs!

(Elle disparaît.)

Hoffmann

(seul).

Ô Dieu! de quelle ivresse embrases-tu mon âme,
Comme un concert divin ta voix m'a pénétré,
D'un feu doux et brûlant mon être est dévoré.
Tes regards dans les miens ont épanché leur flamme,
Comme des astres radieux,
Et je sens, Muse aimée,
Passer ton haleine embaumée
Sur mes lèvres et sur mes yeux!

(Il tombe, le visage sur une table.)

Stella

(allant vers HOFFMANN).

Hoffmann endormi!...

Nicklausse.

Non!... ivre-mort!... Trop tard, madame!

Lindorf.

Corbleu!

Nicklausse.

Tenez, voilà le conseiller Lindorf qui vous attend.

(STELLA s'appuie sur le bras de LINDORF, s'arrête pour regarder HOFFMANN, détache une fleur de son bouquet et la jette à ses pieds.)

FIN.

ACT III, NO. 13, BARCAROLLE. BELLE NUIT (NIGHT DIVINE)

GIULIETTA
Mo - ments fly, and ne'er re - turn, Our joys, a - las! are fleet - ing;
Le temps fuit et sans re - tour Em - por - te nos ten - dres - ses;
Ped. * Ped. * Ped. * Ped. *
On - ly mem - 'ry's torch will burn For hours that ne'er re - turn. . . Ye
Loin de cet heu - reux sé - jour Le temps fuit sans re - tour. . . Zé-
Ped. * Ped. * Ped. * Ped. *
ze - phyrs pas - sion - stirr'd, ... Waft to us lov - ing greet - ing, Ye
phirs em - bra - sés, ... Ver - sez nous vos ca - res - ses, Zé-
Ye zeph - yrs pas - sion - stirr'd, Waft to us,
Zé - phirs . . em - bra - sés, Ver - sez - nous,
Ped. * Ped. * Ped. *

zeph - yrs pas - sion - stirr'd, ... Heed our ten - der - est word,
phirs . em - bra - sés, ... Don-nez-nous vos bai-sers,
O waft us lov - ing greet - ing, ten - der words! Heed our
Ver - sez - nous vos ca - res - ses, vos - bai-sers! Ver-sez
Ped.
Ped.
ten - der words, ten - der words! Ah! . .
vos . . . . bai - sers! vos . . . . . bai - sers! Ah! . .
words, ... Heed our ten - der - est words!
nous, ... Ver - sez - nous vos bai - sers!
Ped.
Ped.
Ped.
Night di-vine, O night of love, O smile on our ca-ress - es,
Bel - le nuit! ô nuit d'amour, Sou - ris à nos i - vres - ses,
Ah!
Ah!
pp
Ped.
Ped.
Ped.
Ped.

sf
Moon and stars keep watch a-bove This ra-diant night of love!
Nuit plus dou-ce que le jour, Ô bel-le nuit d'a-mour!
sf
sf
cres.
f
Ah! smile on our ca-ress - - -
Ah! Sour-is à nos i-vres - - -
f
O di-vine night of love! . .
O bel-le nuit d'a-mour!. .
Smile on our ca-
Sour-is à nos i-
p
cres.
f
Ped. * Ped. * Ped. *
dim.
pp
. . . es, Night of love, . . . O night . . . of love! Ah!
. . . ses! Nuit d'a-mour, . . Ô nuit . . . d'a-mour! Ah!
ress-es, O night di-vine of . . love!
vres-ses! O bel-le nuit . . d'a-mour!
dim.
pp
Ped. * Ped. * Ped. * Ped. *

ah! . . . .
ah! .
ah! . . . .
pp
ah! . . . . . .
ah! .
ah! . . . .
Ped.
Ped.
Ped.
ppp
ah! . . .
ah! . . .
ah! . . . .
ah! . . .
ppp
ah! . . . .
ah! . . . . .
ah! .
ah! . . . .
ppp dim.
ppp

ACT II, No. 7. ROMANCE. AH! VIVRE DEUX (TO LIVE AS ONE).

Yes, share each pleas-ure, And to share e - ter - ni - ty! O may my pas - sion
oui, la souf-fran - ce, par - ta - ger. . l'a - ve - nir! Lais - se, lais - se ma
flam - ing A - wake an an-sw'ring ray; Ah! . . . Till all thy soul is gleam - ing In
flam - me Ver - ser en toi le jour. Ah! . . . Lais - se é - clo - re ton â - me Aux
pp
Ped.
love's e - ter - nal day! Till all thy soul is gleam - ing In
ray - ons de l'a - mour! Lais - se é - clo - re ton â - me Aux
love's e - ter - nal day!
ray - ons de l'a - mour.
a tempo.
suivez.

SAMSON AND DELILAH

by

CAMILLE SAINT-SAËNS

STORY OF THE ACTION

"SAMSON ET DALILA," a biblical opera in three acts, with text by Ferdinand Lemaire, was first performed in its entirety at Weimar, December 2, 1877. The score had been completed in 1872, and parts of the work were given in Paris in 1875; but it was not until 1877 that the whole opera was performed under the direction of Eduard Lassen. The work was successful in other cities outside of France during the next few years; and twenty years after its completion it was finally produced in a grand manner at the Paris Opéra. The French librettists diverged quite widely from the biblical narrative, laying more stress upon the love interest and its disastrous consequences. This gave opportunity for a more dramatic treatment, and in the hands of a master the opportunity has been improved by the use of striking leading motives and an orchestral background of vivid coloring and brilliant descriptive power.

THE FIRST ACT reveals a public square in the city of Gaza, wherein a crowd of Hebrews in captivity give voice to their despair. Samson, who is among them, gives them assurance of his help and their ultimate deliverance; but Abimelech, satrap of Gaza, derides their supplications. Samson denounces him as a blasphemer; and when Abimelech draws his sword the hero wrests it from him and slays him as he calls for help. The Philistines respond to the cry, but are dismayed before Samson's bravery. In the third scene, which is laid before the Temple of Dagon, the High Priest, standing by Abimelech's body, urges the Philistines to avenge his death. Hereupon a messenger arrives with news that the Israelites, led by Samson, and filled with new courage, are on the march; and the High Priest launches his curse against them and their victorious leader. The Hebrews return, followed by Samson, singing choruses of rejoicing. In the next scene Delilah enters, followed by the Philistine women. The temptation of Samson commences in the fascinating dances of the Priestesses of Dagon, wherein Delilah takes part; and she seeks in a beautiful song of spring to ensnare him by the spell of her beauty.

THE SECOND ACT reveals Delilah, richly clad, at the door of her dwelling. She utters a passionate invocation to love to aid her in accomplishing Samson's downfall; and in a highly dramatic duet which follows, the High Priest tells her of the disaster which has befallen her people and urges her to strongest efforts. The next scene is of great beauty and is worked out in a strikingly dramatic manner. Samson enters, disturbed and troubled; and Delilah, by every means in her power, tries to make him a captive to her charms. In the midst of an approaching storm Samson ultimately declares his love. When the storm breaks furiously, she entices him into her house, which is at once stealthily surrounded by the Philistine soldiery.

IN THE THIRD ACT Samson is shown blinded and in slavery, grinding at a mill, while the Hebrews sing a mournful chorus. Samson bewails the loss of his sight. The Philistines enter and remove him, and the scene is changed to the interior of Dagon's Temple. Here a festival in honor of the god is in progress, which gives opportunity for a fascinating ballet, the music of which is rich in Eastern color. Samson is taunted by the High Priest, who tells him that if his God will restore his sight they will forsake the worship of Dagon. Delilah also mocks his helpless condition, and reveals the deep hatred which she had concealed under a simulated passion. Finally Samson is ordered to offer oblation to Dagon. He is led by a boy to a position between the two pillars which support the massive roof. With a final prayer to the Lord to give him a momentary return of his old power, he exerts all his strength and breaks the pillars, whereat the temple falls amid the cries of the Philistines, who are buried beneath its ruins.

SAMSON AND DELILAH.

ACT I.

A public square in the city of Gaza, in Palestine. At the left the portico of the Temple of Dagon. When the curtain rises, a crowd of Hebrews, men and women, are assembled in attitudes of grief and prayer. SAMSON is among them.

SCENE I.

Chorus.

(Behind the scenes.)

God! Thou gracious God of Israel,
O, listen, we implore thee!
Thy children cry, thy children cry,
"Save us from our dark fate,
Save us from foes that hate!"
O, pity grant to us who kneel before thee!
May our deep grief disarm thy wrath on high!
When thou didst turn thy face from us, thy people,
From that sad day our victory was lost!
Wouldst thou behold us, thy people, now vanquished,
The only nation that thy might hath known?
Shall we in vain thus forever beseech thee?
(Deaf to our voice He heeds not our alarm!)
Doth our united prayer, then, fail to reach thee,
Our hearts' sore cry for the aid of thine arm?

We have beheld our cities' fell destruction,
And Gentile foes thy blest altars profane.
Beneath their yoke our tribes are scatter'd widely;
O Israel, doth thy name not remain!

Art thou no more the God of our salvation,
Who saved from Egypt our tribes long ago?

ACTE I.

Une place publique dans la ville de Gaza en Palestine. A gauche le portique du Temple de Dagon. Au lever du rideau une foule d'Hebreux, hommes et femmes, sont rèunis sur la place dans l'attitude de la douleur et de la priére. SAMSON est parmi eux.

SCENE I.

Chœur.

(Derriere la toile.)

Dieu! Dieu d'Israël!
Dieu d'Israel!
Ecoute la prière de tes enfants,
De tes enfants t'implorant à genoux,
T'implorant à genoux!
Prends en pitié ton peuple
Et sa misère!
Que sa douleur désarme ton courroux!
Un jour, de nous tu détournas ta face,
Et de ce jour ton peuple fut vaincu!
Quoi! veux tu donc qu'à jamais on efface
Des nations, celle qui t'a connu!
Mais vainement tout le jour
Je l'imment tou le jour l'implore;
Sourd à ma voix, il ne me répond pas!
Et cependant, du soir jusqu'à l'aurore,
J'implore ici le secours de son bras!

Nous avons vu nos cités renversées,
Et les Gentils profanant ton autel;
Et sous leur joug nos tribus dispersées
Ont tout perdu, jusqu'au nom d'Israel!

Ne's tu donc plus ce Dieu delivrance
Qui de l'Egypte arrachait nos tribus?

Lord! Dost thou forget thy word, pledged to our nation
In those sad days when Israel mourned in woe?

Samson.
(Coming out from the throng. R.)
Let us pause, O my brothers,
And bless the holy name of the God of our fathers!
For now the hour is here when pardon shall be spoken.
Yes, a voice in my heart of this hope is the token.
'Tis the voice of the Lord, who by my mouth thus speaketh.
On us his goodness showers.
Our prayers to him have risen,
And liberty is ours.
Brothers! we'll break from bondage!
Our altars raise once more
To our God, as before!

Chorus. Alas! thou speakest vainly,
How can freedom be sought?
Our arms the foe hath taken,
Our feeble host is nought.
Of all power they've bereft us,
Tears alone now are left us.

Samson. In the Lord still abide.
Hast thou so soon forgotten
That to us he's allied,
Whatsoe'er may betide?
His blessed help divine
Has to us oft been plighted.
In wonder of his might
Our faith has been re-lighted.
When we came thro' the sea,
Then a passage he made,
So that safely might flee
All our fathers from bondage.

Chorus Those wondrous days are past.
Now our God has ceased heeding
Tears or cries from our hearts,
Or his children's sore pleading.

Samson. Wretched ones, silence keep!
Nor doubt that God doth love you!
Contrite fall on your knees,
For the Lord reigns above you.
Your glory leave to him.
His might will aye uphold you.
To him yield up the reins;
His mercy will enfold you.

Dieu! Astu rompu cette sainte alliance
Divins serments par nos aïeux recus?

Samson.
(Sortant, de la foule, à droite.)
Arrêtez, ô mes frères!
Et benissez le nom du Dieu saint de nos pères!
Car l'heure du pardon est peu être arrivée!
Oui, j'entends dans mon cœur une élevée!
C'est la voix du Seigneur, qui parle ma bouche
Ce Dieu plein de bonté, que la prière touche,
Promet la liberte!
Frères! brisons nos chaines
Et relevons l'autel du seul Dieu d'Israel!

Chœur. Hélas! paroles vaines! Pour marcher aux combats
Où donc trouver des armes?
Comment armer nos bras?
Nous n'avons que nos larmes!

Samson. L'astu donc oublié,
Celui dont la puisance
Se fit ton allié?
Lui qui, plein de clèmence,
A si souvent pour toi
Fait parler ses oracles,
Et rallumé ta foi
Au feu de ses miracles?
Lui, qui dans l'Océan
Sut frayer un passage
A nos pères fuyant
Un honteux esclavage?

Chœur. Ils ne sont plus, ces temps
Où le Dieu de nos pères
Protégeait ses enfants,
Entendait leurs prières!

Samson. Malheureux, taisez vous!
Le doute est un blasphème!
Implorons à genoux
Le Seigneur qui nos aime!
Remettons dans ses mains
Le soin de notre gloire,
Et puis ceignons nos reins,
Certains de la victoire!

He's the God of our host
Through all clouds that may lower,
He will enforce your arm
And endow you with power.

Chorus. Ah! his words are from the Lord!
With might divine they bless us.
Ah! we'll chase from our hearts
All fear that doth possess us!
We'll march at his side,
For he is our salvation,
And our God is his guide;
He will save our whole nation!

C'est le Dieu des combats!
C'est le Dieu des armées!
Il armera vos bras d'invincibles épées!

Chœur. Ah! le souffle du Seigneur a passé dans son âme!
Ah! chassons de notre cœur
Une terreur infame!
Et marchons avec lui
Pour notre délivrance!
Jéhovah le conduit
Et nous trend l'esperance!

SCENE II.

(The same. ABIMELECH, satrap of Gaza, enters at the left, followed by many warriors and Philistine soldiers.)

Abimelech. Ah! who that's here dares raise his voice?
In this vile troop who doth defy us?
Who dares against our rigid laws
Strive for freedom, and vainly try us?
Conceal all your groans and your tears.
We are your conquerors forever,
And compassion we'll show you never.
We shall not heed your grief or fears.

That God whom you are now imploring
Is deaf to your pains and your cries.
For 'neath our scorn he lets you languish,
Paying no heed to all your sighs.
Ah! vain is all his boasted power!
That he's divine, then let him show.
If he will but free you from bondage
Then his might and glory we'll know.

Can your God compare with Dagon,
Who's greater than all your powers,
Who guides so bravely in battle
Till all glorious victory is ours?
Your Jehovah, so weak and fearful,
Flies when he our leader doth see,
Trembling like the dove so timid,
When from the vulture it doth flee.

Samson.
(Inspired.)
'Tis thou, O my God, he defameth!
Let the earth tremble 'neath his feet!
Make his fall and destruction complete!
I see in hands of angels
Sharp swords gleaming with fire.
All the brave ranks of heaven

SCENE II.

(Les memes. ABIMÉLECH, satrape de Gaza. Il entre par la gauche, suivé de plausieurs guerriors et soldats Philistins.)

Abiméléch. Qui donc élève ici la voix?
Encor ce vil troupeau d'esclaves,
Osant toujours braver nos lois
Et voulant briser leures entraves!
Cachez vos soupirs vos pleurs
Qui lassent notre patience;
Invoquez plutôt la clémence
De ceux qui furent vos vainqueurs!

Ce Dieu que votre voix implore
Est demuré sound à vos cris,
Et vous l'osez prier encore,
Quand il vous livre à nos mépris?
Si sa puissance n'est pas vaine,
Qu'il montre sa divinité!
Qu'il vienne briser votre chaîne;
Qu'il vous rende la liberté!

Croyez vous ce Dieu comparable à Dagon.
Le plus grand des Dieux,
Guidant de son bras redoutable
Nos guerriers victorieux?
Votre divinité craintive,
Tremblante fuyait devant lui,
Comme la colombe plaintive
Fuit le vautour qui la poursuit!

Samson.
(Inspiré.)
C'est toi que sa bouche invective,
Et la terre n'a point tremble?
O Seigneur, l'abime est comblé!
Je vois aux mains des anges
Briller l'arme de feu,
Et du ciel les phalanges

Sound forth their righteous ire.
And e'en the souls of darkness,
As the foe they pass by,
Howl forth such cries of anger
As rise to vaulted sky.
At last now is the hour
When God's just wrath is nigh,
And I hear in the clouds
Thunder-claps from on high.
Yes, resoundeth his vengeance;
Pallid with fear they fly!
The earth trembles in anger,
Bright flashes light the sky!

Chorus. Yes, resoundeth his vengeance
Pallid with fear they fly!
The earth trembles in anger,
Bright flashes light the sky.

Abimelech. But hold! in your course rushing madly,
For I would avenge me, most gladly.

Accourent venger Dieu!
Oui, l'ange des ténèbres,
En passant devant eux,
Pousse des cris funèbres
Que font frémir les cieux!
Enfin l'heure est venue,
L'heure du Dieu vengeur,
Et j'eutends dans la nue
Eclater sa fureur.
Oui, devant sa colère
Tout s'épouvante et fuit!
On sent trembler la terre,
Aux cieux la foudre luit!

Chœur. Oui, devant sa colère
Tout s'épouvante et fuit!
On sent trembler la terre,
Aux cieux la foudre luit!

Abimélech. Arrête! Insensé téméraire,
Ou crains d'exciter ma colère!

(ABIMELECH, sword in hand, attacks SAMSON. SAMSON wrests his sword from him and stabs him. ABIMELECH, falling, cries for help. The Philistines rush to help him. SAMSON brandishes his sword and keeps them off. They fill the stage at the right. Great confusion reigns among them. SAMSON and Hebrews pass off.)

(ABIMÉLECH se précipite sur SAMSON l'épée á la main pour le frapper; SAMSON loi arrache l'épée des mains et le frappe. ABIMÉLECH (en tombant), "A moi!" Les Philistins qui accompagnant le Satrape veulent le secourir; SAMSON brandissant son épée, les èloigne. Ils occupent la droit de la scene, la plus grande confusion règne parmi eux. SAMSON et les Hebreux sortent à droite.)

(The gates of Dagon's Temple open. The HIGH PRIEST, followed by a throng of attendants and guards, descends the steps of the portico; he pauses before ABIMELECH'S body. The Philistines draw back from him.)

(Les Portes du temple de Dagon s'ouvrent, le GRAND PRÊTRE suivi de nombreaux serviteurs et gardes descend les degrés du portique; il s'arrête devant le cadavre d' ABIMÉLECH'S; les Philistins s'ecartent devant lui.)

SCENE III.

High Priest. What see I? Abimelech!
Struck down and low before me!
Let not the slaves escape!
But, fly, I implore you,
To avenge your prince!
Now in haste cut them down,
These rebels in revolt,
Who brave your very crown!

1st Philistine. Then with horror seemed frozen
All the blood in my veins;
My limbs seemed as heavy
As they were bound in chains.

2d Philistine. My weapon sought I vainly,
My arm no power lent;
My heart fainted within me,
And my knees trembling bent.

High Priest. Cowards! More cowardly than women!
You have fled in your vain alarms!
From their god you fear that anger
Would scorch you and wither your arms!

SCENE III.

Le Grand Prêtre. Que vois-je? Abimélech! Frappe par des esclaves!
Pourquoi les laisser fuir?
Courons! courons, mes braves!
Pour venger votre Prince, écrasez sous vos coups
Ce peuple révolté bravant votre courroux!

1er Philistin. J'ai senti dans mes veines
Tout mon sang se glacer;
Il semble que des chaines
Soudain vont m'enlacer.

2e Philistin. Je cherche en vain mes armes,
Mes bras sont impuissants,
Mon cœur est plein d'alarmes,
Mes genoux sont tremblants!

Grand Prêtre. Lâches! plus lâches que des femmes!
Vous fuyez devant des combats!
De leur Dieu eraignez vous les flammes,
Qui doivent desécher vos bras!

SCENE IV.

A Philistine Messenger. My Lord, the band, in their fury,
With Samson strong at their head,
Are all revolting and audacious,
Ravaging where they are led.

1st and 2d Philistines. We'll flee, then, exposure that's useless,
We'll leave to more fleet ones this place;
My lord, we'll leave this fearful village,
Concealing with shame our face.

High Priest. Cursed be your nation forever!
O Israel's hated band!
Fall ye! and leave no trace behind;
Be ye swept from off the land!

SCENE IV.

Un Messager Philistin. Seigneur! la troupe furieuse
Que conduit et guide Samson,
Dans sa révolte audacieuse,
Accourt ravageant la moisson.

1er et 2e Philistins et Messager. Fuyons un danger inutile!
Quittons au plus vite ces lieux.
Seigneur, abandonnons la ville,
Et cachons honte aux yeux.

Grand Prêtre. Maudite à jamais soit la race
Des enfants d'Israël!
Je veux en effacer la trace,
Les abreuver de fiel!

Cursed, also, he who doth guide ye!
  Him will I grind 'neath my heel;
His anguish keen could I behold
  And no remorse would I feel!

Cursed ever be the woman
  Who brought him forth to light!
On all who may in love adore him
  Now let there fall a blight!
Cursed be the God that he worships,
  That God, his hope and delight!
My hate would sweep away his nation,
  His altar and his might!

1st and 2d Philistines and Messenger. We'll
  fly to yonder mountains,
  Nor leave behind a track;
To our homes and companions,
  And gods, we will go back.

(They go off at left, bearing the body of ABIMELECH, followed by HIGH PRIEST. At the same time the Hebrews, old men and women, enter at right. Sun rises.)

SCENE V.

(Hebrews, women and old men. Afterwards SAMSON and victorious Hebrews.)

Old Hebrew Men. Rise, hymn of joy, hymn
  of deep thanksgiving,
  And our blest vict'ry tell!
For he who reigns is deliv'rer all powerful,
  He doth aid Israel.
By him the weak have become so mighty
  Against tyranny strong:
He overcometh the pride of the traitor,
  Who doth battle for the wrong.

(The victorious Hebrews, led by SAMSON, enter at the right.)

An Aged Hebrew. He censured us in rage
  and anger,
  For we his righteous laws had braved.
When bowed before him we entreated
  That from his wrath we might be saved.
He said to all his tribe beloved,
  "Rise in arms! to combat now fly!
For I, your God, will bless your weapons,
  And in the strife be at your side."

Old Hebrew Men. He came to save his sons,
  who else had perished.
  Now no sorrow remains;
Let all the universe sound his praises!
  He hath broken our chains!
Rise, hymn of joy, etc.

Maudit soit celui qui les guide!
J'écraserai du pied
Ses os brisés, sa gorge aride,
Sans frémir de pitié!

Maudit soit le sein de la femme
Qui lui donna le jour!
Qu'enfin une compagne infâme
Trahisse son amour!
Maudit soit le Dieu qu'il adore,
Ce Dieu, son seul espoir!
Et dont ma haine insulte encore
L'autel et le pouvoir!

1er et 2e Philistins et Messager. Fuyons dans
  les montagnes,
Abandonnons ces lieux,
  Nos maisons, nos compagnes,
Et jusques à nos Dieux!

(Ils sortent par la gauche, emportant le cadavre d'ABIMÉLECH, suivis, le GRAND PRÊTRE. Entrent les Hébreux, vieillards et femmes, droit.)

SCENE V.

(Les femmes et les vieillards Hébreux. Puis SAMSON suivi des Hébreux victorieux.)

Vieillards Hébreux. Hymne de joie, hymne
  de délivrance,
Montez vers l'eternal!
  Il a daigné dans sa toute puissance
Secourir Israël!
  Par lui le faible est devenu le maitre,
Du fort qui l'opprimait!
  Il a vaincu l'orgueil lieux et le traître
Dont la voix l'insultait!

(Les Hébreux, conduits par SAMSON, entrent à droite.)

Un Vieillard Hébreu. Il nous frappait dans
  sa colère,
  Car nous avions bravé ses lois.
Plus tard, le front dans la poussière,
  Vers lui nous élevions la voix.
Il dit à ses tribus aimées:
Levez vous marchez aux combats!
Je suis le Seigneur des armées,
Je sui la force de vos bras!

Vieillards Hébreux. Il est venu vers nous
  dans la détresse,
Car ses fils lui sont chers.
Que l'univers tressaille d'allégresse!
Il a rompu nos fers!
Hymne de joie, etc.

SCENE VI.

(The gates of Dagon's Temple open. DELILAH enters, followed by Philistine women with garlands of flowers in their hands.)

Chorus of Women. With flowers doth the spring come forth gladly now,
Bright garlands to make for brave conqueror's brow.
And cheerful our tones as the glow of roses that spring discloses,
We sing our glad triumphant song,
As sing the birds that round us throng.
The springtime of youth — a gift from above,
Imparteth a grace to our early love.
All soft as the breeze in its lightest motion is our devotion.
Then let us love while all is bright,
While nature sporteth in delight.

Delilah.
(To SAMSON.)
I come to resound the brave story
Of the one who reigns in my heart,
And to whom I would joy impart,
Giving more of love than of glory.
My beloved one, follow me!
Unto fair Soreck will I guide thee,
And there with sweet comfort provide thee.
With open arms I'll welcome thee.

Samson.
(Apart.)
O God! in thy might all sufficing,
Grace to thy poor servant impart!
Close thou my eyes, close thou my heart
Against that dear voice so enticing!

Delilah. For thee have I crowned my own brow
With fairest the springtime possesses.
The rose of Sharon I have culled
And twined among my dark tresses.

Old Hebrew Man. O turn, my son, from dark temptation's harm;
Avoid and fear the wiles of this stranger.
Close now thine eyes and avoid this great danger,
Flee in terror from the serpent's charm.

Samson. O, veil those eyes whose faintest ray
My sense doth blind, my soul possessing;
Conceal that face so all obsessing
That now my freedom takes away.

SCENE VI.

(Les portes du temple de Dagon s'ouvrent. DALILA entre suivie des femmes Philistins tenant dans leurs mains des guirlandes de fleurs.)

Chœur des femmes. Voici le printemps portant des fleurs
Pour orner le front des guerriers vainqueurs!
Mêlons nos accents au parfum des roses,
A peine écloses!
Avec l'oiseau chantons, mes sœurs!
Beauté, don du ciel, printemps de nos jours,
Doux charme des yeux, espoir des amours.
Pénètre les cœurs verse dans les âmes,
Tes douces flammes!
Aimons, mes sœurs, aimons toujours.

Dalila.
(À SAMSON.)
Ja viens célébrer la victoire
De celui qui règne en mon cœur.
Dalila veut pour son vainqueur
Encor plus d'amour que de gloire!
O mon bien aimé, suis mes pas
Vers Soreck la douce vallée,
Dans cette demeure isolée
Où Dalila t'ouvre ses bras!

Samson. O, Dieu! toi qui vois ma faiblesse,
Prends pitié de ton serviteur!
Ferme mes yeux, ferme mon cœur
A la douce voix qui me presse!

Dalila. Pour toi j'ai couronné mon front
Des grappes noires du troëne,
Et mis des roses de Saron
Dans ma chevelure d'ébène!

Vieillard Hebreu. Détour ne-toi, mon fils, de son chemin!
Evite et crains celle fille étrangère;
Ferme l'oreille a'sa voix mensongère,
Et du serpent évite le venin.

Samson. Voile ses traits dont la beautié
Trouble mes sens, trouble mon âme!
Et de ses yeux éteins la flamme
Qui me ravit la liberté!

Delilah. Sweet the lilies' soft, grateful breath,
But far sweeter the fond caresses
Of the one whom thy heart possesses—
Of her who loves thee unto death.
Then ope thine arms, for I adore thee.
And but let me rest on thy heart—
Joy of the angels thus impart.
List to my prayer, I now implore thee!
Ah! come!

Dalila. Doux est le muguet parfumé;
Mes baisers le sont plus encore;
Et le suc de la mandragore
Est moins suave ô bien aimé!
Ouvre tes bras à ton amante
Et dèposela sur ton cœur
Comme un sachet de douce odeur,
Dont la senteur est enivrante!
Ah! viens!

Samson. O ardent flame that doth devour,
Of which this place revives the zest,
Appease my pain, appease my pain,
And ease my breast!
Have pity, Lord, now in my trial's hour!
O Lord!

Samson. Flamme ardente qui me dévore,
Et qu'elle ravive en ce lieu,
Apaise toi, apaise toi devant mon Dieu,
Pitié, Seigneur, pour celui qui l'implore!

Old Hebrew Man. A curse on thee if thou dost heed her pleading,
Or by that voice so strangely sweet be led.
These eyes could never wash away with weeping
All heaven's rage that would fall on thy head!

Vieillard Hebreu. Jamais tes yeux n'auront assez de larmes
Pour desamer la colére du ciel!

(Dance of the Priestesses of Dagon.)

(The young girls accompanying DELILAH dance, waving garlands of flowers; and try to entice the Hebrew warriors that are with SAMSON. He tries, but in vain, to avoid DELILAH's glances. In spite of him his eyes follow the movements of the enchantress, as she takes part in the voluptuous poses and gestures of the young Philistine maidens.)

(Danse des Prêtresses de Dagon.)

(Les jeunes filles qui ont accompagné DALILA dansent en agitant des guirlandes de fleurs, et semblent provoquer les guerriers Hébreux qui accompagnent SAMSON. Ce dernier, profondément trouble, cherche en vain à éviter les regards de DALILA; ses yeux, malgré lui, suivent au milieu des jeunes Philistins, prenant part à leurs poses et à leurs gestes voluptueux.)

Delilah. Spring voices are singing,
Bright hope they are bringing,
All hearts making glad.
And gone sorrow's traces,
The soft air effaces
All days that are sad.
Our hearts warm are glowing,
When sweet winds are blowing
They dry our ev'ry tear.
The earth glad and beaming,
With freshness is teeming,
While fruits and flowers are here.
In vain all my beauty:
I weep my poor fate.
My heart filled with love,
The faithless doth wait.
In vain am I striving?
Can hope never last?
I must then remember
Only joys now past.

When night is descending,
With love all unending,
Bewailing my fate,

Dalila. Printemps qui commence,
Portant l'espérance,
Aux cœurs amoureux,
Ton souffle qui passe,
De terre efface
Les jours malheureux.
Tout brûle en notre âme,
Et ta douce flamme
Vient se cher nos pleurs;
Tu rends à la terre,
Par un doux mystère,
Les fruits et les fleurs.
Et vain je suis belle!
Mon cœur plein d'amour,
Pleurant l'infidèl.
Attend son retour!
Vivant d'espérance,
Mon cœur desolé
Garde souvenance
Du bonheur passé!

A la nuit tombante
J'irai, triste amante,
M'asseoir autorent,

For him will I wait.
I'll banish all sadness,
Though deep I may yearn,
When fond love returning,
In his bosom burning
May enforce his return.

L'attendre en pleurant!
Chassant ma tristesse,
S'il revient un jour,
A lui ma tendresse
Et la douce ivresse
Qu'un brûlant amour.
Garde à son retour!

Old Hebrew Man. This woman, guided by some evil power
Comes in his path to beguile him to shame.
Oh, let him fly from her enticing glances!
For only poison doth consume his frame.

Le Vieillard Hebreu. L'esprit du mal a conduit cette femme
Sur ton chemin pour troubler ton repos.
De ses regards fuis la brülante flamme!
C'est un poison qui consume les os!

Delilah. I'll banish all sadness, etc.

Dalila. Chassant ma tristesse, etc.

(DELILAH continues her song on the steps of the Temple. She succeeds in securing SAMSON's regard by enticing glances. He hesitates and otherwise betrays his trouble and emotion.)

(DALILA regague en chantant les degrés du temple, et provoque SAMSON du regard. Il hésite, il lutte, et trahit le trouble de son âme.)

ACT II.

(The theatre represents the valley of Soreck in Palestine. At the left DELILAH's dwelling, which has a graceful portico, surrounded with Asiatic plants and luxuriant vines.)
(At the rising of the curtain night begins and wholly comes on during the course of the act.)

ACTE II.

(Le théâtre représente la vallée de Soreck en Palestine. A gauche, la demeure de DALILA, précédée d'un léger portique et entourée de plantes Asiatiques et de lianes luxuriantes.)
(Au lever du Rideau la nuit commence et se fait plus complète pendant toute lu durée de l'acte.)

SCENE I.

(DELILAH, alone. She is more richly attired than in Act I. At the rising of the curtain she is seated on a rock near the entrance of her dwelling, and seems in a reverie.)

Delilah. To-night Samson cometh to greet me;
He'll hasten my sorrows to ease.
For behold, strikes the hour of vengeance
When we our blest gods shall appease.

O Love! in my weakness give power!
Poison Samson's brave heart for me!
'Neath my soft sway may he be vanquished;
To-morrow let him captive be!

Ev'ry thought of me he would banish,
And from his tribe he would swerve,
Could he only drive out the passion
That remembrance doth now preserve.

But he is under my dominion;
In vain his people may entreat.
'Tis I alone that can hold him —
I'll have him captive at my feet.

O love, in my weakness, give power, etc.

SCENE I.

(DALILA, seule. Elle est plus parée qu'au premier acte. Au lever du rideau elle est assise sur une roche près du portique de sa maison, et semble rêveuse.)

Dalila. Samson, recherchant ma présence,
Ce soir doit venir en ces lieux.
Voici l'heure de la vengeance
Qui doit satisfaire nos dieux!

Amour! viens aider ma faiblesse!
Verse le poison dans son sein!
Fais que, vaincu par mon adresse,
Samson soit enchaîné demain!

Il voudrait en vain de son âme
Pouvoir me chasser, me bannir!
Pourraitil éteindre la flamme
Qu'alimente le souvenir?

Il est à moi! c'est mon esclave!
Mes frères craignent son courroux;
Moi, seule entre tous, je le brave,
Et le retiens à mes genoux!

Amour! viens aider, etc.

'Gainst his deep love he battles vainly,
And he, the strongest of the strong!
He'll break the tie to his own nation,
And to my people he'll belong.

(Distant flashes of lightning.)

Contre l'amour sa force est vaine;
Et lui, le fort parmi les forts,
Lui, qui d'un peuple rompt la chaîne,
Sucombera sous mes efforts!

(Éclairs lointains.)

SCENE II.

(DELILAH and the HIGH PRIEST of Dagon.)

High Priest. I have climbed lofty mountains,
And have safely reached thee.
Good Dagon came to guide me,
Till thy roof we might see.

Delilah. I now salute you, father.
Be welcome, tho' 'tis late;
Even here you have honor.

High Priest. Known to thee is our fate.
And the vict'ry was easy,
For, by treachery led,
Our slaves gave up our cities,
And our brave soldiers fled.
In terror they were scattered;
At Samson's name they fly;
For of his deeds they know—
They to madness were nigh.

'Twas fatal to our nation.
He received from his God
The force and skill to conquer—
He but serveth his Lord.
On him at birth, from heaven
This most holy mission fell,
To aid his chosen people,
The tribe of Israel.

Delilah. I know his mighty courage
Braves e'en your direst hate,
And that he deems no outrage
Can for you be too great.

High Priest. His courage and his mighty force
Vanish'd away
At the feet of Delilah,
Where he fell, on that day.

They say, within his bosom
Love for thee now is past,
And he laughs at a passion
That but a day can last.

SCENE II.

(DALILA et le GRAND PRÊTRE de Dagon.)

Le Grand Prêtre. J'ai gravi la montagne
Pour venir jusqu'à toi;
Dagon qui m'accompagne
M'a guidé vers ton toit.

Dalila. Salut à vous, mon père!
Soyez le bienvenu,
Vous qu'ici l'on revère!

Grand Prêtre. Notre sort t'est connu,
La victoire facile
Des esclaves Hébreux
Leur a livré la ville,
Nos soldats devant eux
Ont fui, pleins d'epouvante
Au seul nom de Samson,
Dont l'audace effrayante
A troublé leur raison.

Fatal à notre race,
Il recut de son Dieu
La force avec l'audace,
Enchaîné par un vœu,
Samson, dès sa naissance,
Fut marqué par le ciel
Pour rendre la puissance
Au peuple d'Israël.

Dalila. Je sais que son courage
Brave votre courroux,
Et qu'il n'est pas d'outrage
Qu'il ne garde pour vous.

Grand Prêtre. A tes genoux sa force un jour l'abandonna;
Mais depuis, il s'efforce d'oublier Dalila.

On dit que, dans son âme
Oubliant ton amour,
Il se rit de la flamme
Qui ne dura qu'un jour!

Delilah. I know that his near kindred
Bitterly all discourse
On his ardent emotion,
And would destroy its force.
But Samson will not fail me,
He combats all in vain;
My fearless heart assures me
That his love will remain.
He is pow'rful in battle,
And can brave fortune's chance;
But a slave, when I am near him,
And trembles 'neath my glance.

High Priest. For us employ thy power,
And to us lend thine aid!
Unto thee shall a ransom
For the captive be paid.

This Samson, thy slave, sell to me,
And, high though the price may be,
Only name to what thou aspirest —
I'll grant whatever thou desirest.

Delilah. What value to me your gold,
If thus my vengeance I had sold?
Though you gave me your richest treasure,
With hatred it ne'er could measure!

You are deceived; you know not me.
Though you by him may vanquish'd be,
He yields to me — I've long possess'd him,
Yet more than you I detest him.

High Priest. Thy design and thy hatred I might well have read;
For words but make my trembling heart now thrill with pleasure.
Though counting on his love, do not in vain be led;
Try thy might to ensnare him, but thy powers ever measure.

Delilah. Yes, disguising my motive I've thrice made appeal
That the secret of strength he to me might reveal.
I have kindled his love so, that with its confession,
Of the knowledge I seek he might give me possession.
Thus three times I have hoped; but, alas! all in vain,
For closed within his breast doth his secret remain.
In vain with all the ardor my tried art possesses

Dalila. Je sais que de ses frères
Ecoutant les discours,
Et les plaintes amères
Que cousent nos amours,
Samson, malgré lui-même,
Combat lutte en vain;
Je sais combien il m'aime,
Et mon cœur ne craint rien.
C'est en vain qu'il me brave;
Il est fort aux combats,
Mais il est mon esclave
Et tremble dans mes bras.

Grand Prêtre. Sers-nous de ta puissance,
Prête-nous ton appui!
Que, surpris dans défense,
Il succombe aujourd' hui!

Vends-moi ton esclave Samson!
Et pour te payer sa rancon,
Je ne ferai point de promesses;
Tu peux choisir dans mes richesses.

Dalila. Qu'importe à Dalila ton or!
Et que pourrait tout un trésor,
Si je ne rèvais la vengeance!

Je t'ai trompé par cet amour.
Samson sut vous dompter un jour;
Mais il n'a pu mé vaincre encore,
Car, autant que toi, je l'abhorre!

Grand Prête. J'aurais dû deviner ta haine
Et ton dessein!
Mon cœur en t'ecoutant tressaille d'allegresse,
Mais sur son cœur dé ja n'aurais tu en vain
Mesuré ta puissance, essayé ton addresse?

Dalila. Oui, déjà, par trois fois deguisant mon projet,
J'ai voulu de sa force éclaircir le secret.
J'allumai cet amour, espérant qu'à sa flamme
Je lirais l'inconnu dans le fond de son àme.
Mais, par trois fois aussi déjouant mon espoir,
Il ne s'est point livré, ne m'a rien laissé voir.
En vain d'un fol amour j'imitai les tendresses!
Espérant amollir son cœur par mes caresses!
J'ai vu ce fier captif, enlacé dans mes bras,

His proud heart I've tried to render soft by my caresses.
I've seen this haughty slave from my arms break away,
And with zeal only warlike rush to thickest of the fray.
This day he will fall;
I need no more dissemble;
He now again will blanche
And in my presence tremble.
Yes, I know he will leave his very own, and fly
To this most hallow'd place, to renew our blest tie.
For this last combat my surest weapons I'm keeping,
For he can ne'er withstand my feign'd grief and weeping.

S'arracher de ma couche et courir aux combats!
Aujour d'hui cependant il subit ma puissance
Car je l'ai vu pâlir, trembler en ma présence;
Et je sais qu'à cette heure abandonnant les siens,
Il revient en ces lieux resserrer nos liens.
Pour ce dernier combat j'ai préparé mes armes:
Samson ne pourra pas résister à mes larmes.

High Priest. Oh, may Dagon, our god, e'er sustain thee in right!
Thou dost fight for his glory, and conq'r'st by his might!

Grand Prêtre. Que Dagon, notre Dieu, daigne étendre son bras!
Tu combats pour sa gloire et par lui tu vaincras!

Delilah. Let hatred in disguise now gain him!
Let love with gilded links enchain him!
May passion his reason enthrall,
That lowly his proud head may fall!

Dalila. Il faut, pour assouvir ma haine,
Il faut que mon pouvir l'enchaîne!
Je veux que, vaincu par l'amour,
Il courbe le front a son tour!

High Priest. Let hatred in disguise now gain him!
Let love with gilded links enchain him?
May passion his reason enthrall,
That lowly his proud head may fall?
On thee alone my hope is rested,
Thou e'er shalt be with honor invested.

Grand Prêtre. Je veux, pour assouvir ma haîne,
Je veux que Dalila l'enchaîne;
Il faut que, vaincu par l'amour,
Il courbe le front à son tour!
En toi seule est mon espérance,
A toi l'honneur de la vengeance!

Delilah. On me alone his hope is rested,
On me alone!

Dalila. A moi l'honneur de la vengeance
A moi l'honneur! a moi!

Both. Let hatred in disguise, etc.
Our forces we'll unite!
Death to that Israelite!

Grand Prêtre et Dalila. Je veux, pour assouvir ma heine, etc.
Unissons nous tous deux!
Mort au chef des Hébreux!

High Priest. We'll see that the brave Hebrew no more defies us;
I'll depart, lest he come and surprise us.
I'll soon return, and by a secret passage-way:
Thou dost hold in thine hand my people's fate this day.
Employ thine arts till Samson, all his soul revealeth,
Tear from out his heart the secret he concealeth.

(Exit HIGH PRIEST.)

Grand Prêtre. Samson, me disais-tu, dans ces lieux doit se rendre?
Je m'éloigne, il pourrait nous surprendre.
Bientôt je reviendrai par de secrets chemins.
Les destin de mon peuple, ô femme, est dans tes mains!
Dechire de son cœur l'invenèrable écorce,
Et surprends le secret qui nous cache sa force.

(Il sort.)

(DELILAH goes slowly to the entrance of her house, where she remains leaning against one of the pillars, in pensive attitude.)

Delilah. Can it be true, that in his heart
My love no longer hath power?
Naught his presence can betray
For on all the dark night doth lower.

Alas! he cometh not!

(SAMSON enters from right, hesitatingly and troubled. The night grows darker.)

(DALILA se rapproche de la gauche de le scène vers le portique de sa maison, et s'appuie rêveuse à un des piliers.)

Dalila. Se pourrait-il, que sur son cœur
L'amour eut perdu sa puissance?
La nuit est sombre et sans lueur
Rien ne peut trahir sa présence.

Helas! Il ne vient pas!

(SAMSON arrive par la droit; il semble emu, troublé, hésitant; il regarde autour de lui. La nuit s'assombrit de plus en plus.)

SCENE III.

(Lightning in distance.)

Samson. To this place am I led,
Vanquished again am I!
To fly from here, alas!
I fain would try.
Yet, when I would depart—
Would haste from before her,
Then more and ever more
In weakness I adore her.

Delilah.
(Coming to him quickly.)
'Tis thou!
'Tis thou, my best belov'd!
Long for thee have I waited.
I now forget my woes;
To happiness we're fated!
To thee, a welcome sweet from me!

Samson. Oh, cease thy transports wild!
For without deep remorse my heart is not beguil'd!

Delilah. O Samson, my own! my best beloved!
Thy heart thy fond love now represses.
Why turnest away thy dear face?
Ah! why withhold from me thy caresses?

Samson. My fatal love I can ne'er destroy.
From out my heart thou'lt ne'er be banish'd,
Or happiness would all be vanish'd.
In my ardent love is my joy!

Delilah. By my side why dost fear?
Ah, why so faint-hearted?
Is it doubt that seizeth thy heart?
Thou the lord of my life ever art;
Have all love's charms for thee departed?

SCENE III.

(Éclairs lointains.)

Samson. En ces lieux, malgré moi, m'ont ramené mes pas
Je voudrais fuir, hélas. et ne puis pas!
Je maudis mon amour et pourtant j'aime encore,
Fuyons, fuyons ces lieux que ma faiblesse adore!

Dalila.
(S'élance vers SAMSON.)
C'est toi!
C'est toi, mon bien aimé!
J'attendais ta présence!
J'oubie, en te voyant,
Des heures de souffrance!
Salut! salut! ô mon doux maitre!

Samson. Arrètes ces transports!
Je ne puis t'écouter sans honte et sans remords!

Dalila. Samson! ô toi! mon bien aimé,
Pourquoi, repousser ma tendresse?
Pour-quoi, de mon front parfumé,
Pour-quoi détourner tes caresses?

Samson. Tu fus toujours chère à mon cœur,
Et tu n'en peux être bannie!
J'aurais voulu donner ma vie
A l'amour qui fit mon bonheur!

Dalila. Près de moi, pres de moi pour-quoi ces alarmes?
Auraistu douté de mon cœur?
N'estu pas mon maître et seigneur?
L'amour at-il perdu ses charmes?

Samson. Alas! I'm pledged to my own God.
To his will do I yield me gladly.
I'll tell thee a last sad farewell,
And loose the tie that binds me madly.
I'll break the bond of our false love—
Love that on Israel's freedom encroaches;
For the day of release is nigh,
Our deliv'rance e'en now approaches.
Our blest Lord to his servant said,
"I've chosen thee from out thy nation
To guide thy people unto me,
To lead in working their salvation."

Delilah. What joy to my desolate heart,
Though Israel's fate may be glorious?
From me would all gladness depart,
Should thine own people be victorious.
By love is my reason dethroned,
For lost the hope the soul possesses!
All vain thy promises to me;
Like poison all thy fond caresses!

Samson. Ah! cease to wound my anguish'd heart!
I but yield to the powers above thee!
Thy tears increase my bitter grief—
Woe is me! woe is me! I love thee!

(Lightning.)

Delilah. A god more despotic than thine
By my own lips to thee is speaking.
'Tis the god of Love, that is mine;
He brings the bliss all are seeking!
Recall I the joys that are past,
When thou at my feet then wert kneeling,
Vowing to love me evermore!
Now, alas! 'tis I who hath feeling!

Samson. Thou ungrateful! Thou darest accuse!
Only thou alone do I cherish,
Or strike me, bolts from on high,
Or let me in fierce flames now perish!

So mighty is my love for thee,
I brave the God that reigns above me,
Though his vengeance may strike me down!
Woe is me! woe is me! I love thee!

Samson. Hélas! esclave de mon Dieu,
Je subis sa volonté sainte;
Il faut, par un dernier adieu,
Rompre sans murmure et sans crainte
Le doux lien de notre amour,
D'Israël renaît l'espérance!
Le Seigneur a marqué le jour
Qui verra notre délivrance!
Il a dit à son serviteur:
"Je t'ai choisi parmi tes frères,
Pour les guider vers le Seigneur
Et mettre un terme à leurs miseres!"

Dalila. Qu'importe à mon cœur désole
Le sort d'Israël et sa gloire!
Pour moi le bonheur envolé
Est le seul fruit de la victoire.
L'amour égarait ma raison
Quand je coyais à tes promesses,
Et je n'ai bu que le poison
En m'enivrant de tes caresses!

Samson. Ah! ces se d'affliger mon cœur!
Je subis une loi suprême,
Tes pleurs ravient ma douleur!
Dalila! Dalila! Je t'aime!

(Éclairs lointains.)

Dalila. Un dieu plus puissant que le tien,
Ami, te parle par ma bouche;
C'est le dieu d'amour, c'est le mien!
Et, si ce souvenir te touche,
Rapelle à ton cœur beaux jours
Passés aux genoux d'une amante
Que tu devais aimer toujours,
Et qui seule, hélas! est constante!

Samson. Insensée! oser m'accuser!
Quand pour toi tout parle à mon âme!
Oui! dût la foudre m'écraser!
Dussé je perir de sa flamme!

(Éclairs plus rapprochés.)

Pour toi si grand est mon amour,
Que j'ose aimer malgré Dieu même!
Oui! dussé-je en mourir un jour,
Dalila! Dalila! je t'aime!

cres - - - - cen - - - - - do.
dawn is smil - ing. Thou canst my weep - ing stay, My sad - ness charm a -
de l'au - ro - re! Mais, ô mon bien ai mé Pom mieux se - cher mes
dim. mf
way With thy tones so be - guil - ing Then, oh! to me but say Thou re -
pleurs Aue ta voix par - le en - co - re! Dis mon, qu'à Da - li - la Tu re -
mf stringendo.
turn - est for aye! Re - peat thy vows so ten - der, Thy vows of the past,
vi'ns pour ja - nais, Re - dis à ma ten - dres - se Les ser - ments d'au - tre - fois,
cres. mf rit.
That I dreamed e'er would last! . . . . . Ah! . . . once more . . . thy
Ces ser - ments que j'ai - mais! . . . . . Ah! . . . ré - ponds . . . à
vows . . so ten - der, And . . thy heart, . . and thy heart . . sur -
ma . . . ten - dres - se, Ver - - se - moi, . . . Ver - se - moi, . . l'i -
cres. senza accel. piu cres.
ren - der, Once more thy vows so ten - der, Once more thy vows so ten - der,
vres - se! Ré - ponds à ma ten - dres - se, Ré - ponds à ma - ten - dres - se!
f dim.
Ah! . . . . . and thy heart, ... and thy heart . . . . sur - ren - der!
Ah! . . . . . ver - se moi, ... ver - se moi . . . . l'i - vres - se!
SAMSON. p Andantino.
Woe is me! woe is me! I . . love . . thee!
Da - li - la! Da - li - la! Je . . t'ai . . me.
DELILAH.
As when a field of grain, Like the waves on the main, In the breeze is
Ain - si qu'on voit des blés Les é - pis on - du - ler Sous la bri -

sway - ing, bound - ing, So all my heart is swayed, In deep - est chords are played,
se lé - gè - re, Ain - si fré - mit mon cœur, Prêt à se con - so - ler.
rinf.
When thy voice is re - sound - ing. The ar - row in its flight, Though so
A ta voix qui m'est chè - re! La flè - che est moins ra - pide À por -
soon gone from sight, Moves more slow - ly than I, If to thee I may fly!
ter le tré - pes, Que ne l'est tou a - mau - te À vo - ler dans tes bras,
cres.
un peu plus lent.
Yes, if to thee I fly. . . . . Ah! . . . once more . . . thy
A vo - ler dans tes bras. . . . . Ah! . . . ré - ponds . . . à
DELILAH.
vows . . so ten - der, And . . . . . thy heart . . . . and thy
ma ten - dres - se, Ver - - - se - moi, ... ver - se
SAMSON.
Fond - ly my kiss Each tear of thine re - press - es I . . . in thy
Par mes bai - sers Je veux sé - cher tes lar - mes Et . . . de tou
heart . . . . . sur - ren - - der Once more thy vows so
moi . . . . lé - dres - - se! Re - ponds à ma ten -
heart . . . . Joy re - store with ca - ress - - es
cœur . . . . É - loi - gner les a - lar - - mes,
ten - der, Once more thy vows so ten - - der,
dres - se, Ré - ponds à ma ten - dres - - se,
Though smite the God a - bove thee Though smite the God a -
Je veux sé - cher tes lar - mes, Je veux sé - cher tes

(Lightning and violent crash of thunder.)	(Éclairs.) (Violent coup de tonnerre.)
Delilah. But no! I speak in vain! Delilah is destraught, Thou my sad heart bereaving Strik'st me down in despair! Thou dost my soul ensnare, With trait'rous vows deceiving!	*Dalila.* Mais! non! que disje, hélas! La triste Dalila doute de tes paroles! Egarant ma raison, tu me trompas déja Par des serments frivoles!
Samson. Now to thee in worship I bow, Forgetting my people and vow! Forgetting my God and his dower, The seal that mark'd me with his power!	*Samson.* Quand pour toi j'ose oublier Dieu, Sa gloire, mon peuple et mon vœu! Ce Dieu qu marqua ma naissance Du sceau divin de sa puissance!
Delilah. Alas! thou forgettest my love! I envy him whom I have hated, Thy God who hath given thee birth, To whom thou thy life consecrated. The vow that hath chained thee to him, Making thee in battle victorious, Oh, give to me and my poor heart! Thy love's reward will then be glorious!	*Dalila.* Eh bien! connais donc mon amour! C'est ton Dieu même que j'envie! Ce Dieu qui te donna le jour, Ce Dieu qui consacra ta vie! Le vœu qui t'enchaîne à ce Dieu Et qui fait ton bras redoutable, A mon amour faisen l'aveu, Chasse le doute qui m'accable!
Samson. Delilah, what wouldst thou with me? Doubtest thou my mad love for thee?	*Samson.* Dalila! que veux tu de moi? Crains que je ne doute de toi!
Delilah. If over thy heart I'm presiding, I'd prove it a truth on this day. A ray of thy love then betray In secrets dark to me confiding.	*Dalila.* Si j'ai conservé ma puissance, Je veux l'essayer en ce jour! Je veux éprouver ton amour, En réclamant ta confiance!
(Thunder and lightning nearer.)	(Eclairs et tonnerre plu en plus rapprochés.)
Samson. Alas! what doth matter to thee Sacred ties, or power in me vested? That great secret closed in my heart—	*Samson.* Hélas! qu'importe à ton bonheur Le lien sacré qui m'enchaîne? Ce secret que garde mon cœur—

Delilah. Open thy heart, and joy to me impart—

Samson. By thy vain might ne'er can be wrested!

Delilah. Oh, vain all my sad strife!
In vain thy love surrounds me,
If I can ne'er divine
That dark secret that wounds me.
When thy thoughts I would share
Dost thou dare to refuse me?
And pitiless, cold,
Wouldst in thy heart accuse me?

Samson. Great the anguish I feel!
O, my God, be thou near me!
My soul is rent with pain—
I implore thee to hear me!

Delilah. For him have I displayed
All my beauty, nothing reaping!
To me only is left
Sorrow and anguish'd weeping!

Samson. All powerful God!
Oh, hear me, thou, my Lord!

Delilah. To try to speak farewell
Is vain; my soul defieth!
Samson, fly! fly from here
Where thine own love now dieth!

Samson. Leave thou me!

Delilah. Tell me, then!

Samson. Ask me not!

Delilah. Tell to me the secret
For which my heart now dieth!

Samson. O tempest, on these heights
Let loose, on us descending,
All the wrath of the Lord
Our guilty souls now rending!

Delilah. I will brave all for thee!
Come!

Samson. No!

Delilah. Come!

Samson. Leave thou me!

Delilah. Care I naught what betide me!

Samson. I can never decide me!
Voice divine! 'Tis thy knell!

Dalila. Par cet aveu soulage ma doleur!

Samson. Pour le ravir ta force est vaine!

Dalila. Oui! vain est mon pouvoir,
Car vaine est ta tendresse!
Quand je veux le savoir,
Ce secret qui me blesse,
Dont je veux la moitié,
O sestu, dans ton âme
Sans honte et sans pitié,
M'accuser d'être inflâme!

Samson. D'une immense douleur
Ma pauvre âme accablée
Implore le Seigneur
D'une voix désolée!

Dalila. J'avais paré pour lui
Ma jeunesse et mes charmes!
Je n'ai plus au jour d'hui
Qu'à répandre des larmes!

Samson. Dieu tout-puissant, j'invoque ton appui!

Dalila. Pour ces derniers adieux
Ma voix est impuissante!
Fuis! Samson, fuis ces lieux
Où mourra ton amante!

Samson. Laisse moi!

Dalila. Ton secret!

Samson. Je ne puis!

Dalila. Ton secret? ce secret qui cause mes alarmes!

Samson. L'orage sur ces monts
Déchaîne sa colère!
Le Seigneur sur nos fronts
Fait gronder son tonnerre!

Dalila. Je le brave avec toi! Viens!

Samson. Non!

Dalila. Viens!

Samson. Laisse Mois!

Dalila. Que m'importe la foudre!

Samson. Je ne puis m'y résoudre—
C'est la voix de mon Dieu!

Delilah. Coward! Thou loveless heart,
I despise thee! Farewell!

(Thunder and lightning.)

(DELILAH hastens to her house; the storm breaks furiously. SAMSON raises his arms, as if to call upon God; then hastily follows DELILAH — hesitates, but finally enters the dwelling.)

(Philistine soldiers are seen at right, approaching the house.)

(Music of the scene continues. Finally a violent crash of thunder. DELILAH re-appears, on the terrace.)

Delilah. Philistines! your aid!

Samson.

(Within.)

I am betrayed!

(The soldiers rush into DELILAH'S house.)
(Curtain.)

Dalila. Lâche! cœur sans amour!
Je te meprise! Adieu!

(Eclairs et tonnerre.)

(DALILA court vers sa demeure; l'orage est dans toute sa feurer. SAMSON, levant les bras au ciel, semble invoquer Dieu. Il s'élance à la suite DALILA, hésite, et entre enfin dans sa demeure.)

(Par la droite arrivent des soldats Philistins, qui s'approchent de la demeure.)

(Violent coup de tonnerre.)

(DALILA paraissant à sa feuêtre.)

Dalila. A moi! Philistins! à moi!

Samson. Trahison!

(Les soldats se précipitent dans la demeure de Dalila.)
(Rideau.)

ACT III.

(A prison at Gaza. SAMSON, in chains, blinded and shorn, is grinding at a mill.)

(Chorus of Hebrew captives behind the scenes.)

Samson. Sore my distress, alas! my guilt and anguish!
Have pity, Lord, in misery I languish.
Away from thy most righteous laws I've gone,
And now is thy protecting hand withdrawn.
I offer thee a heart that is broken;
Of my most bitter repentance the token.
From me all light they have taken away.
To gall is turn'd ev'ry hour of day.

Chorus. Ah! why hast thou, Samson, false pledges taken?

Samson. Behold! Israel now in chains!
God's wrath from high heaven descendeth,
And our hearts, all deserted, rendeth.
Not e'en a ray of hope remains.
To our grief, O gracious Sov'reign, awaken!
Deign thou to hear when we cry unto thee!
Thine ire appeasing, thy grace we would see.
Have pity! let not our tribe be forsaken!

ACTE III.

(La prison de Gaza. SAMSON enchaine avengle, les cheveux coupes tourne la meule. Dans la coulisse, chœur des Hebreux captifs.)

Samson. Vois ma misère, hélas! vois ma détresse!
Pitié, Seigneur! pitié pour ma faiblesse!
J'ai détourné mes pas de ton chemin:
Bientôt de moi tu retiras ta main.
Je t'offre, ô Dieu, ma pauvre âme brisée!
Je ne suis plus qu'un objet de risée!
Ils m'ont ravi la lumière du ciel;
Ils m'ont versé l'amertume et le fiel!

Chœur. Samson, qu'astu fait de tes frères?

Samson. Hélas! Israël dans les fers,
Du ciel allirant la vengeance,
A perdu jusqu'à l'espérance
Par tous les maux qu'il a soufferts!
Que nos tribus tes jeux trouvent grâce!
Daigne à ton peuple èpargner la douler!
Apaise toi devant leurs maux, Seigneur!
Toi, dont jamais la pitié ne se lasse!

Chorus. Be thou once again at our side
In danger's strife, and combat guide!
Why, Samson, hast false pledges taken,
Or let our blest tribe be forsaken?

Samson. Brothers! your sad strains, like a dart
Penetrate through the night that is o'er me.
Bring not thus all my guilt before me,
Or rend still more my anguished heart!
My life in sacrifice I offer, O God, thy holy wrath to stay;
Turn not thy face from Israel away!

Chorus. He sold us for a woman's charms,
With only love's false pleasure reaping!
Thou, Manoah's son, what wilt thou do
With blood that's shed and bitter weeping?

Samson. Take this atonement that I proffer!
At thy feet I fall in despair,
But I bless the hand that's oppressing.
Gracious Lord, give my tribe thy blessing —
My gloomy fate let them not share!

Chorus. Ah! why hast thou false pledges taken?

(The Philistines enter the prison and take SAMSON out. Change of scene.)

SCENE II.

(Interior of the Temple of Dagon. Statue of the idol; altars, etc. Two marble pillars which seem to support the building.)

(The HIGH PRIEST stands surrounded by the chief Philistines. DELILAH appears, followed by young women bearing wine-cups in their hands. Day is dawning; a great throng is in the Temple.)

Chorus. Dawn now on the hill-tops sheds rosy light,
And before its gleam stars vanish from sight.
We'll rejoice although now doth come the morning,
And day is dawning.
Sorrows of the heart vanish with the night.

Fast before the odorous morning breeze,
Like a fleecy veil gloomy darkness flees.
In the east the sun its clear face is showing,
In splendor's might, over all the land its bright rays are glowing.

(Dance.)

Chœur. Dieu nous confiait à ton bras
Pour nous guider dans les combats;
Samson! qu'astu fait de tes frères?

Samson. Frères! votre chant douloureux
Pénétrant dans ma nuit profonde,
D'une angoisse mortelle inonde
Mon cœur coupable et malheureux!
Dieu! prends ma vie en sacrifice
Pour satisfaire ton courroux.
D'Israël détourne tes coups,
Et je proclame ta justice!

Chœur. Pour une femme il nous vendait,
De Dalila payant les charmes.
Fils de Manoah, qu'astu fait
De notre sang et de nos larmes?

Samson. A tes pieds brisé, mais soumis,
Je bénis la main qui me frappe.
Fais, Seigneur, que ton peuple échappe
A la fureur des enemis!

Chœur. Samson! qu'astu fait de tes frères?
Qu'astu fait du Dieu de tes pères?

(Les Philistins entrent dans la prison. Ils entraînent SAMSON. Changement.)

SCENE II.

(Interieur du Temple de Dagon. Statue du Dieu. Table des sacrifices. Au milieu du sanctuaire deux colonnes de marbre semblant supporter l'edifice.)

(La GRANDE PRÊTRE de Dagon entouré des princes Philistins. DALILA, suivie des jeunes femmes Philistins, couronnées de fleurs, des cóupes à la main. Une foule de peuple remplit le Temple. Le jour se lève.)

Chœur. L'aube qui blanchit déjà les coteaux,
D'une nuit si belle étaint les flambeaux;
Prolongeons la fête, et malgré l'aurore,
Aimons encore;
L'amour verse au cœur l'oubli de nos maux.

Au vent du matin, l'ombre de la nuit
Comme un léger voile à l'horizon fuit.
L'orient s'empourpre, et sur les montagnes
Le soleil luit,
Dardant ses rayons au sein des campagnes,
Au sein des campagnes.

(Danse.)

SCENE III.

(SAMSON enters,—led by a child.)

High Priest. All hail! the judge of Israel,
Who, by his presence, joy to our festival lendeth!
Hail to thee! whom Delilah in love ever tendeth!
The cup we'll fill high with hydromel!
We'll let him drink to her glory and power,
And on her name his praises shower.

Chorus. We'll drink, Samson, we'll drink with thee!
Drink, and leave care unto the morrow!
Drink to Delilah with all joy,
For drowneth the cup every sorrow.

Samson.
(Aside.)
All my soul is sad unto death.
At thy throne thy servant kneeleth!
Thy holy will thy law revealeth.
Here thou wilt receive my last breath!

Delilah.
(Approaching SAMSON with a wine-cup in her hand.)
Give me thy hand, come by my side,
I will thy uncertain footsteps guide
As, upon that day, soon ended,
To the vale our steps we wended,
And thou, free from love's alarms,
Didst twine around me thine arms.
Thou didst ascend lofty mountains,
Only to fly unto me,
And I deserted companions
To be alone with thee.
Thy past love thy heart confesses.
Dost recall thy fond caresses?
Thy passion further'd my plan.
My vengeance thy love impelling;
I tore thy secret from thee,
In my hate the knowledge selling!
Thou, all trustful, didst confide
In her who doth now enchain thee!
Yes, Delilah's vengeance comes,
And her god, her people, now arraign thee!

Chorus. On this day her vengeance comes,
Her God, her people, arraign thee!

Samson.
(Aside.)
When thou didst speak, I heard thee not,
Transgressing law when well did I know it.
Alas! thy servant love profaned—
On this false woman did bestow it!

SCENE III.

(SAMSON — conduit par un enfant.)

Le Grand Prêtre. Salut! Salut au juge d'Israël,
Qui vient par sa presence égayer notre fête!
Dalila! par tes soins qu'une coupe soit prête;
Verse à ton amant l'hydromel!
Il videre sa coupe en chantant sa maitresse
Et sa puissance enchanteresse!

Chœur. Samson! nous buvons avec toi!
A Dalila ta souveraine!
Vide la coupe sans effroi:
L'ivresse dissipè la peine.

Samson.
(À part.)
L'ame triste jusqu'a la mort,
Devant toi, Seigneur, je m'incline;
Que par ta volonté divine
Ici s'accomplisse mon sort!

Dalila.
(S'approchant de SAMSON une coupe a la main.)
Laisse moi prendre ta main
Et te montrer le chemin,
Comme dans la sombre allée
Qui conduit à la vallée,
Le jour où suivant mes pas
Tu m'enlacais de tes bras!
Tu gravissais les montagnes
Pour arriver jusqu'à moi,
Et je fuyais mes compagnes
Pour ètre seule avec toi.
Souviens-toi de nos ivresses!
Souviens-toi de mes caresses!
L'amour servait mon projet!
Pour assouvir ma vengeance
Je t'arrachai ton secret:
Je l'avais vendu d'avance!
Tu croyais à cet amour,
C'est lui qui riva ta chaine!
Dalila venge en ce jour
Son dieu, son peuple et sa haine!

Chœur. Dalila venge en ce jour
Son dieu, son peuple, et sa haine!

Samson.
(À part.)
Quand tu parlais, je restais sourd;
Et dans le trouble de mon âme,
Hélas! j'ai profané l'amour,
En le donnant à cette femme.

High Priest. Oh, cease thy strain, and turn to her,
And tell again the oft-told story.
Rehearse thy love in sweetest strain,
Softly chant her praises and glory!
Let thy Jehovah show his might,
And in his mercy cure thy blindness.
I will adore thy boasted god,
If thus he will show thee his kindness!
But if he fail in this extreme,
His mercy on thee now to shower,
He merits but hatred and scorn —
I laugh at all his might and power!

Samson. Ah! dost thou permit this, my God?
This false priest in revenge engaging,
Who in his fury and his raging
Blasphemes e'en thy name, O, my Lord?
To avenge thee, my Father glorious,
Grant me but one proof of thy might,
For a moment give back my sight!
Hear thou my cry — make me victorious!

Chorus. Ah! ah! ah! Thy rage doth vain appear!
Thou canst not rouse our fear,
E'en though thy words are frightful,
For never wilt thou see!
Well guarded then be!
Thine anger is delightful!
Ah! ah! ah!

High Priest. Thank thou Delilah, our gods upon high,
Who shake Jehovah's weak throne in the sky!
We'll now consult the agents of Dagon;
For Samson we'll pour wine from ev'ry flagon.

(DELILAH and HIGH PRIEST approach the table on which are placed the sacred bowls. On the altar which is ornamented with flowers, a fire burns. DELILAH and HIGH PRIEST take up the bowls and pour the libation upon the sacred flame, which flashes up, then disappears, but again flames up at the third couplet of the invocation.)

(SAMSON stands in the centre of the scene, with the child who led him. He is grief-striken, and appears to be devoutly praying.)

High Priest.

(To DELILAH.)

Glory forever more to Dagon the victorious,
Who inspired thy weak heart with his might so all-glorious!

(To DAGON.)

O thou greatest of all the great,
Who the heavens and earth hast created!
Ruler of gods as well as men,
With thy spirit we'd be inflated!

Grand Prêtre. Allons, Samson, divertis nous,
En redisant à ton amante
Les doux propos, les chants si doux
Dont la passion s'alimente.
Que Jéhovah compatissant
A les yeux rende la lumière!
Je servirai ce Dieu puissant,
S'il peut exaucer ta prière!
Mais incapable à servir,
Ce Dieu, que tu nommes ton père,
Je puis l'outrager, le haïr,
En me riant de sa colère!

Samson. Tu permets, ô Dieu d'Israël!
Que ce prêtre imposteur outrage,
Dans sa fureur dans sa rage,
Ton nom, à la face du ciel!
Que ne puis je venger ta gloire,
Et par un prodige éclatant
Retrouver pour un seul instant
Les yeux, la force et la victoire!

Chœur. Ha! ha! ha! Rions de sa fureur!
Dans ta rage impuissante, Samson, tu n'y vois pas!
Prends garde à tes pas! Samson!
Sa colère est plaisante!
Ha! ha! ha!

Grand Prêtre. Viens, Dalila, rendre grâce à nos dieux
Qui font trembler Jéhovah dans les cieux!
Du grand Dagon consultons les auspices;
Versons pour lui le vin des sacrifices.

(DALILA, et le GRAND PRÊTRE se dirigent vers ta table des sacrifices, sur laguelle se trouvent les coupes sacrées. Un feu brûle sur l'autel qui est orné des fleurs. DALILA et le GRAND PRÊTRE, prenant les coupes, font une libation sur le feu sacré qui s'active, puis disparaît, pour reparaître au 3e couplet de l'invocation.)

(SAMSON est resté au milieu de la scène, ayant près de lui l'enfant qui le conduit; il est accablé par la doleur et semble prier.)

Grand Prêtre. Gloire à Dagon vainqueur!
Il aidait ta faiblesse,
Inspirant à ton cœur
Et la force et l'adresse.

O toi! le plus grand entre tous!
Toi qui fis la terre où nous sommes,
Qui ton esprit soit avec nous,
O maître des dieux et des hommes!

Delilah. Glory for evermore
To Dagon the victorious,
Who inspired my weak heart
With his might so all-glorious!
O thou greatest of all the great,
Who the heavens and earth hast created!
Ruler of gods as well as men,
With thy spirit we'd be inflated!

Chorus. Mark with thy blessing our flock and field;
Make thou our vineyards with richness yield!
Give, in our harvest, good unalloyed,
For all our substance foes have destroyed!

Delilah and High Priest. Upon thine altar blest
A victim's blood we offer;
To expiate our sins
Our gifts in love we proffer.
May thy priests who all humbly kneel,
See thy face so divinely lighted;
E'en though we are not so clear-sighted,
To their eyes our future reveal!

Chorus. O list, our god, when thus we cry!
May thy blest aid be ever nigh!
Thou art so mighty; gird us with pow'r,
Make us victorious in combat's hour!

Delilah and High Priest. Dagon's might surprising!
Flames anew are rising
From the ashes of the sacred altar!
God doth make the flames upward tower.
Thus he shows his power.
Ah!
From the ashes of the sacred altar!
God doth make the flames upward tower.
Thus he shows his power.
Bless his name!

Chorus. Let our hearts with fear never falter!
Dagon's might surprising!
Ah! God doth make the flames upward tower;
Thus he shows his power,
In this flame.

Dalila. Gloire à Dagon vainqueur!
Il aidait ma faiblesse,
Inspirant a mon cœur
Et la force et l'adresse.
O toi! le plus grand entre tous!
Toi qui fis la terre où nos sommes,
Que ton esprit soit avec nous,
O maître des dieux et des hommes!

Chœur. Marque d'un signe
Nos longs troupeaux;
Mûris la vigne
Sur nos coteaux;
Rends à la plaine
Notre moisson
Que, dans sa haine,
Brûla Samson!

Dalila et Grand Prêtre. Recois sur nos autels
Le sang de nos victimes,
Que t'offrent des mortels
Pour expier leurs crimes.
Aux yeux de tes prêtres divins,
Pouvant seuls contempler ta face,
Montre l'avenir qui se cache
Aux regards des autres humains!

Chœur. Dieu, sois propice
A nos destins!
Que ta justice
Aux Philistins
Donne la gloire
Dans les combats;
Que la victoire
Suive nos pas!

Dalila et Grand Prêtre. Dagon se révèle!
La flamme nouvelle
Sur l'autel
Renaît de la cendre:
L'immortel
Pour nous va descendre!
C'est le dieu
Qui par sa présence
Montre sa puissance!
Ah!
L'immortel, pour nous va descendre!
C'est le dieu qui par sa presence
Montre sa puissance.
En ce lieu.
Sur l'autel, renaît de la cendre!
Dagon se révèle!

Chœur. C'est le dieu qui par sa présence
Montre sa puissance
En ce lieu.

High Priest.

(To SAMSON.)

O may our fate be all propitious!
Come, Samson, come, our gods to please!
And to Dagon mighty and direful
Present thine off'ring on thy knees!

(To the child.)

Out to the middle of the temple guide him,
That all beholding may in scorn deride him!

Samson. Inspire me with thy might,
With me, O Lord, abide!
On to the marble pillars,
My child, my footsteps guide.

(The child leads Samson between the two pillars.)

Chorus. Dagon's might surprising!
Flames anew are rising!
From the ashes of the sacred altar
God doth make the flames upward tower:
Thus he shows his power.
Bless his name!
O list, our God, when thus we cry!
May thy blest aid be ever nigh!
Thou art so mighty! Gird us with pow'r!
Make us victorious in combat's hour!
Before thee Israel is all bereft of power!
Guide thou our arm; gird us with pow'r.
Make us victorious; give us vict'ry in combat's hour!
May this cursed tribe in this hour
Feel thy direful anger and pow'r.
O list, our god, etc.
Glory! glory!

(SAMSON has placed himself between the pillars and attempts to remove them.)

Samson. Lord, thy servant remember now!
Thou mad'st him blind thy just wrath showing.
For one sole moment make him strong,
His power of old on him bestowing!
To avenge me, O lend thy might!
Let the foe be destroyed in thy sight!

(The Temple falls.)
(Cries and shrieks of the people.)

(Curtain descends.)

Le Grand Prêtre.

(A SAMSON.)

Pour que le sort soit favorable
Allons, Samson, viens avec ous,
A Dagon, le dieu redoutable,
Offrir ta coupe à deux genoux!

(A l'enfant.)

Guidez ses pas vers le milieu du temple,
Pour que de loin le peuple le contemple.

Samson. Seigneur, inspire moi, ne m'abandonne pas!
Vers les piliers de marbre, enfant, guide mes pas!

(L'enfant conduit Samson.)

Chœur. Dagon se révèle,
La flamme nouvelle,
Sur l'autel renaît de la cendre;
C'est le dieu,
Qui par sa presence
Montre sa puissanee
Ence lieu!
Dieu, sois propice
A nos destins!
Que ta justice
Aux Philistins
Donne la gloire
Dans les combats!
Que la victoire
Suive nos pas!
Devant toi d'Israël
Disparait l'insolence!
Nos bras guidés par ton esprit
Dans les combats.
Ou par tes charmes.
Ont vaincu ce peuple maudit,
Bravant ta colère et tes armes
A nos destins
Dieu, sois propice, etc.
Gloire à Dagon!
Gloire à Dagon!

(SAMSON placé entre les deux pillars et cherchant à les ébranler.)

Samson. Souviens-toi de ton serviteur!
Qu'ils ont privé de la lumière!
Daigne pour un instant, Seigneur,
Me rendre ma force première!
Qu'avec toi je me venge, ô Dieu!
En les écrasant en ce lieu!

(Le Temple s'écroule au milieu des cris.)
(Rideau.)

LAKMÉ

by

LEO DELIBES

THE STORY OF LAKMÉ

THE scene of Lakmé is laid in one of the large cities of India, and in its immediate vicinity, recently subdued and occupied by the English. The opening takes place in the grounds of Nilakantha, a Hindoo priest, whose premises it is considered criminal and worthy of death to profane. A small party of English ladies and officers of the British army find their way thither while strolling about for amusement. They force an entrance through the bamboo enclosure, and, while admiring the beauties of the place, come upon some beautiful jewels which have been laid aside for the moment by the daughter of the Brahmin proprietor. Realizing the impropriety of their presence, they turn to leave; but Gerald, one of the officers, and the lover of Ellen, daughter of the governor, wishing to make a sketch of the jewels for the benefit of his lady-love, remains behind for that purpose while the others depart. Upon reflection he decides to relinquish the idea of copying the form of the jewels, and in the moment of leaving is surprised by the sudden appearance of Lakmé just returning from a little excursion upon the neighboring stream. They are mutually struck by each other's presence, and, seemingly, a case of love at first sight is the result. Lakmé demands how and why he came there, and tells him of the death penalty which must follow such intrusion. Gerald expresses his admiration of Lakmé's beauty, and hastily departs, or conceals himself just as the priest-father returns to his home. Nilakantha notices the disturbance of his daughter, and observes the strange footsteps, and declares that the intruder must die if discovered. In the second act the scene is changed to the neighboring city, where a grand Brahminic festival and procession take place in honor of the gods and goddesses of India. Also an Indian bazaar, with its occupations and amusements. Many English residents are present, among them the party of the first act. Also the priest and his daughter disguised as penitents. Nilakantha orders Lakmé to sing, believing that she will be heard by the intruder upon his premises, and by his admiration of her beauty and voice will betray himself to his enemy's vengeance. The plan succeeds. Gerald is noted by pleasure he shows at again meeting with Lakmé. Nilakantha, convinced of his guilt, sends his daughter away and consults with his friends upon the manner in which he proposes to take vengeance upon the destroyer of his peace and the intruder upon the sanctity of his home. Lakmé, disobeying the commands of her father, remains at hand, and when, shortly afterwards, Gerald is stricken down by the dagger of Nilakantha, she comes forward with her faithful slave, Hadji, and orders him to be carried to a hut concealed in the forest, where, his wound found to be not mortal, she cares for him and restores him to life and strength by the juices of certain plants whose medicinal properties are well known to the Hindoos. There as he recovers, his passion for her increases, and all else, including his former love, seems forgotten. A chorus of voices is heard passing their retreat, which comes from a procession of young lovers on their way to drink the waters of a sacred fountain, said to have the property of making unions lasting. Gerald wishes to drink of this water. Lakmé obtains it, and is about to present it to him, when she perceives that a change has come over him during her absence. Meanwhile Frederic has made diligent search for his friend, and at last finds him alone in the hut. He endeavors to recall him to his duties by telling him that his regiment is ordered off at once to suppress an outbreak among the Hindoos. Gerald promises to be at his post in time, but begs a little delay, that he may once more see and bid adieu to Lakmé. Upon receiving this promise, Frederic leaves him at the moment of Lakmé's return with the sacred water. As she offers it to Gerald the fifes and drums of his regiment, just leaving for the seat of the rebellion, are heard in the distance. The sound, which recalls him to love and duty, transforms him, and he turns away from the proffered draught. Lakmé is shocked by the sudden change in him, which she but too well knows how to account for. In her heart-breaking despair she gathers and eats some flowers of the deadly poisonous *datura stramonium*, from the effects of which she dies in his arms just as her father and his friends arrive on the scene.

LAKMÉ

ACT I

A well-shaded garden, where flourish and intermingle the flowers of India. In the back-ground, near a little river, stands a building of modest proportions, half concealed by the trees, a figure of Lotus over the door; and near by, a statute of Ganesá, the God of Wisdom, an idol with the head of an elephant, give this mysterious abode the appearance of a sanctuary. The garden is enclosed by a light fence of bamboo. Time, daybreak.

(Hadji, Mallìká, Nilakantha; then Hindoos, men and women. Hadji and Mallìká come to open the garden gate to the Hindoos, who enter reflectively.)

PRAYER AND CHORUS

Here at the usual moment.
When the plain, perfume-freighted,
By the dawn's flame lighted,
Doth greet the new-born day,
Let our prayers rise united,
That the anger of Brahma
May from us pass away.

Nilakantha.

(Coming from his dwelling.)

Thrice blessed may you be,
Who faithful homage render
To heaven's high priest in me,
Reviled, scoffed at, and outraged!
Of our base victors, the sway
We'll weary out, sure, though slowly;
They have driven our gods away
From the ancient temples holy.
But Brahma o'er their heads
His vengeance has suspended;
When that explodes and spreads,
Our bondage will be ended!
In my dwelling here, to-day,
I saw God's power displaying.
Up to him I soared away,
While I heard my daughter praying.

(In the wing.)

Lakmé. O Dourga fair, O Shiva great!
Mighty Ganesá, who Brahma did create.

(Hindoos kneeling.)

O Dourga fair, O goddess great!

(Lakmé enters and joins in the prayer.)

Wise Ganesá protect our state.
O Shiva pale, thy wrath abate!
God's wise and great, that did Brahma create.

Nilakantha.

(To Hindoos.)

Go, now, in peace;
But as you leave, repeat
Your devout morning prayer.
May God guide your feet.

(All now depart except Nilakantha, Lakmê, and the two servitors.)

ACTE PREMIERE

(Un jardin très ombragé où croissent et s'entremêlent toutes des fleurs de l'Inde. Au fond, une maison peu élévée, à demi chachée par es arbres. L'image du Lotus sur la porte d'entrée et plus loin une statue de Ganeça, idole à tête d'éléphant, dieu de la sagesse, donnent à cette mystérieuse habitation l'aspect d'un sanctuaire. Au fond, le commencement d'un petit cours d'eau qui se perd dans la verdure. — Le jardin est entouré d'une frêle clôture en bambous. — C'est le lever du jour.)

(Hadji, Mallika, Nilakantha, puis Hindous, hommes et femmes.)

(Au lever du rideau, Hadji et Mallika vont ouvrir la porte du jardin à des Hindous, hommes et femmes, qui entrent avec recueillement.)

Choeur. A l'heure accoutumée.
Quand la plaine embaumée
Par l'aurore enflammée,
Fête le jour naissant,
Unissons nos prières,
Pour calmer les colères
De Brahma menaçant.

Nilakantha.

(Sortant de sa demeure.)

Soyez trois fois bénis, vous qui rendez hommage
Au prêtre abandonné qu'on raille et qu'on outrage.
De nos vainqueurs odieux
Nous lasserons les colères;
Ils ont pu chasser nos dieux
De leurs temples séculaires!
Mais, sur leurs têtes, Brahma
A suspendu sa vengeance,
Et, quand elle éclatera,
Ce sera la délivrance,
Dans ma retraite, aujourd'hui
La puissance de Dieu brille,
Je le vois, je monte à lui
Quand j'entends prier ma fille.

Lakmé.

(A ce moment, on entend la voix de Lakmé, dans la demeure du brahmane. Tous les Hindous se prosternent.)

Blanche Dourga,
Pâle Siva!
Puissant Ganeça!
O vous, que créa Brahma!
Apaisez-vous,
Protégez-nous!

(A la fin du chant sacré, Lakmé a paru sur le seuil de la demeure du brahmane et mêle sa prière à celles des Hindous.)

Nilakantha.

(Aux Hindous.)

Allez en paix, redites, en partant,
La prière au matin, allez, Dieu vous entend!

(Toute le monde sort, à l'exception du brahmane, de Lakmè et de ses deux serviteurs.)

Nilakantha.

(Tenderly.)

Lakmé! 't is you who here watch o'er us!
And if I dare to brave the hostile ranks before us,
Of the triumphant enemy;
'T is that God pitying heeds
Thy childlike purity.

Lakmé. When Brahma great, in pity tender,
Bruising flowers on his way,
Made earth and sky,
He let their honey lie,
And from that hope did render!

Nila. I now must leave you for a while.

Lakmé. What? so soon?

Nila. Be fearless,
In that pagoda peerless
That's still allowed to stand,
Some are waiting my command.
The festival tomorrow calls me.

(To the servants.)

Stay you here with Lakmé.

Hadji. Together we'll watch o'er her.

Mall. Beside her we will stay.

Nila. I shall back find my way
Before the close of day.

(Ensemble.)

Nila. Kind heaven will guard and keep me.
And lead me by the hand,
Cnd drive all foes away
That in my path may stand.

Lakmé. Mall. Hadji.

May heaven guard and keep you,
And lead me / you by the hand,
And drive all foes away
That in my / your path may stand.

(Nilakantha goes out followed to the door by the others. Hadji re-enters the house.)

Lakmé.

(Taking off some jewels and laying them on stone table.)

Come, Malliká, the flowering vines
Their shadows now are throwing
Along the sacred stream,
That calmly here is flowing;
Enlivened by the songs of birds amid the pines.

Mall. O mistress, dear! 't is now—
When I behold you smiling,
In this blest hour, no cares beguiling,
That your oft-closed heart I may read.
Lakmé!

Nilakantha.

Lakmé, c'est toi qui nous protèges,
Et si je puis braver les haines sacrilèges
De l'ennemi triomphant
C'est que Dieu prend pitié de ta candeur d'enfant.

Lakmé. Lorsque Brahma, dans sa clémence,
En broyant une fleur, fit la terre et le ciel,
Il y laissa le miel,
Et ce fut l'espérance.

Nilakantha.

Il faut que je te quitte à l'instant.

Lakmé. Quoi déjà?

Nilakantha.

Sois sans crainte!
Dans la pagode sainte,
Qui reste encor debout à la ville ou m'attend,
La fête de demain m'appelle.

(Aux serviteurs.)

Restez prèz de Lakmé!

Hadji. Nous veillerons sur elle!

Mall. Nous veillerons tous deux!

Nilakantha.

Je serai de retour
Avant la fin du jour!

Nilakantha.

Que le ciel me protège,
Me guide par la main,
Chasse le sacrilège
Au loin de mon chemin!

Lakmé, Hadji, Mallika.

Que le ciel te protège,
Te guide par la main,
Chasse tout sacrilège
Au loin de ton chemin!

(Nilakantha s'éloigne accompagné jusqu'à la porte par Lakmé et ses deux serviteurs. Hadji rentre dans la maison.)

Lakmé.

(Après s'être dèbarrassée de quelgues bijoux qu'elle a posés sur une table en pierre.)

Viens, Mallika, les lianes en fleurs
Jettent déjà leur ombre
Sur le ruisseau sacre qui coule, calme et sombre,
Eveillé par le chant des oiseaux tapageurs.

Mall. Oh, maîtresse, c'est l'heure où je te vois sourire,
L'heure bénie où je puis lire,
Dans le cœur toujours fermé
De Lakmé!

LAKME. a tempo.
p
'Neath . . . the dome, The . . . . . jas - mine To the ro - ses comes
Dô - me é - pais le . . . . . . jas - min A la ro - se s'as-
MALLIKA. a tempo.
p
'Neath the leaf - y dome, Where the jas - mine white To the ro - ses comes
Sous le dòme é - pais où le blanc jas - min A la ro - se s'as
greet - - - - ing, By . . . . . flower banks fresh . . . . and bright
sem - - - - ble. Ri . . . ve en fleurs, frais . . . . , ma - tin,
greet - - - - ing, On the flow'r - decked bank, Gay in morn - ing light,
sem - - - ble. Sur la rive en fleurs, ri - ant au ma - tin,
mf
Come, and join we their meet - - - ing. Ah! . . . . . we'll glide
Nous ap - pel - lent en - sem - - - ble. Ah! . . . . glissons
mf
Come, and join we their meet - - ing. Slow - ly on we'll glide
Viens des - cen - - dons en - sem - - ble. Dou - ce - ment glissons;
p
mf
with . . . . the tide, On . . . . . we'll ride a - way; Through
en . . . . . sui - vant Le . . . . . . courant fu - yant; . Dans
p
mf
Float - ing with the tide, On the stream we'll ride a - way; Through
De son flot charmant, Suivons le courant fu - yant; Dans
f
p
wave - - lets shim - 'ring bright . . . . . ly, Care - - less - ly row - ing
l'on - de frémis - san . . . . te, D'u . . . ne main noncha
f
p
wave - - lets shim - 'ring bright . . . . . ly, Care - - less - ly row - ing
l'on - de frémis - san . . . . te, D'u . . . ne main noncha

light . . . . ly, Reach we the steeps Where the
lan . . . te, Ga . . . . gnons le bord. Où l'a
light . . . . ly, We'll reach soon the steeps Where the foun-tain sleeps.
lan . . . . te, Viens gagnous le bord Où la source dort
poco rall.
birds war - ble, war - ble, the birds spright - - - ly.
seau chante, l'oi-seau, l'oi-seau, chan . . . te.
poco rall.
Where war - ble the birds spright - - - ly.
Et l'oi-seau, l'oiseau chan . . . . te.
a tempo. pp
'Neath . . . . the dome, flowers u - nite, Come and join . . . .
Dô . . . . me é-pais, blanc . . . . . jas-min Nous ap-pel . . . .
a tempo. pp
'Neath the leaf-y dome, Where the jas-mine white, Come and join . . . .
Sous le dôme é-pais, Sous le blanc jas-min, Ah! des-cen . . . .
rall.
. . . . we their meet - ing!
. . . . lent en - sem - ble!
rall.
. . . . we their meet - ing!
. . . . dans en - sem - ble!
Un peu plus anime.
LAKME.
But, why my heart's with swift ter - ror in-vest - ed, Doth not yet ap-pear, When my
Mais, je ne sais quelle crainte su-bi-te S'empare de moi, Quand mon
fa - ther 'lone goes to your ci - ty de - test - ed, I trem - ble, I trem - ble with
pè-re va seul à leur ville mau-di-te, Je trem - ble, je trem-ble d'ef-
MALLIKA.
fear. May the god, Ga - ne - sa, keep him from dan - gers, Till he ar - rives at the pool just in
froi! Pour quelle Dieu Ganeça le protè - ge. Jusqu'à l'é-tang où s'ébattent joy-

view, . Where wild swans, those snow - y wing'd stran - gers, Come to de - vour the lo - tus
eux Les cygnes aux ailes de neige, Al-lons cueillir les lo-tus
LAKME.
blue. Yes, where the wild swans, those snow - y wing'd
bleus. Oui, près des cy-gnes aux ai-les de
poco rall.
stran - gers, Come to feed on lo - tus
nei - ge, Al - lons ceuil lir les lo - tus
Io tempo. p
blue, 'Neath . . the dome, jas . . . . mines white To the ro - ses come
bleus, Dô . me é - pais, le . . . . jas - min A la ro - se s'as-
MALLIKA.
'Neath the leaf - y dome, Where the jas - mine white To the ro - ses comes
Sous le dôme é-pais où le blanc jasmin A la ro - se s'as
greet . . . . ing, . By . . . . . flower bank, fresh . . . . and bright,
sem . . . . ble. Ri . . . . . ve en fleurs, frais . . . . ma-tin,
greet . . . . ing, On the flow'r-deck'd bank, Gay in morn - ing light,
sem . . . . ble Sur la rive en fleurs, ri-ant au ma-tin,
mf
Come, and join we their meet . . . ing. Ah! . . . . we'll glide
Nous ap - pel lent en - sem . . ble. Ah! . . . glissons,
mf
Come, and join we their meet . . ing. Slow - ly on we'll glide,
Viens, des-cen-dons en sem . . ble. Dou - ce - ment glissons,
p mf
with . . . . . the tide, On . . . . . . we'll ride a - way; Through
en . . . . . . sui - vant Le . . . . courant fuyant Dans
p mf
Float - ing with the tide, On the stream we'll ride, a - way; Through
De son flot charmant Sui-vons le courant fuyant Dans

During the latter measures Mallika has unfastened a little boat which was anchored among the reeds in the stream. Lakmé steps into it, followed by Mallika, who sits at the helm. The boat moves on and their voices are lost in the distance.)

(Enter Gerald, Frederic, Ellen, Rose, Mrs. Benson.)

(Laughter heard outside the inclosure.)

Rose. What do you see?

(Pendant les dernières measures du chant, Mallika a détaché une petite barque qui était amarrée dans les roseaux; Lakmé y monte, suivie de Mallika qui a pris l'aviron; la barque s'éloigne et leurs voix s'éteignent dans le lointain.)

(Gérald, Frédéric, Ellen, Rose, Mistress Bentson.)

(On entend des éclats de rire en dehors de la clôture du jardin.)

Rose. Que voyez-vous?

Frederic. I see a garden.

Ellen. And you, Gerald?

Gerald. I see lovely trees.

Ellen. And no person?

Gerald. I can't tell.

Rose. Look well.

Frederic. It's difficult, across this fence.

Ellen. Try to move the bamboo.

Mrs. B. Girls, girls, be careful.

Gerald. Wait! I see the statue of Ganesa, goddess of wisdom.

Frederic. There's a lotus leaf on the door. A Brahmin must live there.

Rose and Ellen. A Brahmin!

Frederic. Let's go.

Rose and Ellen. Why?

Frederic. You can't fool with these people.

Ellen.

(Pushing aside the bamboo.)

Oh! I must see a Brahmin's garden.

Mrs. B. Miss Ellen be careful.

Ellen. It's too late.

(She pushes through the bamboo into the garden)

Rose. The opening is made, we can go through.

Mrs. B. You too, Rose!

Gerald. We can't go back, ma'am.

Mrs. B.

(Following after, making a face.)

But in whose place are we?

Frederic. I know. I don't know the owner of this temple but I've heard about him.

Gerald. Right! We haven't been introduced.

Frederic. Let's not fool around. It's dangerous.

Rose. Don't worry, Mrs. Benson.

Ellen. Of course, don't worry.

Mrs. B. Please, girls, I am your governess and caution is my duty.

Rose. Caution, yes; fear, no.

Frédéric. Je vois un jardin

Ellen. Et vous, Gérald?

Gérald. Je vois de très beaux arbres.

Ellen. Il n'y a personne?

Gérald. Je ne sais pas.

Rose. Regardez bien.

Frédéric. Ce n'est pas commode, à travers une pareille clôture.

Ellen. Essayez d'écarter les bambous!

Mrs. B. Mesdemoiselles, mesdemoiselles, soyez prudentes.

Gérald. Tiens, je vois la statue de Ganeça, le dieu de la sagesse.

Frédéric. Je vois une feuille de lotus dessinée sur la porte. C'est la demeure d'un brahmane.

Rose et Ellen. D'un brahmane!

Frédéric. Allons-nous-en!

Rose et Ellen. Pourquoi?

Frédéric. Parce qu'il ne faut pas plaisanter avec ces gens-là.

Ellen.

(Écartant les bambous.)

Oh! moi, je veux absolument voir le jardin d'un brahmane.

Mrs. B. Miss Ellen, soyez prudente!

Ellen. Oh! il est trop tard!

(Les bambous ont cédé, elle est entrée dans le jardin.)

Rose. La brèche est faite, on peut passer.

Mrs. B.

(Éperdue.)

Miss Rose, vous aussi!

Gérald. Nous ne pouvons plus reculer, véné rable mistress Bentson.

Mrs. B.

(Entrant en faisant la grimace.)

Mais je ne sais pas chez qui nous sommes.

Frédéric. Moi, je le sais très bien. Je ne connais pas le propriétaire de ce petit temple, mais j'ai beaucoup entendu parler de lui.

Gérald. Très positivement, nous n'avons pas été presentés.

Frédéric. Nous nous livrons là à une plaisanterie extrêmement dangereuse.

Rose.

(Vivement.)

N'effrayez pas, mistress Bentson.

Ellen. Oh! non, ne l'effrayez pas!

Mrs. B. Permettez, mesdemoiselles, je suis votre gouvernante, la prudence est un devoir pour moi.

Rose. La prudence, oui; mais la peur?

Mrs. B. Fear, too. When the governor entrusted his daughter and his niece to me he told me to have fear. I was engaged to have fear. I have fear.

Ellen.

(Gaily, to Rose.)

Isn't it lovely.

Rose. Flowers and lovely buds — how adorable!

Frederic. Look out for snakes! Under the flowers!

Ellen. And the river! How charming with its grassy banks.

Rose. It seems to have gone to great lengths just to come here for us.

Ellen. Look at these flowers.

Frederic. Don't touch them, Ellen! They're daturas stramonium—innocuous in England but here in India, if just one leaf—

Mrs. B. They're poisonous.

Gerald. Poisonous.

Frederic. Right.

Mrs. B. This is a terrible country.

Frederic. Now, if you'll listen to reason—

Rose. We won't.

Ellen. No, we won't.

Frederic. Look, Gerald, you have some rights, or seem to have since you're going to marry Ellen in a couple of weeks . . .

Gerald. I won't use my rights against my wife.

Ellen.

(Giving him her hand.)

Well said, darling.

Frederic. Oh! these lovers! (To Gerald) The prospect does not displease, then. (To Ellen) You don't know him well. He loves danger and puts poetry into it. He's a dreamer of the impossible, an enthusiast of the unknown. He's lost with love in the blue shadows.

Ellen.

(With spirit.)

I don't blame him.

Frederic.

(Gaily.)

On the contrary, eh? Well, I'm the prosaic one. But let me tell you, if only I could . . . .

Rose. What? We're not taking a chance. We won't meet anyone. My guess is that no-one lives here.

Mrs. B. La peur aussi. Quand M. le gouverneur a diagné me confier sa fille et sa nièce, il m'a recommandé d'avoir peur. Je me suis engagée avoir peur. J'ai peur!

Ellen.

(Gaiment, à Rose.)

Vois comme c'est joli.

Rose. Quel adorable fouillis de feuilles et de fleurs!

Frédéric. Prenez garde aux serpents, sous les fleurs, miss Rose!

Ellen. Comme elle est coquette, cette rivière, toute bordée de verdure.

Rose. Elle a l'air de s'allonger dans une courbe gracieuse pour arriver jusqu'ici.

Ellen. Vois donc ces belles fleurs.

Frédéric. N'y touchez pas, miss Ellen! ce sont des daturas, des daturas *stramonium*, très inoffensifs en Angleterre, mais, sous ce beau ciel indien, il suffirait d'en mettre une feuille sous vos jolies dents.

Mrs. B. Pour être empoisonnée?

Gérald. Pour être empoisonnée.

Frédéric. Parfaitement, mistress Bentson.

Mrs. B. C'est un pays abominable.

Frédéric. Si vous me permettiez de vous parler raison.

Rose. Nous ne voulons pas!

Ellen. Non, non, nous ne voulons pas!

Frédéric. Voyons, Gérald, toi qui as des droits ou du moins un semblant de droits, puisque tu auras le bonheur d'épouser miss Ellen dans quelques semaines.

Géald. Je n'userai jamais de mes droits pour contrarier ma femme.

Ellen.

(Lui tendant la main.)

A la bonne heure, voilá une bonne parole!

Frédéric. Oh! ces amoureux! (*A Gérald.*) L'aventure, d'ailleurs, ne te déplaît pas. (*A miss Ellen.*) Vous ne le connaissez pas bien, miss Ellen; il aime le danger, il y met de la poésie! c'est un rêveur de l'impossible, un enthousiaste de l'inconnu; il se perd avec amour dans les nuages bleus.

Ellen.

(Vivement.)

Je ne le lui reproche pas.

Frédéric.

(Gaiement.)

Au contraire, n'est-ce pas? C'est moi qui suis prosaïque. Je vous jure pourtant que si j'étais seul.

Rose. Quoi? Nous ne nous exposons pas beaucoup, puisque nous ne rencontrons personne. On dirait cette demeure inhabitée.

Frederic. I tell you, this house certainly is inhabited by a fanatic Brahmin named Nilakantha. He built a pagoda here which was ruined in the conquest and now he hates all of us.

Mrs. B. I see plenty of pagodas here.

Frederic. In the cities, yes. In fact, tomorrow's one of their big holidays. And all the Brahmins will gather in the main pagoda. But in the country the cult is gradually disappearing. Nilakantha has retired into this obscure place which he has dedicated to Brahma, living on the modest contributions of his few remaining faithful Hindus. He has a daughter.

Ellen. A daughter.

Mrs. B. Do these people have daughters?

Frederic. Her name is Lakmé.

Ellen. What a beautiful name: Lakmé!

Rose. I'd like to see her.

Frederic. It's quite impossible. You don't understand, being European, that this little person born in a pagoda, vowed to some god or goddess in the Indian heaven, believes herself divine. Everything outside is profane and she never shows herself.

Ellen. Do you think she's beautiful?

Frederic. They say she's ravishing.

Ellen. When a woman is youthful and jolly,
She is wrong herself to hide;

Frederic. But in this strange land all is folly,
By its rulings, yet, we must abide.

Gerald. Like an idol deified ever,

Rose. Shut up by herself from the light;

Gerald. Stirred up with humanity never,

Mrs. B. She'd for me be a perfect fright.

Ellen. Every woman listens with pleasure
To the praises that men to her bring;

Frederic. In Europe 't is so in a measure,
But here 't is a different thing!

Gerald. Rose. Ellen. Mrs. B. Frederic.
Ah! adepts in plans aesthetic,
Loving changes and brilliant show;
Lay aside all your dreams poetic,
Let us reason with calmness now.

Frederic. I hate all systems aesthetic,
And say and think what all know;
Without a fancy poetic,
I see only what the facts show.

Frédéric. Je vous répète qu'elle est parfaitement habitée par un brahmane fanatique qui se nomme Nilakantha. Il desservait une pagode que la conquête a ruinée, ce qu'il nous pardonne difficilement.

Mrs. B. Mais j'en vois encore partout des pagodes!

Frédéric. Dans les villes, oui; nous aurons même demain une des plus grandes fêtes indoues. Tous les brahmanes des environs vont se réunir à la grande pagode, mais dans les campagnes, le culte disparaît peu à peu. Nilakantha s'est retiré sur ce coin de terre qu'il a consacré à Brahma, de sa propre autorité, et il vit des modestes offrandes de quelques Hindous qui lui sont restés fidèles. Il a une fille.

Ellen. Une fille?

Mrs. B. C'est gens-là ont des filles?

Frédéric. Elle se nomme Lakmé.

Ellen. Oh! le joli nom: Lakmé!

Rose. Je voudrais bien la voir.

Frédéric. Il ne manquerait plus que cela. Mais vous ne savez donc pas, Européenne que vous êtes, que cette petite personne née dans une pagode, vouée à quelque Dieu ou à quelque déesse du ciel indien, se croit elle-même d'essence divine. Elle méprise tout ce qui se passe en dehors de cette enceinte et elle ne se montre pas.

Ellen. Et vous croyez qu'elle est belle?

Frédéric. Ravissante, dit-on.

Ellen. Quand une femme est si jolie
Elle a bien tort de se cacher.

Frédéric. Dans ce pays tout est folie
Et j'admets tout, moi, sans brancher.

Gérald. Une idole qu'on divinise!

Rose. Que l'on enferme avec ferveur!

Gérald. Et qui jamais ne s'humanise!

Mrs. B. Je la crois laide à faire peur!

Ellen. Une femme est toujours sensible
Au juste hommage qu'on lui rend.

Frédéric. En Europe, c'est bien possible,
Mais ici, c'est tout diffèrent!

Gérald, Rose, Ellen, Mrs. B.
Beaux faiseurs de systèmes,
Amoureux du changement,
Laissez là vos poèmes
Et raisonnons froidement;
Les femmes sont partout les mêmes
Fort heureusement.

Frédéric. Je hais tous les systèmes,
J'observe tout simplement
Sans faire de poémes,
Les femmes changent vraiment
Et ne sont point partout les mêmes,
Fort heureusement!

Ellen. Should we seek them for footprints gracious,
In these calm, mysterious abodes?

Frederic. Oh! no, 't would be something audacious,
And a bustle 't would make 'mong their gods.

Rose.
(Jestingly.)
Then has she divine grace within her?

Frederic. Well, I think so; though I'm but a sinner.

Gerald.
(Jestingly.)
Must we live, then, on bended knee?

Mrs. B.
(Ironically.)
Say she's better by far than we!

Frederic. I'll speak not in such foolish fashion,
But 'neath this hot sky aflame,
The women, here, burning with passion
As our own, are not quite the same.
Their peculiar virtue needs some outward show,
Tho' love engrossed, they neither love nor contract know.
'T is not love, in our fine, coquettish manner,
Not a state of warm, gentle sentiment,
That often ends in moral sweet content.
No, their hearts are full while love is warm;
Life, for them, is knowing how to charm.
Living, is to charm.

Ellen. Such women we should call ideal,
Who charm all instantaneously;
And we seem commonplace and real
Who pleasing otherwise may be.
We're subdued, with less of brilliant noise and light;
'Gainst surprises sudden we let reason fight.
But they've not, you know, your fine enchantresses,
Felt the sweet dismay when love is first declared.
Nor the pleasures, or the distresses,
Or the bliss, when one's dreams are shared.
Those celestial beauties know how hearts to move.
With more modest feeling, we know how to love.

Frederic. Not to compare tends what I'm saying.

Ellen, Rose and Mrs. B.
'T is but his wit that leads him straying.

Gerald. He deals with facts, we plainly see.

Frederic. I say it as reported to me.

Rose.
(Perceiving jewels.)
See! lovely jewels!

Ellen. Si nous cherchions un peu sa trace
Dans cet enclos mystérieux?

Frédéric. On! non — ce serait d'une audace
A faire bondir tous leurs dieux.

Rose.
(Railleuse.)
A-t-elle une grâce divine?

Frédéric.
(Avec bonhomie.)
Mon Dieu! moi, je me l'imagine.

Gérald.
(Raillant.)
Fraudrait-il vivre à ses genoux?

Mrs. B.
(Ironique.)
Dites donc qu'elle est mieux que nous!

Frédéric. Je ne dis pas cete sottise.
Non. Mais, sous ce beau ciel de feu,
Les femmes que leur soleil grise,
Des nôtres diffèrent un peu.
Leur vertu bizarre
Manque d'apparat;
L'amour s'en empare
Sans loi ni contrat.
Ce n'est plus l'amour aux façons coquettes,
Ce n'est plus ce tendre et doux sentiment,
Un bonheur d'allures discrètes
Qui finit très moralement.
Non, leur cœur s'enivre
Du plaisir d'aimer,
Et pour elles, vivre
Ce n'est que charmer!

Ellen. Ce sont des femmes idéales
Qui charment instantanément
Et nous leur paraîtrons banales,
Nous, qui voulons plaire autrement.
Nous sommes conquises
Avec moins d'éclat;
De peur des surprises,
La raison combat.
Mais elles n'ont pas, vos enchanteresses,
Les effrois charmants des premiers aveux,
Ni les troubles, ni les ivresses
D'un bonheur que l'on rêve à deux
Ces beautés célestes
Savent tout charmer,
Mais nous, plus modestes.
Nous savons aimer.

Frédéric. Ne croyez pas que je compare.

Ellen, Rose et Mrs. B.
C'est votre esprit qui vous égare.

Gérald.
(Riant.)
Il est naïf, en vérité!

Frédéric. Je dis ce qu'on m'a raconté.

Rose.
(Apercevant les bijoux sur table de pierre.)
Tiens! des bijoux de femme!

Ellen. The Brahmin's daughter's.

Rose. They're grand.

Frederic.
Girls! Don't touch them.
(Quickly.)

Ellen. Don't worry. Since they're sacred, I won't touch them. But Gerald can copy the design.

Frederic. What! Start drawing right here?

Gerald. Why not?

Frederic. Why not? Because, in coming here, we have not only violated privacy, but have committed a sacrilege, the Brahmin's home being as sacred as his pagoda. A sacrilege committed by a European never remains unpunished. Sooner or later, an unseen hand strikes the fatal blow.

Mrs. B. Why didn't you say so in the first place?

Gerald. The officers of Her Majesty the Queen just laugh at that nonsense.

Frederic. It's not a question of courage with enemies who never show themselves but pursue their vengeance, unhurried, waiting for the proper time and certain of secrecy. Remember you're in a conquered country.

Mrs. B. Yes. A barbarous country. When I think how happy we were in London, in Hyde Park, breathing that beautiful invigorating fog! Well, girls, I'm going to use my authority.

Gerald. I have a suggestion to make. You go back to town, Mrs. Benson.

Mrs. B. Thanks.

Gerald. With Frederic and the girls. I'll stay here to copy these jewels that Ellen likes.

Ellen.
(To Gerald.)
If there's any danger.

Gerald.
(Laughing.)
Not the least. If anyone comes, I'll go. I won't be ashamed.

Ellen. I'll wear these jewels on our wedding day.

Gerald. That's why I like them.

Mrs. B. Well, girls.

Ellen. De la fille du brahmane!

Rose. Qu'ils sont gracieux de forme!

Frédéric.
(Vivement.)
Mesdemoiselles! n'y touchez pas.

Ellen. Rassurez-vous, je n'y toucherai pas puisqu'ils sont sacrés. Mais Gérald pourrait en prendre le dessin!

Frédéric. Vous voulez qu'il s'installe avec ses crayons?

Gérald. Pourquoi pas?

Frédéric. Comment! pourquoi pas? Parce qu'en entrant ici, nous n'avons pas seulement commis une violation de domicile comdamnable en tous pays, mais un véritable sacrilège, la demeure d'un brahmane étant sacrée comme la pagode elle-même. Or, un sacrilége commis par un Européen n'est jamais reste impuni. Le coupable tombe un jour ou l'autre frappé par une main invisible.

Mrs. B. Ah! mon Dieu, pourquoi ne nous avez-vous pas dit ça tout de suite?

Gérald. Les officiers de Sa Majesté la reine d'Angleterre se moquent des brahmanes.

Frédéric. Il ne s'agit pas de courage avec des ennemis qui ne se montrent jamais, qui poursuivent leur vengeance dans l'ombre sans se hâter, attendant l'instant propice, sûrs que pas un des leurs ne les dénoncera. Rappelez-vous que nous sommes en pays conquis.

Mrs. B. Oui! oui! en pays barbare. Quand je pense que nous serions si bien à Londres, à Hyde-Park, humant ce joli brouillard qui nous fait le teint frais. Maintenant, mesdemoiselles, j'userai de mon autorité.

Gérald. Je propose une transaction. Vous allez retourner à la ville, respectable mistress Bentson.

Mrs. B. Merci.

Gérald. Avec ces demoiselles et Frédéric. Moi, je resterai pour copier ces bijoux qui plaisent à miss Ellen.

Ellen.
(À Gérald.)
Si pourtant vous deviez courir un danger.

Gérald.
(Riant.)
Pas le moindre. Aussitôt que je vois arriver quelqu'un, je me sauve. Je n'y mettrai pas d'amour-propre.

Ellen. Je porterai ces bijoux-là, le jour de notre mariage.

Gérald. C'est alors que je les trouverai jolis.

Mrs. B. Eh bien, mesdemoiselles?

Rose.
(To Ellen.)
I hate to go.

Ellen. I, too.

Frederic.
(To Gerald.)
I think you're making a mistake.

Mrs. B. Mr. Frederic . . . .

Frederic.
(Leaving.)
A hero! He's a hero! And I am ridiculous. That's the way life is. Wisdom looks foolish.

Mrs. B. Mr. Frederic. . . .
(They go out.)
(Gerald alone, preparing to sketch.)

AIR.

Gerald. Taking the design of a jewel, — is that so serious an action? Ah! Frederic is mad!
(He moves toward the jewels, then stops.)
But whence comes then, this foolish forewarning of danger; what supernatural fancy has disturbed my reflections, amid these calm and solemn shades?
(Becoming animated.)
Daughter of my caprices, the unknown stands before my sight; her voice plain to my hearing, utters this one mysterious word, No! no!

Rose.
(À Ellen.)
Je regrette de m'en aller.

Ellen. Je le regrette bien davantage.

Frédéric.
(À Gérald.)
Rappelle-toi que tu as tort.

Mrs. B. Monsieur Frédéric.

Frédéric.
(En sortant.)
C'est un héros, lui! Tu es un héros! Et moi je suis ridicule, parfaitement ridicule. Voilà, généralement en ce monde, le sort des hommes sages.

Mrs. B. Monsieur Frédéric.
(Ils sortent.)
(Seul, se préparant à dessiner.)

AIR.

Gérald.
Prendre le dessin d'un bijou,
Est-ce donc aussi grave? Ah! Frédéric est fou!
(Il se dirige vers les bijoux, puis s'arrête.)
Mais d'où vient maintenant cette crainte insensée;
Quel sentiment surnaturel
A troublé ma pensée
Devant ce calme solennel!
(S'animant.)
Fille de mon caprice
L'inconnue est devant mes yeux.
Sa voix à mon oreille glisse
Des mots mystérieux!

p
tas - tic, with wings of gold. (Taking up a bracelet.) Of some fair maid
si - e aux ai - les d'or. Au bras po - li
round her arm fold - ing, This brace - let rich must oft en - twine. .
de la pa ïen - ne Cet an - ne - let dut s'en - la - cer!
Ah! what de - light would be the hold - ing,
El - le tien - drait ton - te en la mien - ne,
The hand that pass - - es there, in mine!
La main qui seule - - y peut pas - ser!
(Taking up a ring.) This ring of gold . . my dream sup -
Ce cer - cle d'or. Je le sup -
pos - es, Oft has fol - lowed, wand - 'ring for . . hours, With the small
po - se. A sui - vi les pas voy - a - geurs D'un pe - tit
poco rall.
foot, that but re - pos - es On mos - sy banks or beds of
pied qui ne se po - se Que sur la mousse ou sur les
tempo.
flowers. (Taking up a necklace.) This neck - lace too, with her
fleurs. Et ce col - lier en - cor
own per - fume scent - ed, . . . Em - balm'd as yet with sweets
par - fu - mé d'el - le, De sa per - sonne en - cor
. . from her lips that came. . . . . . Has felt the true heart, .
tout en - bau - mé A pu sen - tir bat -
. . beat - ing glad, con - tent - ed, Trem - bling with joy at the one well-loved name, .
tre son coeur fi - de - le, Tout tressail - lant au nom du bien ai - mé,
rall. tempo allegro.
Trem - bling at sound of one . . . be - lov - ed name.
Tout trés - sail - lant au nom du bien ai - mé

(Renounces his intention of sketching.)

Well, no! I'll not touch those jewels again.
It would be for me a sort of profanation.
Lakmé, she calls herself Lakmé!

(He is about to leave when he hears the voice of Lakmé from the boat.)

'T is she! with her hands filled with flowers.
'T is she!

(He hides himself in a thicket of shrubbery.)

GERALD, (concealed); then LAKMÉ, MALLIKA.

(Renonçant à dessiner.)

Eh bien! non! Je ne veux plus toucher à ces bijoux. Ce serait, pour moi, comme une profanation. Lakmé, elle s'appelle Lakmé.

(Il va pour s'en aller quand il entend la voix de Lakmé sur la barque.)

C'est elle, les mains pleines de fleurs. C'est elle!

(Il se cache dans un massif d'arbustes.)

GÉRALD, caché, puis LAKMÉ et MALLIKA.

ENSEMBLE.

Lakmé and Mallikà.

(Standing before the statue Ganesá.)

O thou who watchest o'er us,
From our foes before us
Keep us unharmed we pray.

(They place the flowers at the feet of the idol.)

Mallika, Lakmé.

(Devant la statue de Ganeça.)

O toi qui nous protèges,
Garde-nous des pièges
De nos persécuteurs!

(Elles posent des fleurs aux pieds de l'idole.)

Lakmé.

(To Malliká.)

And briefly now,
 In the stream cool and flowing,
Which o'er the golden sand doth murmur,
 Heedless going,
Of an overpowering sun,
 Come and brave the hot rays!

Mall. The moment, now, will find advantageous,
Where the the dense forest trees spread o'er
 the mossy bank,
A shelter cool, umbrageous!

(She quickly disappears among the trees.)

LAKMÉ, GERALD.

(Concealed.)

Lakmé.

(Having laid aside her mantle is about to follow her, but stops thoughtfully.)

But I feel in my heart sudden movements
 confused!
The flowers are more fair to me seeming,
 The sky is more splendid in hue;
The wood with new bird-songs is teeming,
 Sweeter kisses the wind never blew.
What's the perfume here that excites me,
And to new life now invites me!
 But why?
Ah! why in these grand woods
 Love I to roam and creep,
 Is it to weep?
Why is my heart so saddened
 At voices of ring-doves calling,
 At sight of flowerets fading,
 Or of brown leaflets falling?
And yet these tears have charms for me,
 E'en though I sigh.
And I feel that I still am happy,
 But why?
Why seek a sense to find
 In the stream's murm'ring flow
 'Mong the reeds below?
Whence are all these sweet delights,
 While thro' space comes the feeling,
Like a breath half divine,
 Leaving balm, then on-stealing?
My lips, at times, with smiles with sadness
 defy,
 And I feel I am happy,
 But why?

Lakmé.

(Perceiving Gerald, and with loud cry.)

Ah, Malliká!

Malliká.

(Running back to her.)

Lakmé! are you threatened with danger?

(Hadji runs in.)

Lakmé.

(Conquering her emotion.)

Ah, no.
I was deceived. Trifles frighten me to-day;
 my father does not come, though the
 time is past already! Go, both, in search
 of him. Away!

(Malliká and Hadji depart, looking at her with astonishment.)

LAKMÉ, GERALD.

(So soon as the servants are gone, Lakmé walks straight up to Gerald, who has taken a step torwards her, and gazes upon her with ravishment.)

Lakmé.

(À Mallika.)

Et maintenant, dans cette eau transparente
Qui, sur le sable frais, murmure insouciante,
D'un soleil accablant vient braver les ar-
 deurs.

Mall. Oui, profitons de l'heure propice
Où les arbres touffus
Répandent sur la rive une ombre protectrice.

(Elle disparaît vivement derrière les arbres.)

LAKMÉ, GÉRALD, caché.

Lakmé.

(Défait le manteau qui l'enveloppe, puis au moment de suivre Mallika, elle s'arrête rêveuse.)

Mais je sens en mon cœur des murmures
 confus,
 Les fleurs me paraissent plus belles
 Le ciel est plus resplendissant,
 Les bois ont des chansons nouvelles
L'air qui passe est plus caressant;
 Je ne sais quel parfum m'enivre,
 Tout palpite et commence à vivre.
Pourquoi dans les grands bois aimé-je à m'
 égarer
 Pour y pleurer?
Pourquoi suis-je attristée au chant d'une
 colombe,
Par une fleur fanée, une feuille qui tombe?
Et cependant ces pleurs ont des charmes
 pour moi,
Je me sens heureuse! Pourquoi?
Pourquoi chercher un sens au murmure des
 eaux
 Dans les roseaux?
Pourquoi ces voluptés à sentir dans l'espace
Comme un souffle divin qui m'embaume et
 qui passe?
Parfois aussi ma bouche a souri malgré moi,
 Je me sens heureuse! Pourquoi?

(Après avoir vu Gérald et poussant un grand cri.)

Ah! Mallika!

(Entrent Lakmé, Hadji, Mallika.)

Mall. Lakmé! Quel danger te menace?

(Hadji paraît.)

Lakmé.

(Maîtrisant son émotion.)

Aucun! Je me trompais! Tout m'effraie aujourd'hui!
Mon père ne vient pas, et pourtant l'heure
 passe.
 Allex tous deux vers lui!

(Mallika et Hadji sortent en la regardant avec étonnement.)

LAKMÉ, GÉRALD.

(Lakmé, dès que les deux serviteurs sont sortis, va droit à Gérald qui a fait un pas vers elle et qui la regarde avec ravissement.)

Lakmé.

(Angrily.)

Whence come you? What want you? Your rash boldness to punish,
They should have killed you here at sight!
I blush, ashamed of my fright!
To no one here shall it be said
That a footstep barbarian has soiled by its presence the domain consecrated where hides my father! Now go! and ever forget what your eyes here have seen. Depart! I'm the child of the gods!

Gerald.

(Warmly.)

How forget I saw you standing
There, erect, with eyes expanding,
In a posture of command!
Trembling, with your anger lowering;
Stern, unyielding, overpowering,
With that childlike gaze, so grand!

Lakmé. So boldly; never has another,
If Hindoo, or e'en my brother,
Dared address such speech to me,
And the gods still watching o'er me;
Will chastise your sin before me,
Now depart, away, quickly flee!

Gerald. How forget I saw you standing
There, with simple grace commanding,
And that penetrating charm!
Go, forget, are you decreeing,
When I feel my very being
Hangs upon your lips so warm?

Lakmé.

(Aside and softened.)

Doubtless you had no suspicion
Of the danger you incur;
Now depart, with quick decision,
Or meet death, which no power can deter.

Gerald.

(Without moving.)

Let me stay and on thee gaze.

Lakmé.

(Aside.)

'T is for me, though he knows I hate him;
To behold me, here he stays,
Braving death by his delays!
Strong the force is that draws him towards me;
Nothing doth affright him!

(To Gerald.)

Whence to you comes that superhuman courage?
What god is that who lends you aid?

Lakmé.

(Courroucée.)

D'où viens-tu? Que veux-tu? Pour punir ton audace
On t'aurait tué devant moi.
Mais je rougis de mon effroi,
Et je ne veux pas qu'on sache,
Que le pied d'un barbare a souillé d'une tache
La demeure sacrée où mon père se cache,
Oublie et pour jamais ce qui frappe tes yeux.
Va-t'en! je suis fille des Dieux!

Gérald. Oublier que je t'ai vue
Te redressant tout émue
Sous un geste triomphant?
De colère frémissante,
Inflexible, menaçante
Avec ce regard d'enfant?

Lakmé. Jamais le plus téméraire,
Jamais un Hindou, mon frère,
N'oserait parler ainsi.
Et le Dieu qui me protège
Punira ton sacrilège
Va-t'en! va-t'en! sors d'ici!

Gérald. Oublier que je t'ai vue,
Et cette grâce ingénue,
Et ce charme pénétrant?
Ah! tu veux que je t'oublie
Lorsque je sens que ma vie
A tes lèvres se suspend?

Lakmé.

(Un peu radoucie.)

Tu ne savais pas, sans doute,
Quel danger tu courais. Maintenant, suis ta route,
Va! c'est la mort dont rien ne saurait te garder,
Va!

Gérald.

(Sans bouger.)

Laisse-moi te regarder.

Lakmé.

(À part.)

C'est pour moi dont il sait la haine,
Et c'est pour me voir un instant
Qu'il brave la mort, qu'il l'attend?
Quelle force vers moi l'entraîne?
Rien ne l'épouvante?

(À Gérald.)

D'où te vient
Cette audace surhumaine?
Quel est le Dieu qui te soutient?

rall.
p
ros - es in the grove; 'T is the god of whims ca - pri - - cious, Ah! 't is
ro ses cha que jour; C'est le Dieu de tes ca - pri - - ces C'est l'a-
plus animé.
p LAKME.
love. Breath from the realms saints in - her - it, Has seem'd to pass o'er my spir - it, Fill-ing
mour! Il m'a semblé qu'une flamme A-vait pas-se sur mon â-me, L'empli
p
me with ecs - ta - cy! What words are those . So new to me? Ah! 'T is the
sant tou - te d'è - moi! Quels sont ces mots nouveaux pour moi? Ah! C'est le
1o. tempo.
god of youth and beau - ty; 'T is the young god of Spring, Who re - - pays us love for
Dieu de la jeu - nès - se C'est le Dieu du prin-temps C'est le Dieu qui nous ca
tempo rubato.
tempo.
du - ty, And kiss - es warm doth bring; Opes for us the cups de - li - cious Of
re - se De ses bai - sers ar - dent, Par qui s'ouivrent les ca - li - ces Des
plus lent.
rall.
pp
ros - es in the grove; 'T is the god of whims ca - pri - - cious, Ah! 't is love. Ah! 't is
ra - ses chaque jour C'est le Dieu de mes ca - pri - - ces! C'est l'a-mour, C'est l'a-
Allegro vivo.
GERALD.
love. Ah! stay you! here re - main. . Thus pen - sive fair and blush -
mour! Ah! res - te, reste en - cor, pen-sive et rougis - san-
ing, Let pass . I pray . . o'er that pale cheek a - gain . . That
te, Lais - se pas - ser sur la dou - ce pâ - leur Le
LAKME.
f
sweet - est of charms Of mild - est ro - sy flush - ing. Ah! . . 't is the
char - me enchan - teur De ta pu - dour nai - san - te! Ah! C'est le
GERALD.
1o tempo. allegretto.
god of youth and beau - ty, 'T is the sweet god of spring, Who re - pays with love our
Dieu de la jeu - nes - se C'est le Dieu du prin - temps C'est le Dieu qui nous ca-

Lakmé.

(With a loud cry.)

Great heaven! Behold, my father! Fly,

(Beseechingly.)

for my sake fly!

Gerald.

(Departing.)

No, I'll ne'er forget thee, O vision fair!

(Goes quickly out.)

Lakmé, Nilakantha, Hadji; then Hindoos. (Gerald is gone, when the Brahmin, guided by Hadji, appears at the door.)

Hadji.

(Showing the broken enclosure.)

Come here!

Nilakantha.

(Indignantly.)

Here, in my dwelling, the profane one has defiled my home!

Lakmé. I die of fright!

Nilakantha.

The foe must die! Ah! Vengeance!

(The Hindoos, entering, join the cry. Lakmé remains terrified.)

ACT II

A public square. Numerous Indian and Chinese shops, bazaars, displays of rugs, stuffs, etc. An awning of a café or confectionery shop, divans, and two low bamboo chairs; little tables, encrusted with pearl. In the background, a grand pagoda. Time, near noon; the market hour.

(Chorus and market scene.)

Promenaders, merchants, sailors, a soothsayer, a Chinaman, a sepoy. At the rising of the curtain, dealers in stuffs, jewels, and fruits call out to the promenaders who are come to the festival.

Lakmé.

(Poussant un grand cri.)

Grands dieux! Mon père! Fuis!

(Suppliant.)

Par pitié pour moi!

Gérald.

(En sortant.)

Non, je ne t'oublierai plus, ô douce vision!

LAKMÉ, NILAKANTHA, HADJI puis des HINDOUS.

(Gérald est sorti quand le Brahmane, guidé par Hadji, paraît à la porte.)

Hadji.

(Montrant la clôture brisée.)

Viens, là, là!

Nila. Dans ma demeure?
Un profane est entré chez moi!

Lakmé. Je meurs d'effroi!

Nila. Vengeance! Il faut qu'il meure!

(Des Hindous qui sont entrés sur les pas du Brahmane répentent son cri de vengeance pendant que Lakmé reste terrifiée.)

ACTE DEUXIÈME

(Une place publique. — Nombreuses boutiques chinoises et indiennes, des bazars, des étalages d'étoffes. — A droite, la tente d'une maison de repos ou confiserie, avec divans bas et chaises en bambou devant les petites tables à incrustations de nacre. — Au fond une grande pagode.)

PROMENEURS, MARCHANDS, MATELOTS, un DOMBEN, un CHINOIS, un CIPAYE.

(Au lever du rideau les merchands de fruits, de bijoux, etc., appellent les promeneurs venus pour la fête.)

Chorus. Come in before the noon bell ringeth;
We sell no more, but freely give you;
We give away, and don't deceive you.
So come, the market soon will close,
And we shall all repose.

Hindoos.
(1st group.)
Look and see these slippers easy,
These gay kerchiefs, wondrous dyes.

Chinese.
(2nd group.)
Here are cakes, quite sure to please ye,
And as tempting to the eyes.

Fruiterers.
(3d group.)
See these golden, ripe bananas,
Leaves of betel, fresh and strong;
Braided mats of green lianas,
Taste, they will your lives prolong.

Sailors.
(4th group. Rapping on a table.)
Come help us quick, you believers,
Sons of Brahma, come along.
(MRS. BENSON; then ROSE and FREDERIC.)

Mrs. B.
(Lost in the crowd.)
These selfish lovers,
These careless rovers,
Talk love from morn till night,
And of me they quite lose sight.

A Soothsayer.
(To Mrs. Benson.)
My lady, I'll your fortune tell you.

Mrs. B. Let me pass, or I'll compel you.

Merchant. Look here! jewels gold are these.

Mrs. B. Go off; me you greatly tease!

Sepoy.
(Steals her watch.)
In peace leave madam; you treat her poorly.

Mrs. B. Thank you, sir. He robs me surely.

Soothsayer.
In your hand pray let me read
What good luck you'll reach; take heed.

Mrs. B. But, sir, leave me tranquil only.

Merchant. This new elixir health restores,
And women beauteous makes by scores.

Mrs. B. Thank you, sir; no use, I tell you.

Soothsayer.
One word me spare.

Merchant. To me speak fair.

Mrs. B.
(Enraged.)
I'm governess — take notice — of the gov'nor's young daughter here!

Choeur. Allons, avant que midi sonne
Venez, on ne vend plus, on donne,
Jamais nous ne trompons personne.
Venez, le marché va finir.

Marchands Hindous.
(1er Groupe.)
Admirez cette babouche
Et ce mouchoir merveilleux!

Chinois.
(2e Groupe.)
Gâteaux exquis à la bouche
Et ravissants pour les yeux!

Marchands de Fruits.
(3e Groupe.)
Voyez ces fraîches bananes
Et ces feuilles de bétel,
Belles nattes de lianes,
Goùtez ces rayons de miel!

Matelots.
(4e Groupe.)
Servirez-vous les profanes,
Fils de Brahma, roi du ciel!
(mistress BENTSON puis FRÉDÉRIC et ROSE.)

Mrs. B.
(Égarée dans la foule.)
Ces égoïstes,
Peu formalistes,
Causent de leurs amours
Et me perdent toujours!

Un Domben.
Madame, la bonne aventure?

Mrs. B. Laissez-moi, je vous en conjure!

Un Marchand.
Voyez ces bijoux dorés.

Mrs. B. Messieurs, vous m'exaspérez!

Un Cipaye.
(S'approchant.)
Laissez madame, on la désole!
(Il lui vole sa montre.)

Mrs. B. Ah! merci. Mais il me vole!

Le Domben.
Je vais lire dans votre main
Quel bonheur vous attend demain!

Mrs. B. Mais, monsieur, laissez-moi tranquille!

Le Marchand.
Cet élixir rend la santé
Et donne aux femmes la beauté!

Mrs. B. Merci, monsieur, c'est inutile!

Le Domben.
Encore un mot!

Le Marchand.
A moi plutôt!

Mrs. B.
(Furibonde.)
Assez! je suis la gouvernante
De la fille du gouverneur!

Frederic.
(Running in.)
Mrs. Benson! Mad, 't is clear.

Rose.
(Running in.)
Mistress Benson, dear. What is here?

Mrs. B. They insult me grossly.

Chorus.
(As if nothing had happened.)
Come in before the noon bell ringeth,
We sell no more, but freely give you;
We give away and don't deceive you.
So come, the market soon will close,
And we shall all repose.

Frederic and Rose.
Though afraid, must you speak crossly
What these honest men may hear?

Mrs. B. Observe how guileless they appear!
My watch, alas, they've stolen from me.
What's this new rumpus they are making?

Frederic. 'T is the signal for upbreaking;
'T is the warning now to close.
(The pedlers leave gradually. The music continues.)

Mrs. B. They are deafening! I ask for quiet—

Frederic. You must renounce that for to-day, Mrs. B.
Ah! I adore this rumpus!

Mrs. B. Meanwhile the market is over.

Frederic. But the festival commences!

Mrs. B. And what will they do now?

Frederic. They will dance on all the squares, and sing at the street corners. The crowds delight in going from one to another; now here, now there. It is quite amusing.

Mrs. B. But we have lost Miss Ellen.

Frederic. She is in the care of her lover.

Rose. Oh! she is not in any danger. Here are the dancers!

Mrs. B. What dancers?

Frederic. Have you never heard tell of the Bayaderes of India?

Mrs. B. What do they do, ordinarily?

Frederic. They live in the pagodas for the pleasure of the priests of Brahma.

Mrs. B. Are they vestals?

Frederic. If you like. They are vestals with nothing to guard.
(Ballet of the Bayaderes.)
(At the close of which Nilakantha and daughter are seen. He in the costume of a Hindoo penitent or beggar. The Bayaderes retire, followed by the crowd. Nilakantha goes back with Lakmé.)

ROSE, FREDERIC, MRS. BENSON, and later on, GERALD and ELLEN.

Rose. Yonder see that old man
Upon his daughter leaning.

Frédéric.
(Accourant.)
C'est mistress Bentson en fureur!

Rose. Qu'avez-vous?

Mrs. B. On me violente!

Le Choeur.
(Reprend comme si rien ne s'était passé.)
Allons, avant que midi sonne
Venez, on ne vend plus, on donne,
Jamais nous ne trompons personne,
Venez, le marché va finir!

Frédéric et Rose.
Fault-il s'effrayer de la sorte
De quelques honnêtes marchands
Trop pressants!

Mrs. B. Voilà qu'ils font les innocents,
Mais c'est ma montre qu'on emporte!
(On entend la cloche du marché.)
Ciel quel est ce nouveau tapage?

Frédéric. C'est le signal du départ,
Le marché déménage!
Les marchands se retirent peu à peu.)
(La musique continue en sourdine.)

Mrs. B. Ils sont assourdissants! Je demande du calme, un peu de calme!

Frédéric. Il faudra y renouncer pour aujourd'hui, mistress Bentson.
Moi, j'adore ce tapage!

Mrs. B. Cependant, le marché est fini.

Frédéric. Mais la fête commence.

Mrs. B. Et que vont-ils faire encore?

Frédéric. Ils vont danser sur toutes les places et chanter à tous les coins de rue. La foule se plait à aller de l'une à l'autre, tantôt ici, tantôt là, c'est très amusant!

Mrs. B. Mais nous avons perdu miss Ellen.

Frédéric. Elle est sous la garde de son fiancé.

Rose. Oh! elle ne court aucun danger. Voici les danseuses.

Mrs. B. Quelles danseuses?

Frédéric. N'aviez-vous jamais entendu parler des bayadères de l'Inde?

Mrs. B. Que font-elles ordinairement?

Frédéric. Elles vivent dans les pagodes pour la plus grande joie des prêtres de Brahma.

Mrs. B. Ce sont des vestales?

Frédéric. Si vous voulez. Ce sont des vestales qui n'ont rien à garder.

BALLET.

(Composé de différentes parties appelées Terana, Kaklah, Persian, etc. A la fin du ballet, la foule se retire suivant les bayadères. Pendant qu'elles sortent on voit passer Nilakantha et sa fille. Il est revêtu du costume de Sanniassy ou pénitent hindou.)
(Rose Frédéric, Mistress Bentson, puis Gérald, et Ellen.)

Rose.
(À Frédéric.)
Voyez donc ce vieillard et cette jeune fille, ils ne ressemblent pas aux autres!

Frederic. 'T is a Sanniassy.
He wanders about
And scorns not the humblest of off'rings,
While his daughter oft sings sacred ballads,
Which the Hindoos will hearken to the livelong day.

Mrs. B. Ah! Miss Ellen! at last!

Frederic. And how contented
She rests upon his arm!

Ellen. Yes, in truth, I am happy!
See my heart,
Full of sunshine and love,
Is all gladness!

Rose. He hasn't brought you the designs you wanted.

Frederic. Really?

Ellen. He was right.

Gerald. The Brahmin's daughter was there, picking flowers.

Frederic. You saw her?

Gerald. Yes.

Frederic. Oh!

Ellen. I hope my curiosity hasn't caused her any trouble. That goddess interests me.

Frederic.
(Apart.)
She doesn't see that he's just a dreamer. What a wonderful way to be.
(To Gerald, undertone.)
You know we must report at 3?

Gerald. Yes?

Frederic. The regiment leaves tonight to fight the rebels.

Gerald. We mustn't let the women know.

Frederic. Right.
(To Mrs. Benson.)
I advise you now, to go back with the girls to the governor's palace.
There's only the pagoda ceremony and the passage of Dourga to see and we'll take you to that.

Ellen. Are you coming with us, Gerald?

Gerald. Certainly.

Ellen. You didn't tell me whether this Brahmin's daughter was beautiful.

Gerald. She's sort of strange.
(He goes out with Ellen.)

Mrs. B. I might as well go. I've nothing left that they can steal.
(She goes out.)

Rose.
(Follows, then stops and to Frederic.)
No review today?

Frederic. Ordinary parade.

Rose. With arms?

Frederic. No. Not with arms, why?

Rose. Didn't you say your regiment was leaving tonight?
Oh! I know you're trying to keep it quiet.

Frederic. Where did you hear this?

Frédéric. C'est un moine mendiant ou Sanniassy, qui vient à la fête dans l'espoir d'y trouver quelques menus profits.
Et la jeune fille?
Doit chanter des complaintes, des mystères ou des scenes dramatiques dont les Hindous raffolent.

Mrs. B. Ah! voici miss Ellen. Ne nous séparons plus, je vous en conjure.
(Miss Ellen est entrée au bras de Gérald.)

Frédéric. Ah! miss Ellen, comme on voit bien que vous êtes fière de donner le bras à un héros!

Ellen. Ne plaisantez pas. J'ai été très inquiète et je me reprochais d'avoir laissé Gérald dans le jardin de ce brahmane.

Rose. Mais il n'a pas rapporté les dessins qu'on lui demandait.

Frédéric. Bah! vraiment?

Ellen. Il a eu raison.

Gérald. La fille du brahmane était là cueillant des fleurs.

Frédéric. Tu l'as vue!

Gérald. Je l'ai aperçue.

Frédéric. Ah! ah!

Ellen. J'aurais eu de vrais remords si ma curiosité avait causé le moindre chagrin à cette jeune fille. Voilà que maintenant elle va m'interesser, la petite déesse.

Frédéric.
(A part.)
Elle ne s'aperçoit pas qu'il est tout à fait rêveur, l'ami Gérald. Il y a des grâces d'état.

Gerald. Vraiment?

Frédéric. Le régiment part cette nuit, pour combattre des rebelles.

Gérald. Il faut absolument le cacher à ces dames.

Frédéric. C'est cela.
(A mistress Bentson.)
Je vous conseille maintenant, mistress Bentson, de rentrer avec ces demoiselles au palais du gouverneur. Il n'y aura plus à voir que la cérémonie de la pagode et le passage de la déesse Dourga. Nous irons vous prendre.

Ellen. Vous rentrez avec nous, Gérald?

Gérald. Mais certainement.

Ellen. Vous ne m'avez pas dit si elle était vraiment belle, la fille du brahmane.

Gérald. Elle est étrange.
(Il sort avec Ellen.)

Mrs. B. Je ne suis pas fâchée de rentrer, moi, et cependant on n'a plus rien à me voler.
(Elle sort.)

Rose.
(Au moment de les suivre, à Frédéric, en s'arrêtant.)
Est-ce que vous n'avez pas une revue aujourd'hui?

Frédéric. Un simple appel.

Rose. En tenue de guerre.

Frédéric. Mais, non, pas en tenue de guerre.
Pouquoi en tenue de guerre?

Rose. Vous ne nous dites pas que votre régiment part cette nuit?
Oh! je sais qu'on le cache.

Frédéric. Où avez-vous pris ces nouvelles?

Rose. At my uncle's palace, by chance.

Frederic. Oh! It's just a dawn parade.

Rose. In a revolting province. I wouldn't want Ellen to know because she trembles at the very idea of her lover leaving. As for me, I have no lover.

Frederic.

(Apart.)

She's ravishing.

Rose.

(Seeing Nilakantha and Lakmé.)

Here's that old man and his daughter. He scares me.

Frederic. Take my arm.

Rose. I will — because I am afraid.

Frederic. She's adorable.

LAKMÉ, NILAKANTHA, then the crowd.

Nilakantha.

(Coming forward with Lakmé.)

I, a beggar, alms imploring
And she, a ballad-singing maid.
(Frederic and Rose pass by, indifferent.)
All but self, the crowds ignoring.
They run when we reach for aid,
'Neath these faded robes defective
Who would think here to discover
A skilful, sharp detective?
Do these vile English foes
Feel their blood cease to flow
When they read upon my visage,
That I for vengeance go?

Lakmé.

(Timidly.)

Does Brahma e'er forbid we should o'erlook an outrage?

Nila. The outrage of a wicked foe!

(Recitative.)

Rose. Chez mon oncle le gouverneur, par hazard. On ne se défie pas de moi.

Frédéric. C'est-à-dire que nous devons faire a l'aube une promenade militaire.

Rose. Dans une province révoltée. Je n'ai pas voulu en parler à Ellen parce quelle tremblerait à l'idée de voir partir son fiancé. Ellen n'a pas mon courage, et puis, moi, je n'ai pas de fiancé.

Frédéric.

(À part.)

Elle est ravissante!

Rose.

(Apercevant Nilakantha et Lakmé.)

Voici encore ce vieillard et cette jeune fille. Ils m'effraient.

Frédéric. Prenez mon bras.

Rose. Oh! volontiers! C'est parce que j'ai peur.

Frédéric. Elle est adorable!

(Ils sortent.)

LAKMÉ, NILAKANTHA, pius LA FOULE.

Nila. C'est un pauvre qui mendie,
Une diseuse de chansons.
Cette foule étourdie
S'éloigne quand nous passons!
Sous ce vêtement misérable!
Voit-on le justicier qui poursuit un coupable!
Ces Anglais sentent-ils tout leur sang se figer
En lisant sur mon visage
Que je vais me venger?

Lakmé. Brahma nous défend-il d'oublier un outrage?

Nila. L'outrage d'un étranger!

NILAKANTHA. (*with much tenderness.*)

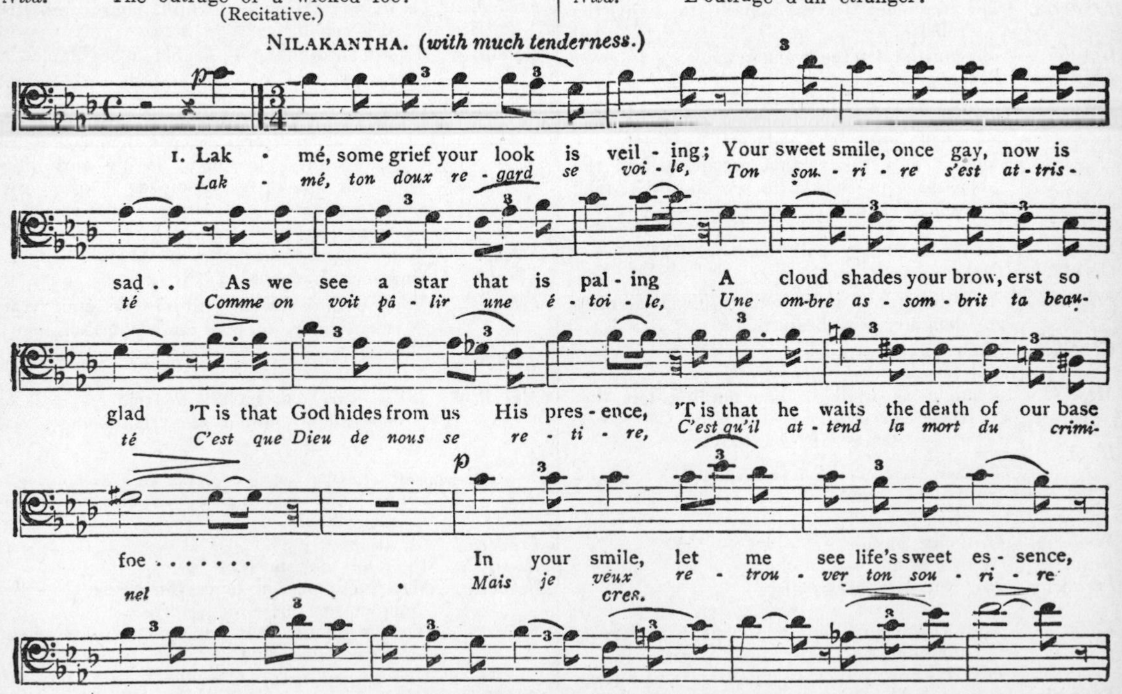

Lakmé. Ah! 't is from your own grief I feel my heart thus yearning.
My gay thoughts will return! See! e'en now they are returning.

Nila. If that vile man has access found to me,
If he, too, death has braved, at thy dear side to be,—
Forgive the anger that moves me,—
Ah! 't is that he loves thee!
You, my Lakmé, child of the gods.
Triumphant he goes through the city;
We must hither draw the crowds by some motive of pity.
If you he sees, Lakmé, in his eyes I shall read,
Now strengthen well your voice.
Look gay and smiling.
Sing now, Lakmé, vengeance here awaits!

(Scene and legend of the Pariah's Daughter.)

Nila. Through the gods' inspiration,
This young girl will here relate
A legendic narration
Of the pariah's fair daughter's fate.

Chorus. Let us hear this legend. Listen now!

Lakmé. Ah! c'est de ta douleur que je me sens émue,
Ma gaîté reviendra, vois, elle est revenue.

Nila. Si ce maudit s'est introduit chez moi,
S'il a bravé la mort pour arriver à toi.
Pardonne-moi ce blasphème,
C'est qu'il t'aime!
Toi, ma Lakmé, toi, la fille des dieux!
Il va triomphant par la ville,
Nous allons retenir cette foule mobile,
Et s'il te voit, Lakmé, je lirai dans ses yeux.
Affermis bien ta voix — sois souriante,
Chante, Lakmé, chante,
La vengeance est là.

(Peu à peu la foule s'est approchée, attirée par la voix de Lakmé.)

Nila.

(À la foule.)

Pas les dieux inspirée,
Cette enfant vous dira
La légende sacrée
De la fille du paria.

Lakmé. Where goes the maiden straying,
This child of the pariah band?
When the bright moonlight is playing
Amid the forests grand,
Tripping light over the mosses,
Never remembers she
That a deadly hate ever crosses
The pariah's progeny.
Tripping light over the mosses,
Wanders the maiden free;
Through the pink oleanders,
With her sweet thoughts she wanders,
She moves on with steps light,
And laughs out at the night!

The same; then GERALD, FREDERIC, officers.

Lakmé. LÉGENDE.

Où va la jeune Hindoue,
Fille des parias,
Quand la lune se joue
Dans les grands mimosas?
Elle court sur la mousse.
Et ne se souvient pas
Que partout on repousse
L'enfant des parias!
Le long des lauriers roses,
Elle passe sans bruit.
Rêvant de douces choses
Et riant à la nuit!

GÉRALD, FRÉDÉRIC, OFFICIERS.

INDIAN BELL SONG.

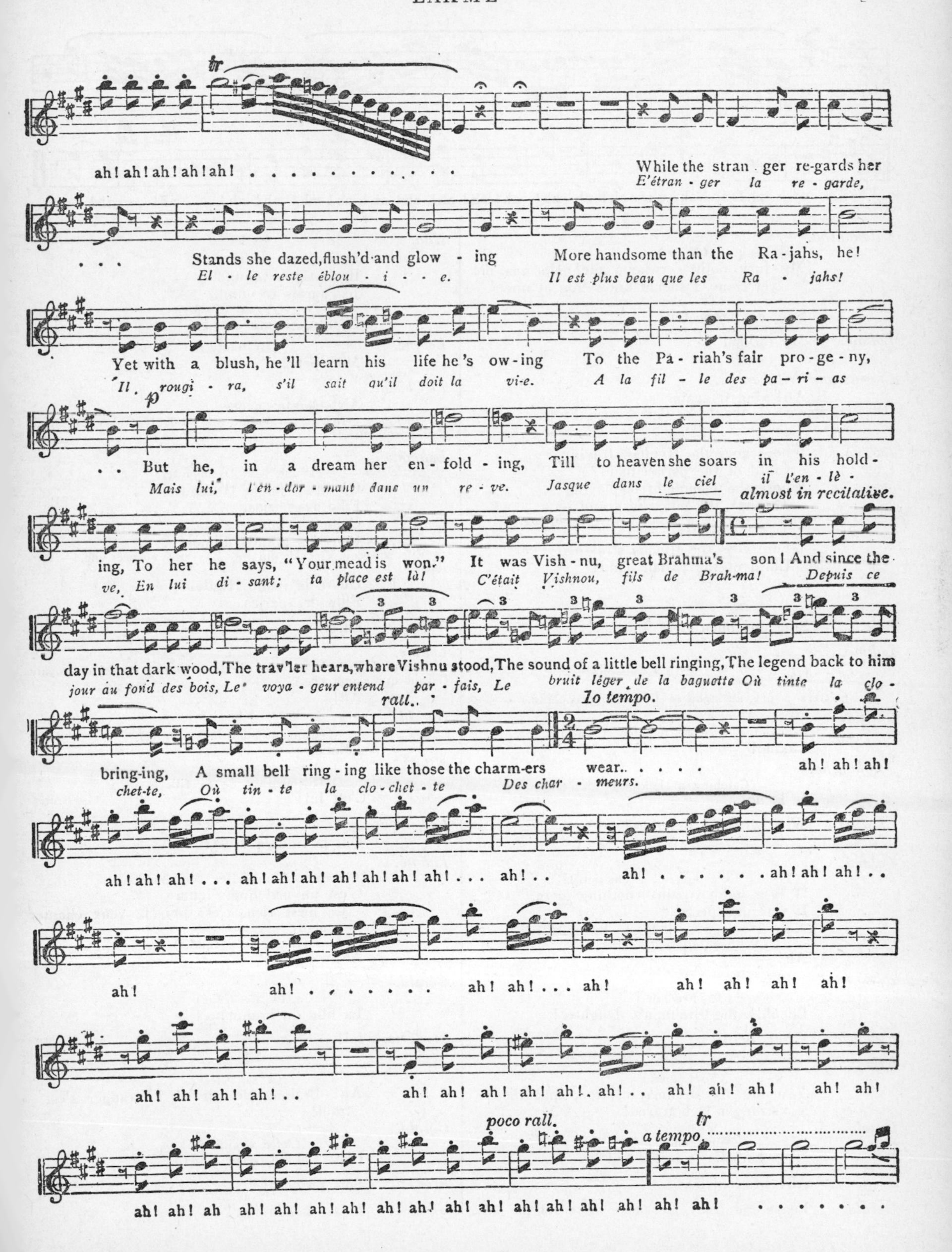
tr
ah! ah! ah! ah! ah! . . . .
While the stran . ger re-gards her
E'étran - ger la re - garde,
. . . Stands she dazed, flush'd and glow - ing More handsome than the Ra - jahs, he!
El - le reste éblou - i - - - e. Il est plus beau que les Ra - jahs!
Yet with a blush, he'll learn his life he's ow-ing To the Pa - riah's fair pro - ge - ny,
Il rougi - ra, s'il sait qu'il doit la vi-e. A la fil - le des pa - ri - as
p
. . But he, in a dream her en - fold - ing, Till to heaven she soars in his hold -
Mais lui, l'en - dor - mant dans un re - ve. Jasque dans le ciel il l'en - lè -
almost in recitative.
ing, To her he says, "Your mead is won." It was Vish - nu, great Brahma's son! And since the
ve, En lui di - sant; ta place est là! C'était Vishnou, fils de Brah-ma! Depuis ce
day in that dark wood, The trav'ler hears, where Vishnu stood, The sound of a little bell ringing, The legend back to him
jour au fond des bois, Le voya - geur entend par - fais, Le bruit léger de la baguette Où tinte la clo -
rall.
Io tempo.
bring-ing, A small bell ring - ing like those the charm-ers wear. . . . . ah! ah! ah!
chet-te, Où tin - te la clo-chet - te Des char - meurs.
ah! ah! ah! . . . ah! ah! ah! ah! ah! ah! ah! . . . ah! . . ah! . . . . . . ah! ah! ah! . .
ah! ah! . . . . ah! ah! . . . ah! ah! ah! ah! ah!
ah! ah! ah! ah! . . ah! ah! ah! ah! ah! . ah! . . ah! ah! ah! ah! ah!
poco rall.
tr
a tempo
ah! ah! ah ah! ah! ah! ah! ah! ah! ah! ah! ah! ah! ah! ah! ah! ah! . . . . . .

Nilakantha.

(Aside.)

My fury doth o'erwhelm me! He has not yet come. I should know him at once!

(To Lakmé.)

Sing out; repeat it!

Lakmé. My father!

Chorus and Nilakantha.

Ah! sing it again.

(Officers appear at the back, Gerald and Frederic among them.)

Lakmé. Where goes the Hindoo straying,
Child of the pariah band?
Where the moonlight is playing
Through the mimosas grand, —

(She perceives Gerald, who has not yet seen her.)

(Greatly moved.)

Where goes the Hindoo straying,
Child of the pariah band?

Nila. Sing on! once more, sing on!

Lakmé.

(More and more disturbed.)

Ah!

(Utters a cry at sight of Gerald approaching.)

Gerald.

(Springing forward to support her.)

Lakmé!

Nilakantha.

(Catching at Lakmé.)

It is he!

Chorus. What disturbs her thus?

Lakmé.

(Trying to conquer her emotion.)

'T is a sudden pain — nothing more.
It was unexpected;
Now 't is gone, I'll try to be collected.

(With a faltering voice.)

Ah! —

Gerald.

(To Frederic.)

Behold! the Brahmin's daughter!

Frederic. What, here?

Nilakantha.

(To Lakmé.)

You are by Brahma inspired, and the stranger is betrayed!

Gerald.

(With emotion.)

'T is herself; 't is Lakmé!

Frederic. Ah! prudent be.

Gerald. Leave me free! Her once more let me see.

Nila. (À part.)

La rage me dévore,
Il n'est pas venu,
Je l'aurais reconnu.

(A sa fille.)

Chante, chante encore!

Lakmé. (Hésitante.)

Mon père!

Le Choeur.

Ah! chante encore.

(Quelques officiers paraissent au fond. Gérald et Frédéric sont parmi eux.)

Lakmé.

(D'une voix tremblante.)

Où va le jeune Hindoue,
Fille des parias,
Quand la lune se joue
Dans les grands mimosas?

(Elle aperçoit Gérald qui ne l'as pas encore vue. — Très émue.)

Où va la jeune Hindoue,
Fille des parias.

Nila. Encor!

Lakmé.

(Chante le refrain de la clochette et pousse un cri en voyant Gérald qui s'approche.)

Ah!

Gérald.

(S'élançant pour la soutenir.)

Lakmé.

Nila.

(S'emparant de sa fille.)

C'est lui

Le Choeur.

Qui la trouble ainsi?

Lakmé.

(Cherchant à maitriser son émotion.)

C'est un mal que j'ignore,
Ce n'est rien, c'est fini, je veux chanter encore.

(D'une voix faible.)

Ah!

Gérald.

(À Frédéric.)

La fille du brahmane!

Frédéric. Ici!

Nila.

(À sa fille.)

Ah! Brahma t'inspirait! L'étranger s'est trahi!

Gérald.

(Avec exaltation.)

C'est Lakmé, c'est elle!

Frédéric. Sois prudent!

Gérald. Laisse-moi la voir!

Frederic. On us they are calling.

Gerald. But stay.

Frederic. And that young girl; does she then you detain?

Gerald. No, no.

(They go out.)

Nila. I know him now! God is with us again.

(The English soldiers file out the back, headed by fifers and drummers. The crowd gathers slowly. The Brahmin and conspirators group on the front of the stage.)

NILAKANTHA, LAKMÉ, HADJI, and Hindoos.

Nilakantha.

(Mysteriously to the conspirators.)

'Mid the songs of joy and pleasure,
When the crowd turns to go;
Where the priests march in stately measure,
By a glance I'll point out the foe;
We'll then from his friends separate him,
And noiselessly onward we'll go.
Till in a circle we instate him,
And will close on him sure and slow.

Chorus We'll then from his friends separate him,
And noiselessly onward we'll go.
Sure and slow,
And ready for the blow.

Nila. Depart then without trepidation.
I shall be there, with arm trained and strong;
'T is mine, by heaven's consecration,
Ah! 't is I who'll avenge the wrong,—
To me doth the task belong.

Lakmé. O my father, with you I'll go.

Nila. No, daughter, no!
My heart, that weakness ne'er hath known,
Would fail if you were at my side.
With faithful Hadji here abide.

(Nilakantha and the conspirators depart slowly. Lakmé remains with Hadji.)

LAKMÉ, HADJI.

Hadji. The master thinks only of his vengeance. He has not seen your tears flow, O mistress; but Hadji was nigh. Hadji reads what the face tells, he knows what traces grief leaves there; he belongs to you and his life is of no account. When you were a child I defied the tigers in the jungle to cull the flowers for which you smiled. In the depths of the sea I sought to find a pearl for you more fair than others knew. A woman you are to-day; your thoughts have other caprices, your heart other desires. If you have an enemy to punish, tell me! If you have a friend to save, give me your order!

(Lakmé grasps his hand firmly.)

DUO.

(At this moment Gerald returns thoughtfully. Lakmé makes a sign to Hadji to go farther away. Then she runs toward Gerald.)

Gerald. Lakmé! 't is you I see?
You hither come to me!

(With warmth.)

In the fancies of dreaming,
I saw you as I neared;
The veil uplifted, seeming,
The the idol appeared.
To your power I submitted,

Frédéric. On nous appelle!

Gérald. Attends!

Frédéric. Par cette enfant es-tu donc retenu!

Gérald. Non, non!

(Ils s'éloignent.)

Nila. Je le connais! Dieu nous est revenu!

(Les soldats anglais défilent au fond du théâtre, fifres et tambours en tête. La foule les accompagne et s'éloigne lentement. Nilakantha et les Hindous se groupent sur le devant de la scène.)

NILAKANTHA, LAKMÉ, HADJI, HINDOUS.

Nila.. Au milieu des chants d'allégresse,
Ce soir, quand la foule suivra
Le cortège de la déesse!
Mon regard le designera!
Des siens séparant le coupable,
Sans bruit, pas à pas, vous irez,
Et dans un cercle infranchissable
Lentement vous l'enfermerez.

Le Choeur.
Des siens, séparant le coupable,
Sans bruit, pas à pas, nous irons,
Et dans un cercle infranchissable,
Lentement nous l'enfermerons!

Nila. Alors, éloignez-vous sans crainte,
Je serai là, j'ai préparé
Mon bras pour cette tâche sainte,
Et c'est moi qui le frapperai!

Lakmé. O mon père, je te suivrai!

Nila. Non! non! mon cœur qui n'a jamais faibli
Se troublerait. Non, reste avec Hadji!

(Les Hindous et Nilakantha sortent lentement. Lakmé reste seule avec Hadji.)

LAKMÉ, HADJI.

Hadji.

(Musique à l'orchestre.)

Le maître ne pense qu'à sa vengeance, il n'a pas vu couler tes larmes, ô maîtresse, mais Hadji était là. Hadji sait lire sur les visages, et il t'appartient, et la vie d'Hadji ne compte pas; quand tu étais petite, j'allais défier les tigres dans les forêts sauvages pour cueillir la fleur que tu aimais; j'allais au fond de la mer chercher pour toi une perle plus belle que toutes les perles. Aujourd'hui, tu es femme, ta pensée a d'autres caprices, ton cœur a d'autres désirs. Si tu as un ennemi à punir, parle, si tu as un ami à sauver.

(Lakmé lui saisit vivement la main.)

Ordonne.

(A ce moment, Gérald revient rêveur. Lakmé fait signe à Hadji de s'éloigner, puis court vers Gérald.)

Gérald. Lakmé! Lakmé! c'est toi!
C'est toi qui viens à moi.
Dans le vague d'un rêve
Je t'ai vue en passant,
Le voile se soulève
Et l'idole descend.
Je subis ta puissance
Par ton charme enchaîné

By your charms drawn away;
And, defenceless, I quitted
Earth, for heaven's brighter day.

Lakmé.
(Sadly.)
My heaven is not your own,
The God you worship blindly
Is not the one whom I have known.
If I to mine could bring your heart,
Our Hindoo brothers, kindly,
Would always take your part
(Hesitating a little.)
'Gainst dangerous foes, or guileful art.

Gerald. Come! all the dangers of creation!
In this wild adoration,
When reason's lost in bliss.
Should I see at my feet a yawning abyss
While your long tresses
Sweep me, with tender caresses?

Lakmé.
(Resolutely.)
Your death I'll ne'er consent to.

Gerald.
(Passionately.)
Ah! this is love, yet asleep,
Who with his wing hath caressed you;
Your heart tho' too strong to weep,
My death assured, has depressed you.

Lakmé. Ah! yes, an enemy bold
'T is, whose hot breath hath caressed me,
All my heart has shuddered with cold
While the thought of death oppress'd me.
In the forest, quite near by,
A little cabin is hiding,
Built of bamboo, light and dry, —
'Neath a tall tree, shade providing, —
Like a nest for timid birds,
'Mid flow'ring vines, there abiding,
And with welcomes plain as words,
It awaits
Two happy mates.
It escapes all curious eyes —
Outside no secret revealing.
While the wood all silent lies
And surrounds it with jealous feeling.
There 't is, — you will follow me;
Each day when the dawn is breaking,
Smiling, there I'll come at waking, —
And 't is there you will dwell.

Gerald. Sweetest of enchantresses.
Say more of that resort!

Lakmé. Ah! come; time now presses,
And fleeting hours are short.

Gerald. You wish that I should hide me,
But cannot understand
That honor must decide me
When duty makes demand.

Lakmé. Lakmé implores with supplication.

Gerald. Ask of me rather life than station.

Lakmé. Have I lost my power to command?

Gerald. Ah! your eyes are filling!

Lakmé. That you must die I'm yet unwilling.
(With great energy.)

Et je vais sans défense
Vers le ciel entraîné!

Lakmé. Mon ciel n'est pas le tien. Le Dieu qu' me protège
N'est pas celui que tu connais,
A lui si je te ramenais
Alors sans sacrilège,
Je pourrais te parler,
Tu ne courrais aucun danger.

Gérald. Viennent tous les dangers du monde!
Dans l'ivresse profonde
Où mon raison se perd
Verrais-je sous mes pas un abîme entr'ouvert
Quand de tes longs cheveux, document tu m'effleures?

Lakmé. Je ne veux pas que tu meures!

Gérald. Ah! c'est l'amour endormi
Qui de son aile t'effleure,
Et ton cœur s'est raffermi,
Tu ne veux pas que je meure!

Lakmé. Hélas! c'est un ennemi
Dont le souffle ardent m'éaleure,
Tout mon être en a frémi,
Mais je ne veux pas qu'il meure!
Dans le fôret, près de nous,
Ce cache, toute petite,
Une cabane en bambous
Qu'un grand arbre vert abrite.
Comme un nid d'oiseaux peureux,
Dans les lianes posée
Et sous les fleurs écrasée
Elle attend des gens heureux.
Elle échappe à tous les yeux,
Dehors, rien ne la révèle ,
Le grand bois silencieux
Qui l'enferme est jaloux d'elle.
C'est là que tu me suivras
Toujours à l'aube naissante
Je reviendrai souriante
Et c'est là que tu vivras.

Gérald. O douce enchanteresse,
Parle, parle, toujours!

Lakmé. Ah! viens, viens, le temps presse
Et les instants sont courts.

Gérald. Tu veux que je me cache,
Tu ne peux pas savoir
Qu'ici l'honneur m'attache,
L'honneur et le devoir.

Lakmé. Lakmé t'implore et te supplie!

Gérald. Demande-moi plutôt ma vie!

Lakmé. Ai-je donc perdu mon pouvoir!

Gérald. Ah! Lakmé, Lakmé, tu pleures.

Lakmé. Je ne veux pas que tu meures!
(Reprise de l'ensemble.)

Gerald. Ah! this is love, yet asleep, etc.

Lakmé. Ah! 't is too late — our people now are here!
Behold when the goddess is near.

(Gerald, Frederic, Ellen, Rose, Mrs. Benson; then Nilakantha, Brahmins, Bayaderes, Hindoos; then Lakmé. Priests arrive and move towards the pagoda.)

Chorus.
(Hymn of the Brahmins.)
Dourga fair, thou who wert born
From the waves of Ganges,
To our eyes appear, and dawn,
Ruler of Time's changes.
Goddess of gold, hear us, we pray.
Give us here thy protection;
O'er us still smile;
Look down meanwhile
On us with pure affection.

(The Brahmins and Bayaderes enter the pagoda; Ellen and Rose re-enter with Mistress Benson; then Frederic arrives with Gerald.)

Ellen. The town is with splendor gleaming.
Hear the cries, the shouts of greetings glad.

Mrs. B. They are crazed, or so are seeming;
Their ten-armed goddess drives them mad.

Frederic.
(To Gerald.)
Was it to admire this fair goddess
That you left us in the throng?

Gerald.
(Preoccupied.)
Yes, their festival amused me.

Frederic.
(Smiling.)
The Brahmin's daughter
Has just now passed along.

Gerald.
(Breaking out.)
'T is a dream, a whim enthralling,
Which, flown, is past recalling,
But in my heart, dazed, confounded,
I feel, doubting and astounded,
That alone is Lakmé living.
No one else seems fair to me.

Frederic.
(Gayly.)
Thence I should like a moral to borrow,
If we should not depart to-morrow,
But the war has some good;
That ideal maiden,
You'll no more meet, 't is understood.
(Goes out.)

Ellen, Rose and Mrs. B.
How leave this noise tremendous?
They've sworn, I'll make a bet stupendous,
Our poor ears to smite
From morning till night.

(The procession comes from the pagoda, escorting the ten-armed statue of the goddess Dourga, which is borne in a sort of palanquin. Night has come. Torch-bearers accompany the procession. The Bayaderes join in.)

Chorus. O Dourga bright, etc.

(While the procession marches on, Nilakantha points out Gerald to the conspirators.)

Gerald. Ah! c'est l'amour endormi, etc.

Lakmé. C'est fini, les nôtres sont là.
Voici la déesse Dourga

GÉRALD, FRÉDÉRIC, ELLEN ROSE, mistress BENTSON, puis NILAKANTâA, LES BRAHMANES, LES DANSEUSES SACRÉES, LES HINDOUS, puis LAKMÉ.

(Des prêtres arrivent et se dirigent vers la pagode.)

Chant Des Brahmanes.
O Dourga, toi qui renais
Dans les flots du Gange,
A nos yeux, viens, apparais,
Toi par qui tout change!
Déesse d'or, entends nos voix,
Que ton bras nous protège!
Tu nous souris et tu nous vois
Saluant ton cortège.
De ta douce image
Nous venons fêter le passage,
Déesse d'or, entends nos voix!

Les prêtres entrent dans la pagode. Ellen et Rose rentrent accompagnées de mistress Bentson, puis Frédéric arrive avec Gérald.)

Ellen. Voyez cette ville en fête,
Et ces cris et ces hourrahs!

Mrs. B. Ils ont tous perdu la tête
Pour leur déesse aux dix bras!

Frédéric.
(Entrant avec Gérald.)
C'est pour admirer la déesse
Que tu nous as quittés ainsi?

Gérald.
(Préoccupé.)
Oui, leur fête m'intéresse!

Frédéric.
(Souriant.)
La fille du brahmane a passé par ici!

Gérald.
(Éclatant.)
C'est un rêve, une folie
Qui passe et qu'on oublie,
Mais dans mon cœur révolté
Je sens avec épouvante,
Que Lakmé seule est vivante
Je n'y vois que sa beauté!

Frédéric.
(Gaîment.)
Je te ferais une belle morale
Si nous ne partions pas demain,
Mais la guerre a du bon, cette fille idéale
Ne sera plus sur ton chemin!
(Il s'éloigne.)

Ellen, Rose et Mrs. B.
Comment fuir ce tapage!
Ils ont juré, je le gage,
De nous étourdir du soir au matin!

(Les brahames sortent de la pagode, escortant la déesse Dourga dont la statue est portée à bras dans une sorte de palanquin. La nuit est venue. Des porteurs de torches accompagnent le cortége. Les danses sacrées reprennent.)

Chorus. O Dourga, toi qui renais, etc.

(Les Hindous et Nilakantha guettent Gérald. — Nilakantha le désigne du doigt, la place se vide peu à peu.)

Gerald. 'T is a dream, a whim enthralling, etc.

(Nilakantha and the Hindoos watch Gerald; the square empties gradually.)

(He perceives Lakmé, who enters at the right, and goes towards him. Nilakantha follows Gerald, and, at the moment when he is near Lakmé, he strikes him, and escapes quickly, after seeing him fall. Lakmé rushes towards Gerald, leans over and examines him. Her face lightens when she sees that the wound is not mortal.)

Lakmé. They think that their vengeance is sated!
Forevermore, love, you are mine.
My life with yours is hence related.
O'er our loves may heaven's star shine.
(Calls Hadji, and runs out.)

ACT III

(The stage represents a forest in India, that the sun illumines with its fiercest rays. Under a gigantic tree a cabin is nearly concealed and crowned with brilliant flowers.)

GERALD, LAKMÉ.

(Gerald is extended upon a bed of foliage. Lakmé anxiously watches his slumbers while murmuring a song.)

Gérald. C'est un rêve, une folie
Qui passe et qu'on oublie,
Mais dans mon cœur révolté
Je sens avec épouvante
Que Lakmé seule est vivante
Je n'y vois que sa beauté.

(Il aperçoit Lakmé qui se montre à droite. Il va vers elle. Nilakantha le suit et, au moment où Gérald est près de Lakmé, il le frappe et se sauve vivement en le voyant tomber. Lakmé se précipite vers Gérald, se penche sur lui, l'examine, et sa figure s'éclaire lorsqu'elle reconnaît que la blessure n'est pas dangereuse.)

Lakmé. Ils croient leur vengeance assouvie,
Tu m'appartiens pour toujours.
Je ne vivias que de ta vie,
Dieu protège nos amours!
(Elle appelle Hadji qui accourt.)

ACTE TROISIÉME

(Le théatre représente une partie de forêt de l'Inde que le soleil éclaire de ses plus chauds rayons. Sous un arbre gigantesque une cabane à peine fermée et perdue dans les acacias roses, les daturas à double calice blanc, les tulipias jaunes.)

GÉRALD, LAKMÉ.

(Au lever du rideau, Gérald est étendu sur un lit de feuillage. Lakmé, à demi penchée, inquiète, épie son sommeil en murmurant une chanson.)

'NEATH THE STARRY CANOPY.

(SLUMBER SONG.)

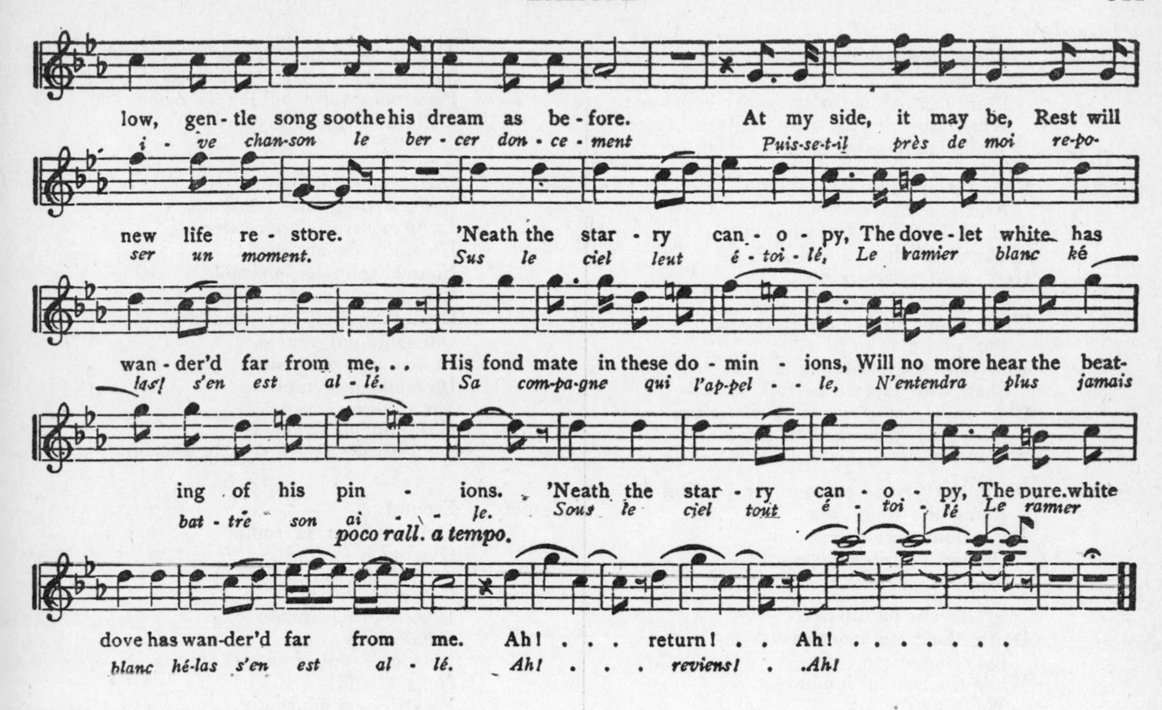

Gerald.

(Opens his eyes without observing Lakmé.)

What mem'ries, strangely vague,
On my thoughts are now weighing?
All my weakened senses o'erlaying;
What dream is this that does me oppress?
As 'neath some charm I lie without redress.
I now recall; the town in guise was festive,
Along the street I strolled with fancies suggestive,
When the gleam of a poniard flash'd quick on my sight;
Then around me all was night!

Gérald.

(S'éveillant sans voir Lakmé.)

Quel vague souvenir alourdit ma pensée?
Et sur ma poitrine oppressée
Quel rêve s'est appesanti?
Sous un charme accablant je reste anéanti.
Je me souviens, la ville était en fête,
J'allais dans mon extase, à demi réveillé,
Quand l'éclair d'un poignard à mes yeux a brillé,
Et la nuit s'est faite!

Lakmé.

(Leaning over him.)

'T was hence that Hadji, thro' the shadows dark,
Has borne you senseless to this verdant park;
I soon brought the life to your pale brow again.
The daughters of my caste, with early youth attain
The power to heal all wounds,
By juices of flowers applying.

Lakmé.

(Se penchant vers lui et continuant.)

Alors Hadji, dans l'ombre se glissant,
T'a transporté sous ce toit de verdure,
J'ai ramené la vie à ton front pâlissant;
Les filles de ma caste apprennent en naissant
Comment le suc des fleurs guérit une blessure.

Gerald. I too, recall, — still mute, inanimate, —
I saw you bent o'er my lips; while thus lying,
My soul upon your look was attracted and fastened;
'Neath your breath life awoke and recovery hastened.
O my charming Lakmé; ah, come!
Through the forest depths secluded,
Love's wing above us has passed;
Earth-cares have not been intruded,
And heaven on us falls at last.

Gérald. Je me souviens, sans voix, inanimée,
Je te voyais sur mes lévres penchée,
Mon âme à tes regards tout entière attachée,
Revivait sous ton souffle, ô ma douce Lakmé!
Ah! viens, dans cette paix profonde
L'aile de l'amour a passé,
Et pour nous séparer du monde,
Sur nous le ciel s'est abaissé.
Ces fleurs courant capricieuses
Ont des senteurs voluptueuses
Qui jettent au cœur amolli
L'ivresse et l'oubli.

These flow'ring vines, with blooms capricious,
Bear o'er our pathway scents delicious;
Which soft hearts, with raptures beset,
While all else we forget.

Ah! viens, dans cette paix profonde,
Sur nous le ciel s'est abaissé.
Pour nous faire oublier le monde
L'aile de l'amour a passé!

Lakmé. Here I may always reach you,
And together we'll live;
And while fondly I teach you,
The gods' history will give.
Here, with voices united,
We will sing the gods blest,
'Fore whom all bend, affrighted,
But who give to us rest;
And your spirit outflaming
Shall with rapture be full,
O'er the charmed world proclaiming,
Here that Brahma doth rule!
(Songs are heard in the distance.)

Lakmé. Là, je pourrai t'entendre,
Nous vivrons tous les deux,
Et je pourrai t'apprendre
L'histoire de nos dieux!
Nous chanterons ensemble
Ces dieux trois fois bénis
Devant lesquels tout tremble,
Qui nous ont réunis.
Et ton âme enflammée
De bonheur s'emplira,
Sur la terre charmée
Que protège Brahma!
(On entend des chants dans le lointain).

Gerald. Oh, listen! Some persons are passing
Along the forest road.
No curious eyes will see us,
Or find out our abode.

Gérald. Ecoute!
On passe sur la route
Qui longe la forêt.

Chorus.
(In the wings.)
Down along the mountain
Let's repair,
While the tuneful fountain
Waits us there,
From its rippling waters,
Two by two,
Drink we, sons and daughters,
'Neath skies blue.

Choeur. *Dans la coulisse.*
Descendons la pente
Doucement,
La source qui chante
Nous attend!
Près de son murmure,
Deux à deux,
Puisons l'onde pure
Sous les cieux.

Gerald. What's that song of tender feeling
That seems like kisses o'er us stealing?

Gérald. Quel est ce chant plein de tendresse,
Qui passe comme une caresse?

Lakmé. Of lovers 't is and amorous maids,
Who, wand'ring through the sylvan shades,
Go to the fountain pure, there springing,
And holy water thence come bringing,
To happy maids and lovers dear.
(Sedately.)
When this cool draught is drained
By their lips' burning fever,
From the same cup obtained,
They wedded are, and evermore
The goddesses, unthoughtful never,
Their love-life they watch o'er.

Lakmé. Ce sont des couples amoureux
Qui, par les doux chemins ombreux,
Vont à la source vénérée
Pour puiser l'eau sacrée
Chère aux amants heureux
Quand ils ont effleuré de leurs lèvres brûlantes
La même coupe, ils sont réunis pour toujours.
Et les déesses bienfaisantes
Veillent sur leurs amors.
(Reprise du choeur.)

Chorus. Down along the mountain, etc.

Lakmé. But we shall scarce be able
Those maids to follow through,
Two by two.
To this spring venerable
I'll go alone for you!
Wait for me!
(Going out.)

Lakmé. Nous ne pourrions sans crainte
Suivre ces amoureux
Tous les deux,
Mais à la source sainte
J'irai seule, sans toi,
Attends-moi!
(Elle s'éloigne lentement.)

Gerald. O temptress, charming still!
Wait for me!
(Gerald follows her with his eyes.)
I live through your caprice,
And by your sovereign will!
Enter FREDERIC.

Gérald.
(En la suivant des yeux.)
O douce tentatrice,
Ton charme m'a dompté,
Je vis de ton caprice
Ee de ta volonté!
(Frédéric, entrant.)

Frederic. He lives.

Frédéric. Vivant!

Gerald. Ah—

Gérald. Ah!

Frederic. I forced my way through the bushes — a painful task! I found in the meadow and on the lawn traces of blood which led me hither. I thought you dead; what do you here?

Gerald. I was dreaming.

Frederic. While the regiment was marching on?

Gerald. Let me collect my thoughts.

Frederic. The land rises in revolt against us.

Gerald. A dagger thrust nearly killed me; Lakmé saved and nursed me.

Frederic. The daughter of the Brahmin?

Gerald. She restored me to life ere the vital spark had fled. I was unconscious, helpless. Love only could work such wonders.

Frederic. These are but idle fancies! Tarry no more, and do not court remorse; if you think she loves you, spare her new grief.

Gerald. I will with tender care reward her kindness.

Frederic. And your betrothed?

Gerald. I am in the power of an enchantress!

Frederic. And your duties as a soldier? These you'll not forget. I know you too well.

Gerald. Count on me. But Lakmé comes, bringing the sacred water.

Frederic. Now you may see her, I have no fear! You will resist. I count on you. Now he is saved.
(Exit Frederic.)

Lakmé.
(Returns triumphant, bringing the cup of holy water.)
So they walked two by two
With their arms interlacing,
These lovers young and true;
I walked quite near them, too,
With my thoughts figures tracing,
I walked; my heart did swiftly beat,
Like theirs, — all athirst, — hope embracing.
And now the tale hear me repeat:
(Religiously.)
When from one cup between them
They've drunk, each other facing,
United they will e'er remain!
(She looks at him attentively, and, struck with stupor, lays down the cup.)
'T is you no more!
Your soul, when you spoke sweetly,
On your lips was plainly posed
Fire has left your glance completely,
Which lately me enclosed.
Upon your face
Clouds I trace,
Which, though past,
Have froz'n it fast.

Frédéric. J'ai marché sous les hautes fougères
Qu'on venait de froisser. — J'ai vu sur les bruyéres
Et sur la mousse au reflet blanc,
Des gouttes de sang!
Je t'ai cru mort. — Que fais-tu là?

Gérald. Je rêve!

Frédéric. Quand les nôtres vont partir?

Gérald. Laisse-moi me souvenir!

Frédéric. Quand le pays tout entier se soulève?

Gérald. Hier on m'a frappé. Lakmé m'a sauvé.

Frédéric. La fille du Brahmane?

Gérald. Elle m'a fait revivre
Dans un monde où je reste éperdu, sans force, ivre
De son charme et de son amour.

Frédéric. Ah! je connais ces ivresses d'un jour.
Alors, il faut la fuir,
La fuir à l'instant même.
Garde-toi d'un remords, — si tu crois qu'elle t'aime
Ces enfants-là ne savent pas souffrir.

Gérald. Je l'envelloperai si bien de ma tendresse.

Frédéric. Et miss Ellen?

Gérald. Je subis le pouvoir
D'une enchanteresse.

Frédéric. Est notre passion — à nous tous, la meilleure,
Notre honneur de soldat?
C'est demain qu'on se bat.

Gérald.
(Avec résolution.)
J'y serai!
C'est Lakmé! C'est Lakmé qui m'apporte l'eau sainte!

Frédéric. Oh! maintenant, tu peux la voir, je suis sans crainte.
(En sortant.)
Et je t'attends. — Il est sauvé!

Lakmé.
(Revient triomphante, elle apporte l'eau consacrée.)
Ils allaient deux à deux
Et les mains enlacées,
Les jeunes amoureux. —
Moi, je marchais prés d'eux. —
Seule avec mes pensées. —
J'allais, le cœur tout en émoi,
Comme eux de tendresse altérée,
Et maintenant, écoute-moi.
(Avec un accent religieux.)
Quand à la même coupe on a bu l'eau sacrée,
On reste pour toujours unis.
(Elle le regarde attentivement, puis comme frappée de stupeur elle pose la coupe en s'écriant.)
Ce n'est plus toi! Quand tu parlais, ton âme
Sur tes lèvres se posait;
Ton regard n'a plus la flamme
Qui m'embrasait.
Sur ton visage
Un nuage
A passé
Et l'a glacé.

Gerald. Are n't you still the charming maiden
For whom all else I have forgot?
Are you less fair, your heart with love less laden?

Lakmé.
(Seriously.)
Wish you that our two fates
Should be joined hence, evermore?

Gerald. I wish what you desire, —
Our wishes reconciling.
Your whims I still admire,
And wish to see you smiling.

Lakmé.
(Seriously.)
Whichsoe'er the god may be
Whose power you worship blindly,
Whate'er your faith be, harsh or kindly,
You know an oath's worth to me.
Then drink from this cup holy,
Where true love faileth never.
Drink! and swear to love me forever!
(Military music in the distance.)

Gerald. Heavens! they are our soldiers!

Lakmé. Drink! and mine to be, thus vow!
Drink! Ah! you dare not now!
(Throws down the cup violently.)
(Gazes fixedly upon Gerald, who looks away at the side whence comes the chorus.)
It is thither his thoughts are returning;
His heart is failing now.
For friends and native land he's yearning.
(With anguish, after trying vainly to attract his attention.)
Ah! all is ended now!
(While Gerald listens with bowed head, Lakmé desperately culls a flower of the datura, and eats it, smilingly, without notice from Gerald.)

Gerald. Lakmé, what's that you do?

Lakmé.
(Goes to him, smiling tenderly.)
You've given me love, the sweetest dreaming
That one may know beneath our sky;
Longer stay, till exquisite seeming
Is here made reality.
To me you've whispered tender phrases,
More sweet than Hindoos ever know;
You've taught me what delights and graces
Dwell in vows murmured soft and low.

Gerald. That which I read upon your features
Chills my heart, fear smitten, like a stone;
My soul floats free from duller creatures,
And henceforth I am yours alone.

Lakmé.
(With passion.)
Ah! it is now I'd fain believe you;
Behold the cup that here I give you!
(She wets her lips from it, then holds it out to him.)
Drink!

Gerald.
(Taking it exaltedly.)
I am yours, Lakmé, forevermore!

Lakmé. 'T is to our love feast we outpour!
(Gerald drinks.)

Gérald. N'es-tu plus l'enfant charmante
Pour qui j'ai tout oublié?
Es-tu moins belle et moins aimante?

Lakmé.
(Gravement.)
Veux-tu qu'à mon destin ton destin soit lié?

Gérald. Je veux ce que tu veux, je veux ce que t'inspire
Ton caprice, je veux, je veux te voir sourire!

Lakmé.
(De même.)
Quel que soit le Dieu clément
Dont tu bénis la puissance,
Quelle que soit ta croyance,
Tu sais ce que vaut un serment.
A cette coupe où l'amour te convie,
Jure de m'aimer pour la vie!
(On entend au loin des chants militaire.)

Gérald. Ciel! ce sont nos soldats!

Lakmé. Bois, et tu m'appartiendras!
(Avec force en posant la coupe.)
Tu n'oses pas.
(Elle regarde attentivement Gérald dont les yeux restent fixés du côté où l'on entend le chant des soldats.)
C'est là-bas que va sa pensée.
Son cœur a tressailli,
Et sa patrie à ses yeux s'est dressée.
(Avec déchirement après avoir essayé d'attirer son regard.)
Tout est fini!
(Pendant que Gérald, la tête penchée, suit de l'oreille les tambours qui s'éloignent, Lakmé, désespérée, arrache une feuille de datura et la mâche sans que Gérald s'en aperçoive.)

Gérald. Lakmé, qu'avez vous fait?

Lakmé.
(Allant à lui, avec tendresse et souriante.)
Tu m'as donné plus doux rêve
Qu'on puisse avoir sous notre ciel,
Reste encore pour qu'il s'achève
Ici, loin du monde réel.
Tu m'as dit des mots de tendresse
Que les Hindous ne savent pas,
Et tu m'as appris l'ivresse
Des aveux murmurés tout bas.

Gérald. Ce que je lis sur ton visage,
Ma Lakmé, me glace d'effroi.
De tout mon âme se dégage
Et je ne serai plus qu'à toi.

Lakmé.
(Avec passion.)
Ah! maintenant, je veux te croire,
Voici la coupe où je vais boire.
(Elle y trempe ses lèvres et la lui tend.)

Gérald. Pronds!
(La prenant avec exaltation.)
A toi, Lakmé, pour toujours!

Lakmé. C'est la fête de nos amours!
(Il boit.)

GERALD. (With exaltation.)
Though doubt may shade our mor - row, I'd have no cloud of sor - row, I'd have no cloud of
Qu'au-tour de moi tout sombre, Je ne veux pas une ombre, Je ne veux pas une
sor - row On your en - chant-ing brow, ... Be - neath the charm I'm rest - ing,
ombre Sur ton frout enchantanté Je res-te sous le cher - me,
That ne'er a tear pro - test - ing, That ne'er a tear pro - test - ing, Shall ob-
Que ja - mais u - ne lar - me Que ja - mais u - ne lar - me, Ne me
poco rall. a tempo. LAKME.
scure your beau - ty's glow! 'T is the fes - tal of our young love, Of our
voi - le la beau - té C'est la fê - te de nos a - mours, C'est la
GERALD.
love, 't is the fes - tal day. . . Though doubt may shade our mor - row,
fê - te de nos a - mours Qu'au - tour de moi tout som - bre,
I'd have no cloud of sor - row, I'd have no cloud of sor - row On your en -
Je ne veux pas une om - bre Je ne veux pas une om - bre Sur le frout
LAKME.
chant-ing brow, . . . 'T is my first tear of sor - - row..
enchanté C'est ma première lar - - me
Be-neath the charm I'm rest - - ing, That ne'er a tear pro-
Je reste sous le char - me, Que ja-mais u - ne
en elargissant.
A charm from death I bor - - - - - row. Since it doth love be - stow.
Et je meurs sous le char - me Par l'a mour ap - por - té!
en elargissant.
test - - ing, That ne'er a tear pro - test - ing, Shall obscure your beauty's glow!
lar - - me Que jamais u-ne lar - me Ne me voule ta beau - té!

plus anime.
GERALD.
LAKME.
failing.
I 'm all your own, I tru-ly swear it! Ah! 't is an oath that scarce your strength will try. I have no fear, Ah!
Toujours à toi, je te le ju - re! C'est un serment que tu pourras te nir Je ne crains pas, va!
GERALD. LAKME. (smiling.)
. . . Here I now de-clare it, I soon shall die! Shall die! But death does not lov-ers
que tu sús par-ju-re! Je vais mourir Mourir! La mort ne sépare
part, . . Our souls re - joined, fore - see - ing. I to you . . give my be - ing, And I
pas, C'est el - le qui nous li - e. Je te don - ne ma vi - e, Et je
GERALD. LAKME. a tempo animato. GERALD.
die . . . . on your heart. Lak-mé! And I die . . . on your heart! No! it is no more death,
meurs dans tes bras. Lakmé! Et je meurs dans tes bras! Non! ce n'est pas la mort,
Life, 't is strong and glow - ing, Pass - ing a full breath From your pale lips o - ver - flow -
C'est la vie ar - den - te Qui coule à plein bord Sur ta lè vre fré - mi - san-
LAKME.
Fare - well, ...
A dieu!
ing. Ah! . . . . Though doubt may shade our mor - row, I'd have no tear of
te. Ah! Qu'autour de moi tout sombre, Je ne veux pas une
. . . O dream of sor . . row! A - las! what
Rêve qui som . . bre Hélas, quelle
sor - row, I'd have no tear of sor - row On your en - chant-ing brow. . .
om - bre Je ne veux pas une ombre Sur ton front enchanté -
LAKME.
shad-ow on my heart lies now! 'T is my first tear of sor - row.
ombre en mon coeur attris - té! C'est ma première lar : row.
. . . . Be-neath the spell I'm rest . . ing, That never a tear pro-
Je reste sous le char . . Que jamais une

NILAKANTHA, Hindoos enter.

Nila. 'T is he! beside Lakmé. Thou must die!

Gerald. Strike now! All unarmed am I!

Lakmé.

(Withholding her father by a gesture.)

We have both taken a draught from the ivory flagon, which is sacred for you.

Nila. What, he?

Lakmé.

(With failing voice.)

If so it must be —
A victim to the gods you offer,
Let them claim one in me!

Gerald.

(Frightened.)

In her eyes what light is shining!

Lakmé.

(With ecstasy.)

Ah! they've spoken to me!

Nila.

(Lifting her.)

Lakmé, my daughter!

Gerald.

(Sobbing.)

She dies now for me.

Lakmé.

(Failing.)

You have given me love, the sweetest dreaming
That one may know beneath our sky;
Let me stay, till exquisite seeming
Has become here reality!
Far from worldly.

(She dies.)

Gerald. Ah! heaven!

Nila.

(With exaltation.)

Her soul now has life eternal,
She leaves earth for regions supernal.
Upward bears she our vows on high,
Where angel glories fill the sky!

LES MEMES, NILAKANTHA. ...

Nila. C'est lui! c'est! lui près de Lakmé!

Gérald. Frappez!
Je suis désarmé!

Lakmé.

(Retenant son père d'un geste.)

Nous avons bu tous deux à la coupe d'ivoire.
Il est sacré pour vous.

Nila. Lui!

Lakmé. S'il faut à nos dieux
Une victime expiatoire,
Qu'ils m'appellent vers eux!

Gérald.

(Effrayé.)

Quel éclair en ses yeux brille!

Lakmé.

(Avec extase.)

Ils m'ont parlé!

Nila.

(Éperdu, la saisissant.)

Lakmé, ma fille!

Gérald.

(Avec des sanglots.)

Elle meurt pour moi!

Lakmé.

(Mourante, le sourire sur la lèvres.)

Tu m'as donné le plus doux rêve
Qu'on puisse avoir sous notre ciel.
Reste encore pour qu'il s'achève
Ici, loin du monde réel!

Gérald. Morte!

Nila.

(Avec extase.)

Elle a l'éternelle vie
Quittant cette terre asservie,
Elle porte là-haut nos vœux
Elle est dans la splendeur des cieux.

MIGNON

by

AMBROISE THOMAS

MIGNON

MIGNON, the daughter of noble parents has, when a child, been stolen from her ancestral home, by gipsies. Her mother, shortly after this bereavement, dies of grief; while Lothario, the broken-hearted father, almost deprived of reason by the loss of his daughter, forsakes his home, and roams as a minstrel, from place to place, in search of his darling child. For years, Mignon, utterly unconscious of her birth and origin, leads a wandering life with the gipsy tribe, of which her beauty renders her the most prominent ornament. The chief, Jarno, who combines the avocation of mountebank with that of gipsy, compels the hapless girl to dance, and go through various other performances, in order to obtain money from the inhabitants of the towns through which they pass—and harshly threatens her with his stick, whenever, from fatigue, she refuses to do his bidding. Wilhelm Meister, a young student on his travels, happens on one of these occasions to be a spectator of Jarno's ferocity; and in order to prevent the recurrence of such ill-treatment, he purchases Mignon from her cruel master. The friendless Mignon, deeply touched by Wilhelm's kindness, gradually conceives for him an ardent and irrepressible attachment. Wilhelm, however, totally unconscious of the affection which his young protégée has conceived for him, falls a prey to the fascinations of Filina, a young actress belonging to a troupe of Thespians, on their way to perform at a neighboring castle, where a grand fête is about to take place, in honor of the arrival of some illustrious prince.

Foremost among the guests invited to assist at the festivities, is Wilhelm. Filina, the beautiful but coquettish object of his admiration, is the idol of the hour, and her success in the "private theatricals" at the castle, serves but to increase Wilhelm's fondness for the fascinating *comedienne*. Mignon, who has accompanied her new master to the castle, watches with silent grief the progress of Wilhelm's love for her rival. At length, despondent and unhappy, and unable longer to endure the maddening jealousy which gnaws her heart's core, Mignon is about to throw herself into a lake adjoining the castle, when, of a sudden, a harp, played by an unseen hand, is heard, and in another moment Lothario appears. Abandoning her impious resolve, Mignon, little dreaming that it is her father who stands before her, flies to the aged minstrel and implores his counsel and protection. Carried away by the vehemence of her emotion, she prays that vengeance may overtake the abode in which her hated rival is, at this very moment, in all the glory of her triumph. The performance inside the castle now terminates. Filina appears, surrounded by a tumultuous crowd of admirers, all loud in their praises of the actress's beauty and talents. Mirth and pleasure reign supreme, when, of a sudden, a lurid glare illumines the scene . . . the castle is in flames! The aged Lothario, whom the voice of nature has unconsciously interested in Mignon's behalf, has, half crazed as he is with grief and trouble, lent an ear to Mignon's rash imprecation, and has set fire to the castle. A scene of terrible confusion ensues. Mignon is nowhere to be found. Wilhelm, after an eager but fruitless search for her, rushes wildly amid the burning rafters, and, in a few moments, reappears, bearing the helpless girl in his arms.

In a room in Lothario's manorial residence, on the banks of an Italian lake, lies Mignon overtaken by a dangerous illness, resulting from the fearful peril she has so lately and so narrowly escaped, as well as from the continued struggle to conceal the affection so long pent up in her breast. Wilhelm, who has meanwhile assisted Lothario in transporting Mignon to the home from which the unhappy parent had so long been absent, has discovered (from the broken sentences which have escaped Mignon during the crisis of her illness) the secret of her affection for him. Through the medium of a long-concealed casket, containing a girdle worn by Mignon when a little child, as well as by her heartful utterance of the words of a prayer which her parents had taught her in her infancy, the entranced Lothario discovers, beyond the possibility of a doubt, that Mignon is his long-lost child.

Blessed by the recovery of her sole surviving parent, and enraptured by Wilhelm's fervent, through long delayed avowal of his love for her, Mignon, fanned by the restorative breezes of her native hills, banishes forever from her memory the recollection of the troubled Past, and confidingly looks forward to the bright and happy Future.

MIGNON

ACT I

The courtyard of a German Inn. To the left a wing of a building, the facade of which faces the spectator. On the first floor, a little door, with glass window, which opens upon a parapet, from which a flight of steps leads down to the court yard. To the right a pent-house, or shed. Arbors and tables, &c.

Townsfolk, countrymen, etc.—afterwards *Lothario.* [The townspeople, etc., sit down at the table and drink. Waiters belonging to the inn, hurry to and fro, attending officiously to the wants of the customers.]

Chorus. Magnates great, and towns-folk small,
To table now sit down,
Our cigars we quickly light,
Fresh zest 'twill give unto the drink!
Fill high! the foaming beer
In jugs does now approach;
A festive day is this indeed,
A day of mirth and joy!

[*Lothario* appears at back, at the entrance to the inn. He advances slowly, stopping near the middle of the courtyard, when he begins to sing—accompanying himself the while on his harp.]

Lothario. A lonely wanderer am I! I stray from door to door.
As fate doth guide, or as the storm doth hurry me;
But heaven protects the wretched with kind fost'ring care!
She lives—I feel this in my heart; her steps I anxiously do trace,——
A moment here I will repose—my journey I will then resume;
Far, far I'll roam in search of her!

1st Cit. List to him, 'tis Lothario the wandering minstrel!

2nd Cit. 'Tis said that grief hath ta'en his reason from him.

1st Cit. But how came this?

2nd Cit. The cause I know not.

Chorus.
(To LOTHARIO.)
Take courage, friend!
Give o'er thy singing—
Come thou, and sit down with us!

(The Chorus make LOTHARIO sit down with them, beneath the vine-trellis. They fill a glass for him.)

ACTE PREMIER

Une cour de taverne allemande. A gauche, corps de bâtiment dont l'un des côtés fait face au public. Au premier étage, porte vitrée donnant sur le perron d'un escalier extérieur qui descend dans la cour. A droite, un hangar. Table et tonnelles.

Les Bourgeois sont attablés et boivent; quelques Garçons de taverne sont occupés à les servir.

Chœur des Bourgeois.
Bons bourgeois et notables,
Assis autour des tables,
Fumons tranquillement,
Et buvons en fumant!
La bière brune ou blanche,
Ecume dans les pots,
C'est aujourd'hui dimanche,
C'est le jour du repos!

(LOTHARIO paraît au fond sur le seuil de la taverne. Il s'avance lentement, s'arrête au milieu de la cour et chante en s'accompagnant sur un luth.)

Lothario. Fugitif et tremblant, je vais de porte en porte,
Où le hasard me guide, où l'orage m'emporte!
Des misérables Dieu prend soin!
Elle vit! elle vit! Et je cherche sa trace!
Je me repose un jour, un seul jour, et je passe!
Je vais plus loin, toujours plus loin!

Un Bourgeois.
(A ses voisins.)
Oui; c'est Lothario, le vieux chanteur nomade.

Deuxième Bourgeois.
On dit que le malheur a troublé sa raison

Un Bourgeois.
D'où vient-il?

Deuxième Bourgeois.
On l'ignore.

Chœur. Allons, mon camarade!
Viens boire, et laisse là ta plaintive chanson!

(On fait asseoir LOTHARIO sous la tonelle, et on lui verse à boire.)

Chorus. Magnates great, and towns-folk small
To table now sit down!
Our cigars, let's quickly light,
Fresh zest 'twill give unto the drink.
Fill high! the foaming beer
In tankards now draws nigh.
A festive day is this indeed,
A day of mirth and joy!

(Several of the convivial party now approach the back of the stage, and form a group near the door of the inn.)

Peasants. Room, good friends, for the travelling players!
What ho! make way there!
See! Jarno with the flower of his tribe doth come,
And Zaffi, too, is there!

[Procession of gipsies. The entire tribe march round the stage. A cart covered with an old piece of matting, and filled with various articles of household furniture, leads the way drawn by two ragged gipsies. MIGNON, wrapped in a tattered mantle, is sleeping at the back of the cart on a sheaf of straw. A party of gipsies, with tambourines in their hands, now rush on the stage. Zaffi takes a violin, and gives the signal for the dance. An oboe and a tambourine serve as accompaniment.]

Filina.

(Looking from the balcony with LAERTES.)

Quick, my Laertes, just step this way;
See—an hour's amusement here awaits us.
Laugh not at these good people, but pray allowance make—
Here our places let us take!

[LAERTES sits down by FILINA's side.]

GIPSY DANCE

Peasants. The Gypsy girls
Have lovely eyes
My wife herself
Gives them the prize.

Filina. O! Gypsy Girls
Just full of zest.
You love them, they love you
And all is for the best.

Filina and Chorus.
Oh! What a mad dance
Oh! sing! hey! hey!
Let us be gay
We'll dance and drink, drink and dance
We'll dance and drink, drink and dance
A dance that's mad
Will make us glad
A whirl of joy
For girl and boy
A dance that's mad
Will make us glad

(JARNO advances into the middle of the stage, and salutes the bystanders, who throw to him pence, which ZAFFI picks up.)

Jarno. Gentlemen, for so much kindness in return,
And just to show my sense of obligation,
Mignon a sample of her skill shall give you;
Her far-famed "egg dance"
She shall now perform!

Chœur. Bons bourgeois et notables,
Assis autour des tables,
Fumons tranquillement,
Et buvons en fumant!
La bière brune et blanche,
Ecume dans les pots,
C'est aujourd'hui dimanche,
C'est le jour du repos!

(Quelques buveurs remontent au fond et se groupent sur le seuil de la taverne.)

Quelques Paysans.

(Entrant.)

Place, amis! Faites place aux enfants de Bohême,
Aux tsiganes, aux zingari!......
Voici toute la bande avec Jarno lui-même,
Et son compère Zafari!

(Entrée des BOHEMIENS. La bande défile autour du théâtre. Un chariot couvert d'une toile grossière et chargé d'oripeaux de toutes sortes, est trainé sur le devant de la scène par deux ou trois ZINGARI en haillons. JARNO est debout sur le chariot. MIGNON, enveloppée d'un vieux manteau rayè, dort sur une botte de paille au fond du chariot. Un groupe de danseurs, le tambour de basque en main, s'elance en scène. ZAFARI saisit son violon et donne le signal de la danse. Un tambourin et un hautbois l'accompagnent.)

Philine.

(Paraissant sur le balcon, suivie de LAERTE.)

Laërte, ami Laërte, accourez au plus vite!
Voilà qui nous promet un spectacle engageant!......
Mais ne vous moquez pas et soyez indulgent!
A vous asseoir je vous invite.

(LAERTE s'asseoit sur le balcon à côté de PHILINE.)

DANSE BOHEMIENNNE

Un Groupe de Vieux Bourgeois.
Ces filles de Bohême
Ont de fort jolis yeux,
Et ma femme elle-même
Ne danserait pas mieux!......

Philine et Laërte.
O filles de Bohême,
Filles au cœur joyeux,
Vous aimez, on vous aime,
Et tout est pour le mieux!......

Philine et Chœur.
Ah, ah, quelle danse folle!
Leur gai refrain
Nous met en train.
Ah, chantons, chantons et buvons,
Ah, chantons, chantons et buvons,
La danse folle,
S'élance et vole,
Leur joyeux refrain
Nous met tous en train!
La danse folle
S'élance et vole!
Ah, chantons!

(JARNO s'avance au milieu du théâtre et salue l'assemblée. Quelques pièces de monnaie tombent à ses pieds. ZAFARI les ramasse.)

Jarno. Pour gagner maintenant toute votre indulgence,
Et vous remercier de vos dons généreux,
Mignon va vous montrer sa vive intelligence,
En dansant devant vous le fameux pas des œufs!

Chorus, Filina and Laertes.
Faith, we e'en awhile will tarry,
This far-famed dance to see!

Jarno.
(Turning to ZAFFI.)
And now, good Zaffi, quick prepare,
Thy choicest song to sing;
(Addressing himself to some of the Gipsies.)
Our beauteous piece of carpet,
On the ground now place—
(Approaching the cart and shaking MIGNON.)
Up, up, Mignon, to work!

(ZAFFI preludes on his violin. An old Gipsy lays on the ground a faded piece of worn out carpet, while a boy places on it several eggs. MIGNON, on hearing JARNO's voice, awakes and enters the circle formed by the chorus. She holds in her hand, a bouquet of wild flowers.)

Filina.
(To JARNO, from the balcony.)
What ho! good sir, permit me to inquire,
What hapless being is that just waking up?
Say, is't a girl, or strippling lad?

Jarno. 'Tis neither one nor other, lady—
'Tis neither woman, girl, nor boy.

Filina.
(Laughing.)
What is it then I pray?

Jarno.
(Raising the mantle which covers the young Gipsy.)
'Tis—Mignon!
[FILINA and the chorus laugh heartily.]

Mignon.
(Aside.)
Why are all eyes thus fixed on me?
Why laugh they thus—'tis surely to insult and mock me!
O heart! resume thy wonted strength and courage!

Jarno. Quick, Mignon, arouse thee! dance!

Mignon.
(Stamping with her foot on the ground.)
Cease thy rude tone!
'Tis time I should speak out; I weary am of doing thy biding!

Jarno. What! you refuse!
[Turning to the Gipsies.]
My friends, my stick just pass me.
Dance, I say.
Then, faith, I'll soon to reason bring ye!

Mignon. No, no!
[Raises stick in a menacing attitude; as he does so LOTHARIO rushes to MIGNON and encircles her with his arms as though to protect her.]

Lothario.
(To MIGNON.)
Take heart I pray,
Thy shield I'll be!
His rage evade—
Fly quickly hence!

Chœur, Philine et Laërte.
Vivat! rapprochons-nous d'eux
Pour voir la danse des œufs!

Jarno.
(Se tourant vers ZAFARI.)
Toi, Zafari, prépare
Ton concerto le plus savant!......
(Aux autres ZINGARI.)
Couvrez le sol d'un tapis rare!......
(S'approchant du chariot et réveillant MIGNON.)
Et toi, Mignon, debout! en avant! en avant!

(ZAFARI prélude sur son violon. Une vielle ZINGARA couvre le sol d'un lambeau de tapis. Les œufs y sont déposés par un enfant. MIGNON s'éveille à la voix de JARNO et s'avance au milieu du cercle des curieux. Elle tient un bouquet de fleurs sauvages à la main et semble sortir d'un rêve.)

Philine.
(À JARNO, du haut du balcon.)
Holà! mon cher monsieur, vous plait-il de nous dire,
Quel est ce pauvre enfant qui semble vous maudire
De l'avoir de la sorte éveillé sans façon?......
Est-ce une fille? est-ce un garçon?......

Jarno. Ni l'unni l'autre, belle dame,
Ni garçon, ni fille, ni femme.

Philine. Qu'est-ce donc alors?

Jarno.
(Ecartant le manteau qui couvre MIGNON.)
C'est Mignon!
(PHILINE et le CHOEUR éclatent de rire.)

Mignon.
(À part.)
Ces yeux fixés moi!...... Ce rire qui m'outrage!......
Retrouve ta fierté, mon cœur, et ton courage!

Jarno. Allons, saute, Mignon!

Mignon.
(Frappant le terre de son pied nu.)
Non, non, non, non!
Je brave ta menace!
De t'obéir à la fin je suis lasse!

Jarno. Tu refuses!
(Se tournant vers les ZINGARA.)
Holà! vous autres, mon bâton!
Danse, Mignon!
Méchant démon!
Ou mon bâton
Saura te mettre à la raison!

Mignon. Non, non, non, non, non, non!

Lothario.
(Courant à MIGNON qu'il étreint dans ses bras.)
Reprends courage!
Viens, pauvre enfant,
Contre sa rage
Je te défend!

Jarno.

(Furiously to Lothario.)

Thou wretched meddler,
Get thee hence!

(Pushes back Lothario violently, and again threatens Mignon.)

Dance, Mignon,
Dance, I say, or—
Then quickly I'll to reason bring ye!

Mignon. No, no!

(He again raises his stick over Mignon. Enter Wilhelm, who appears to have come off a journey. A servant, who carries his portmanteau, stands behind him.)

Wilhelm.

(Hurrying to Mignon's assistance, and arresting Jarno's arm.)

Ruffian, hold! or meet thy death!

Jarno. Eh? pray what d'ye mean?

Wilhelm.

(Producing a pistol.)

Another word, and through thy brains
I'll send a bullet!

Jarno.

(Alarmed.)

You mean it? then quiet I'll remain

(In a piteous tone.)

I'm ruined quite—I am indeed!
Who will repay me for the loss I thus endure?

Filina.

(Throwing him a purse from the balcony.)

That will I. Take this purse and hold your tongue,
Yourself take hence with all convenient speed!

Mignon.

(Dividing her nosegay into two halves, one of which she gives to Wilhelm, and the other to Lothario.)

Kind friends, accept this humble token of my gratitude.

Wilhelm. So strange an occurrence
Who e'er could forsee?
Nature's own instinct
My steps did hither bend.

Filina.

(To Laertes.)

Tell me, who is yonder gentleman,
Of manners so urbane?
He does not seem to see us
And does himself conceal
Whence he comes and whither goes
I perchance would wish to know

Mignon.

(Who has withdrawn a few paces—praying.)

Holy Virgin Mary,
Have mercy on an innocent maid,
Who always humbly seeks
Thy gracious will to do!

Jarno.

(Avec colère.)

Au diable! au diable!
Vil misérable!

(Il repousse violemment Lothario.)

Danse, Mignon!
Méchant démon!
Ou mon bâton
Saura te mettre à la raison!

Mignon. Non, non, non, non, non, non!

(Jarno lève son bâton sur Mignon. Entre Wilhelm en habit de voyage, suivi d'un valet qui porte sa valise et son manteau.)

Wilhelm.

(S'élançant au secours de Mignon et retenant le bras de Jarno.)

Holà! coquin! arrète, ou ton heure est venue!

Jarno. Hein? Plaît-il?

Wilhelm.

(Tirant un pistolet de sa poche.)

Si tu fais un seul pas je te tue!

Jarno. C'est bon! Je me tiens coi!

(D'un ton lamentable.)

Mais je suis ruiné!
Qui de vous me paira ma recette perdue?

Philine.

(Sur le balcon, jetant sa bourse à Jarno.)

Tiens donc! Prends et tais-toi! que tout soit pardonné.

Mignon

(Partageant son bouquet entre Wilhelm et Lothario.)

A vous ces fleurs, amis, qui m'avez défendue!......

Wilhelm. Qui diantre aurait pu prévoir
Cette bizarre aventure!
Mon cœur, pauvre créature,
M'a seul dicté mon devoir!

Philine.

(À part.)

Quel est, je veux le savoir,
Ce beau coureur d'aventure?
Il nous cache sa figure,
Et n'a pas l'air de nous voir.

Mignon.

(Priant, à l'écart.)

O Vierge, mon seul espoir,
Protége ta créature!
Je me courbe sans murmure
Devant ton divin pouvoir!

Chorus.

(To JARNO.)

We'll be back to see you again.
For adventure we're out
Till the sun's put to rout
But we'll return to dance then.

Jarno. Folks, come back tonight
This incident, please forget.
You will be, I will bet
Happy and thrilled with delight.

Laertes.

(To FILINA.)

This beautiful black-eyed man
Soldier of fortune, beyond doubt.
Who he is? Oh! You'll find out
And meet him as soon as you can.

Lothario.

(Who continues motionless, his eye fied on vacancy, his hand the while rambling over the chords of his harp.)

"The shades of even just 'gan to fall,
When through the forest dark and drear,
A knight all clad in steel of proof
Did slowly wend his way."

[Townsfolk, etc., exeunt at back. JARNO and his comrades retire beneath the shed—MIGNON follows them. LOTHARIO slowly withdraws. FILINA speaks aside to LAERTES, pointing the while to WILHELM. She immediately afterwards enters her room, while LAERTES descends into the court by the outer staircase.]

Laertes.

(Saluting WILHELM.)

Sir!—

Wilhelm.

(Returning the salutation.)

Sir!—

Laertes. Be not offended if I your praises sing;
The succor you extended to that helpless maid,
Was truly worthy of a knight of yore.

Wilhelm.

(Carelessly.)

Who would not have done the same?

Laertes. Exactly; but this opinion Filina does not share—
Filina is the lady who just now sat in yonder balcony,
While men call me—Laertes!
(Declaiming with comic emphasis.)
Alas! misfortune! indeed, I may say, *ruin!*
Of a luckless troupe of actors,
On whom destiny ne'er did smile,
You see in us the helpless remnant!
Filina hopes for a more prosperous turn on Fortune's wheel,
While I, of my artistic calling well nigh weary,
Curse in my heart, the Tragic Muse!

Wilhelm.

(Courteously.)

A flagon of good wine,
I trust you'll not refuse?

Laertes. Right glad, sir

Chœur.

(À JARNO.)

Nous reviendrons tous vous voir.
Tant que le dimanche dure,
On chemine à l'aventure
Et l'on vient danser le soir.

Jarno. Messieurs, revenez-nous voir,
Oubliez cette aventure,
Vous serez, je vous le jure,
Très-contents de nous ce soir.

Laërte.

(À PHILINE.)

Ce beau garçon à l'œil noir,
Ce beau coureur d'aventure
Quel est-il? ah! je le jure,
Vous brûlez de le savoir.

Lothario.

(Immobile et l'œil fixe, touchant les cordes de sa harpe.)

Sous le voile obscur du soir,
Et sous la verte ramure,
Un homme à la lourde armure
Arrête son coursier noir!

(Les BOURGEOIS sortent par le fond. JARNO et les BOHEMIENS se retirement dans le hangar. MIGNON les suit et LOTHARIO s'éloigne lentement. PHILINE parle bas à LAERTE en lui montrant WILHELM du doigt. Elle rentre chez elle en riant et LAERTE descend dans la cour par l'escalier extérieur.)

Laërte.

(S'approchant pour saluer WILHELM.)

Monsieur......

Wilhelm.

(Lui rendant son salut.)

Monsieur......

Laërte. Monsieur, souffrez qu'on vous complimente sur la façon vraiment chevaleresque dont vous avez secouru cette petite bohémienne.

Wilhelm. Ce que j'ai fait, monsieur, tout autre l'eût fait autant.

Laërte. Tel n'est pas l'avis de Philine. . . .
La dame du balcon a nom Philine; je me nomme Laërte. . . .
O désastre! O ruine d'une troupe comique aujoud'hui sans emploi.
Vous voyez en nous deux les débris misérables!
Philine attend un sort meilleur, et moi j'envoie avec bonheur notre métier à tous les diables!

Wilhelm. Vous plaît-il, cher monsieur, de partager cette bouteille?

Laërte. Volontiers, monsieur!

Wilhelm.

(To the waiter.)

Another glass.
Wilhelm Meister is my name. I hail from Vienna.

Laertes. I like your youth, I like your spirit.

Wilhelm. And yet, I saw you flirting
With a fair lady in yon balcony.

Laertes. What! with Filina?
The gods forbid! We know each other far too well,
To feel a mutual love!
She's flighty, vain, cantankerous, astute,
Fickle as Fortune, and more changeable
Than is the moon!
And yet her beauty rare,
With love all hearts inflames—
Let's drink her health!

(Raises his glass.)

[FILINA who has overheard this conversation from the window quickly descends the staircase.)

Filina. So, sir! now you've finished the portrait,
Why not place it in a frame?

Wilhelm.

(Bowing.)

He treats you somewhat harshly I must own,
But those bright eyes the calumny right soon dispel.

Filina. Grateful, indeed, am I, for so well-turned a compliment.

Wilhelm

(Aside.)

What beauty—what grace,
How frank is her mien,
I fear that my sighs,
Her heart ne'er will win!

Filina.

(Aside.)

The most I'll make now of my charms,
Resolved am I that he shall love me;
My beauty's power I know full well,
No youthful heart can e'er resist me.

Laertes.

(Aside.)

The most she'll make now of her charms,
Resolved is she the youth shall love her;
Her blandishments I know full well,
No youthful heart can e'er resist her.
But, without further ceremony,
Each to the other I will introduce!
(Presenting WILHELM to FILINA.)
The most excellent Signor Wilhelm, a gentleman most worthy,

Wilhelm.

Un verre encor!
(À la Servante qui prépare la table.)
(A LAERTE.)

Wilhelm Meister le fils d'un honnête bourgeois de Vienne.

(Ils boivent.)

Laërte.

(Déclamant.)

J'aime votre gaité, j'aime votre jeune âme.....

Wilhelm.

(Souriant.)

Vous courtisez pourtant de fort près la dame du balcon!

Laërte. Qui, l'aimable Philine?
Nous nous connaissons beaucoup trop pour nous aimer.
Folle, vaine comme pas une,
Plus perfide que la fortune,
Et plus changeante que la lune,
C'est grace à son esprit et grace à son beauté
Le plus charmant démon! Buvons à sa santé!

(Ils trinquent et boivent. PHILINE descend l'escalier pendant les dernières paroles de LAERTE.)

Philine. Eh! quoi! mon cher Laërte, en vidant votre verre,
N'ajouterez-vous rien à ce portrait charmant?

Wilhelm.

(Saluant PHILINE.)

Il vous juge en ami sévère,
Et vos beaux yeux disent qu'il ment.

Philine. Je vous sais gré du compliment.

Wilhelm.

(À part.)

Que de grâces et de charmes!
Quels regards pleins de feu!
Les soupirs et les larmes
Sont ici hors de jeu.

Philine.

(À part.)

Essayons de nos charmes
Pour nous venger un peu,
Me voilà sous les armes,
Le reste n'est qu'un jeu.

Laërte.

(Riant.)

La voilà sous les armes,
Nous allons voir beau jeu!
Devant de pareils charmes
Son cœur va prendre feu!
Permettez, sans plus de façon,
Qu'on vous présente l'un à l'autre.
(Présentant WILHELM à PHILINE.)
Monsieur Wilhelm Meister, un aimable garçon,

Who, in exchange for yours, his heart would fain present you!
(Introducing FILINA to WILHELM.)
Mistress Filina, an actress of merit and renown,
Who is much taken with you, and, indeed, desires to let you know it;
(Aside to FILINA.)
A loving glance just cast his way.
(Aside to WILHELM.)
Present this nosegay to yon lady fair—
So!
[Takes nosegay and gives it to FILINA.)

Wilhelm.
(Aside.)
What beauty, what grace,
How enchanting each glance,
I fear that my sighs
Her heart ne'er will win.

Filina.
(Aside.)
The most I'll make now of my charms,
Resolved am I that he shall love me, etc.

Laertes.
(Aside.)
All her wiles she brings to bear,
Resolved is she the youth shall love her, etc.

Filina. Excuse, I pray, the giddy-pated fellow;
(To LAERTES.)
Your arm now give me!

Laertes.
(To WILHELM.)
I trust we soon may meet again;

Filina.
(To LAERTES smiling.)
Can he who once has seen me,
Take his departure *quite* so soon?

Laertes. It, perhaps might prove the wiser plan;

Filina. In sooth, the observation is gallant.

Laertes.
(Aside.)
A little puss is she.
(To WILHELM curtseying.)

Filina. Sir, I take my leave.
(Exit with LAERTES.)

Wilhelm. A pretty girl, i' faith!
Her friend may say just what he pleases,
But I'll not leave her yet.

Mignon.
(Coming from under the shed. Aside.)
Ah! he's alone—

Wilhelm. What is it you? What would you now?

Qui vous offre son cœur en échange du vôtre.
(Présentant PHILINE à WILHELM.)
La signora Philine, un ange en falbala,
Qui vous trouve charmant et voudrait vous le dire.
(À PHILINE.)
Décochez à monsieur votre plus doux sourire.
(À WILHELM.)
Offrez votre bouquet à madame!......
(Il prend le bouquet et le donne à PHILINE.)

Wilhelm.
(À part.)
Que de grâce et de charmes!
Quels regards pleins de feu!
Les soupirs et les larmes
Sont ici hors de jeu!

Philine.
(À part.)
Essayons de nos charmes
Pour nous venger un peu, etc.

Laërte.
(Riant)
La belle est sous les armes,
Nous allons voir beau jeu!

Philine.
(À WILHELM.)
De mon ami, Monsieur, excusez les folies.
(À LAERTE.)
Votre bras!

Laërte.
(À WILHELM.)
Devons-nous vous retrouver ici?

Philine.
(Riant.)
Comment! quand on m'a vue est-ce qu'on fuit ainsi?

Laërte. On ferait bien de fuir!

Philine. La réponse est polie!
(À part.)
Impertinent!

Laërte.
(Bas.)
Coquette!
(À WILHELM.)
Monsieur!.
(Ils sortent.)

Wilhelm.
(Gaiement.)
Voilà, pardieu! une charmante fille et Laërte a beau dire, il n'est pas temps encore de nous dire un éternal adieu.

Mignon.
(Sortent.)
Il est seul!......

Wilhelm.
(Apercevant MIGNON.)
Ah! c'est toi! Que me veux-tu?

Mignon. (Timidly.)
My master sleeps—give me thy hand,
I fain would kiss it.

Wilhelm. To-morrow, my poor child,
I far from thee shall be;
No further aid can I e'er lend thee.

Mignon. To-morrow? Who knows where we shall be to-morrow?
'Tis known alone to God, who this vast world doth rule!

Wilhelm. What's your name?

Mignon. They call me Mignon
I have no other name.

Wilhelm. How old are you?

Mignon. Summers come and summers go but
No one counted my summers for me.

Wilhelm. But tell me! of the scenes which, when a child, thou left'st—hast thou no recollection?
Were I to break thy chains, and set thee free,
To what beloved spot would'st wend thy way?

Mignon. Le maitre dort. Donne ta main, donne! et mille fois merci!

Wilhelm. Demain, mon pauvre enfant je serai loin d'ici,
Et ton supplice va renaître.

Mignon. Demain, dis-tu? Qui sait où nous serons demain.
L'avenir est à Dieu! le temps est dans sa main.

Wilhelm Quel est ton nom?

Mignon Ils m'appellent Mignon,
Je n'ai pas d'autre nom.

Wilhelm. Quel âge as-tu?

Mignon. Les bois ont reverdi, les fleurs se sont fanées,
Personne n'a pris soin de compter mes années.

Wilhelm. Dis-moi de quelles plages lointaines
Ton âme a gardé le souvenir,
Et si ma main brisait tes chaines,
Vers quels pays tu voudrais revenir?

HAST THOU E'ER SEEN THE LAND.

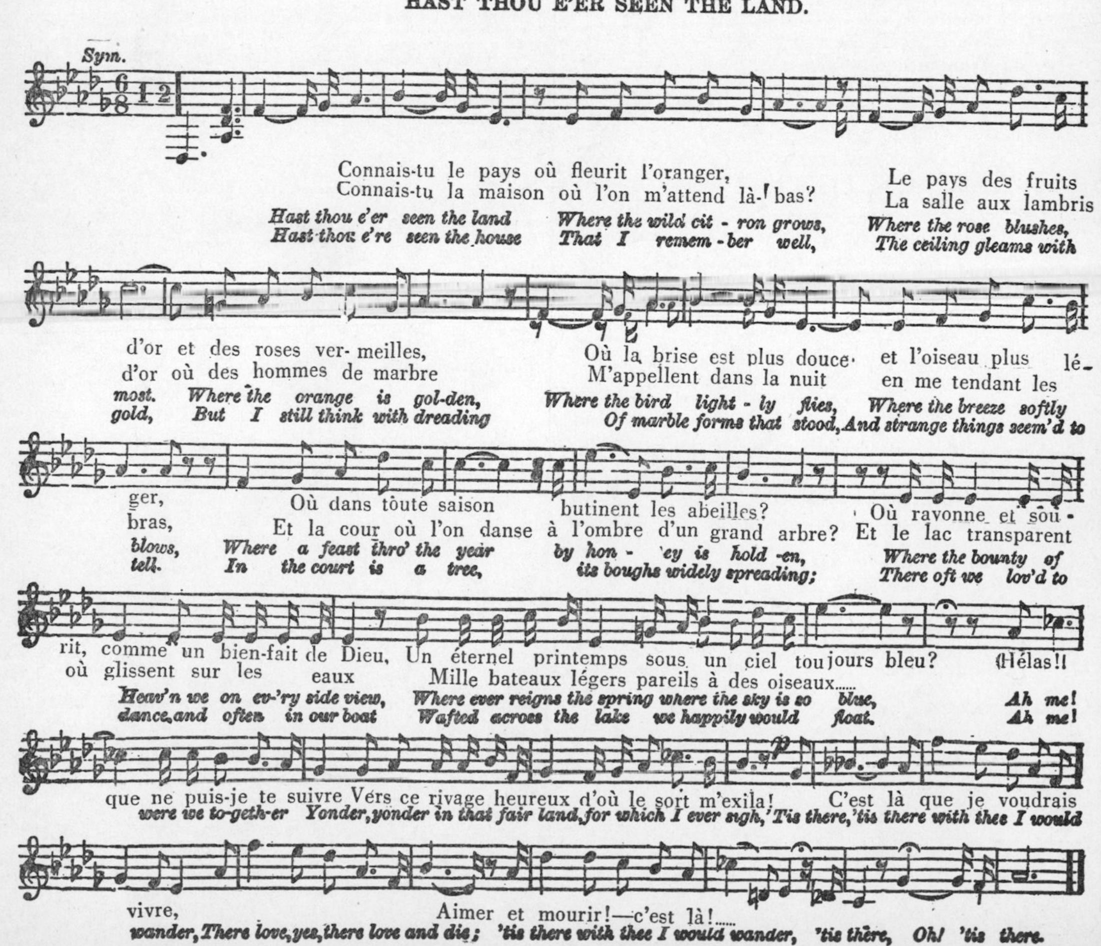

Wilhelm. The enchanted soil you speak of, must surely Italy be?

Mignon. Alas! I cannot say.

Wilhelm.
(Aside.)
A strange creature this!

Jarno.
(Issuing from the pent-house and running toward MIGNON, To WILHELM, sarcastically.)
Oho! the damsel pleases you, it seems!
You would like to have her.

(Seizing him by the collar.)
Wilhelm. Scoundrel!
Let but another word escape thee—

Jarno. Nought will I say—but still—
Since in the young lady—a—a—an *interest* you take,
Just hand to me the sum I gave for her,
And my claim on her, to *you*, I'll cede.

Wilhelm. Come then—resolved am I
To free her from her bonds!
(Enters the inn with JARNO.)

Mignon.
(Bounding with joy.)
Free! Free!
And is it really true?
[Perceiving LOTHARIO, who issues from the pent-house.]
Come thou and share with me my joy,
Thou who, but now, so nobly did'st defend me!
As consolation to my tortured soul
Heaven hath surely sent thee.

Lothario. I come my leave to take,
Ere I go hence;

Mignon. And whither wilt thou go?

Lothario.
(Pointing to the sky.)
The swallows to the south do hie;
I'll thither with them!

Mignon. Ah! why may I not fly there, too?
Reach me thy harp!

Lothario. 'Tis here!

Mignon.
(Accompanying herself on the harp.)

Wilhelm. Ce pays enchanté dont tu parles, n'est-ce pas l'Italie?

Mignon.
(Rêveuse.)
Je ne sais......

Wilhelm.
(À part.)
Etrange créature!

Jarno.
(Qui entre.)
Ah! ah! Il paraît que l'enfant vous plaît ......mon prince, vous voulez me la débaucher!......

Wilhelm.
(Avec colére.)
Sur ma vie, n'ajoute pas un mot!

Jarno. Bon, je ne dis plus rien. Mais puisque votre coeur s'interesse à la belle, remboursez-moi ce qu'elle m'a coûté, et je renounce à tous mes droits sur elles!

Wilhelm. Viens donc!
(Regardant MIGNON avec intérêt.)
Je veux lui rendre au moins sa liberté!
(Il sort avec JARNO.)

Mignon.
(À LOTHARIO qui entre.)
Libre! libre! Est-ce vrai?...... Viens partager ma joie!
Toi qui m'as comme lui
Defendue aujourd'hui!
Pour consoler Mignon c'est dieu qui vous envoie!

Lothario. Je te cherchais pour te faire mes adieux......
J'ai voulu te voir avant de partir.

Mignon. Ou vas-tu?

Lothario.
(Levant les bras vers le ciel.)
Déjà les hirondelles volent vers le midi.
Moi, je pars avec elles.

Mignon. Que ne puis-je à travers l'espace fuir aussi.
Donne-moi ton luth!

Lothario. Le voici!

OH SWALLOWS GAY AND BLITHE.

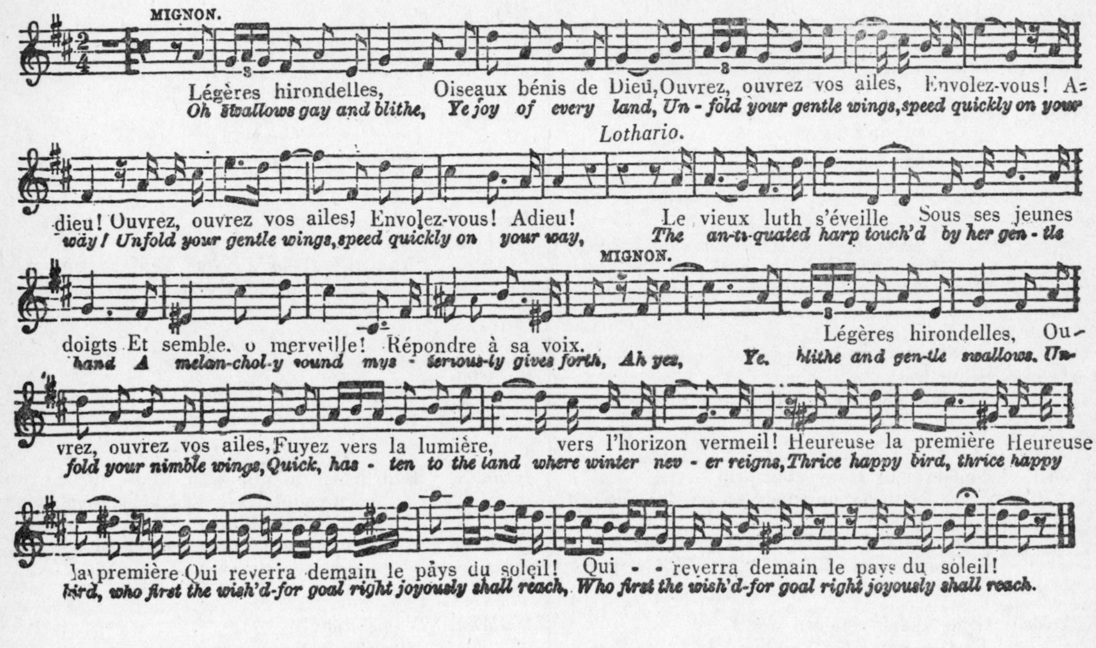

(They both withdraw beneath the pent-house.)

Filina.

(Laughing mockingly at FREDERIC, who follows her, shaking the dust from his clothes.)

What! is it you?

Frederic. You laugh, do you? a madman was I truly
To kill my horse by racing after you!

Filina.

(Laughing.)

You'd like me perhaps, to cry?

Frederic. I vow, I'm sorry now I came!

Filina.

(Aggravatingly.)

You can return whene'er you please;
You'll soon come back again!

Wilhelm.

(To JARNO at the door of the Inn.)

'Tis understood then—
Mignon is free!

Filina.

(To WILHELM.)

Hear I aright?
Has Mignon been re-purchased from her master?

Frederic.

(Aside, and jealously.)

Whence comes yon gentlemen, I pray?

(MIGNON et LOTHARIO sortent. PHILINE, entre en riant, avec FREDERIC.)

Philine. Ah, ah, ah, ah, ah!
Comment? C'est vous?

Frédéric.

(S'époussetant avec sa cravache.)

Oui, oui, riez! je suis un sot
De crever mon cheval de vous revoir plus tôt!

Philine.

(Se moquant.)

Ne voulez-vous pas que je pleure?

Frédéric. Ah, vous me faites repentir d'être venu!......

Philine. Vous pouvez repartir,
Vous nous reviendrez tout à l'heure.

Wilhelm.

(Qui entre avec JARNO, à ce dernier.)

Marché conclu! Mignon est libre.

Philine. Qu'entends-je là? Vous-avez racheté Mignon?

Frédéric. Hein? d'ou sort celui-là?

Filina.
(Introducing FREDERIC to WILHELM.)
Mr. Meister,
Permit me to introduce my young friend Frederick,
Who, whether I will or no,
My cavalier doth undertake to be.
[Presenting WILHELM to FREDERIC]
Wilhelm Meister this—I think you'll like him.

Laertes.
(Outside, calling.)
Filina.

Filina.
(Turning round.)
Here is Laertes.

Laertes.
(Turning to FILINA.)
This letter is addressed to you;

Filina. Read it aloud.

Laertes.
(Reading.)
"Beauteous goddess!
Wishing right worthily to celebrate
The Prince Ulrico Tieflenbach's arrival,
I hope to see you, with your friends,
(At whose head I trust Laertes to behold!)
At this my castle, ere day declines;
I trust the invitation will be pleasing to you.
You well know the flame
Which burns within my tender heart;
"Baron Rosenberg."

Frederic.
(Surprised.)
Heavens, my uncle!

Filina. What? is then the baron your uncle?

Frederic. Alas! *too much* my uncle!

Filina.
(Laughing.)
A pretty coincidence, in sooth!

Frederic. Do you accept the invitation?

Filina. With pleasure most unbounded!
(Turning to WILHELM.)
And you, sir,
Should it please you to take part in the festivity,
Pray come; 'twill give *me* pleasure I assure you;
Your presence to account for,
We'll say you are *stock author* to the company.

(She ascends the outer staircase to her room, the door of which she shuts.)

Frederic.
(Enraged.)
O thrice accurs'd epistle!
O, day of woe! unnatural, heartless girl!
(To LAERTES, giving him his hand.)
Farewell, Laertes!
(To WILHELM—turning at the same time his back to him, and in a threatening tone.)
As for you, sir—

Philine.
(Presentant FREDERIC.)
Monsieur Meister, je vous présente
Le jeune Frédéric, un petit écolier
Qui malgré moi s'est fair mon chevalier.
(Présentant WILHELM à FREDERIC.)
Monsieur Wilhelm Meister, un homme que peutêtre
Vous aimerez un jour.

Laërte.
(Au dehors.)
Philine! Philine!

Philine. Ah, voici Laôrte!

Laërte.
(À PHILINE, lui offrant une lettre.)
Cette lettre est pour vous.

Philine. Lisez, lisez!

Laërte.
(Lisant.)
Ma toute belle,
Pour fêter dignement et de façon nouvelle
Le passage du Prince Ulric de Tiffembourg,
Je vous attends ainsi que Laërte et les autres,
En mon castel, avant la fin du jour......
Je comte bien, mon coeur, que vous serez des notres;
Vous devinez mon tendre espoir...... Baron de Rosemberg.

Frédéric. Mon oncle!

Philine. Hein? Comment? le Baron est votre oncle?

Frédéric. Hélas! oui!

Philine. C'est charmant!

Frédéric. Vous acceptez son offre?

Philine. Avec empressement!
(A WILHELM.)
Vous, monsieur, s'il vous plait prendre part à la fête,
Vous jouerez parmi nous le rôle de poëte.
Si vous venez, d'ailleurs, vous me ferez plaisir.

Frédéric. Maudit Baron! Maudit message!
Maudite coquette! Au revoir, Laërte
(Se tournant vers WILHELM.)
Vous, Monsieur!

Wilhelm. Well! what now?

Laertes.

(To WILHELM.)

Be wiser thou than yonder booby
Take my advice, nor linger here.
Set out at once! a pleasant journey to ye!
(Shakes his hand and enters inn.)

Mignon. Stranger! thou didst purchase me—
Dispose of me, henceforth, e'en as thou wilt.

Wilhelm. In this very town, to which Fate hath brought thee,
There lives an aged relative of mine,
Who, to her home, will gladly welcome thee.

Mignon. Must I then part from thee?

Wilhelm. My child, thou can'st *not* dwell with me;
Ill could I the part perform,
Of father!

Mignon. Could I not disguise myself,
And as thy servant, travel with thee?

Wilhelm.

(Taking her hands.)

And what couldst thou do then?

Mignon. With love and gratitude,
My heart is filled.
To follow thee, O master mine,
Indeed were happiness to me!

Wilhelm. But just released for trifling sum,
From tyrant harsh and stern,
Would'st thou anew thy liberty renounce,
And be a slave once more?

Mignon.

(Sadly.)

Well since my prayers thou wilt not hear,
[Pointing to LOTHARIO, who issues from under the pent-house.]
I'll e'en depart with *him!*

Lothario.

(Rushing to MIGNON, and encircling her with his arms.)

Come! my footsteps follow;
Through by-paths lone and wild,
Far from this spot, a home of twigs and leaves we'll seek
Ah! my footsteps follow,
My destiny pray share!
[Attempts to draw MIGNON with him.]

Wilhelm.

(Stopping her.)

Nay, stay, fair maiden! for thy future I now fear!
Disguise thyself as page, or lackey, as thou wilt,
But at least remain with me,
The stars have will'd it so. Come! all care I'll take of thee!

Wilhelm. Plait-il?

Laërte. Soyez plus sage
Que ce jeune étourneau qui s'attache à nos pas.
Suivez votre chemin. Partez et bon voyage.

Mignon.

(Accourant vers WILHELM.)

Me voici! tu m'as rachetée,
A ton gré dispose de moi!

Wilhelm. Je sais en cette ville, où le sort t'a jetée,
D'honnêtes gens chez qui tu seras bien traitée.

Mignon.

(Vivement.)

Pourquoi me séparer de toi!

Wilhelm.

(Souriant.)

Je ne puis t'emmener avec moi, pauvre fille!
Et m'imposer les soins d'un père de famille.

Mignon. Ne peux-tu m'habiller comme un jeune garçon
Et me laisser porter ta livrée?......

Wilhelm.

(Lui prenant les mains.)

A quoi bon?

Mignon.

(Avec un élan passionné.)

Envers qui me délivre
Je voulais m'acquitter!
J'étais prête à te suivre
Pour ne plus te quitter!

Wilhelm. Des mains de ce sauvage
Libre pour un peu d'or,
Quel nouvel esclavage
Veux-tu subir encor?

Mignon.

(Tristement.)

C'est bien!...... puisque ta main sans pitié me repousse,
(Montrant LOTHARIO qui parait sur le seuil du hangar)
Je pars avec lui!......

Lothario.

(Accourant vers MIGNON et l'entourant de ses bras.)

Viens! La libre vie est douce!
A l'ombre des grands bois sous le ciel étoilé,
Nous trouverons un lit de fougère et de mousse
Et tu partageras le pain de l'exilé!......
(Il veut entraîner MIGNON.)

Wilhelm.

(L'arrêtant.)

Non! pauvre enfant! pour toi l'avenir m'épouvante
Jeune fille ou garçon, serviteur ou servante,
Reste avec moi si tu le veux!
Le sort en est jeté! Je me rends à tes vœux!

Mignon.

(Kissing WILHELM's hand with rapture.)

With love and gratitude
My heart doth bound,
O master mine,
Ready am I to follow thee!

Wilhelm.

(With a kindly smile.)

My heart is deeply touched
With tender pity;
A noble impulse it must surely be,
That thus each pulse doth cause to throb.

Lothario.

(Aside, as though his mind were again wandering.)

Yield thou the maid to me,
And make me blest for aye!

(The actors beset the door of the inn. They are in travelling costume; they all carry, on their shoulders, or in their hands, bundles, packages, etc.

Chorus. On foot, my friends! away, away!
On us Dame Fortune smiles serene;
With us joy companion is,
Hunger far we leave behind!
From our heads our hats let's take,
Lowly bow we to the ground;
With joyous shouts we'll gaily hail
The generous host who entertains the merry players!

Laertes.

(To the groom.)

We follow you!

(To the waiters who carry his luggage, and that of FILINA.)
(To the actors.)

And you my friends, pray, quick precede us!
I start at once; *I* must be there first,
To get the supper ready!

Actors. Huzza!

Mignon.

(Baisant la main de WILHELM avec transport.)

Envers qui me délivre
Je pourrai m'acquitter!
Je suis prête à te suivre
Pour ne plus te quitter!

Wilhelm.

(Lui souriant avec honté.)

L'ami qui te délivre
Ne doit plus te quitter!
Libre à toi de me suivre;
Il faut te contenter.

Lothario.

(À part, retombant dans son extase habituelle.)

Dieu bon! laissez-moi vivre,
Espérer et chanter!

(Les COMEDIENS envahissent la cour de l'auberge. Ils sont en habits de voyage et portent sur l'épaule ou à la main des paquets et des valises qui contiennent leurs hardes de théâtre.)

Chœur des Comédiens.

En route, amis, plions bagage!
La chance nous sourit enfin!
Que la gaîté soit du voyage,
Au diantre la soif et la faim!
Oublions nos repas d'auberge,
Et saluons, chapeau levé,
Ce vieux castel où l'on héberge
Les histrions sur le pavé!

Laërte.

(Au LAQUAIS.)

Nous vous suivons.

(Aux GARCONS d'auberge, qui portent ses hardes et celles de PHILINE.)

Marchez devant, vous autres!

(Aux COMEDIENS.)

Je vous précède, amis, pour vous mieux recevoir!
Un splendide festin vous attendra ce soir!

Les Comédiens.

Vivat!

(FILINA shows to WILHELM the bouquet which she, just now, received from him. MIGNON, who, at this moment enters with a little bundle in her hand, at once recognizes the flowers which she had given to WILHELM.

Mignon.

(Aside.)

My flowers!

Wilhelm.

(To Mignon.)

What ails thee?

Filina.

(Aside to LAERTES, laughing.)

He loves me!

Laertes.

(Aside, laughing.)

He's trapped—poor fellow!

Mignon.

(To WILHELM—pointing to LOTHARIO.)

See! my poor flowers, *he* hath not despised, like thee!
His bouquet he hath not given away!

Wilhelm.

(Aside to MIGNON, smiling.)

I did not give it, child—'twas stolen from me!

Mignon. But let's away, I ready am to follow thee;

(To the Gipsies.)

Oh, ye, with whom both shame and misery I've shared,—farewell!

(To a lad among the tribe, attaching a medal to his neck.)

Poor boy! may this medallion
One day prove thy safeguard!

(To JARNO.)

And thou who oft did'st wrongfully ill use me,
I bid thee, too, adieu!

Gipsies. Farewell! take heart, Mignon!
Farewell, Filina!
A prosperous journey we do wish thee.

Chorus. Quick, quick my friends, now let's away!
Dame Fortune smiles on us serene;
Joy, once more, our hearts doth warm,
Fell hunger we will soon dispel!

(WILHELM waves his hand to FILINA, in token of adieu. The actors depart on their journey; LOTHARIO remains pensively seated near the front of the stage. MIGNON stands near the centre of the stage, bending her eyes fixedly on WILHELM.)

ACT II

(An elegant boudoir. Door at back. Side doors. To the right a window, to the left a chimney. Elegant details. Sofas, easy chairs, etc.)

Laertes. My! What luxury

(Looking around.)

Is this where you stay?

(Elle montre à WILHELM le bouquet qu'elle a reçu de lui. MIGNON, qui reparâit, son paquet à la main, s'approche vivement et reconnait les fleurs qu'elle a données à WILHELM.)

Mignon.

(À part.)

Mon bouquet!

Wilhelm.

(À MIGNON.)

Qu'as-tu donc?

Philine.

(Bas.)

Il m'adore!

Laërte.

(Bas.)

Il est pris!

Mignon.

(Montrant LOTHARIO.)

Vois, de mes pauvres fleurs il n'a point fait mépris?
Il n'a pas rejeté mon bouquet, lui......

Wilhelm.

(Bas en souriant.)

Pardonne!
Je ne l'ai pas offert...... on me l'a pris.

Mignon. C'est bien!...... emmène-moi!...... Je t'appartiens!...... Ordonne!

(Aux BOHEMIENS.)

Vous dont j'ai partagé
La honte et la misère,
Adieu!......

(A L'ENFANT, en lui passant une médaille au cou.)

Toi, pauvre enfant, sois un jour protégé
Par cette humble médaille!

(A JARNO.)

Et toi, dont la colère!
M'a si souvent fait peur...... hélas!
Adieu! Mignon ne t'en veut pas!

Les Comédiens.

(Au fond.)

Adieu, Philine, et bon voyage!
Adieu, la belle, et bon voyage.
Adieu, Mignon, et bon voyage!

Les Comédiens.

En route, amis! plions bagage
La chance nous sourit enfin!
Que la gaîté soit du voyage!
Au diantre la soif et la faim!

(WILHELM fait un dernier signe d'adieu à PHILINE. Les COMEDIENS et les COMEDIENNES se disposent à partir. LOTHARIO s'asseoit pensif sur le devant de la scéne. MIGNON s'arrête au milieu du théâtre, les yeux fixés sur WILHELM.)

ACTE DEUXIEME

Un boudoir élégant. Porte au fond. Portes latérales. A droite une fenêtre, à gauche une cheminée. Toilette, fauteuils, etc. Philine est assise devant la toilette. On frappe à la porte.

Laërte.

(Entrant, d'un air majestueux.)

Corbleu! les somptueux lambris!

(Regardant autour de lui.)

C'est içi qu'on vous loge?

Filina. Yes, my dear. The baroness has loaned me her boudoir.

Laertes. (Slyly.)
Of which the baron has a key.

Filina. (Rising, in anger.)
Oh! You're drunk!

Laertes. No! I just feel good and amiable.
Oh! sweetest one, have a heart
Don't look at me that way.
Your lovely eyes' soft lashes,
Like arrows in Cupid's play,
Will wound me now and for aye.

Philine. Oui, mon cher! Madame la baronne me prête son boudoir.

Laërte. (Finement.)
Dont M. le baron a gardé la clef.

Philine. (Se levant vivement.)
Fi donc, vous êtes gris!

Laërte. Non! je suis en humeur de rire et de faire des compliments......
Belle, ayez pitié de nous!
Daignez baisser vos paupières!
Les cils de vos yeux si doux......
Sont des flèches meurtrières
Du Dieu qui nous blesse tous!
Et lon, lon, la, et lon, lon, la!
Landéridéra, landéridéra!
Et lon, lon, la, landéridéra!
(Il fait une pirouette.)
Voilà!

NAUGHT TO ME SUCH JOY AFFORDS.

Filina. (Laughing.)
Bravo! in thy style and manner,
Thou dost resemble Frederic.
How is it that he hath not yet arrived?

Laertes. (Significantly.)
What now is your opinion as regards young Wilhelm?

Filina. He'll surely come.

Laertes. You hope so?

Filina. I'm sure on't—nor his arrival will he long delay.

(Entering.)

Wilhelm. (Bowing.)
Beautiful Filina!

Filina. (Advancing to meet him.)
Here he is already.

Laertes. I hasten to see whether the preparations are complete—
(To Wilhelm.)
This evening we will render joyous,
By our performance of "A Midsummer Night's Dream;"

Philine. (Se moquant.)
Fort bien on croit entendre
Je vous le jure, le jeune Frédéric.
Comment n'est-il pas içi?

Laërte. (Avec malice.)
Merci! Et Wilhelm?

Philine. Il viendra.

Laërte. Croyez-vous?

Philine. J'en suis sure, il est en route, il vient.

Wilhelm. (Paraissant sur le seuil.)
Belle Philine!

Philine. (Elle va au devant de lui.)
Et le voici.

Laërte. Bon! très bien. Je vaie voir là-bas si tout s'apprête.
"Le Songe d'une Nuit d'Eté"
Doit faire les frais de la fête.
C'est d'un nommé Shakespeare, un assez bon poëte.

A work is this by Shakespeare,
A great, aye, an immortal poet!
As to Filina, she will miracles perform,
If only to please *you!*
Sir, your most obedient—
Beauteous Filina, I take my leave.
(Aside.)
(To Filina.)
I leave you with *him.*
(To Wilhelm.)
I leave you with *her.*
(On reaching the door he draws back in surprise.)
Why, who is there?

Wilhelm. 'Tis Mignon!

Filina. (Surprised.)
Mignon? How's this?

Wilhelm. She seems determined not to leave me;
I shall call her in.
Mignon!

Mignon. (Entering.)
What would'st thou?
Thy commands I will obey.

Filina. (Banteringly.)
I really scarcely recognize the child!
(To Mignon, with ill-concealed jealousy)
Come, walk in!
Pray come and warm yourself;
And then the "egg dance"
Perhaps you'll give us!

Laertes. (Aside.)
A storm is brewing.

Filina. (To Laertes.)
What ails you now, I pray?

Laertes. (Pre-occupied.)
Oh, nothing—
I will take my leave.
(Bows and withdraws.)

Wilhelm. (To Mignon.)
Be not thus anxious—thy fears dismiss;
Come, then, and warm thy freezing hands
At yonder hospitable fire!
(He seats Mignon in a chair by the fireside.)

Mignon. No longer will I o'er past troubles brood;
Nor am I cold—happy, indeed, am I,
Since I am at thy side!

Filina. (Sneeringly.)
What touching anxiety;
Excuse me if I laugh
At this reciprocal solicitude!

Mignon. (Aside.)
Alas! her bitter laugh
My heart doth torment cause.

Wilhelm. (To Filina.)
In sooth your gaiety
My spirits vastly doth enliven.

(Montrant Philine.)
Et de Titania vous serez enchanté.
(Con emphase.)
A bientôt, cher monsieur!
Adieu, ma toute belle!
Je vous laisse avec lui?
Je vous laisse avec elle.
(S'arretant aupres de la porte du fond.)
Mais qui donc se tient là?

Wilhelm. C'est Mignon!

Philine. Mignon?

Wilhelm. Elle n'a pas voulu se séparer de moi.
Faut l'appéler.
(Remontant par le fond et appelent.)
Mignon!

Mignon. (Elle parait, en habit de jeune page.)
Que veux-tu, maître?

Philine. (Souriant.)
Eh! mais vraiment, on a peine à la reconnaitre.
Approche et rechauffe-toi.
Tu nous danseras en suite la danse des œufs.
(Mouvement de Mignon.)

Laërte. Je crois qu'un orage est dans l'air.

Philine. Plait-il?

Laërte. Rien, je vous quitte.

Wilhelm. Plus de soucis, Mignon! plus de tristes pensées!
Viens réchauffer tes mains glacées,
A ce foyer
Hospitalier!......
(Il fait asseoir Mignon dans un fauteuil devant la cheminée.)

Mignon. (À demi-voix.)
Je ne me souviens plus de mes douleurs passées!
Je n'ai plus froid! Je suis heureuse à tes côtés!

Philine. (Riant.)
Quels soins touchants! Que de bontés!
Permettez-moi de rire
De ce beau dévouement!

Mignon. (À part.)
Hélas! qu'a-t-elle à rire?
Cruel amusement!

Wilhelm. (À Philine.)
Vous faites bien de rire;
Votre rire est charmant!

Filina.
(Laughing.)
Most worthy sir,
I'm really touched, indeed;
Instead of waiting on his master,
It is the master who doth wait upon his page!

Wilhelm.
(Approaching FILINA.)
Prostrate at thy feet, O lady,
I now do offer thee an homage far more zealous;
Wilt thou accept my proffered service?

Filina. You really mean it?

[Pointing to a candelabra which stands on the chimney-piece.]

Yon candelabra, now, pray reach to me.

(She seats herself in front of the dressoir; WILHELM eagerly fetches the candelabra alluded to. MIGNON watches them, without leaving her seat.)

Wilhelm. Thy commands I eagerly await—
Ordain—I will obey!

Filina. In sooth, the hair-dresser has but ill-arranged my hair;
But by putting on a more becoming dress,
I yet may hope to please you!

Philine. Mon cher, je vous admire,
C'est tout à fait charmant!
(Elle rit.)
Au lieu d'être servi par votre jeune page,
C'est vous qui le servez!

Wilhelm.
(Se rapprochant de PHILINE.)
Près de vous, à vos pieds,
J'accepterais, si vous vouliez,
Un plus doux servage.

Philine. Vraiment!
(Lui désignant un flambeau sur la cheminée.)
Apportez donc ce flambeau par içi.

(Elle s'asseoit devant sa toilette. WILHELM va prendre le flambeau et revient avec empressement près de PHILINE. MIGNON suit tous ses mouvements du regard sans quitter le fauteuil oú elle est blottie.)

Wilhelm. Je me fais votre esclave! ordonnez, me voici!

Philine. Mon coiffeur m'a ce soir, indignement coiffée!......
Mais vous allez me voir dans ma robe de fée!......

CHARMING GAY COMPLIMENTS.

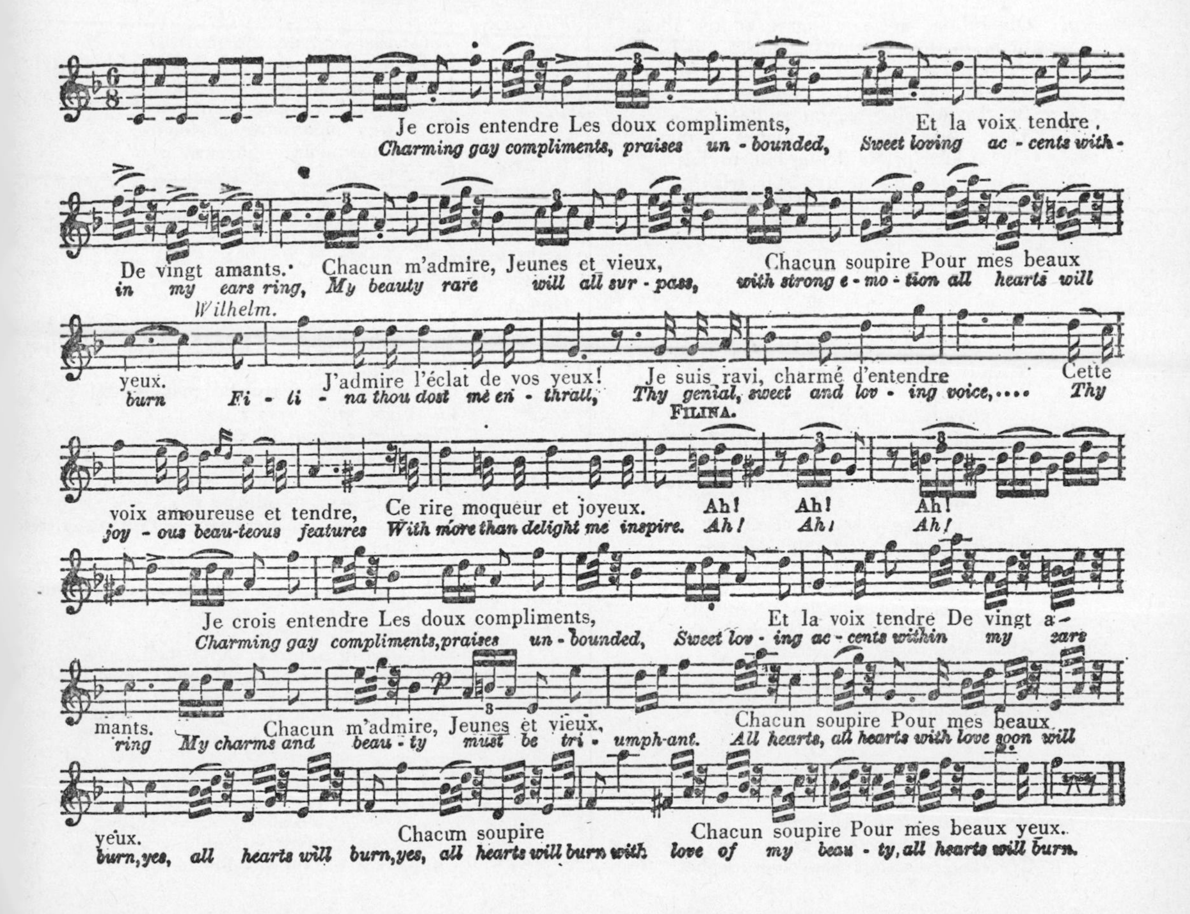

(MIGNON feigns to sleep. FILINA continues singing gaily before the looking-glass, "beautifying" herself the while.)

Wilhelm. Beautiful Filina, enchantress irresistable,
Of those bright eyes, the all-bewitching glance
Each soul allures, each stubborn heart inflames;
Thy bidding to obey, is happiness to all!
By all thou'rt idolized,
By all adored!
Alas! why doth not love
Thy heart, in turn, illume?
For, woe is me! thou cruel art and cold.

Filina. I really to the Baron must present you.

Wilhelm. Stay! grant me but another word!

Filina. Hush! were we to be overheard—
Give me your arm;
(She advances a few steps, when WILHELM stops her.)

Wilhelm. Will you not answer me?

Filina.
(Extending her hand to him.)
I promise to be—merciful!
(WILHELM impresses a kiss on FILINA's hand. MIGNON starts, but does not open her eyes.)

Wilhelm. Oh Filina, my rapt heart adores thee,
In more than human happiness am I steeped,
By thy loving joyous voice—
By thy winning, genial smile!
Then bend on me a glance benign,
My ardent pray'r deign but to hear,
Crown thou this heart's sole wish!
(WILHELM offers FILINA his arm. They both exeunt on back.)

Mignon.
(Alone.)
At last I am alone! Ah! woe is me!
Already hath he forgotten me.
What matters it? Is not my utmost wish already fulfilled!
What need I more than learn to love, and to obey him?
A truce then to my sighs! 'tis folly to repine!
(Leaning on the toilette table.)
She listened to Wilhelm's vows—
I should have neither looked nor listened;
But, alas! the temptation was too strong;
Forgive me, my Wilhelm!
(Perceiving the rouge pot.)
Aha! the rouge lies here—
Suppose I were to try some.
(Putting on rouge)
Quickly my paleness disappears;

I

My features are enlivened!
A gipsy lad I well do know,
Graceful, winning, handsome is he;

(MIGNON fait semblant de dormir. PHILINE chante follement en achevant de se farder devant son miroir.)

Wilhelm.
(Se penchant amoureusement vers PHILINE.)
Belle Philine, aimable enchanteresse,
Vos doux regards et vos attraits vainqueurs,
A votre char enchaînment tous les cœurs!
Autour de vous tout sourit et s'empresse!......
On vous fête, on vous aime, on vous adore...... hélas!
Pourquoi n'aimez-vous pas?

Philine. Au baron il faut qu'on vous présente.

Wilhelm. Philine, un mot encore!...... un mot!......

Philine.
(Montrand MIGNON.)
Parlez plus bas!......
Notre hôte nous attend...... Offrez-moi votre bras.
(Elle fait quelques pas; WILHELM la retient.)

Wilhelm. Quoi! sans répondre......

Philine.
(Lui tendant la main.)
Allons! J'ai l'âme complaisante!......
(WILHELM porte la main de PHILINE à ses lèvres. Au bruit du baiser MIGNON fait un mouvement, sans ouvrir les yeux.)

Wilhelm.
(À demi-voix, avec passion.)
O Philine! ô coquette! ô fille séduisante!
J'admire l'éclat de vos yeux!
Je suis ravi, charmé d'entendre
Cette voix amoureuse et tendre,
Ce rire moqueur et joyeux!......
Par pitié daigner m'entendre.
Donne un regard de vos doux yeux,
Un mot de cette voix tendre
A mon cœur amoureux.
(WILHELM offre son bras à PHILINE et sort avec elle par la porte du fond.)

Mignon.
(Seule.)
Me voilà seule, hélas! déjà Meister m'oublie......
Qu'importe! il a comblé mes voeux!
Le suivre et le servir
C'est tout ce que je veux.
Allons! pleurer serait folie......
Ah! c'est là, que tout à l'heure en souriant à son miroir
Elle écoutait Meister! Je ne voulais rien voir,
Je ne voulais rien entendre!
Hélas! et cependant je n'apu m'en défendre.
Pardonne, cher maître!
Voici le fard qui la rend belle......
Eh bien! si j'essayais de me farder aussi?
(Elle essaye de se farder.)
Ma pâleur disparaît déjà. Mon teint s'anime!

I

(S'animant.)
Il était un pauvre enfant,
Un pauvre enfant de Bohême,

Yet though his lip doth ever wear a smile,
His heart I ween is sad.
(Looking at herself in the glass.)
Ha! ha! ha! a mad story, in sooth!
Sure none will e'er believe it.
I really seem more fair, more beauteous than before.
Tra, la, ral, la!
Is't really I, whom in the glass I see?
Who is't that I now gaze on?

Au regard triste, au front blême......
(Se regardant dans le miroir.)
Ah! ah! la folle histoire! en vain je m'en défend!
Je me trouve bien mieux! je ne suis plus la même.
Ta la, ralla!
Ta la, ralla!
Est-ce bien Mignon que voilà?

II

One day the youth,
Gaily a scheme devised;
A scheme he hoped his master dear might please.
(Gazing at herself in the glass.)
Ha! ha! a mad story, in sooth!
Sure none will e'er believe it;
I really seem more fair, more beauteous than before
Tra, la, ralla, la!
I'st really I, whom in the glass I see?
Or who is it that I now gaze upon?
No, no! myself I do not recognize.
(After a short pause, sadly.)
And yet, alas! 'tis I!
Other secrets *she* must have, her beauty so to heighten!
[Approaching cabinet on the left.]
Is it not here, that she her wardrobe keeps?—
Mad thought! Ah! surely 'tis a demon tempts me.
(Enters cabinet.)

II

Un beau jour, tout triomphant
Tout fier de son stratagème,
Pour plaire au maître qu'il aime......
(Se regardant de nouveau en riant.)
Ah! ah! la folle histoire! En vain je m'en défend!
Je me trouve bien mieux, je ne suis plus la même,
Ta la, ralla!
Ta la, ralla!
Est-ce bien Mignon que voilà?
Non, non, ce n'est plus moi!
(Tristement.)
Mais quoi! ce n'est pas elle,
Elle a d'autres secrets encore pour être belle.
(Allant ouvrir la porte du cabinet de toilette.)
N'est pas là qu'on a rangé ses robes? oui!
Hélas! suis-je comme elle une femme pour lui?
O folle idée! O démon qui me tente!
(Elle entre dans le cabinet de toilette. La fenêtre s'ouvre brusquement. FREDERIC saute dans la chambre.)

Frederic.

(Enters alone.)
(Looking around.)
Filina in my aunt's apartments?
O much loved room, on thee while thus I gaze,
With joy and hope my heart doth loudly beat!
The young coquette, as yet, perchance expects me not;
The cruel flirt this day I must o'ercome,
Her heart at last I hope to tame.
O much loved room, on thee while thus I gaze, &c.
Yes! I swear she shall adore me—
The vict'ry mine this very day shall be;
Let e'en a thousand watchful guards surround her,
Their vigilance I will elude!
O much loved room, on thee while thus I gaze, &c.

Frédéric.

(Avec indignation.)
Quoi? mon oncle a logé Philine chez ma tante?
Me voici dans son boudoir,
Oui, je sens battre mon cœur d'espoir,
Ah! je guette l'instant de la revoir.
Oui, je sens battre mon cœur d'espoir,
Coquette, je guette l'instant de te revoir.
Il faut enfin vaincre la cruelle,
Il faut toucher le cœur de l'infidèle!
Je suis dans son boudoir
Et je sens mon cœur battre d'espoir.
Ah! je guette l'instant de la revoir.
Moi je veux qu'on m'aime et j'espère,
Oui, j'espère à mon tour être heureux.
Tant pis, ma foi! pour tous ses amoureux.
Je suis dans son boudoir,
Et je sens mon cœur battre d'espoir.
Ah, je guette l'instant de la revoir.
Ah, je sens mon cœur battre d'espoir.
Coquette, je guette l'instant de te revoir.
Pour mon cœur quel doux espoir.
Voici l'instant de la revoir!

Wilhelm.

(From the door at back, calling.)
Mignon!

Wilhelm.

(Entr'ouvrant a porte du fond et entrant sans voir FREDERIC.)
Mignon!

Frederic.

(Bowing.)
Your servant, sir.

Frédéric.

(Saluant.)
Monsieur!

Wilhelm.
(Bowing also.)
Yours, sir, to command.

Frederic. The question may seem indiscreet,
But much indeed I'd like to know
How you came here—

Wilhelm. And you, sir, how did *you* arrive?

Frederic. The lady's friend am I.

Wilhelm. And so am I, sir.

Frederic. Know, sir, that I do dearly love her!

Wilhelm. I tell you, *I* adore her, sir!

Frederic. You do? enough!
(Drawing his sword.)
Defend yourself!

Wilhelm. What here, in Filina's room?

Frederic. In Filina's room; 'twill all the more romantic be!
Defend yourself!

(MIGNON, who has put on one of FILINA's dresses, rushes hurriedly in, and throws herself between the combatants, exclaiming:
Hold!

Wilhelm. Heavens! Mignon!

Frederic. Why, what does all this mean?
[Sheathing his sword, and contemplating MIGNON]
Ha! ha! if I'm not mistaken,
One of Filina's dresses she has on!
Fear not,
We'll meet again, ere long!

Wilhelm. What strange caprice is this? Hast lost thy reason?
I tell thee, we must part.

Mignon. Dost thou then drive me from thee?

Wilhelm. Not so I do *not* drive thee from me;
Believe me, I do *not* drive thee from me;
Dear shall thy mem'ry ever be to me.
[MIGNON utters a cry of grief, and throws herself on a chair.]
Farewell, Mignon, take heart!
Thy tears restrain!
In the bright years of youth no grief doth linger long.
Weep not, Mignon!
O'er thee just Heaven will watch with fost'ring care.
Oh may'st thou thy dear native land, once more regain!
May fortune on thy fate henceforth benignly smile!
It pains me much to leave thee; my stricken heart
With thy lone destiny will ever sympathize!
Farewell, Mignon, take heart!
From tears refrain!
In the bright years of youth no grief doth linger long;
Weep not, Mignon!
O'er thee just Heaven will watch with fostering care;
Then dry thy tears!

Wilhelm. Monsieur!

Frédéric. Je suis peut-être indiscret,
Mais comment vous trouvez-vous içi?

Wilhelm. Et vous-même, Monsieur?

Frédéric. Je suis de ses amis, Monsieur.

Wilhelm. J'en suis aussi.

Frédéric. Mais moi, je l'aime.

Wilhelm. Eh bien, moi je l'adore!
Plaît-il?

Frédéric. Il suffit! engarde!

Wilhelm. Quoi? chez Philine?

Frédéric. Chez Philine! C'est plus original!
Battons-nous!
(Ils croisent le fer.)

(MIGNON revêtue d'une des robes de PHILINE sort du cabinet et s'elance entre eux.)
Ah, Meister! Dieu!

Wilhelm. Mignon!

Frédéric. Mignon? que signifie?
(Raillant.)
Mais voilà, si je m'en souviens
Les atours de Philine!
Ah, ah, ah, ah, ah, ah!
(Sérieux.)
Monsieur! Nous nous reverrons.
Serviteur!

Wilhelm. Quel est ce caprice insensé?
Deviens-tu folle? Alors quittons-nous.

Mignon. Tu me chasses?

Wilhelm.
(Plus tendrement.)
Non, non, je ne te chasse pas!
Même je dois te rendre graces du tendre mouvement......
Mais je commence à comprendre
Que je ne puis auprès de moi
Te garder, pauvre enfant.
Adieu, Mignon, courage!
Ne pleure pas!
Les chagrins sont bien vite oubliés à ton âge!
Dieu te consolera! mes vœux suivront tes pas!......
Ne pleure pas!
N'accuse pas mon cœur de froide indifférence!
Ne me reproche pas de suivre un fol amour!
En te disant adieu, je garde l'espérance
De te revoir un jour!
Adieu, Mignon, courage!
Les chagrins sont bien vite oubliés à ton âge!
Dieu te consolera! mes vœux suivront tes pas!
Ne pleure pas!

Mignon. Thankful am I; but since we're doomed to part,
I fain would wander freely—

Wilhelm. To reason dictates list, I pray.
What will become of thee?
When from my care removed, what wilt thou do?

Mignon. That which I did before. I will Mignon once more become.
[She kisses the hand which WILHELM extends to her.]
I thank thee!

Wilhelm. (Agitated.)
Thou can'st not leave me thus!

Mignon. My duty 'tis; it must be so.

Wilhelm. (Aside, in tones of anguish.)
O grievous trial!
(Enter FILINA and FREDERIC.)

Filina. (To FREDERIC.)
Now, 'pon my word, she's dressed out in my clothes!
Right quickly has she laid her livery aside.

Wilhelm. (Confused.)
'Twas a mere whim,
Which needs must be forgiven.

Filina. If she's so taken with the dress,
I'll give it her.
(MIGNON angrily tears the ribbons from the dress.)
Good gracious! why tear off my ribbons!
I mercy crave for them. What anger strange is this?
(MIGNON rushes hastily to the apartment on the left, into which she disappears.)
(To WILHELM.)
Now, 'pon my word, I almost think
The little savage jealous is of me!

Wilhelm. (Agitated.)
Jealous!

Laertes.
(Appearing at the back, dressed in the garb of an ancient Greek.)
I say, what are you doing here?
'Tis almost time to begin.

Filina. Let's follow Laertes.

Wilhelm.
(Aside.)
Jealous!

Filina.
(To WILHELM.)
Of what are you now thinking?
See you not I'm waiting for you?

Wilhelm. Excuse, me, pray.

Filina. If you still love me, offer me your arm.

Wilhelm. Love you! more dearly than I do love—myself!
(Offers his arm to FILINA. They exeunt, followed by LAERTES.)
[FREDERIC suddenly issues from the apartment on the left, and gazes after WILHELM and FILINA as they withdraw.]

Frederic. What pleasure keen 'twould give me,
To run yon scoundrel through!

Mignon.
(Issuing from the apartment on the left, dressed as in the first act.)
That woman! I do *loathe* her.
(Exit.)

Mignon. Merci de tes bontés; mais sans toi,
Je veux être libre comme autrefois.

Wilhelm. Écoute la raison! Hors de cette maison
Que vas-tu devenir?

Mignon. Ce que j'étais: Mignon!
(Saissant la main de WILHELM et la portant à ses lèvres.)
Merci!

Wilhelm. Non, tu ne peux partir ainsi!

Mignon. Il le faut.

Wilhelm. Angoisse cruelle!

Philine. (Elle paraît avec FREDERIC.)
Vous disiez vrai; Mignon de mes atours parée!
(À WILHELM, avec ironie.)
Elle a bientôt quitté votre livrée.

Wilhelm. Philine
(Avec embarras.)
Un caprice d'enfant qu'il faut lui pardonner.

Philine. Si la robe lui plaît, on peut la lui donner.
(MIGNON arrache avec colère les dentelles de la robe dont elle est parée.)
Eh! quoi? faut-il déchirer mes dentelles?
Je demande grace pour elles.
(MIGNON va ramasser son paquet de hardes et se sauve dans le cabinet de droite.)
(Souriant.)
Quel couroux! Quel regard! On dirait, sur ma foi,
Que cette pauvre enfant est jalouse de moi.

Wilhelm. (À part.)
Jalouse!

Laërte.
(Il entra vivement en scéne sous son costume de Prince Thesée.)
Eh bien, que faites-vous? Alerte, on commence!

Philine. Suivons Laërte.

Wilhelm.
(À part.)
Jalouse!

Philine.
(À WILHELM, en souriant.)
A quoi rêvez-vous donc? Je vous attends.

Wilhelm. Pardon!

Philine. Offrez-moi votre bras, si vous m'aimez encore.

Wilhelm. Quoi? Moi? Philine, je t'adore.

Frédéric.
(Regardant sortir PHILINE et WILHELM.)
Morbleu! Qu'avec plaisir je le massacrais.

Mignon.
(Elle reparait dans son costume du ler Acte.)
Cette Philine, je la hais!

SCENE II

A portion of the park adjoining the Baron's castle. At back, to the right, a conservatory, illuminated from within. To the left a lake, surrounded here and there by reeds, etc. Music and the noise of clapping hands, are heard to proceed from the wings. MIGNON advances from among the trees, and stands in a listening attitude.

MIGNON, *alone.*

She's yonder, by *his* side, triumphant, happy;
Whilst I do wander forth alone, abandoned.
He loves her! Ah, my aching heart did this foretell,
But still I little thought from his own lips to hear it,
Nor, with these eyes, the bitter truth to witness!
Ah! woe is me! he loves her! at this thought alone
My tongue the hated words doth shame to speak.
He loves her! Oh heaven! with grief my heart will break!

(Rushes hurriedly in the direction of the lake.)

Yes! this calm, unruffled stream,
Placid, though deep,
Doth summon me! Methinks, beneath the waters clear,
I hear the syren's song—
Yes! with my life, I here will end my woes!

(She is about to throw herself into the water, when the strains of a harp are heard to proceed from behind the trees.)

Heavens! what sounds are those?

(Coming forward.)

My wicked impulse hath almost passed away,
Yes! still do I wish to live!

(LOTHARIO appears.)

Art thou Lothario?

(Recognizes him.)

'Tis he!

Lothario.

(Who at first does not recognize MIGNON.)

Who's there? who is't that now approaches me?
Art thou she for whom so long I've sought?

Mignon. Nay, not so!

Lothario. Ever am I mista'en! alas, I see it is not she!
The form that now doth hasten to my side,
Is surely that of Mignon!

Mignon. Ah, yes! Thou'st recognized me,
Mignon indeed am I.

Lothario. (Tenderly.)
Oh, hapless maiden!
Thy footsteps, too, I've longed to trace,
Come to this aged breast!
Come! tell me the sad thoughts which now thy heart do grieve.

[Pressing her to his breast.]

Mignon.

(In accents of the deepest woe, leaning her head on LOTHARIO's shoulder.)

Hast thou e'er suffered! hast thou e'er known grief!
Hast ever, hopeless, languished in despair—
Hast ever, vainly, sought thy native land?
If so, my sorrow thou can'st understand.

TABLEAU II

(Un coin du parc. Au fond à droite, une serre attenante au château et éclairée à l'intérieur. A gauche, une large pièce d'eau bordée de roseaux. Musique et bruit d'applaudissements dans la coulisse. Mignon se glisse sous le arbres et se penche dans l'ombre pour écouter.)

Mignon.

(Seule.)

Elle est là près de lui! Son triomphe commence!
Et moi j'erre au hasard dans ce jardin immense......

(Avec agitation.)

Elle est aimée! il l'aime! eh bien! je le savais!
Ces tourments, je les éprouvais!
Non! je ne l'avais pas entendu de sa bouche,
Ce mot qui déchire mon cœur!
Espères-tu que ton chagrin le touche,
Pauvre Mignon! il l'aime! et son rire moqueur,
Rend plus cruelle encore cette parole!
Il l'aime! ô Dieu! je deviens folle
De rage et de douleur!

(Courant vers la pièce d'eau.)

Ah!...... ce flot clair et tranquille
M'attire à lui!—j'entends parmi les verts roseaux,
Votre voix, ô filles des eaux!......
Vous m'appelez à vous sous cette onde immobile!......

(Elle va pour s'élancer, les accords d'une harpe se font entendre sous les arbres.)

Ciel! qu'entends-je? écoutons!......

(Redescendant en scène.)

Le mauvais ange a fui!
Je veux vivre!

(LOTHARIO *paraît.*)

Est-ce toi, Lothario?......

(Avec joie.)

C'est lui!

Lothario.

(Ne reconnaissant pas d'abord MIGNON.)

Qui donc est là? Quelle est cette voix qui m'appelle?

(La regardant avec tendresse.)

Est-ce toi, Sperata?...... Réponds! est-ce toi?

Mignon. Non.

Lothario. (La repoussant doucement.)
Mon cœur se trompe encore, hélas! ce n'est pas elle!
C'est l'enfant qui voulait me suivre; c'est Mignon!

Mignon. (Avec tristesse.)
Oh! oui, tu te souviens! oui, c'est bien là mon nom!

Lothario. Pauvre enfant! pauvre créature!
J'ai voulu te revoir et j'ai suivi tes pas!
Viens sur mon cœur! Reste en mes bras!
Et dis-moi quel chagrin te brise et te torture!......

(Il presse MIGNON entre ses bras.)

Mignon.

(Avec une ardeur fiévreuse, le front appuyé sur la poitrine de LOTHARIO.)

As-tu souffert? As-tu pleuré?
As-tu langui sans espérance,
L'âme en deuil, le cœur déchiré?
Alors tu connais ma souffrance!

Lothario. Maiden, I bitter grief have known,
Aye, cruel suffering have I endured;
My tears the ground have oft bedewed,
'Mid foreign lands I long have roamed.

(A tumultuous noise of clapping of hands heard from behind the scenes.)

Mignon. List! the castle with applause resounds—
They all admire, they all do praise her!

(Turning toward the conservatory, and declaiming in wrathful accents.)

Ah! why does not avenging ire,
Why does not the winged thunderbolt
Strike down and crush yon impious dwelling?
Why do not devouring flames consume it?

(Rushes hurriedly away, and disappears amid the trees.)

Lothario.

(Alone, after a moment's reflection, confused and bewildered.)

Fire, she said! Ah, fire! fire!

(Slowly crosses the stage and disappears amid the shade. The door of the conservatory is thrown open, and a crowd of Guests, Actors, etc., issue forth.)

(The performance within is supposed to have just terminated. FILINA and the Actors retain their theatrical costumes.)

Chorus.. Filina is indeed divine,
A wond'rous triumph she hath achieved.
Her beauty let us loudly celebrate!
Bravo! bravo!
Filina is indeed divine, etc., etc.

Lothario. Comme toi, triste et solitaire,
Courbé sous d'inflexibles lois,
De mes pleurs j'ai mouillé la terre!
Le ciel reste sourd à ma voix!

(Applaudissements et acclamations bruyantes dans le château.)

Mignon.

(Se dégageant brusquement des bras de LOTHARIO.)

Écoute! c'est son nom que la foule répète!
C'est elle qu'on acclame et c'est elle qu'on fête!......

(Se tournant vers le château avec un geste de menace.)

Ah! que la main de Dieu
Ne peut-elle sur eux faire éclater la foudre,
Et frapper ce palais, et le réduire en poudre,
Et l'engloutir sous des torrents de feu!......

(Elle s'enfuit sous les arbres.)

Lothario.

(Seul.)

(Après un long silence; avec égarement.)

Le feu!...... le feu!...... le feu!......

(Il traverse lentement le théâtre et disparaît dans l'ombre. Les portes de la serre s'ouvrent pour laisser passer la foule des INVITES et des COMEDIENS.)

(La représentation vient de finir. PHILINE et les COMEDIENS ont conservé leurs costumes de théâtre.)

Chœur. Brava! brava! brava!
La Philine est vraiment divine!
Á ses pieds nos cœurs et nos fleurs!
Gloire à Titania!......

YES FOR THIS EVE

Filina. Both night and day.
My attendants ever sing,
The achievements of the God of Love!
On the wave's white foam,
'Mid the twilight grey,
'Mid hedges, 'mid flowers,
I blithely do dance!
Yes! the fair Titania am I, etc., etc.

All. With love for her,
Each heart doth burn,
'Mid flowers and plaudits
Her bright path doth lay!

Chorus. Ah! Titania is indeed divine,
We'll homage to her beauty pay.

Filina.
(To WILHELM.)
At last I've found you,
Is't possible I have to *seek* for you already?
Have you not been to hear me?

Frederic.
(Aside.)
This eternal fellow here again!
(Watching FILINA's behavior.)
What glances! Ah, what smiles!

Wilhelm.
(Pre-occupied, and looking anxiously around him.)
Excuse me, I implore! I vainly everywhere do seek Mignon—

Filina. Indeed! Then it was *not* I whom you sought?
(They both retire conversing. MIGNON and LOTHARIO meet near the front of the stage.)

Lothario. Banish, O maiden, the grief that now thy heart doth gnaw;
Thy wish is heard; the flames do even now consume yon mansion!

Philine. Oui, pour ce soir, je suis reine des fées!
Voici mon sceptre d'or!.....
Et voici mes trophées.
Autour de moi, toute ma cour court,
Chantant le plaisir et l'amour.
Aux rayons de Phœbé qui luit!.....
Parmi les fleurs que l'aurore
Fait éclore,
Par les bois et par les près
Diaprès,
Sur les flots couverts d'écume,
Dans la brume,
On me voit d'un pied léger
Voltiger!
Je suis Titania la blonde,
Titania, fille de l'air!
En riant, je parcours le monde,
Plus vive que l'oiseau, plus prompte que l'éclair!

Comédiens.
(Entre eux, avec dépit.)
Déjà vingt amants
Entourent la belle,
Et tout est pour elle,
Fleurs et compliments!.....

Chœur.
(Entourant PHILINE pour la complimenter.)
Gloire à Titania la blonde,
Brava! brava! brava!
Gloire à Titania!

Philine.
(Apercevant WILHELM.)
Ah! vous voici!..... Déjà vous me faites attendre.
(D'un air de reproche.)
Vous n'étiez pas là pour m'entendre!.....

Frédéric.
(À part.)
Encor lui!..... quel sourire aimable! quel air tendre.

Wilhelm.
(Regardant autour de lui avec inquiétude.)
Pardonnez-moi!..... Je cherche en vain Mignon!

Philine.
(Minaudant.)
Eh! quoi!
Celle que vous cherchez, Monsieur, ce n'est pas moi!
(Ils remontent en causant; MIGNON et LOTHARIO se rencontrent sur le devant du théâtre.)

Lothario.
(À demi-voix.)
Sois contente, Mignon! Réjouis-toi, pauvre âme!
J'ai voulu t'obéir!..... Et ces murs sont en flamme.

Mignon. Alas! what is't thou say'st?

Lothario. I have accomplished thy desire.

Mignon. Oh heaven!

Lothario. Anon those walls will crumble into ashes!

(MIGNON looks anxiously around her. WILHELM, perceiving her, hurries towards her.)

Wilhelm. At length, O dear one, have I found thee,
I've sought thee everywhere!

Filina.
(To MIGNON.)
Listen girl!

Mignon. What would you?

Filina. If thou'rt anxious to display thy zeal,
Haste thee yonder,
(Pointing to conservatory.)
And find the flowers, which
Thou offerd'st yesterday unto thy master,
And which methinks have fallen from my bosom!

Wilhelm.
(To FILINA.)
But wherefore?

Mignon.
(To WILHELM.)
I will obey.
(Hastens to conservatory.)

Laertes.
(Entering hurriedly.)
Quick, hasten all!
Gentlemen, the theatre is in flames!
See, see!

Wilhelm.
(Horrified.)
Oh fearful sight!

Filina.
(To the Ladies.)
An icy chill my frame pervades.

(Servants exeunt, bearing away the torches with them. The stage is enveloped in complete darkness. The red light of the conflagration now begins to be reflected by the glass panes of the conservatory.)

Wilhelm.
(With painful emotion.)
Ah! ill advised was thy zeal!

Filina.
(Endeavoring to stop him.)
What would'st thou do?

Laertes.
(Seizing him by the arm.)
Hold!

Wilhelm.
(Disengaging himself.)
Ah! stay me not!
(Hurries hastily to MIGNON's rescue.)

Chorus. No mortal power can now check
The conflagration's might,
The castle soon must fall!
When human courage nought can do,
Why sacrifice a life
In fruitless heroism?

Mignon. Ciel! que dis-tu?

Lothario.
(Calme et souriant.)
J'ai fait ce que tu voulais.

Mignon. Dieu!

Lothario. Ces murs vont s'écrouler sous des torrents de feu!

(MIGNON inquiète cherche WILHELM des yeux. WILHELM l'aperçoit et accourt vers elle.)

Wilhelm. C'est toi!...... je te cherchais, Mignon!......

Philine.
(S'approchant.)
Holà! ma belle!

Mignon. Que voulez-vous?

Philine. Pour nous prouver ton zèle,
Va vite, va chercher
Là-bas......
(Elle indique la serre.)
Certain bouquet...... dont quelqu'un qui m'est cher
Tantôt m'a fait hommage,
Et que j'ai laissé choir, je crois, de mon corsage.

Wilhelm. A quoi bon?......

Mignon.
(À WILHELM.)
J'obéis, j'obéis, maître!
(Elle s'élana.)

Laërte.
(Accourant.)
Dieu!
Philine, mes amis, le théâtre est en feu!
Regardez!......

Wilhelm.
(Avec effroi.)
Que dit-il?

Philine et les Femmes.
Je meurs!...... mon sang se glace!......

(Les LAQUAIS sortent emportant les flambeaux. Le théâtre se plonge dans l'obscurité; des lueurs d'incendie commencent à éclairer le vitrage de la serre.)

Wilhelm.
(Écartant la foule.)
Ah! malheureuse enfant!...... Arrière!......faites place!

Philine.
(Le retenant.)
Cher Wilhelm!

Laërte.
(Le retenant.)
Arrêtez!

Wilhelm. Ne me retenez pas!......
(Il s'élance au secours de MIGNON.)

Chœur. Pour apaiser la flamme,
Tout secours serait vain!
L'effroi glace notre âme!
Que sert-il de tenter un effort surhumain!

Lothario.
(In the midst of the stage, quelling for the moment the general commotion.)

A lonely wanderer am I! I stray from door to door,
As fate doth guide, or as the storm doth hurry me;
But heaven protects the wretched with kind and fostering care!

(The glass-work of the conservatory falls in with a crash. The guests in terror, rush to the front of the stage. After a brief pause, WILHELM re-appears, bearing in his arms MIGNON's fainting form.)

Wilhelm. Heaven hath saved her from a dreadful death;
Begirt was she with flames,
When, heaven be prais'd, I reached and saved her!

(WILHELM places MIGNON on a bank. She still holds in her hands the bunch of withered flowers. Tabeau.)

Lothario.
(Debout, au milieu de la scene et dominant le tumult général.)

Fugitif et tremblant, je vais de porte en porte,
Où le ciel me conduit, où l'orage m'emporte,
Des misérables Dieu prend soin......

(Le vitrage éclate et s'écroule. La foule des INVITES se presse sur le devant de la scène en poussant un cri de terreur.)
(WILHELM paraît enfin portant MIGNON dans ses bras.)

Wilhelm. De la mort, Dieu l'a préservèe!
La flamme l'entourait déjà! je l'ai sauvée!

(Il dépose sur un banc de gazon MIGNON évanouie. MIGNON serre entre ses mains crispées un bouquet de fleurs flétries et à demi consumées. Tableau final.)

ACT III

A gallery, embellished with statues. To the right, a window overlooking the country. At back, a closed door. Side doors. At the rising of the curtain, there is no one on the stage.

A harp prelude is heard behind the scenes.

Chorus.
(Outside.)

Quick, the sails unfurl,
The wind propitious blows,
The gently ruffled waves
Tempt us to put forth;
Let's quickly leave the shore,
And gaily tempt the wave!
Quick, then, the sails unfurl, etc., etc.

(LOTHARIO appears on the threshold of the door (right hand.)

Lothario.
(Alone.)

I've soothed the throbbing of her aching heart,
And to her lips the smile I have restored.
Her weary eyes at last have closed
In gentle slumber;
By day and night some heav'nly spirit
The maiden doth protect;
On wings celestial, it doth hover round
Protecting her from harm!

(Enter WILHELM, ANTONIO.)
ANTONIO carries a lamp.)
(Placing the lamp on the table, and approaching the window.)

Antonio.
From this window you will see
The shores on all sides lighted up;
To-morrow is a joyous festival,
Kept sacred by the dwellers on the lake.
This mansion alone, since that thrice fatal day.
When woe so suddenly o'ertook its owners,
The festal fire no more displays.
This castle, therefore, old and rugged,
Will ere long be sold;
At the price agreed upon,
It may yours, perchance, become.

Wilhelm. To-morrow, I'll my final answer give.
(At a sign from WILHELM, ANTONIO withdraws.)

Wilhelm. What now?

ACTE TROISIEME

Une galerie italienne ornée de statues. A droite, une fenêtre ouverte sur la campagne. Au fond, grande porte fermée. Portes laterales. Au lever du rideau, la scène est vide.
(Prélude de harpe dans la coulisse.)

Chœur.
(Au dehors.)

La douce clarté des étoiles,
Illumine le flot mouvant!
Amis, ouvrons gaîment nos voiles,
Aux baisers amoureux du vent!
La rame étincelle
Sur l'eau du lac bleu,
Et laisse après elle
Un sillon de feu!......
La douce clarté des étoiles
Illumine le flot mouvant!

(LOTHARIO parait sur le seuil de la porte de droite.)

Lothario.
(Seul.)

Elle dort!......
De son cœur j'ai calmé la fièvre!
Un sourire doux et joyeux
A ma voix entr'ouvrait sa lèvre;
Le sommeil a fermé ses yeux!
Un ange est debout auprès d'elle!
Un ange descendu des cieux
Lui prête l'ombre de son aile!......

(WILHELM, ANTONIO)
(ANTONIO pose une lampe sur une table, et se tourne vers la fenêtre.)

Antonio. Vous verrez de cette fenêtre s'illuminer les villas d'alentour.
De la fête du lac c'est demain le grand jour;
Ce palais seul depuis qu'il a perdu son maître ne s'illumine plus.
S'il est encore à votre gré
Vous pouvez l'acheter.

Wilhelm. Demain je repondrai.
(Sur un signe de WILHELM, ANTONIO sort. WILHELM, touchant l'épaule de LOTHARIO.)
Eh bien?

Lothario. Hush, she's sleeping,
Her eyelids tranquilly are closed;
The fever hath quite left her.

Wilhelm. May heav'n be praised,
Her native air new life into her veins infuses,
For *her* it is that I to-morrow mean to buy
The Casa Cipriani!

Lothario.
(Starting violently at the name.)
Cipriani!

Wilhelm. What ails thee?
(LOTHARIO looks round in surprise—he then approaches the door at back, which he endeavors to open.)

Wilhelm. Yon door has closed remained,
For fifteen years.

Lothario.
(Deeply moved.)
Fifteen years!
(He again looks around him with the aspect of one who seeks to recall the past; and then approaches the door and exclaims:
Ah—yonder!
(Exit slowly.)

Wilhelm.
(Alone.)
What strange, wild look was that?
This good old man hath more successful been than I.
In soothing yon poor, hapless maiden
At last I have discovered the secret of her heart,
From her sweet lips, my name escaped!

Lothario... Chut!...... Un sourire a passé sur sa lèvre;
L'enfant dort et n'a plus la fièvre.

Wilhelm.
(Vivement.)
Ah, que le ciel en soit béni.
C'est l'air natal qui la rappelle à la vie.
Oui, demain j'acheterai pour elle
Le palais des Cypriani.

Lothario.
(Il se leve en tressaillant.)
Cypriani!

Wilhelm.
Qu'as-tu?
(LOTHARIO se dirige vers la grande porte du fond et cherche à l'ouvrir.)
Cette chambre est fermée depuis quinze ans!

Lothario. Quinze ans?
(Il se dirige vers la porte à gauche.)
Ah, là!
(Se tourant vers WILHELM.)
Chut!
(Il sort lentement.)

Wilhelm.
Seul.)
Étrange regard!
Ah, mieux que ma raison le cœur de ce vieillard
Console cet enfant par ses soins ranimée.
J'ai deviné trop tard le secret de Mignon.
(Entr'ouvrant la porte de droite.)
Hélas, elle sommeille, et prononce mon nom!

AH! LITTLE THOUGHT.

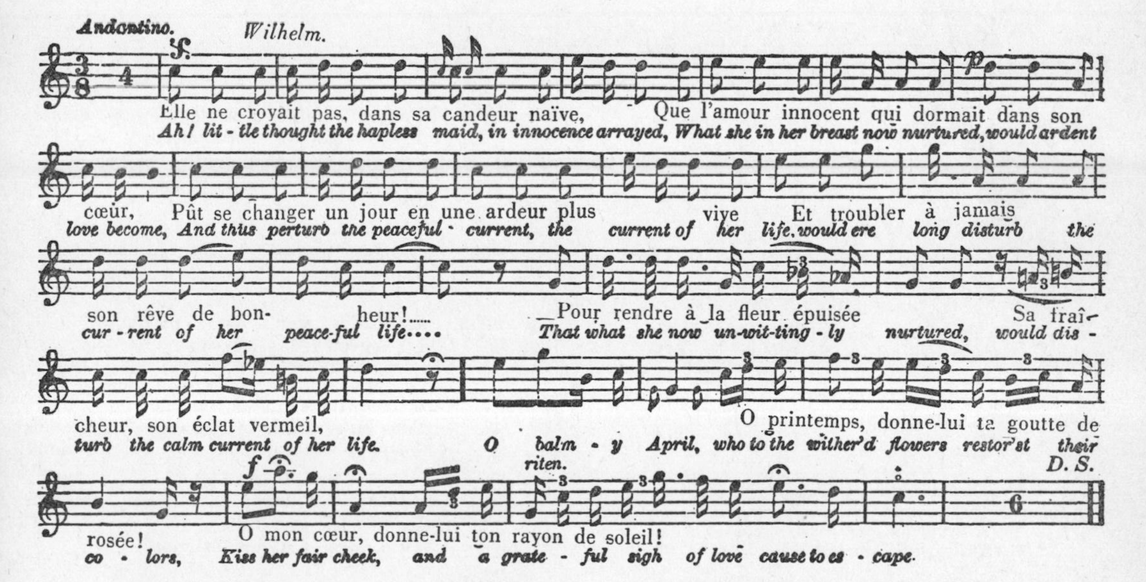

Vainly do I implore, that she a single word will utter—
The secret of her woes unto me she will not reveal!

C'est en vain que j'attends un aveu de sa bouche!
Je veux connaître en vain ses secrètes douleurs!

One glance of mine, with trouble fills her heart,
One word from me doth tears bring to her eyes.
O balmy April! thou who to the withered flowers
Their colors, by thy genial presence, dost restore, etc., etc.

Lothario, Antonio and the before-named.

Antonio. Signor—

Wilhelm. What would'st thou now?

Antonio.
(Giving him a letter.)
This letter I do bring thee.

Wilhelm. A letter, say'st thou?
(Opens the letter and reads.)
"Filina is on thy track,
Fly—already is she here!"
The hand is surely that of Laertes!
(Running to MIGNON's room.)
(He stops short as MIGNON enters.)
'Tis she!

Mignon. Where am I! What balmy air is this that now I breathe?
Ah! how bright doth seem the blue of heaven!
The smooth mirror of yon sunny lake
Doth placidly reflect the outline of the hills;
A white sail skims the surface of the waves.
How beauteous is the scene.
Ah, this splendid mansion!
This garden on the hill-side situated;
All this I dimly now recall,
Like to faint mem'ries of one's childhood's dreams
(Calling.)
Lothario! Wilhelm!
Happy! aye, thrice bless'd am I;
My heart no longer grief doth feel,
To new life I seem to awake—
The fear of death no more doth haunt me!

Wilhelm. Yes! new hope thy heart inspires;
Thy much-loved native air, thy life will save;
O maiden, banish now the grief,
That so long hath bowed thee down,
Live thou! and live to love!

Mignon. Yes, thou dear one, I will live—to trust in thee!
Speak! oh, speak, for ever thus!

Wilhelm. Chase then from thy troubled mind,
The memory of dark days gone by.
Ah, yes! my very soul doth seem with thine to blend!
O loving one, on me thy bright eyes turn;
With that sweet radiant face, and robe of spotless white,
An angel truly dost thou seem!

Mignon.
(With a melancholy smile.)
And yet I am but what I ever was!

Wilhelm. Nay, thou are not now the same.
My heart's idol! my treasure fond thou'rt now!

Mon regard l'intimide et ma voix l'effarouche;
Un mot trouble son âme et fait couler ses pleurs!......
Pour rendre à la fleur épuisée
Sa fraîcheur, son éclat vermeil,
O printemps, donne-lui ta goutte de rosée!
O mon cœur, donne-lui ton rayon de soleil!

WILHELM, ANTONIO, *puis* LAERTE

Antonio.
(Entrant.)
Signor!

Wilhelm Que me veux-tu?

Antonio. Cette lettre.

Wilhelm.
(Prenant la lettre et le congèdiant.)
Merci.
(ANTONIO sort. Il lit.)
"Philine vous suivait, fuyęz, elle est içi."
Un avis de Laërte.
(Courant vers la chambre de MIGNON et s'arretânt.)
Ah, Mignon, la voiçi.

Mignon. Ou suis-je? Je respire un air plus doux,
L'azur est plus profonde.
Dans le flot pur de ce lac transparent
Se reflète un bois sombre.
Une voile glisse dans l'ombre.
Quelle fraicheur! et ce palais dont les jardins descendent vers la grêve
Il me semble avoir tout cela dans un rêve.
Lothario! Wilhelm! Je t'appelais.
Je suis heureuse! l'air m'enivre!
Mon cœur a cessé de souffrir!
Je renais!...... Je me sens revivre!
Mignon ne craint plus de mourir!

Wilhelm. Pauvre enfant! plus de craintes vaines!
Cet air pur va te ranimer!
Un sang nouveau gonfle tes veines.
Mignon doit vivre pour aimer!

Mignon. Oui, je te crois! Je veux te croire!
Parle-moi! parle encor! toujours!

Wilhelm. Chasse à jamais de ta mémoire
Le souvenir des mauvais jours!
(La conduisant vers la fenêtre.)
Ah! que ton âme dans mon âme s'épanche!
Chère Mignon, lève vers moi tes yeux!......
Sous ce rayon divin et dans ta robe blanche,
Tu m'apparais comme un ange des cieux!

Mignon.
(Souriant tristement.)
Non, c'est toujours Mignon!

Wilhelm.
(Tombant à ses pieds.)
Mignon n'est plus la même!
Mignon a tout mon cœur et c'est elle que j'aime!

Mignon. Heavens! do I believe aright?
And dar'st thou say thou lov'st me?
Not long since 'twas Filina whom thou lov'dst.

Wilhelm. Nay, when thou art at my side,
Of her I think no more.

Mignon.
(Ecstatically.)
Oh heavens! is't true!
Oh joy immense, unspeakable!
At last, then, the secret I'll avow to thee...

Filina.
(Outside.)
"The fair Titania am I,
Titania by all on earth beloved."

Wilhelm.
(Aside.)
Great heaven! Filina!

Mignon.
(Running to the window.)
That woman still!
(Aside.)
O fatal secret, die thou in my heart!

Mignon. Yes, yes, her voice it is,
Go, get thee from my side.
List, list! 'tis she.
Dost hear? she nearer draws
Ah, speak to me no more,
My voice, my speech, do fail
(MIGNON falls on a seat.)

Wilhelm.
(Sadly.)
Poor girl, her hands are icy cold!
(Tenderly.)
Take heart, dear girl,
Thy sense resume!
(MIGNON recovers her consciousness.)
Her eyes she opens!
'Tis I, Mignon, who call thee!

Mignon.
(Terrified.)
The hateful voice, I now no longer hear;
Perchance I did but dream.

Wilhelm. Yes! 'twas but a vain, delusive dream.
The dreadful fever still thy sense o'erclouds,

Mignon. (Sadly.)
The fever sayest thou?
Nay, that is not true;
The only one who loves me is Lothario!
Why do I not see him at my side?
(A noise is heard at back of stage.)
List! 'tis he!
I hear him coming.
(Pointing to door at back.)

Wilhelm. Through yon door, none can pass!
(The door at back is suddenly burst open, and LOTHARIO appears on the threshold. He is attired in a rich garb of black velvet—he advances slowly, bearing in his hand a small coffer.)

Lothario. Mignon, Wilhelm, I do greet ye!
Welcome, to this my house!
(In tones of mingled surprise and pity.)

Wilhelm.
Oh Heaven!

Mignon.
(Surprised.)
Lothario! and in this rich attire?

Mignon. Toi! m'aimer! que dis-tu? Souvienstoi du passé!
Et ne réveille pas un espoir insensé!......
(S'échappant de ses bras.)
Ton cœur n'est pas à moi!...... Ton cœur est à Philine!

Wilhelm. Philine est loin de nous...... Et je ne l'aime pas!

Mignon.
(Revenant vers WILHELM *et lui tendant la main.*)
Est-il vrai?...... parle!...... O joie ineffable et divine!
Je puis te dire enfin!...... Mais parlons bas...... bien bas!......

La Voix de Philine.
(Au dehors.)
"Je suis Titania la blonde,
Titania, fille de l'air!"

Wilhelm. Philine!

Mignon.
(Courant à la fenêtre.)
Encore elle!...... encore cette femme!......
(A part.)
O mon secret, reste au fond de mon âme!

Mignon. Je reconnaisais sa voix!
Je l'entends! je la vois!
C'est elle encore! c'est elle
Qui te cherche et t'appelle!
Ne m'interroge pas!
Je dois me taire, hélas!
Je ne veux plus parler! je ne parlerai pas!
(MIGNON se laisse tomber dans un fauteuil.)

Wilhelm. Ah, malheureuse enfant!...... Ses mains sont glacées.
Mignon, toi que j'aime, ah! reviens, toi.
(MIGNON reprend ses senses.)
Elle ouvre les yeux. C'est moi qui t'appelle.

Mignon. Je n'entends plus rien. N'est-ce pas un rêve?

Wilhelm. Non, ce n'est qu'un rêve, un rêve menteur,
Ou la fièvre encore égare ton cœur.

Mignon. La fièvre, dis-tu? Celui qui m'aime c'est Lothario.
Pourquoi n'est-il pas près de moi?
(Elle se tourne vers la porte du fond.)
Écoute! Oui, j'entends son pas.

Wilhelm. Nul ne peut venir de là.
(LOTHARIO parait.)

Lothario. Mignon, Wilhelm, salut, à vous!
Soyez les bienvenus chez moi.

Wilhelm.
(À part.)
Que veut-il dire?

Mignon.
(Etonnée.)
Sous ces riches habits est-ce lui que je vois?

Lothario. Here, all doth now belong to me.
Know, dear girl, that of this wealthy mansion,
I was once the lord.

Mignon.
(To WILHELM, contemplating LOTHARIO with surprise.)
I scarce do recognize him—his look so wild,
His words so strange . . . .

Lothario.
(Placing the little coffer on the table and approaching MIGNON.)
O maiden now, the past forget,
A treasure rich, I here present to thee;
The trouble of thine aching heart
'Twill quickly calm.

Wilhelm. Mignon. From those eyes, with woe oppressed,
What fire unwonted now doth gleam!

Lothario. Full many a month this coffer hath in yonder chamber lain.
(To MIGNON.)
Thou may'st open it girl.

Mignon. Say! what does it enclose?

Lothario. See for thyself.

Mignon.
(Running to the coffer and opening it.)
A child's scarf.

Lothario.
(Contemplating it with a fixed stare.)
With silver 'tis embroidered,
Ah! with what fond love in yon recess,
Have I preserved it.

Wilhelm. But tell us—who did wear this beauteous scarf?

Lothario. Sperata!

Mignon. Sperata? The name doth seem familiar to my ear,
At its sweet sound, vague memories do stir within me,
Memories that do recall a time, long, long since passed away.

Wilhelm & Mignon.
See, see! his eyes do stream with tears!

Lothario.
(Still motionless, and absorbed in his thoughts.)
Dost thou not also find,
A coral ornament?

Mignon.
(Drawing forth a bracelet.)
'Tis here,
(Endeavoring to put a bracelet on her arm.)
'Tis too small for me!

Lothario.
(Sadly.)
Yet, once, it was too large.
Sperata ne'er would till the morrow wait
To wear a jewel that enhanced her charms;
Yon bracelet ever from her hand did fall.

Lothario. Tout ici m'appartient! Regarde, enfant, admire!......
En ce palais j'étais maître autrefois!

Wilhelm et Mignon.
(Les yeux fixés sur LOTHARIO.)
Je ne reconnais plus son regard ni sa voix!

Lothario.
(Déposant la cassette sur la table, et s'approchant de MIGNON.)
Oublions nos temps de misére!......
Je t'apporte un don précieux,
Il adoucira, je l'espère,
L'ennui de ton cœur soucieux......

Mignon et Wilhelm.
Je crois deviner un mystère
Que trahit l'éclat de ses yeux!......

Lothario. Cette cassette est là depuis de bien longs mois!
(A MIGNON.)
C'est à toi de l'ouvrir......
(Il étend la main vers la cassette.)

Mignon. Que contient-elle?......

Lothario.
(Sans détourner la tête.)
Vois.

Mignon.
(Ouvrant la cassette.)
Une écharpe d'enfant!

Lothario.
(Le regard fixe, immobile au milieu de la scène.)
D'or et d'argent brodée......
Oui, je l'avais pieusement gardée!

Wilhelm. Quelle est cette relique et qui donc la porta?......
Parle!

Lothario. Sperata!......

Mignon. Sperata!
Déjà ce nom a frappé mon oreille!
Un souvenir confus,
A ce doux nom dans mon âme s'éveille!
Est-ce l'écho lointain d'un passé qui n'est plus?......

Wilhelm et Mignon.
Des pleurs mouillent ses yeux......

Lothario.
(Toujours immobile sur le devant du théâtre et comme absorbé par ses souvenirs.)
Ne vois-tu pas aussi
Un bracelet de corail?

Mignon.
(Tirant le bracelet de la cassette.)
Le voici!
(Essayant le bracelet à son bras.)
Trop petit pour mon bras!......

Lothario.
(Tristement.)
Trop grand! trop grand pour elle
Elle ne voulait pas attendre au lendemain,
Pour porter un bijou qui la rendait plus belle!
Mais le bijou toujours lui glissait de la main!

Mignon.
(Aside, repeating sorrowfully.)
Fell from her hand say'st thou?

Wilhelm.
(To MIGNON.)
What ails thee? speak! What secret grief doth now torment thee?

Lothario.
(To MIGNON.)
Search thou the coffer deeper still.

Mignon.
(Producing from the coffer a little Prayer Book.)
A little Prayer Book!

Lothario. E'en now, methinks, I hear her angel voice in prayer.
She ever prayed when day 'gan to decline.

Mignon.
(Opening the book and reading.)
O power supreme,
Our lives are in thy hands,
Vouchsafe thou to keep me in Thy Holy care,
Grant, that from the right path, I ne'er may stray.

Lothario. Thus, in the days gone by,
Thus did my Sperata pray!

Mignon.
(Lets fall the book from her hands, kneels down, clasps her hands, raises her eyes to heaven, and assumes the look and attitude of a child at prayer.)
O Thou, who, in Heaven above,
All mortal hearts doth read,
Teach me to love my parents dear,
Preserve me to them, evermore!

Lothario.
(Deeply agitated, extending his arm to MIGNON.)
Just Heaven! what does this mean?
The book's contents by heart she knows.

Mignon.
(Rising with increasing fervor.)
Lothario mine! what secret proof within my breast now works?
I feel—I know—but yet cannot explain!
(To WILHELM.)
Whither hast thou brought me?
What hills are those that yonder rise?

Wilhelm. They are the shores of Italy.

Mignon. O beauteous light! O sweet, reviving, gales!
O memory!
(After having, with a violent effort, endeavored to recall her scattered recollections, she rushes with a wild cry to the door at back, disappears for a moment, and then returns, pale and scarcely able to stand.)
Yonder my mother's picture hangs!
Her room, alas! deserted seems!

Lothario.
(Who has followed her every movement, now rushes to her with extended arms.)
My child!

Mignon. My father!
(Throws herself into LOTHARIO's arms.)

Lothario. My daughter dear, at length I've found!
All praise to Thee, O Heaven!

Mignon. All praise to Heaven be given!
My home, my father, I at last have found.

Mignon.
(Très-émue.)
Mais le bijou toujours lui glissait de la main!

Wilhelm. Qu'as-tu, Mignon? Tu trembles et tu pleures!

Lothario.
(À MIGNON.)
Regarde encore!

Mignon.
Retirant de la cassette un petit livre à coins d'argent.)
Un livre d'heures!

Lothario. Hélas! je crois toujours la voir,
Lettre à lettre, épeler sa prière du soir!

Mignon.
(Ouvrant le livre et lisant.)
O Vierge Marie,
Le Seigneur est avec vous!
Abaissez vos regards si doux,
Sur l'enfant qui prie!......

Lothario.
(Penché vera elle.)
Elle priait ainsi, mains jointes, à genoux!
(MIGNON laissant échapper le livre et tombant à genoux, les yeux levés au ciel et les mains jointes, comme un enfant en prière.)
Vous qui bercez sur vos genoux,
Le divin Sauveur de la terre,
Conservez l'enfant à sa mère,
O madone, priez pour nous!......

Lothario.
(Les mains étendues vers MIGNON.)
Est-ce Dieu qui l'inspire?
Elle achève sans lire!

Mignon.
(Se levant et s'exaltant de plus en plus.)
Lothario!...... Wilhelm!...... suis-je encore en délire?......
Je devine!...... je vois!...... je sens!...... je ne puis dire!......
Où m'avez-vous conduite et quel est ce pays?

Wilhelm. L'Italie!

Mignon. O rayons de céleste lumière!
O souvenirs!......
(Après avoir fait un effort pour rassembler ses souvenirs, elle s'élance avec un cri vers la porte du fond, disparaît un moment dans la coulisse et revient pâle et chancelante.)
Là! là! l'image de ma mere!......
Et sa chambre est deserté!......

Lothario.
(Qui a suivi tous ses mouvements avec anxiété, lui tendant les bras et courant à elle.)
Ah! ma fille!

Mignon. Mon père!
(Elle tombe dans les bras de LOTHARIO.)

Lothario. C'est mon enfant!...... c'est elle!...... O Dieu! je te bénis!

Mignon. Oui, je vous reconnais mon père!...... mon pays!

Wilhelm. All praise to Heaven be given!
Her home, her father she hath found!
(Overcome by violent emotion.)

Mignon. Ah!

Wilhelm. Mignon.

Lothario.
(Supporting her.)
My Child!

Wilhelm.
(Alarmed.)
Speak, in pity, speak! what is't thou feel'st?

Mignon.
(Falling to the ground.)
I faint, I die!

Wilhelm.
(Running to throw open one of the windows, and immediately returning to MIGNON.)
Oh dearest treasure, droop not thus!
My very life depends on thine!
(MIGNON slowly recovers her consciousness.)
Ah! did'st thou but know how I adore thee!

Lothario. See, she revives— her sense she now recovers!

Mignon.
(Recognizing WILHELM and LOTHARIO — almost ecstatic with joy.)
"Ah! might I but return
Unto the land where my first childish cry of joy was heard!
There might I peace enjoy;
There would I love and—die!"

Wilhelm. and Lothario.
Young, full of life, art thou,
Here shalt thou henceforth dwell,
Ne'er shalt thou leave us more!

Wilhelm. Mignon, retrouve enfin son père et son pays!

Mignon.
(Frappé d'une violente commotion.)
Ah!

Wilhelm.
(Effrayé.)
Mignon!

Lothario.
(Soutenant MIGNON.)
Ma fille!
(Elle suffoque.)

Wilhelm. Dieu! qu'a-t-elle donc?

Mignon.
(Elle chancelle.)
Je meurs!
(Elle tombe.)
(WILHELM va ouvrir la fenêtre et revient près de MIGNON. Peu à MIGNON revient à elle.)

Wilhelm. Le bonheur est içi maintenant.
Elle revit!
Chère Mignon! Je t'aime, oui, je t'aime!

Lothario. Son cœur se souvient.

Mignon.
(Reconnaissant LOTHARIO et WILHELM, comme dans une extase.)
Ah, c'est là que je voulais vivre,
Aimer, aimer et mourir!

Lothario et Wilhelm.
Ah, c'est là que tu dois vivre,
Pour être heureuse et pour aimer!
C'est là, oui, c'est là, pour toujours unis!

FIDELIO

by

LUDWIG VAN BEETHOVEN

DRAMATIS PERSONÆ.

FLORESTAN. A Spanish Nobleman. TENOR

LEONORA. His Wife, who in her Disguise takes the name of FIDELIO. SOPRANO.

DON FERNANDO. Prime Minister of Spain, and friend to Florestan. BASS

PIZARRO. Governor of the Prison, and enemy to Florestan. BASS.

ROCCO. Chief Jailer. BASS.

MARCELLINA. Daughter of Rocco. SOPRANO.

JAQUINO. Assistant to Rocco, in love with Marcellina. TENOR.

Prisoners, Guards, Soldiers and People.

THE ACTION TAKES PLACE AT A FORTRESS USED FOR THE CONFINEMENT OF POLITICAL OFFENDERS, NEAR SEVILLE, IN SPAIN.

ARGUMENT.

FLORESTAN, a noble Spaniard, a valued friend of Fernando, the Prime Minister, had, by his fearless exposure of the misdeeds of Pizarro, awakened the deadly hatred of the latter. This wretch was not without the means of gratifying his malignity. Being appointed the governor of a fortress, used as a place of confinement for political prisoners, he managed to get possession of the person of his enemy, circulated a report of his death, and immured him in the deepest and darkest of the state dungeons. Here the nobleman would have died, had it not been for the faithful love of his wife, Leonora, who did not believe him dead, suspected Pizarro, and finally, in the disguise of a young man, calling herself Fidelio, solicited and received employment from Rocco, head jailer under Pizarro. The youth made rapid headway in the affections of the old man, and also in those of his daughter, Marcellina, who quite neglected her rustic lover, Jaquino, for the gentle and polished stranger. Leonora, although pained at this, felt obliged to encourage the love of the girl, for the sake of her influence over the father; and they together so far prevailed upon him, that he consented to allow Fidelio to go to the more secret portions of the prison. They also begged, for the inmates of the outer cells, the privilege of spending a few hours in the sunshine of the court-yard. The prisoners, naturally, were overjoyed at this indulgence; but, after a short time, were ordered to confinement again by Pizarro, who harshly chided the jailer for his kindness.

Pizarro, just before, had received notice from a friend, that the Prime Minister was on his way to the prison. Should Fernando see Florestan, farewell to revenge. Something must speedily be done to avert the danger. Rocco is commanded to kill and bury the supposed criminal in the inner dungeon. He refuses to kill, but will dig the grave. Pizarro himself will dispatch the victim. Rocco, with Fidelio, accordingly repairs to the gloomy vault, where Florestan is discovered, but sleeping; and so dim is the light, that his agitated wife cannot be sure it is he. The two proceed to clear out an old cistern, which is to be the place of burial. Florestan awakes, and is recognized. Pizarro enters, and is about to give the fatal blow, when, with a shriek, Leonora throws herself between the murderer and her husband. Her sudden avowal of her name causes a hesitation on the part of Pizarro, but he again raises the dagger, when he is confronted by a pistol, which points directly at his head. Florestan is saved; for, a moment after, the trumpets signal the arrival of Fernando. Pizarro is summoned to meet him. Rocco brings forth Florestan and his heroic wife, who has the gratification of unlocking and removing his hateful fetters. Other prisoners are released, and the occasion is one of full-measured joy to all, unless we except the jailer's daughter, who is dismayed at the discovery of the real character and station of the pretty Fidelio. She, however, has the old love to fall back upon.

"Fidelio" was first given in 1805, at the Imperial house at Vienna, but was not at first a favorite. It was revised, and changed to its present form, and reintroduced to the public in 1814, since which time no opera has been more highly esteemed.

FIDELIO.

AUFZUG I.

AUFTRITT I.—*Der Hof des Staats-gefängnisses. Im Hintergrund das Hauptthor und ein hohe Wallmauer, über welche Bäume hervorragen. Im geschlossenen Thore selbst ist eine Pforte, die für einzelne Fussgänger geöffnet wird. Neben dem Thore das Stübchen des Pförtners. Die Coulisse den Zuschauern links, stellen die Wohngebäude der Gefangenen vor: alle Fenster sind mit Gittern und die mit Nummern bezeichneten Thüren, mit starken Riegeln versehen. In der vordersten Coulisse ist die Thüre zur Wohnung des Gefangenwärters. Rechts stehen Bäume mit eisernem Geländer eingefasst, welche, nebst einem Gartenthore, den Eingang des Schloss-gartens bezeichnen.*

MARZELLINE *plättet vohr ihrer Thüre Wasche;* JAQUINO *hält sich mehr bei seiner Thüre und öffnet sie mehreren Personen welche ihm Paquete übergeben, die er in sein Stübchen trägt.*

DUETTO.

Jaq. Jetzt, Schätzchen, jetz sind wir allein,
Wir können vertraulicht nun plaudern.
Mar. Es wird ja nichts wichtiges seyn;
Ich darf bei der Arbeit nicht zaudern.
Jaq. Ein Wörtchen, du Trotzige du.
Mar. So sprich nur! ich höre ja zu.
Jaq. Wenn du mir nicht freundlicher blickest,
So bring' ich kein Wörtchen hervor.
Mar. Wenn du dich nicht in mich schickest,
So stopf' ich mir vollends das Ohr.
Jaq. Ein Weilchen nur höre mir zu,
Dann lass ich dich wieder in Ruh.
Mar. So hab' ich denn nimmermehr Ruh.
So rede, so rede nur zu.
Jaq. Ich habe zum Weib dich gewählet—
Verstehst du?
Mar. Das ist ja doch klar!
Jaq. Und wenn mir dein Jawort nich fehlet,
Was meinst du?
Mar. So sind wir ein Paar.
Jaq. Wir könnten in wenigen Wochen—
Mar. Recht schön! du bestimmst schon die Zeit.
[*Es wird gepocht.*
Jaq. Zum Henker! das ewige Pochen!
Mar. So bin ich doch endlich befreit! [*Bei seite.*
Jaq. Da war ich so herrlich im Gang.
Mar. Wie macht seine Liebe mir bang.
Jaq. Und immer entwischt mir der Fang.
Mar. Wie werden die Stunden mir lang.
Ich weiss, dass der Arme sich qualet,
Es thut mir so leid auch um ihn;
Fidelio hab' ich gewählet,
Ihn lieben ist süsser Gewinn.
Jaq. Wo war ich? Sie sieht mich nich an.
Mar. Da ist er—er fängt wieder an.
Jaq. Wann wirst du das Jawort mir geben?
Es könnte ja heute noch seyn.
Mar. O weh! er verbittert mein Leben!
Jetzt—morgen—und immer—nein, nein!

ACT I.

SCENE I.—*The Court-yard of the State Prison. In the background the principal gate: in it a wicket, with a gate to allow Foot-Passengers to pass singly. Near the gate the Lodge of the Porter. The side scene to the left of the Spectator represents the dwellings of the Prisoners. The windows have iron gratings, and the doors, which are numbered, strong bolts. In the front side scene is the door of the Turnkey's dwelling. To the right, iron palings, which, together with a garden gate, indicate the entrance of the castle garden.*

MARCELLINA *discovered, ironing linen before her door;* JACQUINO *attending diligently to his door, which he opens to different Persons, who give him parcels to take into the Lodge.*

DUET.

Jac. At last, my idol, we are alone,
And can have a pleasant chat together.
Mar. Well, speak away, but don't hinder me·
I have my work to do you know.
Jac. A word with thee—just a word.
Mar. Go on; I'm listening.
Jac. But, at least, do not be cross with me,
Or I shall not be able to say a word.
Mar. Well, and when you do speak
I shall, perhaps, close my ears.
Jac. Only listen for a few moments,
And then I'll leave you in peace.
Mar. You are always tormenting me;—
I listen,—speak on.
Jac. I have chosen you for my wife—
Do you understand?
Mar. Yes, that's plain enough!
Jac. And if thou would'st only say yes,
What then?
Mar. Why, then we should make a pair.
Jac. In a week or two, we could—
Mar. Well done! you are fixing an early time certainly.
[*A knocking is heard.*
Jac. The deuce! that eternal knocking!
Mar. For the present I am saved. [*Aside.*
Jac. I was just getting on the right track.
Mar. How uneasy his love makes me.
Jac. But the prize always escapes me.
Mar. How slowly the time seems to pass.
I know this poor fellow suffers,
And I am right sorry for him;
But Fidelio has my heart,
And his love is the only treasure I value.
Jac. Where was I? She turns her back upon me.
Mar. There he is—going on again.
Jac. Oh, when will you say to me Yes
Why not do so to-day?
Mar. Oh, woe's me! he's a constant torment!
Once for all and for ever, I say no, no!

Jaq. Du bist doch wahrhaftig von Stein.
Mar Ich muss ja so hart mit ihm seyn.
Jaq. Kein Wünschen, kein Bitten geht ein.
Mar. Er hofft bei dem mindesten Schein.
Jaq. So wirst du dich nimmer bekehren?
Was meinst du?
Mar. Du könntest nun gehn.
Jaq. Wie? dich anzusehn willst du mir wehren?
Auch das noch?
Mar. So bleibe hier stehn.
Jaq. Du hast mir so oft doch versprochen—
Mar. Versprochen? Nein! das geht zu weit!
[*Es wird an dir Thüre gepocht.*
Jaq. Zum Henker! das ewige Pochen!
Mar. So bin ich doch endlich befreit.
Jaq. Es ward ihr im Ernste schon bang,
Mar. Das war ein willkommener Klang.
Jaq. Wer weiss ob es mir nicht gelang?
Mar. Es wurde zu Tode mir bang.

Jaq. Wenn ich diese Thüre heute nicht schon zweihundert Mal geöffnet habe, so will ich nicht Caspar Eustaco Jaquino heissen. [*Zu Marzelline.*] Endlich kann ich doch einmal wieder plaudern. [*Es wird gepocht.*] Zum Wetter! schon wieder! [*Er geht, um zu offnen.*

Mar. Was kann ich dafür, dass ich ihn nicht mehr so gerne haben kann, wie sonst?

Jaq. [*Zu dem der gepocht hat, indem er hastig zuschliesst*] Ich werde es besorgen, schon recht! [*Vorgehend zu Marzelline.*] Nun hoffe ich soll Niemand uns stören.

Roh. [*ruft hinter der Scene.*] Jaquino! Jaquino!

Mar. Hörst du! der Vater ruft.

Jaq. Lassen wir ihn ein wenig warten. Also wieder auf unsere Liebe zu kommen—

Mar. So geh doch! der Vater wird sich nach Fidelio erkundigen wollen.

Jaq. [*eifersüchtig.*] Ei, freilich! da kann man nicht schnell genug seyn.

Roh. [*ruft weider.*] Jaquino! hörst du nicht?

Jaq. [*schreiend.*] Ich komme schon! [*Zu Marzelline.*] Bleib' fein hier; in zwei Minuten sind wir wieder beisammen. [*Geht ab in den Garten.*

AUFTRITT II.—Marzelline, *allein.*

Mar. Der arme Jaquino dauert mich beinahe Aus dem Mitleiden, das ich mit Jaquino habe, merke ich erst, wel sehr gut ich Fidelio bin. Ich glaube auch, dass Fidelio mir recht gut ist, und wenn ich die Gesinnungen des Vaters wüsste, so könnte bald mein Glück vollkommen werden.

Aria.

Mar. O wär' ich schon mit dir vereint,
Und dürfte Mann dich nennen!
Ein Mädchen darf ja, was es meint,
Zur Hälfte nur bekennen.
Doch wenn ich nicht erröthen muss,
Ob einem warmen Herzenskuss,
Wenn nichts uns stört au Erden.
Die Hoffnung schon erfüllt die Brust
Mit unaussprechlich süsser Lust!
Wie glücklich will ich werden.
In Ruhe stiller Häuslichkeit,
Erwach ich jeden Morgen;
Wir grüssen uns mit Zärtlichkeit,
Der Fleiss verscheucht die Sorgen.
Und ist die Arbeit abgethan,
Dann schleicht die holde Nacht heran,
Dann ruh'n wir von Beschwerden.
Die Hoffnung schon erfüllt die Brust
Mit unaussprechlich süsser Lust!
Wie glücklich will ich werden!

Jac. Then you must have a heart of stone
Mar. [*Aside.*] I must be harsh with him.
Jac. Will neither vows nor prayers move you?
Mar. The least giving way on my part makes him hope
Jac. Wilt thou never relent?
Speak—what sayest thou?
Mar. That thou may'st go.
Jac. What! must I even quit thy sight?
May I not even look on thee?
Mar. Well, stay, and stand there, then.
Jac. But think how often you have promised—
Mar. Promised? No! that's saying too much!
[*Knocking again at the door*
Jac. The deuce! that eternal knocking!
Mar. At last I shall be left at peace.
Jac. She begins to relent a little, I think.
Mar. [*Aside.*] Oh, what a welcome sound!
Jac. Perhaps if I try once more I may succeed.
Mar. I am nearly dead with anxiety.

Jac. If I have not answered that door two hundred times at least to-day, my name's not Caspar Eustache Jacquino. [*To Marcellina.*] At last we are at liberty to speak freely. [*Knocking.*] The deuce! again so soon! [*He goes to open the door.*

Mar. What shall I do? I cannot even love him as I used.

Jac. [*To the person who has knocked, and shutting the door petulently.*] That will do; I will attend. [*Turning towards Marcellina.*] Now I hope we shall have no more disturbers.

Roc. [*Calling from behind.*] Jacquino! Jacquino!

Mar. Do you not hear? my father calls.

Jac. Well, let him wait a bit, while we finish our love affairs.

Mar. No, no; go! Father may be wishing to enquire after Fidelio.

Jac. [*Jealously.*] Oh, truly! and in that case one cannot be too quick.

Roc. [*Calling again.*] Jacquino! dost thou not hear me?

Jac. [*Loudly.*] Coming! [*To Marcellina.*] Do not go now, I pray thee—in two minutes I shall be back again. [*Exit into the garden.*

SCENE II.—Marcellina, *alone.*

Mar. I cannot but feel for poor Jacquino. From my compassion for him I learn how dearly I love Fidelio, and he equally loves me, I hope. How soon might my happiness be complete, if my father were not against our union.

Air.

Mar. If the truth my heart doth tell,
Very soon a bride I'll be;
The impulse pure with love to dwell,
The heart's law is to me;
But for a little time, at least,
I my feelings must suppress;—
Delay most cruel!

Why throbs my heart within my breast?
Oh, come, and give thy soothing rest,
Hope, brightest jewel!
Ah! what pleasure, what delight,
Shall I with my lover know!
Light are all the cares of life
When those we love partake our woe!

AUFTRITT III. — MARZELLINE, ROKKO, JAQUINO, *trägt Gartenwerkzeuge in Rokko's Haus.*

Rok. Guten Tag, Marcelline! Ist Fidelio noch nicht zurückgekommen?
Mar. Nein, Vater!
Rok. Die Stunde naht, wo ich dem Gouverneur die Briefschaften bringen muss, die Fidelo abholen sollte. Ich erwarte ihn mit Ungeduld. [*Es wird geklopft.*
Jaq. [*kommt aus Rokkos Hause.*] Ich komme schon! Ich komme schon! [*Läuft um aufzuschliessen.*
Mar. Er wird gewiss so lange bei dem Schmiede haben worten müssen. [*Sie hat während dessen Leonoren zur Thüre hereinkommen sehen.*] Da ist er ja! Da ist er!

SCENE III.—MARCELLINA, ROCCO, JACQUINO, *carrying garden implements into Rocco's House.*

Roc. Good day, Marcellina! Has Fidelio not yet returned?
Mar. No, father!
Roc. The hour is at hand when I ought to deliver to the Governor the packet of letters that Fidelio was to fetch. [*Knocking.*
Jac. [*Coming out of Rocco's House.*] Coming, coming! [*Runs to unlock the door.*
Mar. Perhaps he has been obliged to wait at the smith's. [*In the mean time seeing Leonora at the door.*] Why, here he is, here he is!

AUFTRITT IV.—*Vorige* LEONORE, *als* FIDELIO. *Sie trägt ein Behältniss mit Lebensmitteln, auf dem Arme, Ketten, die sie beim Eintreten an dem Stübchen des Pförtners ablegt; an der Seite hängt ihr eine blecherne Blüchse an einer Schnur.*

Mar. [*auf Leonore zulaufend.*] Wie er belastet ist. Liebe Gott! Der Schweiss läuft ihm von der Stirne.

[*Sie nimmt ihr Sacktuch und versucht ihr das Gesicht abzutrocknen.*

Rok. Warte! warte!

[*Er hilft mit Marzellinen, ihr das Behältniss vom Rücken zu nehmen.*

Jaq. [*bie Seite.*] Es war auch wohl der Mühe werth, so schnell zu laufen, um den Patron da hereinzulassen.

[*Geht in sein Stübchen, kommt aber bald wieder heraus, macht den Beschäftigten, sucht aber eigentlich die Uebrigen zu beobachten.*

Rok. Armer Fidelio,—diesmal hast du dir zu viel aufgeladen.
Leo. [*vorgehend und sich das Gesicht abwischend.*] Ich muss gestehen, ich ben ein wenig ermüdet.
Rok. Wieviel kostet Alles zusammen?
Leo. Zwölf Piaster ohngefähr. Hier ist die genaue Rechnung.
Rok. [*durchseiht die Rechnung.*] Gut! brav! zum Wetter! Da giebt es Artikel, auf die man wenigstens das Doppelte profitiren kann. Du bist ein kluger Junge! [*bei Seite.*] Der Schelm giebt sich alle diese Mühe offenbar meiner Marzelline wegen.
Leo. Ich suche zu thun, was mir möglich ist.
Rok. Ja, ja! Du bist brav! Ich habe dich aber auch mit jedem Tage lieber; und sey versichert, dein Lohn soll nicht ausbleiben.

[*Er wirft während der letztern Worte wechselnde Blicke auf Leonoren und Marzellinen*

Leo. [*verlegen.*] O glaubt nicht, dass ich meine Schuldigkeit nur des Lohnes wegen—
Rok. Still! [*mit Blicken wie vorher.*] Meinst du ich kann dir nicht ins Herz sehen?

[*Er scheint sich an der zunehmenden Verlegenheit Leonorens zu weiden und geht dann bei Seite, die Ketten zu besehen. Marzelline hat bei dem Lobe, sie mit immer steigender Bewegung liebevoll betrachtet.*

SCENE IV.—*Enter* LEONORA, *as* FIDELIO. *She carries a basket with provisions, and on her arm fetters, which she deposits on the ground. At her side a tin box hangs by a ribbon.*

Mar. [*Running to Leonora.*] How he is laden! Good heavens! the perspiration streams from his forehead.

[*She tries. with her handkerchief, to dry Leonora's face.*

Roc. Oh, stay, stay!

[*He helps, with Marcellina, to remove the basket from her back.*

Jac. [*Aside.*] It was worth the trouble, certainly, to run so quickly to let my gentleman in!

[*Goes into his Lodge, but soon comes out again; pretends to be busy, but is in fact watching the others.*

Roc. My poor Fidelio! this time thou hast somewhat overladen thyself.
Leo. [*Advancing, and wiping her face.*] I must confess I am a little wearied.
Roc. How much have these things cost?
Leo. About twelve piastres; here is the account.
Roc. [*Looking through the account.*] Good! capital! By all that's good, here are articles by which we shall at least make cent per cent. [*Aside.*] The rogue plainly gives himself all this trouble on account of my Marcellina.
Leo. I wish to do all I can.
Roc. Yes, yes, thou'rt a good fellow! I like thee better and better, and be assured thou shalt meet thy reward.

He casts, during the last words, alternate glances at Leonora and Marcellina.

Leo. [*Embarrassed.*] Oh! believe not that I do my duty from interested motives.
Roc. [*With glances as before.*] Hush! think'st thou I cannot see into thy heart?

[*He appears to enjoy the increasing embarrassment of Leonora, and then goes aside to look at the fetters. Meanwhile Marcellina regards Leonora lovingly, and with increasing emotion..*

MIR IST SO WUNDERBAR—MY HEART AND HAND. MARCELLINA, LEORORA, ROCCO AND JACQUINO

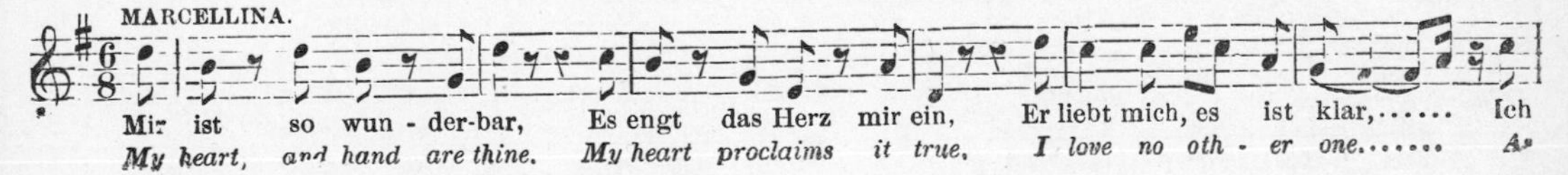

werde glücklich, glücklich sein! Mir ist so wun - der - bar, Es engt das
I have love to you, to you, My heart and hand are thine, My heart pro
LEONORA.
Wie gross ist die ge - fahr! Wie schwach der Hoff - nung
How great my dan - - ger, now, How faint, O Hope, thy
Herz mir ein, Es engt das Herz mir ein, Er liebt mich, es ist klar, Ich wer - de glücklich
claims it true, My heart proclaims it true, He loves me, that is clear, And I to thee am
schein! Sie liebt mich, es ist klar,......... O, na - men, na - men-
glow, She loves me, that is true,........ What shall I do, what
glücklich sein, Mir ist so wunder-bar,...................... Es engt das Herz, es engt das Herz, mir
true, am true, My heart and hand are thine,...................... My heart proclaims, my heart proclaims it
- lo - se Pein! Wie gross, wie gross ist die gefahr! Wie schwach, wie
shall I do? How great, how great my danger, now, How faint, how
ROCCO.
Sie liebt ihn, es ist klar, Ja, Mädchen, er wird
She loves him, that is plain, You shall the loved one
ein, Er liebt mich, es ist klar,...... ich werde glücklich, Ich werde glücklich, ich werde glücklich
true, He loves me, that is plain,.... and I will love him, And I will love him, and I will love him
schwach, der Hoffnung Schein, wie schwach der Hoffnung Schein, Sie liebt mich, es ist klar, O, namen, namen-
faint, O Hope, thy glow, how faint, O Hope, thy glow, She loves me, that is true, What can I do, what
dein, Ein gu-tes jun - ges Paar,...... Sie werden glück - lich
gain, 'Twill be a pret - ty pair,...... And many bless - ings,
sein,............ Mir ist so wun - der - bar.
tru - - ly, My heart and hand are thine.
- lo - se pein, Wie gross ist die ge - fahr.......................
course pur - sue? How great my danger now..............................
JAQ.
glück - lich sein. Mir sträubt sich schon das haar
bless - ings share. On end stands now my hair.

Jaq. Der Vater willigt ein,
Mir wird so wunderbar,
Mir fällt kein Mittel ein.

[*Nach dem Canon geht Jaquino in seine Stube Zurück.*

Rok Höre, Fidelio, wenn ich auch nicht weiss, wem du angehörst, so weiss ich doch, was ich thue; ich—ich mache dich zu meinem Tochtermann.

Mar. Wirst du es bald thun, Vater?

Rok. Ei, ei, wie eilfertig! [*ernst.*] Sobald der Gouverneur nach Sevilla gereis't seyn wird, dann geb' ich Euch zusammen: darauf könnt Ihr rechnen.

Mar. Den Tag nach seiner Abreise? Das machst du recht vernünftig, lieber Vater.

Leo. [*Schon vorher sehr betreten, aber jetzt sich freudig stellend.*] Den Tag nach seiner Arbreise? [*Bei Seite.*] O, welche neue Verlegenheit!

Rok. Nun, meine Kinder, Ihr habt Euch doch herzlich lieb, nicht wahr?—Aber das ist noch nicht Alles was zu einer vegnügten Haushaltung gehört, man braucht auch—

[*Macht die Pantomime des Geldzählens.*

ARIE.

Hat man nicht auch Geld daneben,
Kann man nicht ganz glücklich seyn.
Traurig schleppt sich fort das Leben;
Mancher Kummer stellt sich ein.
Doch wenn's in den Taschen fein klingelt und rollt,
Da hält man das Schicksal gefangen.
Und Macht und Liebe verschafft dir das Gold,
Und stillet das kühnste Verlangen.
Das Glück dient wie ein Knecht für Sold;
Es ist ein schönes Ding das Gold!

Jac. They Rocco's blessing share,
What wondrous things, and strange,
A lover thus t' exchange!

[*After this Canon Jacquino goes back to his lodge.*

Roc. Well, my good Fidelio, if I do not know who thou art, yet I know what I will do: I—I'll make thee my son-in-law.

Mar. Wilt thou?—Soon, my father?

Roc. Oh, oh, what a hurry! As soon as the Governor has set out for Seville I will unite you; on that you may depend.

Mar. The day after his departure, say you? Dear father, thou art quite right.

Leo. [*Much embarrassed, but soon assuming a joyful air.*] The day after his departure? [*Aside.*] What new troubles have I to encounter?

Roc. Now, my children, you love each other truly;—do I not see it? But love is not the only thing wanted to make housekeeping agreeable: there is also wanted—

[*Moving his hands as if counting money.*

AIR.

If we have not gold to fly to,
We can ne'er be happy quite;
But if clouds of sorrow lower,
Gold will help to make them bright.
With gold in our pockets we face all mankind;
The sound has a magical power:
We aye shall a welcome in ev'ry place find
If we tender this magical dower.
True happiness, so we are told,
Is best secured by glorious gold.

WENN SICH NICHTS MIT NICHTS VERBINDET—NOTHING, IF YOU ADD TO NOTHING

AIR. ROCCO.

Leo. Ihr könnt das leicht sagen, Meister Rokko. Freilich giebt es noch etwas, was mir nicht minder kostbar seyn würde; aber mit Kummer sehe ich, dass ich es durch alle miene Bemühungen nicht erhalten werde.

Rok. Und was wäre denn das?

Leo. Euer Vertrauen. Verzeiht mir den Vorwurf, aber oft sehe ich Euch aus den unterirdischen Gewölben dieses Schlosses ganz ausser Athem und ermattet zurückkommen. Warum erlaubt Ihr mir nicht Euch dahin zu begleiten. Es wäre mir sehr lieb, wenn ich Euch bei Eurer Arbeit helfen und Eure Beschwerden theilen könnte.

Rok. Du weisst doch, dass ich den strengtsten Befehl habe, Niemanden, wer's auch sey, zu den Staats-Gefangenen zu lassen.

Mar. Es sind ihrer aber gar zu viele in dieser Festung. Du arbeitest dich ja zu Tode, liebe Vater.

Leo. Sie hat recht, Meister Rokko. Man soll allerdings seine Pflicht thun, [*zärtlich*] aber ist doch auch erlaubt, mein ich, zuweilen daran zu denken, wie man sich für die, welche uns angehören und lieben, ein Bischen schonen kann.

[*Sie ergreift seine Hand.*

Mar. [*Rokkos andere Hand an die Brust drückend.*] Man muss sich für seine Kinder zu erhalten suchen.

Rok. [*sieht Beide gerührt an.*] Ja, Ihr abt recht! Diese schwere Arbeit würde mir doch endlich zu viel werden. Der Gouverneur ist zwar sehr streng; er muss mir aber doch erlauben, dich in die geheimen Kerker mit mir zu nehmen.

[*Leonora äussert eine heftige Geberde der Freude.*

Indessen giebst es ein Gewölbe, in das ich dich wohl nie werde einführen dürfen, obschon ich mich ganz auf dich verlassen kann.

Mar. Verrumthlich wo der Gefangene sitzt, von dem du schon einigemal gesprochen hast, Vater.

Rok. Du hast's errathen.

Leo. [*forschend.*] Ich glaube, es ist schon lange her, dass er gefangen ist?

Rok. Es ist schon über zwei Jahr.

Leo. [*heftig.*] Zwei Jahr, sagt Ihr? [*Sich fassend.*] Er muss ein grosser Verbrecher seyn.

Rok. Oder er muss grosse Feinde haben: dieses kommt ohngefähr auf eins heraus.

Mar. So hat man denn nie erfahren können, woher er ist und wie er heisst?

Rok. O wie oft hat er mit mir von Alle dem sprechen wollen!

Leo. Nun?—

Rok. Für Unsereinen ist's aber am besten, so wenig Geheimnisse, als möglich zu wissen. [*Geheimnissvoll.*] Nun, er wird mich nicht lange mehr quälen, es kann nicht mehr lange mit ihm dauern.

Leo. [*bei Seite.*] Grosser Gott!

Mar. O lieber Vater, führe Fidelio ja nicht zu ihm; diesen Anblick könnte er nicht ertragen.

Leo. Warum denn nicht? Ich habe Muth und Stärke.

Rok. [*sie auf die Schulter klopfend.*] Brav! mein Sohn! brav! Wenn ich dir erzählen wollte, wie ich anfangs in meinem Stande mit meinem Herzen zu kämpfen hatte,—und ich war doch ein ganz anderer Kerl als du, mit deiner feinen Haut und deinen weichen Händer

TERZETTO.

Rok. Gut, Söhnchen, gut!
Hab' immer Muth,
Dann wird dir's auch gelingen
Das Herz wird hart
Durch Gegenwart
Bei fürchterlichen Dingen.

Leo. Ich habe Muth
Mit kaltem Blut
Will ich hinab mich wagen.

Leo. It is right enough in you to say this, Master Rocco. But there is something else more precious in my esteem, which with sorrow I perceive all my exertions cannot gain.

Roc. And what is that?

Leo. Your confidence. Pardon me the reproach, but I often see you return quite out of breath from the subterranean vaults of the castle. Why do you not allow me to accompany you? It would be delightful to me if I could go with you, and share your toils.

Roc. But thou knowest the strict orders imposed on me. I am not permitted to allow access to any one of the state prisoners.

Mar. But there are far too many of them in this fortress. And, dear father, you will work yourself dead.

Leo. She is right, Master Rocco. One must certainly do one's duty, [*tenderly,*] but it is allowable, I believe, to spare oneself a little for those who belong to us and love us.

[*Grasping his hand.*

Mar. [*Pressing Rocco's other hand.*] One must try, for the sake of one's children.

Roc. [*Affected, looking at them both.*] Well said, my children: this hard work is becoming over much for me. The Governor, it is true, is very strict; but he must allow me to take you with me into the secret dungeons.

[*Leonora manifests a lively expression of joy.*

There is one dungeon, however, Fidelio, into which I must not take you.

Mar. Probably it is there the prisoner is confined of whom thou hast so often spoken, father?

Roc. Thou hast guessed it.

Leo. [*Inquiringly.*] I think he has been a long time imprisoned?

Roc. Somewhat more than two years.

Leo. [*Impetuously.*] Two years, do you say? [*Collecting herself.*] He must be a great criminal, then?

Roc. Or—he must have great enemies: that amounts to the same thing.

Mar. Is no one able to tell his name, or whence he comes?

Roc. Oh! how often has he wished to speak with me of all that!

Leo. Well?

Roc. For people in our position, it is best to know as few secrets as possible. [*Mysteriously.*] However, he will not trouble me much more—he cannot last much longer.

Leo. [*Aside.*] Great God!

Mar. Do not take Fidelio to him, father dear: it is a sight he could not bear.

Leo. Oh! fear me not. Doubt not my courage or my strength.

Roc. [*Tapping her on the shoulder.*] Bravo! very fine! If I were to tell thee how I had to struggle with my heart in my early days, I should make thee weep; and I was quite a different fellow from thee, with thy soft skin and delicate hands.

TERZETT.

Roc. Courage! be firm! and of your vigor
A proof you very soon shall show.
Time your gentle heart will harden:
It changes all things here below.

Leo. Trust in me: I will obey you. [*Aside.*
Entering yonder dungeon dread,

Für hohen Lohn
Kann Liebe schon
Auch hohe Leiden tragen.

Mar. Dein gutes Herz
Wird manchen schmerz
In diesen Gruften leiden;
Dann kehrt zurück
Der Liebe Glück,
Und unnennbare Freuden.

Rok. Du wirst dein Glück ganz sicher bau'n.

Leo. Ich hab' auf Gott und Recht Vertrau'n

Mar. Du darfst mir auch ins Auge schau'n;
Der Liebe Macht ist auch nicht klein.

Alle drei. Ja, ja, wir werden glücklich seyn.

Rok. Der Gouverneur soll heut' erlauben,
Das du mit mir die Arbeit theilst.

Leo. Du wirst mir alle Ruhe rauben,
Wenn du bis morgen nur verweilst.

Mar. Ja, guter Vater, bitt' ihn heute,
In Kurzem sind wir dann ein Paar.

Rok. Ich bin ja bald des Grabes Beute.

Leo. Wie lang bin ich des Kummers Beute.

Rok. Ich brauche Hülf', es ist ja wahr

Leo. Du, Hoffnung, reichst mir Labung dar.

Mar. Ach, lieber Vater, was fällt Euch ein?
Lang' Freund und Rather müsst Ihr uns seyn.

Rok. Nur auf der huth,
Dann geht es gut,
Gestillt wird Euer Sehnen.

Mar. O, habe Muth,
O, welche Gluth!
O, welch' ein tiefes Sehnen.

Leo. Ihr seyd so gut,
Ihr macht mir Muth,
Gestillt wird bald mein Sehnen.

Rok. Gebt Euch die Hand,
Und schliesst das Band.

Leo. Ich gab die Hand
Zum süssen Band.

Mar. Ein festes Band
Mit Herz und Hand.

Rok. In süssen Freudenthränen.

Leo. Es kostet bittre Thränen.

Mar. O, süsse, süsse Thränen.

Rok. Aber nun ist es auch Zeit, dass ich dem
Gouverneur die Briefschaften überbringe.

MARSCH.

Rok. O, er kommt selbst hierher. [*Zu Leonore.*] Gieb sie, Fidelio. und dann entfernt Euch.

[*Leonore nimmt die an einem Bande hängende Blechbüchse, giebt sie Rokko, und geht dann mit Marcellinen in das Haus ab.*

AUFTRITT V.—ROKKO, PIZARRO, *Offiziere, Wachen. Während des Marsches wird das Hauptthor durch Wachen von Aussen geöffnet. Offiziere mit einem Detachement treten ein, dann Pizarro. Das Hauptthor wird wieder geschlossen.*

Piz. [*Zu dem Offizier.*] Drei Mann Wache auf den Wall, sechs Mann Tag und Nacht an der Zugbrücke, eben so viel gegen den Garten zu; und Jedermann, der sich dem Graben nähert, werde sogleich vor mich gebracht. [*Zu Rokko.*] Rokko, ist etwas Neues vorgefallen?

Rok. Nein, Herr!

Piz. Wo sind die Despeschen?

Rok. [*nimmt Briefe aus der Blechbüchse.*] Hier sind sie.

Piz. [*öffnet die Papiere und durchsieht sie.*] Immer Empfehlungen und Vorwürfe. Wenn ich auf Alles das achten

Love will dictate what to do,
Love will banish ev'ry fear.

Mar. Those dreadful places, full of horror,
I fear me much will make thee quail;
But the sweets of love ethereal,
On returning, thou wilt hail.

Roc. Thy happiness thou wilt secure.

Leo. In Heaven and my right I place my trust

Mar. Yes, fate propitiously will smile,
And love sustain thy actions just.

All. Yes, yes, love will sustain thee. / me.

Roc. The Governor will not refuse
That thou with me the labor share.

Leo. Ah! Heaven will assist the just;—
But do not longer delay me.

Mar. Yes, good father, entreat the Governor to-day,
That we may the sooner be united.

Roc. I shall soon go down to my grave.

Leo. How long have I endured this agony.

Roc. Yes, I need assistance truly.

Leo. But Providence sends me a gleam of hope.

Mar. Ah, dear father, do not despond;
You will, I hope, live long with us,
To comfort and protect.

Roc. Be only on your guard, then all will go well,
And the wishes of all be gratified

Mar. Oh yes,—have courage;
What anxiety he now displays—
What animation!

Leo. You are both so kind,
You encourage me to hope everything—
My wish, I trust, will soon be gratified.

Roc. Now join your hands,
And sanctify the tender knot with tears of joy.

Leo. I have given my sacred pledge—
Ah! what bitter tears it cost me.

Mar. A lasting tie, with hand and heart—
Oh! sweet and welcome tears.

Roc. In sweet tears of joy.

Leo. It costs bitter tears.

Mar. Oh! sweet, sweet tears.

Roc. 'Tis time that I deliver up
These letters and despatches.

MARCH.

Roc. Behold! he approaches. [*To Leonora.*] Give them to me, and depart.

[*Leonora gives the tin box to Rocco, and then goes with Marcellina into the house.*

SCENE V.—ROCCO, PIZARRO, *Officers, Guards.—During the March, the principal door is opened from without. Officers enter with a detachment of Troops, then* PIZARRO *The gate is shut again.*

Piz. [*To the Officer.*] Three guards on the wall, on the draw-bridge six, day and night, as many within the garden; and every one that approaches the trench, let him be brought before me. [*To Rocco.*] Has anything fresh occurred?

Roc. No, signor.

Piz. Where are the despatches?

Roc. Here they are.

[*Takes letters out of the tin box.*

Piz. [*Opens the papers, and looks through them.*] More recommendations! more reproaches! were I to attend to

wollte, würde ich nie damit fertig werden. [*Hält bei einem Briefe an.*] Was seh' ich? Mich dünkt, ich kenne diese Schrift. Lass sehen.

[*Er öffnet den Brief, geht weiter vor. Rokko und die Wachen ziehen sich zurück. Lies't.*

"Iche gebe Ihnen Nachricht, dass der Minister in Erfahrung gebracht hat, dass die Staats-Gefängnisse denen Sie vorstehen, mehrere Opfer willkührlicher Gewalt enthalten. Er reis't morgen ab, um Sie mit einer Untersuchung zu überraschen. Seyn Sie auf Ihrer Huth, und suchen Sie sich sicher zu stellen."

[*Betreten.*] Ach, wenn er entdeckte, dass ich diesen Florestan in Ketten liegen habe, den er längst todt glaubt. Eine kühne That kann alle Besorgnisse zerstreuen.

ARIA.

Ha! welch ein Augenblick!
Die rache werd' ich kühlen,
Dich rufet dein Geschick!
In seinem Herzen wühlen—
O Wonne, hohes Glück!
Schon war ich nah dem Staube,
Dem lauten Spott zum Raube,
Dahin gestreckt zu seyn.
Nun ist es mir geworden,
Den mörder selbst zu morden.
In seiner letzten Stunde,
Den Stahl in seiner Wunde,
Ihm noch ins Ohr zu schrein:
Triumph! des Sieg ist mein!

Die Wache. [*halblaut unter sich.*]
Er spricht von Tod und Wunde—
Wach scharf auf Eure Runde.
Wie wichtig muss es seyn.

Piz. Hauptmann! [*Er führt den Hauptmann vor und spricht leise mit ihm.*] Besteigen Sie mit einem Trompeter den Thurm; sehen Sie mit der grössten Achtsamkeit auf die Strasse von Sevilla; sobald Sie einen Wagen, von Reitern umgeben, gewahr werden, geben Sie augenblicklich ein Zeichen. Verstehen Sie? augenblicklich! Ich erwarte die grösste Pünktlichkeit; Sie haften mir mit Ihrem Kopfe dafür. [*Hauptmann ab.*

[*zur Wache.*] Fort auf Eure Posten! [*Die Wache geht.*

Rokko!

Rok. Herr.

Piz. [*betrachtet ihn eine Weile aufmerksam, für sich.*] Ich muss ihn zu gewinnen suchen; ohne seine Hülfe kann ich es nicht ausführen. Komm näher!

DUETTO.

Jetzt, Alter, hat es Eile;
Dir wird ein Glück zu Theile
Du wirst ein reicher Mann
[*Er wirft ihm einen Beutel zu.*
Das geb' ich nur daran.

Rok. So saget nur in Eile,
Wohin ich dienen kann.

Piz. Du bist von kaltem Blute,
Von unverzagtem Muthe,
Durch langen Dienst geworden.

Rok. Was soll ich, redet—

Piz. Morden!

Rok. [*erschrickt.*] Wie?

Piz. Höre mich nur an:
Du bebst? bist du ein Mann?
Wir durfen nicht mehr säumen.
Dem Staate liegt daran,

these things, I should never be at rest. Ah! what do I see? methinks I know this hand—let's see.

[*He opens the letter and advances. Rocco and the Guards recede.—Reads.*

"I give you information that the Minister has learned that the state prisons over which you preside contain several victims of arbitrary power. He sets out to-morrow to surprise you. Be on your guard, and endeavor to keep yourself right."

Ah! if he discover that I have this Florestan lying in chains, whom he thinks dead long since! A bold deed can —and shall—dissipate all my anxieties!

AIR.

Ah! the moment has arriv'd
My revenge I will assuage
For the outrage suffer'd:
I will give him, very soon,
A sample of my pity.
Fearlessly, unsparingly,
I will tear his heart from out him!
The wretch shall quickly repent
His daring resistance to me;—
I would sooner die than yield.
Now that he is in my power,
Punishment for his treason
Shall quickly be his lot.
Ah! my heart beats more freely
At the prospect of revenge!
No more hope is there for thee.
The moment is approaching
For thy dire punishment.

Guards. [*In an under-tone.*] He speaks of death and wounds;
He is expecting somebody.
Let us go quickly,
And watch closely on our rounds.

Piz. [*To the Officer, speaking in a low voice.*] Captain, take with you the trumpeter, and ascend the tower: there look out along the road to Seville. As soon as you see a cavalier with noble escort, give instantly a signal. Away! and mind your orders! Neglect them, and your head shall be the forfeit.

[*Exit Captain.*

Away! [*To the guards.*] Every one to his post.

[*Exeunt.*

Rocco!

Roc. Signor.

Piz. [*Looking at him steadfastly for a short time.—Aside.*] 'Tis useless to hesitate—without his aid I shall never accomplish my object. Rocco, come nearer.

DUET.

Take this, old man: fortune
Henceforth shall favor you;
If a service you will yield me,
[*Shows him a purse.*
A rich man shall you be.

Roc. Speak on. O, quickly tell
In what way can I be of service?

Piz. I know your zeal and coolness,
And what I shall now reveal
I think I can to you confide.

Roc. Speak! what shall I do?

Piz. Murder!

Roc. [*Terrified.*] How!

Piz. Simply listen—but do not tremble!
Thou tremblest? Art thou a man?
We must delay no longer;—
The state is concerned.

Den bösen Unterthan
Schnell aus dem Weg zu räumen.
Rok. O Herr!
Piz. Du stehst noch an? [*Für sich.*
Er darf nicht länger leben,
Sonst ist's um mich geschehn
Pizarro sollte beben!
Du fällst, ich werde stehen.

Rok. Die Glieder fühl' ich beben,
Wie konnt' ich das bestehen?
Ich nehm' ihm nicht das Leben,
Mag, was da will, geschehen.
Mein Herr, das Leben nehmen,
Das ist nicht meine Pflicht.

Piz. Ich will micht selbst bequemen,
Wenn dir's an Muth gebricht.
Nur eile, rash und munter
Zu jenem Mann hinunter
Du weisst—
Rok. Der kaum mehr lebet,
Und wie ein Schatten schwebet.
Piz. [*mit Grimm.*] Zu dem, zu dem hinab—
Ich wart' in kleiner Ferne,
Du gräbst in der Cisterne
Sehr schnell für ihn ein Grab.
Rok. Und denn?
Piz. Du giebst ein Zeichen,
Dann werd ich mich, vermummt,
Schnell in der Kerker schleichen:
[*Er zieht den Dolch.*
Ein Stoss—und er verstummt.
Rok. Verhungernd in den Ketten,
Ertrug er lange Pein;
Ihn tödten, heisst ihn retten.
Piz. Dann werd ich ruhig seyn.
[*Pizarro ab gegen den Garten, Rokko folgt ihm.*

That troublesome inmate of yours—
He must quickly be got rid of.
Roc. Oh Sir!
Piz. You still hesitate!— [*To himself*
He must live no longer,—
Or I shall be undone!
Should Pizarro live in fear?
I see how it is,—you falter;—
I will stand my ground.
Roc. I feel my limbs quake under me.
How should I undertake it?
No,—I'll not lend myself to such an act
Let happen what may.
To take away life!
Sir, that is not my duty.
[*He wants to return Pizarro the purse.*
Piz. I will serve myself,
If your courage fail;
But—only hasten quickly
And resolutely—to that man
Down there. [*Pointing.*] You know well.
Roc. Who now scarcely lives,
And seems a mere shadow.
Piz. [*Enraged.*] Down, I say, down to him—
I will wait at a short distance.
Dig a grave for him, in the cistern
In the prison, without delay.
Roc. And then?
Piz. You must give me a signal,
And I will then steal, in disguise,
Directly into the dungeon.
[*Draws his dagger.*
One blow—and he is dumb.
Roc. Half famished, and in chains,
Long has he endured the severest misery;
To rid him of life, would be to release him.
Piz. Then I shall be at peace.
[*Exit Pizarro towards the garden, Rocco following.*

AUFTRITT VI.—LEONORE, *tritt in heftiger innerer Bewegung von der andern Seite auf, und sieht den Abgehenden mit steigender Unruhe nach.*

RECITATIV.

Leo. Abscheulicher! wo eilst du hin?
Was hast du vor im wilden Grimme?
Des Mitleids Ruf, der Menschheit Stimme,
Rührt nicht mehr deinem Tigersinn.
Doch, toben auch, wie Meereswogen,
Dir in der Seele Zorn und Wuth,
So leuchtet mir ein Farbebogen,
Der hell auf dunkeln Wolken ruht.
Der blickt so still, so freidlich nieder,
Der spiegelt alte Zeiten wieder,—
Und neu besänftigt wallt mein Blut.

SCENE VI.—*Enter* LEONORA, *in violent agitation, from the side opposite to that on which Pizarro and Rocco have gone off, having overheard the intention of Pizarro.*

RECITATIVE.

To what new and dreadful crime
Will thy vengeance now induce thee?
Oh, monster! can no touch of pity
From thy brutal heart be look'd for?
But vain shall be your machinations:
A sweet presentiment of that assures me.
For his infamies, the Almighty
A fitting reward will mete him.
Ah! I feel within me new hopes arise;
An inward sense of coming happiness
Sustains and cheers my heart.

KOMM HOFFNUNG, LASS DEN LETZTEN STERN—OH HOPE, SWEET SOLACE. LEONORA.

Leo. Ich folg' dem innern Triebe,
Ich wanke nicht;
Mich stärkt die Pflicht
Der treuen Gattinn Liebe.

[*Geht ab gegen den Garten.*

AUFTRITT VII.—MARZELLINE *kommt aus dem Hause,* JAQUINO *ihr nach.*

Jaq. Aber Marcelline—

Mar. Kein Wort, keine Sylbe! Ich will nichts mehr von deinen albernen Liebeseufzern hören, und dabei bleibts.

Jaq. Wer das gesagt hätte, als ich mir vornahm, mich recht ordentlich in dich zu verlieben: da war ich der gute, der liebe Jaquino! aber dieser Fidelio—

Mar. [*rasch einfallend.*] Ich läugne nicht, ich war dir gut; aber sieh—ich bin offenherzig—das war keine Liebe. Fidelio zieht mich weit mehr an; zwischen ihm und mir find' ich eine viel grössere Uebereinstimmung.

Jaq. Eine Uebereinstimmung mit einem solchen hergelaufenen Jungen, der, Gott weiss woher kommt; den der Vater aus blossem Mitleid am Thore dort aufgenommen hat, der—der——

Mar. [*ärgerlich.*] Der arm und verlassen ist, und den ich dennoch heirathen werde.

Jaq. Glaubst du, dass ich das leiden werde? He! dass es ja nicht in meiner Gegenwart geschieht; ich möchte Euch einen gewaltigen Streich spielen.

AUFTRITT VIII.—*Vorige,* ROKKO, LEONORE, *aus dem Garten.*

Rok. Was habt ihr Beide denn wieder zu zanken?

Mar. Ach, Vater, er verfolgt mich immer!

Rok. Warum denn?

Leo. Love will thither guide me.
By love and hope supported:
No more with fear I tremble.
Oh thou, whom alone I love,
Soon will thy true wife thy cruel torments end.

[*Exit towards the garden.*

SCENE VII.—MARCELLINA *enters from the House followed by* JACQUINO.

Jac. But, Marcellina!

Mar. Not a word—silence! I do not wish to hear another word of your silly love-sighs and nonsense.

Jac. Why did you not say as much when first I took it into my head to fall regularly in love with you? Then I had none of your rebuffs and snubbings;—then I was your dear Jacquino: But the moment this Fidelio——

Mar. [*Interrupting him.*] Very true. I liked thee at first, or I fancied so—I may as well be frank and open with thee. But, since Fidelio has been among us, my mind has changed: for him I feel much more liking and sympathy.

Jac. What! for a young vagabond who comes—God knows whence; and whom your father housed in charity; who—who——

Mar. [*Angrily.*] Who is poor and deserted, and shall be my spouse, notwithstanding.

Jac. And do you imagine that I will suffer it? No, no, believe me. If ever I catch you together, you shall see what I will do.

SCENE VIII.—*Enter* ROCCO *and* LEONORA *from the Garden.*

Roc. What! are you two quarrelling again?

Mar. Ah, father, he is always teasing me!

Roc. What about?

Mar. [*zu Leonoren laufend.*] Er will, dass ich ihn lieben, dass ich ihn heirathen soll?

Jaq. Ja, ja, sie soll mich lieben, sie soll mich wenigstens heirathen, und ich——

Rok. Stille!—Ich werde eine einzige gute Tochter haben, werde sie so gut gepflegt [*streichelt Marzellinen am Kinn,*] mit so viel Mühe bis in ihr sechszehntes Jahr erzogen haben, und das Alles für den Herrn da? [*blicht lachend auf Jaquino.*] Nein, Jaquino, mich beschäftigen jetzt andere klügere Dinge.

Mar. Ich verstehe, Vater, [*zärtlich leise.*] Fidelio.

Leo. Brechen wir davon ab. Rokko, ich ersuchte Euch schon einigemal, die armen Gefangenen, die hier über der Erde wohnen, in unsern Festungsgarten zu lassen. Ihr verspracht und verschobt es immer. Heute ist das Wetter so schön. Der Gouverneur kommt um diese Zeit nicht hieher.

Mar. O ja, ich bitte mit ihm!

Rok. Kinder,—ohne Erlaubniss des Gouverneurs?

Mar. Aber er sprach so lange mit Euch? Vielleicht sollt Ihr ihm einen Gefallen thun, und dann wird er's so genau nicht nehmen.

Rok. Einen Gefallen? Du hast Recht, Marzelline! Auf diese Gefahr kann ich's wagen. Wohl denn. Jaquino und Fidelio öffnet die leichtern Gefängnisse. Ich aber gehe zu Pizarro und halte ihn auf, indem ich [*gegen Marzelline,*] für dein Bestes rede.

Mar. [*küsst ihm die Hand.*] So recht, Vater!

[*Rokko geht ab.*

[*Leonore und Jaquino schliessen die Gefängniss-thüren auf, ziehen sich dann mit Marzellinen in den Hintergrund, und beobachten mit Theilnahme die nach und nach auftretenden Gefangenen.*

Mar. [*Running to Leonora.*] He wishes me to love him—to marry him!

Jaq. Yes, signor; and if she will not love me, she shall at least marry me; and I—

Roc. Hold your tongue, sirrah! Ah! think you I have brought up my only daughter [*Patting Marcellina's cheek,*] with parental care, increasing with her years, till she has seen her sixteenth summer, for such a gentleman as you? Ha! ha! [*Laughing at Jaquino.*] No, Jaquino. But weighty matters now engage my mind.

Mar. I understand, dear father. [*Tenderly.*] Fidelio!

Leo. Enough of this. Rocco, often I have begged of you to allow the poor prisoners, in this dismal cell immured, to come and breathe the pure air of this garden. Though often promised, you have never yet done it. To-day the weather is so beautiful! The Governor never comes at this time of day.

Mar. Oh yes, I too ask it.

Roc. Without permission of the Governor? My dear children—

Mar. But he was talking with you so long: perhaps he was asking a favor?—In that case, he could not be very particular.

Roc. A favor? Well guessed, Marcellina. I think I may venture. Jacquino and Fidelio, you may undo the door. I'll to Pizarro, and with conversation on your behalf, [*sympathetically, to Marcellina,*] occupy him.

Mar. [*Kisses his hand.*] Oh, blessings on you, father dear!

[*Exit Rocco.*

[*Leonora and Jacquino open the Prison-doors, then withdraw with Marcellina to the background, and watch with interest the Prisoners, as they gradually enter*

FINALE.—AUFTRITT IX.

CHOR—*der Gefangenen.*

O welche Lust in freier Luft
Den Athem einzuheben!
Nur hier, nur hier ist Leben.
Der Kerker eine Gruft.

Ein Gefangener. Wir wollen mit Vertrauen
Auf Gottes Hülfe bauen;
Die Hoffnung flustert sanft mir zu
Wir werden frei, werd finden Ruh?

Alle. O Himmel! Rettung! welch ein Glück.
O Freiheit, kehrest du zurück!

[*Hier erschient ein Offizier auf dem Wall und entfernt sich wieder.*

Einer. Sprecht leise;—haltet Euch zurück—
Wir sind belauscht mit Ohr und Blick

Alle. Sprecht leise, haltet Euch zurück—
Wir sind belauscht mit Ohr und Blick.
O Welche Lust, in freier Luft
Den Athem einzuheben,
Nur hier, nur hier ist Leben,
Der Kerker eine Gruft.

[*Ehe der Chor noch ganz geendet ist, erscheint Rokko im Hintergrunde dir Bühne und redet angelegentlich mit Leonoren. Die Gefangenen entfernen sich in den Garten.*

FINALE.—SCENE IX.

CHORUS—*of Prisoners.*

Oh, what a pleasure once again
Freely to breathe the fresh air!
In Heaven's light we live again,
From death we have escaped.

One of them. Let us in Heaven trust;
On Heaven depend our hopes:
He will on our griefs look with pity.
On His goodness all things depend.

All. Oh, liberty! oh, salvation!
Oh, God, upon our miseries have pity!

[*Here an Officer appears on the wall, and again retires.*

Prisoner. Silence! make no noise!
Pizarro's eyes and ears are o'er us!

All. Silence! make no noise!
Pizarro's eyes and ears are o'er us!
Oh! what a pleasure once again
Freely to breathe the fresh air!
In Heaven's light we live again;
From death we have escaped.

[*Before the Chorus has finished, Rocco appears in the background, and talks eagerly to Leonora. The Prisoners retire into the Garden.*

AUFTRITT X.—ROKKO, LEONORE.

Leo. Nun sprecht, wie gings?

Rok. Recht gut! recht gut!
Zusammen rafft ich mienen Muth,
Und trug ihm alles vor.
Und sollitest du es glauben,

SCENE X.—ROCCO *and* LEONORA.

Leo. Now speak—how have you succeeded?

Roc. Why well, very well.
I composed my mind,
And represented every thing to him;
And, would you believe, now, his answer?

Was er zur Antworth mir gab?
Die Hierath, und dass du mir hilfst, will er erlauben,
Noch heute führ' ich in die Kerker dich hinab.

Leo. [*ausbrechend.*] Noch heute! Welch ein Glück!
O welche Wonne!

Rok. Ich sehe deine Freude,
Nur noch ein Augenblick,
Dann gehen wie schon Beide.

Leo. Wohin?

Rok. Zu jenem Mann hinab,
Dem ich seit vielen Wochen
Stets weniger zu essen gab.

Leo. Gott! wird er losgesprochen?

Rok. O nein!

Leo. So sprecht!

Rok. O nein! o nein! [*Geheimnissvoll.*]
Wis müssen ihn—doch wie?—befreien.
Er muss in einer Stunde,—
Den Finger auf dem Munde,—
Von uns begraben seyn.

Leo. So ist er todt?

Rok. Noch nicht, noch nicht!

Leo. [*zurückfahrend.*] Ist, ihn zu tödten, deine Pflicht?

Rok. Nein, guter Junge, zittre nicht.
Zum Morden dringt sich Rokko nicht!
Der Gouverneur kommt selbst herab,
Wir beide graben nur das Grab.

Leo. [*bei Seite.*] Vielleicht das Grab des Gatten graben,
O was kann fürchterlicher seyn.

Rok. Ich darf ihn nicht mit Speise laben,
Er wird im Grab zufrieden seyn.

DUETTO.

Rok. Wir müssen gleich zu Werke schreiten,
Du musst mir helfen, mich begleiten,
Hart ist des Kerkermeisters Brod.

Leo. Ich folge dir, wär's in den Tod!

Rok. In der zerfallenen Cisterne
Bereiten wir die Grabe leicht.
Ich thu' es, glaube mir, nicht gerne,
Auch dir ist schaurig, wie mir deucht.

Leo. Ich bins nur noch nicht recht gewohnt.

Rok. Ich hätte gerne dich verschont,
Doch wird es mir allein zu schwer,
Und gar zu streng ist unser Herr.

Leo. O welch ein Schmerz!

Rok. Mir scheint, er weine!
Nein, du bleibst hier, ich geh' alleine.

Leo. Ich muss ihn seh'n, den Armen seh'n,
Und müsst ich selbst zu Grunde geh'n.

Rok So säumen wir nun länger nicht.

AUFTRITT XI.—MARZELLINE *und* JAQUINO (*athemlos hereinstürzend*) *Vorige.*

Mar. O Vater, eilet!

Rok. Was hast du denn?

Jaq. Nicht länger weilet!

Rok. Was ist gescheh'n?

Mar. Voll Zorn folgt mir
Pizarro nach,
Er drohet dir.

Rok. Gemach! gemach!

Leo. So Eilet fort!

Rok. Nur noch ein Wort!
Sprich, weiss er schon!

Jaq. Ja, er weiss schon!

Mar Der Offizier
Sagt' ihm, was wir
Jetzt den Gefangenen gewähren.

That he will allow the marriage,
And that you shall be my assistant.
Even to-day I take you into the dungeons.

Leo. [*Joyously.*] To-day! What a respite!
Oh, what true delight!

Roc. I perceive how glad you are.
Stay, however, a moment or two,
And then we will both go together.

Leo. Whither?

Roc. Down to that poor man,
To whom, for so many months,
I have daily given less and less of food.

Leo. O God! is he to be freed?

Roc. Oh no!

Leo. Say not so!

Roc. No! oh no! [*With an air of deep secresy.*]
We must—oh! in what manner!—set him free
That is, boy, he must, in an hour,—
Your finger on your lip,—
Be laid in his grave, and by our hands.

Leo. Ah! then he is dead?

Roc. Not yet, not yet!

Leo. [*Starting back.*] What! is it thy duty to kill him?

Roc. No, good youth, let not that fear distress you.
Rocco does not hire himself to murder!
The Governor will himself come down—
We two have only to dig the grave.

Leo. [*Aside.*] Perhaps to dig the grave of my husband!
What can be more horrible?

Roc. Any one else at his bidding
Is willing to become a murderer.

DUET.

Roc. This work of grief you now must aid in;
With courage great the deed pursuing,
Mark what I do, and follow me.

Leo. Yes, father, I will follow thee!

Roc. With noiseless tread, in yonder corner
The cistern near, a grave we'll make;
I do it much against my wishes;
And thou art shaking, too, with fear.

Leo. I'm quite prepared, confide in me!

Roc. I willingly had spar'd you this,
But, all alone, the work's too much.

Leo. Oh! cruel fate!

Roc. Methinks he weeps! Nay, stay thou here,
And I will go without thee,
Whilst thou in peace shalt rest, and wait me here.

Leo. Ah, no! I feel an ardor new inspire me;
No labor done with thee will tire me;
With thee, dear father, will I go.

Roc. Thus, then, we will no longer stay,
'Tis duty calls, and we obey.

SCENE XI.—*The same*—MARCELLINA *and* JACQUINO *rush in, out of breath.*

Mar. Oh! Father,—hasten!

Roc. What is the matter, child?

Jac. Tarry no longer!

Roc. What has happened?

Mar. Pizarro is following me,
Full of anger,
And threatening you so wildly!

Roc. Peace!—softly—

Leo. Then hasten away!

Roc. Only one word,—speak!
Does he already know?—

Jac. Yes, yes,—he knows already!

Mar. The officer
Has told him that we
Are now indulging the prisoners.

Rok. Lasst Alle schnell zurückkehren.
[*Jaquino, geht ab in den Garten.*

Mar. Ihr wisst es, wie er tobet,
Und kennet seine Wuth.

Leo. Wie mir's im Herzen tobet,
Empöret ist mein Blut.

Rok. Mein Herz hat mich gelobet,
Sey der Tyrann in Wuth!

AUFTRITT XII.—PIZARRO, *zwei Offiziere, Wache, die Vorigen.*

Piz. Verwegner Alter! welche Rechte
Legst du dir frevelnd selber bei,
Und ziemt es dem gedungnen Knechte,
Zu geben die Gefangnen frei?

Rok. [*verlegen.*] O Herr!

Piz. Wohlan!

Rok. [*eine Entschuldigung suchend.*]
Des Frühlings Kommen—
Das heitre warme Sonnenlicht—
Dann—[*sich fassend*] habt Ihr wohl in Acht genommen,
Was sonst zu meinem Vortheil spricht.
[*Die mütze abziehend.*
Des Königs Namensfest ist heute,
Das feiern wir auf solche Art.
[*Geheim zu Pizarro.*
Der unten stirbt, doch lasst die Andern
Jetzt fröhlich hin und wieder wandern;
Für jenen sey der Zorn gespart.

Piz. [*leise.*] So eile, ihm sein Grab zu graben,
Hier will ich stille Ruhe haben.
Schliesst die Gefangenen wieder ein,
Mögst du nie mehr verwegen seyn.

Die Gefangenen. Leb' wohl, du warmes Sonnenlicht,
Schnell schwindest du uns wieder,
Schon sinkt die Nacht hernieder,
Aus der sobald kein Morgen bricht.

Piz. Nun Rokko, zögre länger nicht,
Steig in den Kerker nieder. [*Leise.*
Nicht eher kehrst du wieder,
Bis ich vollzogen das Gericht.

Rok. Nein, Herr, nein, länger zögr' ich nicht,
Ich steige eilend nieder.
Mir beben meine Glieder, [*Für sich.*
O unglückselig harte Pflicht!

Leo [*zu den Gefangenen.*] Ihr hört das Wort, drum zögert nicht,
Kehrt in den Kerker wieder. [*Fur sich.*
Angst rinnt durch meine Glieder.
Ereilt den Frevler kein Gericht?

Jaq. [*zu den Gefangenen.*] Ihr hört das Wort, drum zögert nicht,
Kehrt in den Kerker wieder.
[*Für sich Rokko und Leonoren beobachtend.*
Sie sinnen auf und nieder—
Könnt ich versteh'n, was jeder spricht.

Mar. [*die Gefangenen betrachtend.*] Wir eilen so zum Sonnenlicht,
Und scheiden traurig wieder.
Die andern murmeln nieder;
Hier wohnt die Lust, die Freude nicht.

[*Die Gefangenen gehen in ihre Zellen, die Leonore und Jaquino verschliessen.*

ENDE DES ERSTEN AUFZUGS.

Roc. All of you go back instantly.
[*Jacquino goes away into the Garden.*

Mar. You know how he rages,
And his fierce severity.

Leo. How my heart is swelling—
My whole soul is up in arms.

Roc. My conscience acquits me—
Let the tyrant rave!

SCENE XII.—*Enter* PIZARRO, *two Officers, and Guards.*

Piz. Insolent old man! how dar'st thou,
In defiance of my will,
Thus to usurp my authority,
And set the prisoners free?

Roc. [*Embarrassed.*] Alas!

Piz. Well?

Roc. [*Trying to think of an excuse.*]
Do you think it a crime
Your wishes to anticipate?
[*Collecting himself*
I thought it right, on such a day,
To alleviate their sufferings.
[*Doffing his cap*
Our gracious King's birth-day
We in this way celebrate.
[*Low, to Pizarro*
In obedience to your order,
For the condemned prisoner
I am now about to dig a grave.

Piz. [*Softly.*] Hasten, then, and quickly do so.
And I will, this once, overlook the fault.
Shut up the prisoners, and remember,
Never again be guilty of a similar indiscretion.

The Prisoners. Farewell, thou warm sun-light!
Quickly thou disappearest again from our gaze.
Only the night remains for us,
From which no morning may ever break again.

Piz. Now, Rocco, no longer tarry,
But get thee down to the dungeou, [*Softly.*
And from thence you return not
Till I have completed my purpose.

Roc. No, sir, no, I'll not remain any longer;
I will hasten below.
My limbs tremble under me. [*Aside.*
Oh, wretched old man! oh, heart-rending duty!

Leo. [*To the Prisoners.*] You hear the word, then linger not here:
Return into the prison. [*Aside.*
Breathless anxiety runs through all my veins.
Does no judgment overtake the evil-doer?

Jac. [*To the Prisoners.*] You hear the word, then linger not here:
Return to the prison.
[*Aside, observing Rocco and Leonora*
They are pondering and whispering there—
I wish I could hear what they are saying.

Mar. [*Looking at the Prisoners.*] For a few short moments we see each other in the warm sunshine,
Then part again in sorrow.
Here freedom must not reign.
Alas! no joy must ever enter here.

[*The Prisoners go into their cells, which Leonara and Jacquino lock after them.*

END OF ACT I.

AUFZUG II.

AUFTRITT I.—*Das Theater stellt einen unterirdischen dunkeln Kerker vor. Den Zuschauern links ist eine mit Steinen und Schutt bedeckte Cisterne. Im Hintergrunde sind mehrere, mit Gitterwerk verwahrte, Oeffnungen in der Mauer, durch welche man die Stufen einer von der Höhe herunterführenden Treppe sieht: rechts die letztern Stufen und die Thüre in das Gefängniss. Eine Lampe brennt.*

[FLORESTAN *allein. Er sitzt auf einem Stein, um den Leib hat er eine lange Kette, deren Ende in der Mauer befestigt ist.*

RECITATIV.

Gott! welch ein Dunkel hier!
O grauenvolle Stille!
Oed ist es um mich her,
Nichts lebet ausser mir.
O schwere Prüfung! doch gerecht ist Gottes Wille,
Ich murre nicht, das Maass der Leiden steht bei dir.

ARIE.

In des Lebens Frühlingstagen,
Ist das Glück von mir gefloh'n.
Wahrheit wagt ich kühn zu sagen,
Und die Ketten sind mein Lohn.
Willig duld' ich alle Schmerzen,
Ende schmählich meine Bahn;
Süsser Trost in meinem Herzen:
Meine Pflicht hab' ich gethan,

[*In einer, an Wahnsinn gränzenden, jedoch ruhigen Begeisterung.*

ACT II.

SCENE I.—*A dark subterranean Dungeon To the left, a cistern or reservoir, covered with stones and rubbish. In the background, several openings in the wall, guarded with gratings, through which can be seen the steps of a staircase, leading from above. To the right, the door into the Prison. A lamp hanging.*

[FLORESTAN, *alone. He sits on a stone: round his body is a long chain, the end of which is fastened to the wall*

RECITATIVE.

Alas! what darkness dense!
What horrid stillness!
Here in this dark tomb, is nothing known
But my deep anguish! Oh, most cruel torture!
Oh, Heavenly Providence, how much longer
Will this my misery last!

AIR.

In the bright morning of life
My liberty, alas! was lost:
These chains are the reward
Of true and open speaking.
But what avails my lamentations?
Hopeless is my condition:
The only solace for my torments
Rests on my conscious innocence.

[*Enthusiastically, but calmly.*

UND SPUR ICH NICHT LINDE—WHAT FEELING COMES O'ER ME. AIR. FLORESTAN.

[*Er sinkt, erschöpft, von der letzten Gemüthbewegung, auf den Felsensitz wieder; seine Hande verhüllen sein Gesicht.*

[*He sinks, exhausted, upon the stony seat, concealing his face with his hands.*

AUFTRITT II.—ROKKO, LEONORE, FLORESTAN. *Die beiden ersten, die man durch die Oeffnungen bei dem Schein einer Laterne die Treppe herabsteigen sah, tragen einen Krug und die Werkzeuge zum Graben. Die Hinterthüre öffnet sich und das Theater erhellt sich zur Hälfte.*

Leo. [*halblaut.*] Wie kalt ist es in diesem unterirdischen Gewölbe.

Rok Das ist natürlich! Es ist ja so tief

SCENE II.—ROCCO, LEONORA, FLORESTAN. *The two former, who have been seen through the openings coming down the stairs, carry a pitcher and implements for digging. The back door opens, and the Stage is half lighted.*

Leo. [*In an under-tone.*] Oh, how freezing cold it is in this dismal vault!

Rok. Natural enough in a place so subterranean

Leo. [*sieht unruhig nach allen Seiten umher.*] Ich glaubte schon, wir würden den Eingang nicht finden.

Rok [*sich gegen Florestans Seite wendend.*] Still! da ist der Gefangene.

Leo. [*mit gebrochener Stimme, indem sie den Gefangenen zu erkennen sucht.*] Er scheint ganz ohne Bewegung.

Rok. Vielleicht ist er todt!

Leo. Ihr meint es?

Rok. Nein, nein, er schläft nur. Das müssen wir benützen und gleich ans Werk gehen; wir haben keine Zeit zu verlieren.

Leo. [*für sich.*] Est ist unmöglich, seine Züge zu unterscheiden; Gott stehe mir bei, wenn er es ist!

Rok. Hier unter diesen Trümmern ist eine Cisterne von der ich dir gesagt habe. Wir brauchen nicht viel Zeit um an die Oeffnung zu kommen. Gieb mir eine Haue, und du stelle dich hierher. Du zitterst—fürchtest du dich?

Leo. O nein, es ist nur so kalt.

Rok. So mach' fort, beim Arbeiten wird dir schon warm werden. [*Sie fangen an zu graben.*

DUETT.

[*Während des Ritornells benutzt Leonore, wenn sich Rokko bückt, den Augenblick um den Gefangenen zu beobachten. Das Duett wird durchaus halblaut gesungen.*

Rok. [*während der Arbeit.*]
Nur hurtig fort und frisch gegraben,
Es währt nich lang so kommt er her.

Leo. [*ebenfalls arbeitend.*]
Ihr sollet nicht zu klagen haben,
Denn mir wird keine Arbeit schwer.

Rok. [*einen grossen Stein, an der Stelle wo er hinabsteig, hebend.*] Komm, hilf doch diesend Stein mir heben.
Hab' acht! hab' acht! er hat Gewicht.

Leo. Ich helfe schon, o sorget nicht,
Ich will mir alle Mühe geben.

Rok. Ein wenig noch.

Leo. Geduld!

Rok. Er weicht.

Leo. Nur etwas noch.

Rok. Er ist nicht leicht.

[*Sie rollen den Stein über Trümmer und holen Athem.—Wieder arbietend.*

Nur hurtig fort, nur frisch gegraben!
Es währt nich lang, er kommt herein.

Leo. [*ebenfalls wieder arbeitend.*
Lasst mich mur wieder Kräfte haben,
Wir werden bald zu Ende seyn.

[*Betrachten den Gefangenen, während Rokko von ihr abgewandt mit gekrümmtem Rücken arbeitet, leise.*

Wer du auch seyst, ich will dich retten;
Bei Gott! Du sollst kein Opber seyn.
Gewiss, ich löse deine Ketten;
Ich will, du Armer, dich befrei'n.

Rok. [*sich schnell aufrichtend.*]
Was zauderst du in deiner Pflicht?

Leo. Nein, Vater! nein, ich zaudre nicht.

Rok. Nur hurtig fort, nur frisch gegraben;
Es währt nicht lang, so kommt er her.

Leo. Ihr sollet nicht zu klagen haben,
Denn mir wird keine Arbeit schwer. [*Rokko trinkt.*

[*Florestan erhält sich und hebt das Haupt in die Höhe, ohne sich nach Leonoren zu wenden.*

Leo. Er erwacht!

Rok. [*plötzlich im Trinken inne haltend.*] Er erwacht, sagst du?

Leo. [*in grösster Verwirrung, immer nach Florestan sehend.*] Ja, er hat eben den Kopf in die Höhe gehoben.

Rok. Ohne Zweifel wird er wieder tausend Fragen an mich stellen. Ich muss allein mit ihm reden. Nun bald hat er's überstanden. [*Er steigt aus der Grube.*] Steig du,

Leo. [*Looking on every side in agitation.*] I thought we should never find the entrance.

Roc. [*Turning towards Florestan's side.*] Silence! the prisoner is there.

Leo. [*With a broken voice, seeking to recognize him.*] In what a state!—unconscious, motionless!

Roc. Perhaps he is dead!

Leo. Dost think so?

Roc. No, no; he only sleeps. The moment is propitious. Give me your hand. Let's to our work—we have no time to lose.

Leo. [*Aside.*] It is impossible to distinguish his features If it be he, oh God, help me.

Roc. Here, under this rubbish, is the cistern of which I have spoken. It will not take us long to reach the opening. Give me the pickaxe, and stand thou there. Thou tremblest!—of what art thou afraid?

Leo. Oh, no! only it is so cold!

Roc. Working will soon warm you.

[*They begin to dig.*

DUET.

[*During the Symphony, Leonora takes advantage of the moment when Rocco stoops, to observe the Prisoner. The Duet is sung in an undertone.*

Roc. [*While at work.*]
Work quickly—dig away;
Pizarro will be here ere long.

Leo. [*Also working.*]
My zeal and labor, I hope, will please you.
I feel not fatigue.

Roc. [*Lifting a stone at the spot where he descended.*]
Come, help me to raise this stone;
Lift up—a little more—it is very heavy.

Leo. I am lifting with all my might;
I do not spare.

Roc. Try again.

Leo. Alas!

Roc. So—it yields.

Leo. But little.

Roc. It is not light.

[*They roll the stone aside, and stop a moment to fetch breath.—Beginning again.*

Let's get on quickly—we must dig away:
Pizarro will be here ere long.

Leo. Oh, trust in me! zealously I'll work;—
I feel my strength returning.

[*Looks at the Prisoner whilst Rocco, at his work, is turned from her.—In an undertone.*

Ah! whoever the unhappy one may be,
No weapon shall smite him!
No, no: this feeble hand, I hope,
Will restore him to his liberty.

Roc. [*Starting up quickly.*]
What are you loitering about?

Leo. No, father, I'm not idling.

Roc. Let's get on quickly—we must dig away:
Pizarro will be here ere long.

Leo. Oh, trust in me! zealously I'll work;—
I feel my strength returning. [*Rocco drinks.*

[*Florestan raises his head, but does not turn towards Leonora.*

Leo. He is waking!

Roc. [*Ceasing to drink.*] He awakes, sayst thou?

Leo. [*In the greatest confusion, her eyes fixed on Florestan.*] Yes, yes; he has just raised his head.

Roc. Doubtless, he will again put a thousand questions to me. I must speak with him alone. Well, it will soon be all over with him. [*Gets up out of the grave.*] Go you

statt meiner, hinab, und räume noch so viel hinweg, dass man die Cisterne öffnen kann.

Leo. [*sie steigt zitternd ein paar Stufen hinab.*] Was in mir vorgeht, ist unaussprechlich!

Rok. [*Zu Florestan.*] Nun, Ihr habt wieder einige Augenblicke geruht?

Flo. Geruht? Wie fände ich Ruhe?

Leo. [*für sich.*] Diese stimme!—Wenn ich nur einen Augenblick sein Gesicht sehen könnte.

Flo. Werdet Ihr immer bei meinen Klagen taub seyn, grausamer Mann?

[*Mit den letzten Worten wendet er sein Gesicht gegen Leonoren.*

Leo. Gott! Er ist's!

[*Sie fällt ohne Bewusstseyn an den Rand der Grube.*

Rok. Was verlangt Ihr denn von mir? Ich vollziehe die Befehle die man mir giebe; das ist mein Amt, meine Pflicht.

Flo. Saget mir endlich einmal, wer ist der Gouverneur dieses Gefängnisses?

Rok. [*bei Seite.*] Jetzt kann ich ihm ja ohne Gefahr genug thun. [*Laut.*] Der Gouverneur dieses Gefängnisses ist Don Pizarro.

Leo. [*Sich allmählig erholend.*] O Barbar! deine Grausamkeit giebt mir meine Kräfte wieder.

Flo. O schickt sobald als möglich nach Sevilla,—fragt nach Leonoren Florestan.

Leo. Gott! Er ahnet nicht, dass sie jezt sein Grab gräbt.

Flo. Sagt ihr, dass ich hier in Ketten liege.

Rok. Es ist unmöglich, sag' ich Euch; ich würde mich ins Verderben stürzen, ohne Euch genützt zu haben.

Flo. Wenn ich denn verdammt binn, hier zu verschmachten, O so lasst mich nicht so langsam enden!

Leo. [*springt auf und hällt sich fest.*] O Gott! wer kann dass ertragen?

Flo. Aus Erbarmen, gebt mir nur einen Tropfen Wasser—das ist ja so wenig!

Rok. [*bei Seite.*] Es geht mir wider meinen Willen zu Herzen.

Leo. Er scheint ihn zu erweichen.

Flo. Du giebst mir keine Antwort.

Rok. Ich kann Euch nicht verschaffen, was Ihr verlangt. Alles was ich Euch anbieten kann, ist ein Restchen Wein, das ich im Kruge habe.

Leo. [*den Krug in grösster Eile bringend.*] Da ist er—da ist er.

Flo. [*Leonoren betrachtend.*] Wer ist das?

Rok. Mein Schliesser, und in wenig Tagen mein Eidam. [*Reicht Florestan den Krug der trinkt.*] Es ist freilich nur wenig Wein, doch ich gab ihn Euch gern. [*Zu Leonoren.*] Du bist ja ganz in Bewegung.

Leo. [*in grösster Verwirrung.*] Wer sollte es nicht seyn? Ihr selbst, Meister Rokko—

Rok. Es ist wahr: der Mensch hat so eine Stimme.

Leo. Ja wohl—sie dringt in die Tiefe des Herzens.

down, and clear away the earth, nstead of me till you get the cistern open.

Leo. [*Trembling, descends a step or two.*] Who now could tell what within my bosom is passing!

Roc. [*To Florestan.*] Well, friend, are you again losing your cares in repose?

Flo. Repose! where can I find it?

Leo. [*To herself.*] That voice!—O, if I could only see his face for an instant!

Flo. Oh, cruel man! will you be ever deaf to my lamentations?

[*At these words he turns his face towards Leonora, who recognizes him.*

Leo. Oh, God! it is he!

[*She falls senseless on the edge of the grave.*

Roc. What do you ask of me? The orders I receive I execute: that is my province, my duty.

Flo. Tell me, at all events, the name of the Governor of this loathsome prison.

Roc. [*Aside.*] There can be no harm in now telling him. [*Aloud.*] It is Don Pizarro.

Leo. [*Gradually recovering herself.*] Oh, barbarian! to my native strength thy cruelty restores me.

Flo. Oh! if it be possible, let a messenger go to Seville, and there seek Leonora Florestan.

Leo. Little does he think, oh God! that she is now digging his grave!

Flo. Tell her that I lie here in chains.

Roc. It is not possible. It would ruin me, and nothing better you.

Flo. Well, if here I am to die, let me not so slowly linger to my end.

Leo. [*Springing to her feet, then restraining herself.*] Oh, God! who this torture can endure?

Flo. Oh! for pity's sake, to bathe my parched lips, give me a drop of water! a small favor that is to ask!

Roc. [*Aside.*] My heart he touches, in spite of myself.

Leo. [*Aside.*] He seems to soften.

Flo. Thou dost not answer me.

Roc. What you require I cannot procure: all that I can offer is the little wine I have remaining.

Leo. [*Bringing the wine in great haste.*] There it is—there it is.

Flo. [*Looking at Leonora.*] Who is he?

Roc. At present my assistant; a few days hence to be my son-in-law. [*Hands the pitcher to Florestan, who drinks.*] There is but little wine, I see; but what there is you're welcome so. [*To Leonora.*] How agitated thou art!

Leo. [*In the greatest embarrassment.*] Who would not be so? You yourself, Master Rocco——

Roc. True: so touching are the accents of his voice.

Leo. They are—they stab me to the heart.

EUCH WERDE LOHN IN BESSERN WELTEN!—YOU, THEN, AT LEAST, CAN PITY FEEL FOR SORROW. AIR. FLORESTAN.

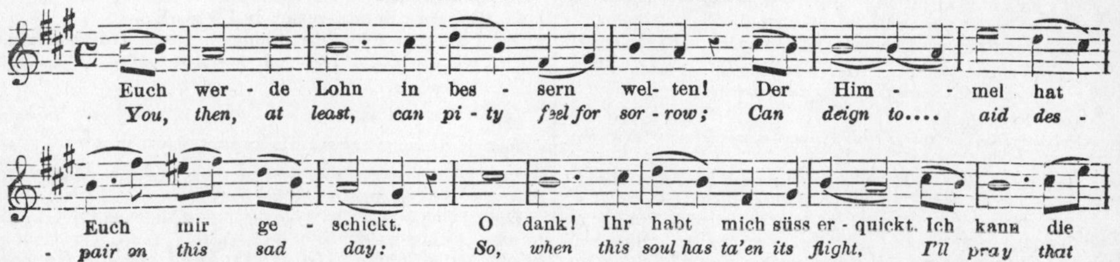

Leo. Der Himmel schicke Rettung dir,
Dann wird mir hoher Lohn gewährt.
Rok. Mich rührte oft dein Leiden hier.
Doch Hülfe war mir streng verwehrt.
[*Leise zu Leonoren, die er bei Seite zieht.*
Ich labt ihn gern den armen Mann;
Es ist ja bald um ihn gethan.
Ich thu', was meine Pflicht gebeut.
Doch hass' ich alle Grausamkeit.
Leo. [*für sich.*] Wie hastig pochet mir das Herz!
Es wogt in Freud' und tiefem Schmerz.
Die hehre bange Stunde winkt,
Die Tod mir, oder Rettung brinkt.
Flo. [*für sich.*] Bewegt seh' ich den Jüngling hier,
Und Rührung zeigt auch dieser Mann.
O Gott, du sendest Hoffnung mir
Dass ich sie noch gewinnen kann.
Leo [*leise zu Rokko, indem sie ein Stückchen Brod aus der Tasche zieht.*]
Dies Stückchen Brod, ja seit zwei Tagen
Trag' ich es immer schon bei mir.
Rok. Ich möchte gern, doch sag' ich dir,
Das hiesse wirklich zu viel wagen.
Leo. [*schmeichelnd.*] Ihr labtet gern den armen Mann!
Rok. Das geht nicht an, das geht nicht an.
Leo. [*wie vorher.*] Es ist ja bald um ihn gethan.
Rok. So sey es, ja, du kannst es wagen.
Leo. [*in grösster Bewegung, Florestan das Brod reichend.*]
Da' nimm das Brod, du armer Mann!
Rok. [*für sich sehr gerührt.*]
Es ist ja bald um ihn gethan.
Flo. [*Leonoren Hand ergreifend und an sich drückend.*]
O dank dir! dank Euch!
Euch werde Lohn in bessern Welten.
Rok. Der arme Mann!
Leo. O mehr, als ich ertragen kann.
Rok. Es ist ja bald um ihn gethan.
Flo. O, dass ich Euch nicht lohnen kann.
[*Er verschlingt das Stück Brod.*

Rok. [*nach augenblicklichem Stillschweigen zu Leonoren.*] Alles ist bereit, ich gehe das Signal zu geben.

Flo. [*zu Leonoren, während Rokko die Thure zu öffnen geht.*] Wo geht er hin? [*Rokko öffnet die Thüre, und giebt durch einen starken Pfiff das Zeichen.*] Ist das der Vorbote meines Todes?

Leo. [*in der heftigsten Bewegung.*] Nein, nein, beruhige dich, lieber Gefangener.

Flo. O, meine Leonore! so soll ich dich nie wieder sehen?

Leo. [*sie fühlt sich zu Florestan hingezogen und sucht diesen Trieb zu überwaltigen.*] Mein ganzes Herz reisst mich zu ihm hin. [*Zu Florestan.*] Sey ruhig, sag' ich dir. Vergiss nicht, was du auch hören und sehen magst, vergiss nicht, dass überall eine Vorsicht ist. Ja, ja! es ist eine Vorsicht.
[*Sie entfernt sich und geht gegen die Cisterne.*

Leo. Heaven send him deliverance,
Then will my reward indeed be great.
Roc. Your sufferings have often moved me;
But to give you assistance was strictly forbidden.
[*Softly, to Leonora, whom he draws aside.*
I am glad, Heaven knows, to refresh him;
But it is already too late.
I do what my duty imposes,
But hate all unnecessary cruelty.
Leo. [*Aside.*] How violently this heart is beating!
My life seems to vacillate between joy and pain.
The awful hour fast approaches
That brings me to death or a happy release.
Flo. [*To himself.*] The youth, I see, is affected,
And this man also betrays some compassion.
Oh God! thou sendest me hope that I may yet
Rejoin her for whom alone I live.
Leo. [*Softly to Rocco, while she draws a small piece of bread from her pocket.*]
This bit of bread I have carried
In my pocket for the last two days.
Roc. I would, most willingly; but, I tell you,
It would indeed be overstepping my license.
Leo. [*Winningly.*] You'd like to refresh the poor man!
Roc. Nay, I dare not—it will not do.
Leo. [*As before.*] It will soon be at an end with him.
Roc. Well, so be it, you may venture.
Leo. [*In the greatest agitation, handing the bread to Florestan.*]
There, take the bread; poor man!
Roc. [*To himself, much affected.*]
Yes, it will very soon be all over with him.
Flo. [*Grasping Leonora's hand, and pressing it.*]
Thanks! thanks!
Be your reward in worlds above.
Roc. Poor fellow!
Leo. Oh! this is more than I can bear.
Roc. It will soon, alas! be over with him.
Flo. Oh! that I cannot repay this kindness
[*He eats the piece of bread.*

Roc. [*To Leonora, after a momentary silence.*] All is ready—I must give the signal.

Flo. [*To Leonora, while Rocco goes to open the door.*] Where is he going? [*Rocco opens the door, and gives the signal by a loud whistle.*] Is that the herald of my death?

Leo. [*In the greatest agitation.*] No, no; calm yourself, poor dear prisoner!

Flo. Oh, my Leonora, shall I then never see thee more?

Leo. [*She feels herself drawn towards Florestan, and strives to overcome the impulse.*] My whole heart yearns towards him. [*To Florestan.*] Be composed, I beg you. Do not forget, whatever you may hear and see, that there is a Providence over all! Yes, yes, there is a Providence over all.
[*She leaves him, and goes towards the cistern*

AUFTRITT III.—*Vorige,* PIZARRO, *in einem Mantel vermummt.*

Piz. [*Zu Rokko.*] Ist Alles bereitet?
Rok. Ja, die Cisterne braucht nur geöffnet zu werden.
Piz. Gut!—der Bursche soll sich entfernen.
Rok. [*zu Leonoren.*] Geh, entferne dich!
Leo. [*in grösster Verwirrung.*] Wer? Ich?—und Ihr?

SCENE III.—*The same*—PIZARRO, *disguised in a mantle.*

Piz. [*To Rocco.*] Is all ready?
Roc. Yes; nothing remains but to open the cistern.
Piz. Then send away the lad.
Roc. Go; you may withdraw.
Leo. [*Greatly perplexed.*] Who? I go? and you?

Rok. Muss ich nicht dem Gefangenen die Eisen abnehmen? Geh! geh!

[*Leonore entfernt sich in den Hintergrund und nähert sich allmählig wieder im Schatten gegen Florestan, die Augen immer auf die vermummte person richtend.*

Piz. [*bei Seite, einen Blick auf Rokko und Leonore werfend.*] Die muss ich mir heute noch Beide vom Halse schaffen, damit Alles auf immer im Dunkeln bleibt.

Rok. [*zu Pizarro.*] Soll ich ihm die Ketten abnehmen?

Piz. [*Zieht einen Dolch hervor.*] Nein!

Quartetto.

Er sterbe! doch er soll erst wissen,
Wer ihm sein stolzes Herz zerfleischt.
Der Rache Dunkel sey zerrissen:
Sieh her! Du hast dich nicht getäuscht,
[*Er schlägt den Mantel auf.*
Pizarro, den du stürzen wolltest,—
Pizarro, den du fürchten solltest,
Steht nun als Rächer hier!

Flo. [*gefasst.*] Ein Mörder steht vor mir!

Piz. Noch einmal ruf' ich dir,
Was du gethan, zurück;
Nur noch ein Augenblick,
Und dieser Dolch— [*Er will ihn durchbohren.*

Leo. [*stürzt mit einem durchdringenden Schrei hervor und bedeckt Florestan mit ihrem Korper.*]
Zurück?

Flo. O Gott!

Rok. Was soll's?

Leo. Durchbohren!
Musst du erst diese Brust.
Der Tod sey dir geschworen
Für deine Mörderlust.

Piz. [*schleudert sie fort.*] Wahnsinniger!

Rok. [*zu Leonoren*] Halt ein!

Piz. Er soll bestraft seyn.

Leo. [*noch einmal ihren Mann bedeckend.*]
Tödte erst sein Weib!

Piz. Sein Weib!

Rok. Sein Weib!

Flo. Mein Weib!

Leo. [*zu Florestan.*] Ja, sieh hier Leonoren.

Flo. Leonore!

Leo. [*zu den Andern.*] Ich bin sein Weib, geschworen
Hab' ich ihm Trost, Verderben dir!

Piz. Sein Weib! [*für sich.*] Welch unerhörter Muth!

Flo. [*zu Leonoren.*] Vor Freude starrt mein Blut!

Rok. Mir starrt vor Angst das Blut!

Leo. Ich trotze seiner Wuth!

Piz. Soll ich vor einem Weibe beben?
Nun opfr' ich beide meinem Grimm!
Getheilt hast du mit ihm das Leben,
So theile nun den Tod mit ihm.

[*Er will auf sie eindringen, Leonore zieht hastig eine kleine Pistole aus der Brust und hällt sie Pizarro vor.*

Leo. Noch einen Laut und du bist todt!
[*Man hört die Trompete auf dem Thurm.*

Piz. Ha! der Minister! Hell und Tod!

Rok. O, was ist das? gerechter Gott!

[*Pizarro steht betäubt, Rokko ebenso. Leonore hängt an Florestans Halse. Man hört die Trompeten stärker.*

AUFTRITT IV.—*Vorige*—Jaquino, *Offiziere und Soldaten erscheinen an der obersten Gitteröffnung der Treppe.*

Jaq. [*spricht während der angezeigten Musikpause*] Vater Rokko! der Herr Minister kommt an! sein Gefolge ist schon vor dem Schlossthore.

Roc. [*To Pizarro.*] Shall I remove the fetters from the prisoner? [*To Leonora.*] Go! go!

[*Leonora withdraws to the background, and gradually approaches Florestan in the shade, her eyes fixed on the person in disguise.*

Piz. [*Aside, casting a look at Rocco and Leonora.*] These two I must also get rid of to-day, that all may remain secure.

Roc. [*To Pizarro.*] Shall I take off his chains?

Piz. [*Drawing a dagger.*] No!

Quartett.

He shall die! his fate is seal'd,
But first he shall know by whom he falls;
Whose hand the mortal blow shall strike:
Yes, yes! the traitor all shall know:
[*Throwing open his mantle*
Pizarro all thy projects has foreseen,—
Pizarro, whom thou would'st o'erthrow,
As avenger now stands before thee!

Flo. A murderer stands before me!

Piz. No more will I withhold my rage—
There is but an instant
Between thee and death, and
Thus I sate my fury— [*He tries to stab him*

Leo. [*Springing forward with a piercing shriek, and protecting Florestan with her body.*]
Back, tyrant!

Flo. Oh, Heaven!

Roc. What would'st thou?

Leo. Would'st thou stab him?
Through this breast to his!
In vain shall be thy fury;—
With my body I'll protect him.

Piz. [*Thrusts her away.*] Madman!

Roc. [*To Leonora.*] Oh, desist!

Piz. He shall be punished.

Leo. [*Once more shielding her husband.*]
Kill first his wife!

Piz. His wife!

Roc. His wife!

Flo. My wife!

Leo. [*To Florestan.*] Yes, your own Leonora.

Flo. Leonora!

Leo. [*To the others.*] I am his wife, and have sworn
To save him and punish his oppressor.

Piz. His wife! [*Aside.*] What unheard of courage!

Flo. My heart now throbs with joy!

Roc. Terror my blood congeals!

Leo. His rage I defy!

Piz. With rage I am o'erpower'd!
Shall I before a woman tremble?
Thou also shalt fall before my rage!
Stand off, or thou shalt share his death.

[*Pizarro advances, raising the dagger. Leonora suddenly draws a small pistol from her bosom and presents it at him.*

Leo. Another word, and thou art dead!
[*The sound of a trumpet is heard from a tower.*

Piz. Ah! the Minister!—Hell and death!

Roc. What is that? Just Heaven!

[*Pizarro and Rocco stand confounded. Leonora hangs on Florestan's neck.—The trumpet sounds louder.*

SCENE IV.—*The same—Enter* Jacquino, *two Officers, and Soldiers with torches.*

Jac. [*Speaks during a pause in the music.*] Rocco, the minister is coming: He and his suite have already arrived at the postern.

Rok. [*freudig und überrascht—für sich.*] Gelobt sey Gott! [*zu Jaquino sehr laut.*] Wir kommen! ja, wir kommen augenblicklich! und diese Leute mit Fackeln sollen heruntersteigen und den Herrn Gouverneur hinauf begleiten.

[*Die Soldaten kommen bis an die Thüre herunter. Die Offiziere und Jaquino gehen oben ab.*

Piz. Verflucht sey diese Stunde!
Die Hölle spottet mein.
Verzweiflung wird im Bunde
Mit meiner Rache seyn.

Rok. O fürchterliche Stunde!
O Gott! was wartet mein?
Ich will nicht mehr im Bunde
Mit diesem Wüthrich seyn.

Leo. und Flo. Es schlägt der Rache Stunde,
Du sollst / Ich soll gerettet seyn.
Die Liebe wird im Bunde
Mit Muthe dich / mich befrei'n.

[*Pizarro stürzt fort, indem er Rokko einem Wink giebt, ihm zu folgen. Dieser benutzt den Augenblick, da Pizarro schon geht, fasst die Hände beider Gatten, drückt sie an seine Brust, deutet gegen Himmel und eilt nach. Die Soldaten leuchten Pizarro vor.*

AUFTRITT V.—LEONORE, FLORESTAN.

Flo. Treues Weib! was hast du meinetwegen erduldet?

Leo. Nichts, nichts! mein Florestan!

Roc. [*Joyfully surprised—aside.*] Praised be God! He's happily arrived! [*Aloud.*] We come! The soldiers shall ascend, and with lighted torches hence accompany the Governor.

[*The Soldiers come down to the door.—Exeunt Officers and Jacquino.*

Piz. No longer is there hope for me!
Hell mocks!
I must be firm, or fell despair
Will be my future lot.

Roc. Oh! Heaven! his great arrogance
Makes me tremble yet.
No longer shall I be
In league with this fell tyrant.

Leo. & Flo. The moment of avenge
For us at length hath come.
The triumph of my / her constancy
In his / her love I now shall find.

[*Pizarro rushes away, giving Rocco a sign to follow him. The latter avails himself of the opportunity to grasp the hands of Leonora and Florestan, presses them to his bosom, points to Heaven, and then hastens after him.*

SCENE V.—LEONORA, FLORESTAN.

Flo. My ever-faithful Leonora! for me how much hast thou suffered?

Leo. Oh! nothing, my own dear Florestan!

O NAMENLOSE FREUDE!—OH, JOY! OH, RAPTURE PAST EXPRESSING. DUET.

FLORESTAN *and* LEONORA.

Leo. Du wieder nun in meinen Armen.
Flo. Gott! wie gross ist dein Erbarmen
Beide. O Gott! dir Dank! für diese Lust!
Leo. Mein Mann an dieser Brust!
Flo. Mein Weib an meiner Brust!

Leo. Once again in these fond arms!
Flo. Heaven has kindly heard our prayer!
Both. Oh, thus our thanks we raise!
Leo. Life can boast no greater charms!
Flo. Oh, now no more will we despair.

AUFTRITT VI.—*Die Vorigen.*—ROKKO.

Rok. [*hereinstürzend.*] Gute Bothschaft! ihr armen Leidenden! Der Herr Minister hat eine Liste aller Gefangenen—alle sollen ihm vorgeführt werden. [*Zu Florestan.*] Ihr allein seyd nicht erwähnt; euer Aufenthalt hier, is eine Eigenmächtigkeit des Gouverneurs. Kommt, folget mir hinauf. [*Alle drei ab.*

SCENE VI.—*The same.*—*Enter* ROCCO.

Roc. Good news! my poor sufferers! The Minister has a list of all of you, who are forthwith to appear before him. [*To Florestan.*] You are not named. Your imprisonment has evidently been unknown to the Minister, and is a stretch of arbitrary power, no doubt. Come, follow me all, follow me! [*Exeunt.*

AUFTRITT VII.—*Paradeplatz des Schlosses mit der Statue des Königs. Die Schlosswachen marschieren auf und bilden ein offenes Viereck. Dann erscheint der Minister,* DON FERNANDO, *von* PIZARRO *und Offizieren begleitet, von der einen Seite. Volk strömt herbei. Von der andern Seite erscheinen, von* JAQUINO *und* MARZELLINEN *begleitet, die Staats-gefangenen. Sie werfen sich alle vor Don Fernando auf die Knie. Später dringt* ROKKO *mit* FLORESTAN *und* LEONOREN *sich durch das Volk und durch die Wachen.*

FINALE.

CHOR.—*der Gefangenen und des Volks.*

Heil sey dem Tag! Heil sey der Stunde;
Da, lang ersehnt, doch unvereint,
Gerechtigkeit mit Huld im Bunde,
Vor unsers Grabes Thor erschient.

Fer. Des besten Königs Wink und Wille!
Führt mich zu Euch, ihr Armen her,
Das ich der Frevel Nacht enthülle,
Die All' umfangen schwarz und schwer.
Nicht länger knieet sclavisch nieder.
Tyrannenstrenge sey mir fern;
Es sucht der Bruder seine Brüder,
Und kann er helfen, hilft er gern.

SCENE VII.—*Parade before the Castle. Enter the Guard, marching; then the Minister,* DON FERNANDO, *accompanied on one side by* PIZARRO *and Officers. The People crowd around. On the other side appear the State Prisoners, accompanied by* JACQUINO *and* MARCELLINA.—*They all throw themselves on their knees before Don Fernando. Afterwards* ROCCO, *with* FLORESTAN, *press through the Guard and the People.*

FINALE.

CHORUS—*of Prisoners and People.*

Thanks, thanks, and all hail!
To him who comes our chains to sunder.
Justice comes, at length, to give us
Long-lost liberty!

Fer. Of a gracious King I am the Minister,
And of Justice the humble instrument:
He desires not to oppress,
But to check crimes by fitting punishment.
Though under his just anger fallen,
His beneficence you shall now experience:
From chains and bolts he sets you free,
Once more you are at liberty.

AUFTRITT VIII.—*Die Vorigen.*—ROKKO LEONORE und FLORESTAN.

Rok. Wohlan! so helfet, helft den Armen!
Piz. Was seh ich? ha!
Rok. Bewegt es dich?

SCENE VIII.—*The same.*—ROCCO, LEONORA *and* FLORESTAN.

Roc. There, all will be well—help the poor captive!
Piz. What do I see? Ha!
Roc. Does it surprise thee?

Piz. Fort! fort!
Fer. Nein, rede!
Rok. All Erbarmen
Vereine diesem Paare sich!
[*Florestan vorführend.*
Don Florestan!
Fer. Der Todtgeglaubte?
Der Edle, der für Wahrheit stritt?
Rok. Und Qualen, ohne Zahl, erlitt.
Fer. Mein Freund! der Todtgeglaubte!
Gefesselt, bleich, steht er vor mir.
Rok. } *Leo.* } Ja, Florestan! Ihr seht ihn hier.
Rok. Und Leonore! [*Sie vorstellend.*
Fer. [*noch mehr betroffen.*] Leonore?
Rok. Der Frauen Zierde führ' ich vor;
Sie kam hierher—
Piz. Zwei Worte sagen—
Fer. [*zu Pizarro.*] Kein Wort!
[*zu Rokko.*] Sie kam?——
Rok. Dort an mein Thor,
Und trat als Knecht in meine Dienste,
Und that so brave, treue Dienste,
Dass ich zum Eidam sie erkor!
Mar. O weh mir! was vernimmt mein Ohr?
Rok. Der Unmensch wollt in dieser Stunde
An Florestan vollziehn den Mord.
Piz. Vollziehn!—Mit ihm—
Rok. [*auf sich und Leonoren deutend.*]
Mit uns im Bunde!
Nur Euer Kommen rief ihn fort.
Cho. Bestrafet sey der Bösewicht,
Der Unschuld unterdrückt:
Gerechtigkeit hält zum Gericht
Der Rache Schwerdt gezückt.
Flo. [*zu Rokko.*] Du schlossest auf des Edlen Grab,
Jetzt nimm ihm seine Ketten ab!
Doch halt!—Euch, edle Frau, allein
Euch ziemt es ganz ihn zu befrien.
[*Leonore nimmt die Schlüssel, lässt in grösster Bewegung Florestan die Ketten ab: er sinkt in Leonorens Arme.*
Leo. O Gott! o welch ein Augenblick!
Flo. O unaussprechlich süsses Glück!
Fer. Gerecht, o Gott! ist dein Gericht!
Rok. } *Mar.* } Du prüfest, du verlässt uns nicht.
Cho. Wer ein solches Weib errungen,
Stimm in unsern Jubel ein!
Nie wird es zu hoch besungen,
Retterinn des Gatten seyn.
Flo. Deine Treu erhielt mein Leben;
Tugend schreckt den Bösewicht.
Leo. Liebe führte mein Bestreben,
Wahre Liebe fürchtet nicht.
Cho. Preist mit hoher Freude Gluth
Leonorens edlen Muth.
Flo. [*vortretend und auf Leonoren deutend.*]
Wer ein solches Weib errungen,
Stimm in unsern Jubel ein!
Nie wird es zu hoch besungen,
Retterinn des Gatten seyn.
Leo. [*umarmt ihm.*] Liebend ist es mir gelungen,
Dich aus Ketten zu befreien;
Liebend seh es hoch gesungen,
Florestan ist wieder mein!
Rok. und Cho. { Wer ein solches Weib errungen,
Stimm in unsern Jubel ein!
Nie wird es zu hoch besungen,
Retterinn des Gatten seyn.

Piz. Away! away!
Fer. No—speak!
Roc. For mercy's sake, have pity on
And re-unite this hapless pair!
[*Florestan advances.*
Don Florestan!
Fer He that was supposed to be dead?
Who so bravely fought for truth and right?
Roc. And who has suffered torments inconceivable
Fer. My friend! whom I thought dead!
Yet standing thus exhausted and in chains!
Roc. } *Leo.* } Yes, it is Florestan whom you now behold!
Roc. And Leonora! [*Presenting her.*
Fer. [*Still more affected.*] Leonora!
Roc. I present a woman, the pride and ornament
Of her sex; she came hither——
Piz. [*Threateningly.*] Speak but two words——
Fer. [*To Pizarro.*] Not a syllable.
[*To Rocco.*] She came?——
Roc. Here, to my gate;—
She entered my service as a hireling lad,
And served me so well and faithfully,
That I chose the unknown for my son-in-law.
Mar. Oh, woe's me! what do I hear?
Roc. The monster, within this very hour,
Had planned to do a deed of murder on Florestan.
Piz. Murder! on him!
Roc. [*Pointing to himself and Leonora.*]
Yes, my lord! he sought to involve us in his crime,
But your arrival upset his plans.
Cho. Punishment befall the wretch
Who oppresses the innocent;
Justice holds aloft, for punishment,
The sword of Revenge.
Fer. [*To Rocco.*] His threatened death has been averted!
Now, take off his chains!—yet, stay!
You, heroic woman! you, alone, deserve
The happiness completely to set him free!
[*Leonora takes the keys, and, in great agitation, unfastens the chains which bound Florestan: who rushes into Leonora's arms.*
Leo. Oh, what a moment!
Flo. Oh, happiness inexpressible!
Fer. O heaven! how just are all thy judgments!
Roc. } *Mar.* } Thou triest—but dost not forsake.
Cho. Whoever has possessed such a partner of his heart,
Let him join in our jubilee!
Never can the praise be too loudly sounded
Of the wife that is the preserver of her husband!
Flo. Thy fidelity has restored me to life!
Thy virtues have unnerved the wicked!
Leo. Love guided my endeavors,—
Such true love as never knows fear.
Cho. Celebrate, in joyous measure,
Leonora's noble courage.
Flo. [*Advancing, and pointing to Leonora.*]
Whoever has possessed such a partner of his heart,
Let him join in our jubilee!
Never can the praise be too loudly sounded,
Of the wife that is the preserver of her husband!
Leo. [*Embracing him.*] Having succeeded in delivering
You from captivity!—Loving and beloved!
Loudly let it be proclaimed!
Florestan is again mine own!
Roc. and Cho. { Whoever has possessed such a partner of his heart,
Let him join in our jubilee!
Never can the praise be too loudly sounded
Of the wife that is the preserver of her husband!

THE END.

THE MAGIC FLUTE

(DIE ZAUBERFLÖTE)

by

W. A. MOZART

Introduction

In former times when the worship of Isis and Osiris prevailed in Egypt, there dwelt upon the banks of the Nile a man of grand and lofty nature, who united in himself the characters of an earthly prince and high priest of the gods. His name was Sarastro. His dwelling was a huge edifice, half palace, half temple.

Sarastro was the grand master of the Mysteries of Isis, and the great duty of his life was to encourage virtue, to aid all who sought true wisdom, to watch over and guard them during their periods of probation, and finally, to consecrate them as members of the holy fraternity of which he was the head.

In the same region of the world, in a castle built in the darkest and most gloomy style of Egyptian architecture, dwelt a mysterious being—the Queen of Night. She was of a haughty, proud and revengeful nature, loving darkness rather than light. Her dress was black as the thick darkness, but sparkling with bright stars. Three women, also dressed and veiled in black, were her familiar spirits and executed her commands. The widowed Queen had a single daughter, Pamina, a lovely and gentle being, whose spiritual tendencies were as virtuous as her person was charming. To give her virtues the opportunity of development, and to save her from temptation and sin, Sarastro had caused her to be taken from her mother and brought to his abode of wisdom and peace.

In the Queen's mind grief and revenge struggled for the mastery—but against the power of the great ruler and priest she was helpless. She sought in vain to regain her daughter, equally in vain to punish Sarastro.

It happened that while the Queen was in this state of mind, a young prince upon his travels, Tamino by name, became separated from his followers, and, while unarmed and defenceless, was attacked by a huge serpent near her castle; he could only fly and call for help, and at length, overcome by fatigue and terror, he swooned and fell. At this instant the three women, attendants of the Queen, flew from the cave and transfixed the monster with their silver javelins. After gazing with admiration on the sleeping youth they left him still in his swoon, from which he was awakened by a jolly, rollicking, prating, cowardly knave, by name Papageno, by occupation a bird-catcher, a huge eater and drinker, and admirer of pretty damsels, and now come, with cage on back, to strike bargains with the Queen's ladies. Placing his cage upon the ground in front of the palace, he announced his presence by repeated blasts of his Pan's pipes and a lively song: the Prince awoke, and, seeing the monster killed, addressed himself to Papageno with the inquiry whether it was to him he was indebted for his life. The bird-catcher trembled at the sight, until convinced that it was dead, when he at once claimed the credit of having slain it. The three women had drawn near unperceived, and overheard this falsehood, as well as others which he added to it. One of them suddenly stepped up to him, applied a padlock to his lips, reducing his entire vocabulary to "hm, hm, hm," and sent him about his business.

They then addressed themselves to the Prince, told him of the Queen, their mistress, and of the loss she had sustained. The Queen had determined to make Tamino the instrument by which she should regain Pamina, and be revenged upon Sarastro. In hope of awaking in him a passion for her daughter, she

sent him by the women Pamina's miniature. It had the desired effect. His breast was agitated, as he looked at it, with feelings until then unknown—it kindled a passion as deep and strong as it was sudden.

The Queen suddenly made her appearance, addressed herself at once to Tamino, bade him not fear, and promised him, should he succeed in rescuing Pamina, to give her to him in marriage. The Prince gladly undertook the adventure, and the Queen then vanished. Poor Papageno now came with piteous gestures and sorrowful "hm, hm, hm," and besought Tamino to remove the padlock. But this was beyond his power. The women, however, thinking him sufficiently punished, relieved him, with an earnest caution to beware in future of lying.

To Tamino, now engaged in her service, they brought from their mistress an enchanted flute, in whose tones was hidden so magical a power as to protect its bearer in all dangers, to change the passions of men, make the sad joyous, and fill the envious and proud heart with friendship and love.

To Papageno, who was forced into the service of Tamino by command of the Queen, they gave a casket containing a set of musical bells, similar in power to the Magic Flute.

They then separate and the Prince takes his way towards Sarastro's Palace.

Pamina, meantime, might have been happy in the peaceful halls of the priest of Isis, but for the feelings natural to a daughter, and for the audacious passion of an ugly negro, Monostatos, the head of Sarastro's troop of black slaves, who took advantage of his position to treat her as a prisoner, and to force his disgusting attentions upon her. In the afternoon of that day upon which the Queen of Night had gained an ally in Prince Tamino, the negro succeeded in forcing Pamina into a lonely apartment in the castle, and threatened her with death unless she would consent to become his bride. The poor girl fainted, and fell back upon the divan. At this moment, Papageno, who had been sent to seek Pamina, came stealthily into the apartment. The figure and face of the beautiful Pamina instantly caught his eye and filled him with admiration, to which his tongue, as usual, gave utterance. The negro started up affrighted. Papageno was no less frightened by the black face of Monostatos. Each took the other for the devil and fled in different directions. Papageno, however, soon conquered his fear, and returned to Pamina. He related to her all that had passed, and besought her to trust herself to him and escape. After some hesitation, Pamina acceded, and they left the castle together.

Tamino advanced directly towards the great gates of Sarastro's castle. Having reached the open space before them, he gazed upon the vastness and grandeur of the edifice with astonishment and wonder—nevertheless so strongly was he prejudiced by the Queen against Sarastro that he saw nothing in all this magnificence but the emblems of a tyrannical ruler. He advanced to the temple. Refused admittance at two of the gates, he turned to the third, from which a priest came forth and enlightened him as to the real character and intentions of Sarastro, upon which he disappeared through the same portal.

The Prince's bosom was torn with conflicting emotions. The desire for true wisdom, pity for the Queen, love for the original of the miniature, all agitated him, and, above all, the desire to know the real character of Sarastro. In his spirit all was darkness and gloom, and an indescribable longing for something, we knew not what, had seized him.

"When wilt thou pass, oh, everlasting night,
And these too weary eyes behold celestial light?"

To this cry of the Prince, a choir of invisible voices replied in mysterious tones: "Ere long, or never!"

Surprised, but rejoiced that his words, in-

voluntarily spoken, had been heard and answered, he ventured to ask if Pamina still lived, and the same chorus replied, "Pamina still liveth!"

In a transport of joy he applied the flute to his lips, and was delighted by its magical effect. In a few moments his tones were answered by the Pan's pipe of Papageno in the distance. Tamino instantly knew the sound, and hurried away to find his servant. Deceived by the echoes, he took the wrong direction, and was hardly out of sight when Papageno and Pamina, who had succeeded in eluding their pursuers, appeared in front of the castle. Pamina in her anxiety and terror thoughtlessly called aloud for Tamino, Papageno hushed her at once, and applied himself to his Pan's pipe. The flute at once answered the tone, and in the next moment they would all have been together and might easily have escaped but for the unfortunate call of Pamina, which had betrayed them and brought at this instant the negro and his whole train of slaves upon them. Pamina at once lost all hope, and so for the moment did her companion; but it suddenly occurred to him that the three women had given him the casket of bells as a protection. He immediately opened it and began to play. The slaves were instantly enchanted, and could move their limbs only in accordance with the music, after which they departed. The way was now clear and the fugitives again set out upon the search for Tamino. It was too late.

From the opposite sides of the open space where they were now entered Sarastro with a host of followers, in splendor and majesty. Pamina threw herself at his feet, but he gently lifted her up. At this moment they were interrupted by the entrance of Monostatos and his slaves, bringing Tamino as a captive.

But now came one of those moments when a sudden feeling overpowers all considerations of time and place. Each lived but for the other—and in the very presence of Sarastro—within reach of his hand, they rushed into each other's arms—their first, perhaps their final embrace.

Sarastro turned to two of the chief priests, and commanded them to conduct Tamino and Papageno to the temple of probation and purification, then giving his hand to Pamina, he led her, through the grand portal, once more into the palace.

We now proceed to the Court of Sarastro.

It was the custom at these solemn meetings, in the discussion of important questions, for the priests to make known their concurrence with the views of their chief by joining with him in a long blast upon the trumpet. So now, in reply to the question whether Tamino had thus far proved himself worthy to be admitted to the final trials of his courage, steadfastness, self-control, truth, and faith, all raised the trumpets to their lips, and gave their assent in loud and joyful tones. Sarastro then raised his hands to the gods, while the choir of priests bowed reverently, occasionally joining in the invocation, and solemnly prayed to Isis and Osiris to grant the spirit of virtue and wisdom to the candidates.

The high priests, obeying the orders of their master, came immediately to release the prisoners from their confinement. As the prince had borne his confinement with courage, he was now to be subjected to a new trial of his faith in Sarastro's wisdom and good will. The priests warned him and his servant to beware of the arts of women, and let what would happen, to answer them not; and with these warnings led them away to one of the beautiful gardens, where they left them. They were not long alone, for suddenly Tamino, looking up from the bank upon which he had thrown himself, saw the three women of the Queen of Night before him. They besought him to fly at once if he held his life dear; assured him that his death was already determined upon, and reminded him

of his promises to their mistress, who, they informed him, had made her way into the castle in search of Pamina. Tamino heard them in silence. He answered them not, trusted them not.

Meantime, in another garden, which extended down to the bank of the river, Pamina, weary and exhausted, had thrown herself upon a seat and fallen asleep. Monostatos, with all evil passions raging in his bosom, entered, determined to steal a kiss from the sleeping girl. His design was frustrated by a peal of thunder—the Queen of Night was there. Here was the time of trial for Pamina. Her mother, unable to take her away from Sarastro, now only desired revenge upon him. Glowing with hatred and rage, she gave Pamina a dagger, and in an awful oath, swore by the gods that unless she plunged it into the heart of Sarastro, she should forever be cast out of the mother's heart. With this threat she vanished. Sarastro now approached, and taking Pamina again gently by the hand, comforted her with the assurance that the probation was over, and that the next day, did Tamino conquer, she should be made happy with him.

Another great test of Tamino's steadfastness and faith now came. Pamina appeared, seeking her lover. Obedient to his vow, he turned from her, and to all her expressions of love, to all her appeals made no reply, though he waved her off with feelings of agony no less heart-breaking than her own. Still he preserved his faith in Sarastro, and broke not his vow. As Pamina retired, the two high priests returned to lead the prince and his servant away. Tamino obeyed at once.

The priests with Sarastro again assembled in the dark temple. The chief ordered the prince and princess to be brought in. Pamina had lost her faith in Sarastro's promise. He bade the lovers take leave of each other, but comforted them with the assurance that Tamino would endure to the end, and that they would soon meet in joy. The cause of Tamino's apparent coldness at the interview in the garden was explained to Pamina; but her faith was shaken, and when her lover was again led from the assembly, her reason gave way.

But the crisis had passed. The sound of the flute in the distance, and the assurance that the coldness of Tamino was not real, that her love was returned in fullest measure, restored her to herself, and she besought to be brought at once to him to share his fate, whatever it might be. This was granted.

Tamino was now brought to the last test—that of purification by the elements. He was led to the gates of the burning lake, and boldly gave the command, "Open the terrible portals!" At this moment came Pamina. She unhesitatingly besought permission to join him. It was granted. So, leaning on his arm, they passed through the fiery billows—ascended the broad stairs into the temple, and knelt before the altar and Sarastro, amid acclamations of triumph.

The eventful night was now nearly over, but the Queen of Night still hoped to have her revenge. Her three women, accompanied by Monostatos, whom she had enflamed against Sarastro, sought steathily to destroy him. But at this moment, at a sign from him, the wall, which alone divided him from his enemies, disappeared, and the bright rays of the glorious morning sun darted full upon them. Like obscene birds of night, they fled its rays forever, while Tamino and Pamina joined hands, and received the blessing of the Priest-Ruler, amid the joyous and triumphant chorus of priests and the grand assembly.

The Magic Flute

ACT I.

(Rugged cliffs. To the left in the foreground a cave.)
(TAMINO rushes in with a bow but no arrow.)

Tamino.

Help! Oh, help! or else I am lost.
Of the cunning serpent a certain victim.
Merciful gods! it even now approaches.
(A large serpent follows TAMINO.)
Oh, save, oh, protect me!

(He reaches the cave and sinks down exhausted and unconscious.)

(TAMINO at the cave. Three LADIES, carrying silver darts, enter.)

The Ladies.

Die, monster, by our hands.
(They pierce the serpent with their darts, and it lies motionless.)
Triumph! Triumph! it is accomplished.
'Tis a heroic deed! By the courage
Of our arm he is freed.

First Lady

(looking at TAMINO.)

A noble youth, gentle and handsome!

Second Lady.

So handsome as I ne'er have seen!

Third Lady.

Yes, yes, handsome enough to be painted!

All three.

Could I my heart to love devote
'Twould be to this fair youth.
Let us to our princess hasten,
To her this news to impart.
Perhaps this young and handsome man
May bring her back her former calm.

First Lady.

Go then and tell the news
And I meanwhile will stay.

Second Lady.

No, no, go you yourself,
I will watch over him.

ERSTER AUFZUG.

(Rauhe Felsengegend. Links vorn ein Felsenlager. Rechts und links vom Darsteller.)

(TAMINO, mit einem Bogen aber ohne Pfeil, eilt herbei.)

Tamino.

Zu Hilfe! zu Hilfe! Sonst bin ich verloren,
Der listigen Schlange zum Opfer erkoren!
Barmherzige Götter! Schon nahet sie sich!
(Eine grosse Schlange verfolgt TAMINO.)
Ach, rettet mich! ach, schützet mich!

(TAMINO auf dem Felsenlager. Die drei DAMEN, mit silbernen Wurfspiessen, treten ein.)

Die drei Damen.

Stirb, Ungeheu'r, durch uns're Macht!
(Sie durchbohren mit ihren Wurfspiessen die Schlange, die regungslos liegen bleibt.)
Triumph! Triumph! Sie ist vollbracht,
Die Heldenthat! Er ist befreit
Durch unsers Armes Tapferkeit.

Erste Dame

(TAMINO betrachtend.)

Ein holder Jüngling, sanft und schön!

Zweite Dame.

So schön, als ich noch nie geseh'n!

Dritte Dame.

Ja, ja, gewiss zum Malen schön!

Alle drei.

Würd' ich mein Herz der Liebe weih'n,
So müsst es dieser Jüngling sein.
Lasst uns zu uns'rer Fürstin eilen,
Ihr diese Nachricht zu ertheilen.
Vielleicht, dass dieser schöne Mann
Die vor'ge Ruhe ihr geben kann.

Erste Dame.

So geht und sagt es ihr,
Ich bleib' indessen hier.

Zweite Dame.

Nein, nein, geht ihr nur hin,
Ich wache hier für ihn!

Third Lady.	*Dritte Dame.*
No, no, that cannot be—	Nein, nein, das kann nicht sein,
I will remain to guard him!	Ich schütze ihn allein.
First Lady.	*Erste Dame.*
I meanwhile will stay.	Ich blieb indessen hier!
Second Lady.	*Zweite Dame.*
I will watch over him!	Ich wache hier für ihn!
Third Lady.	*Dritte Dame.*
I will remain to guard him!	Ich schütze ihn allein!
First Lady.	*Erste Dame.*
I remain!	Ich bleibe!
Second Lady.	*Zweite Dame.*
I watch!	Ich wache!
Third Lady.	*Dritte Dame.*
I guard!	Ich schütze!
All three.	*Alle drei.*
I! I! I!	Ich! ich! ich!
All three (each to herself.)	*Alle drei* (jede für sich.)
I should away? ha! ha! how good.	Ich sollte fort? Ei, ei! Wie fein!
They'd gladly be with him alone.	Sie wären gern bei ihm allein.
No, no, that cannot be!	Nein, nein, das kann nicht sein.
(One after the other, then all three together.)	(Eine nach der anderen und dann alle drei zugleich.)
What would I give	Was wollte ich darum nicht geben,
If I but with this youth might live!	Könnt' ich mit diesem Jüngling leben!
That is, all by myself.	Hätt' ich ihn doch so ganz allein!
It cannot be, they do not go.	Doch keine geht, es kann nicht sein.
It's best then that I go myself.	Am besten ist es nun, ich geh'.—
Thou handsome and beloved youth,	Du Jüngling, schön und liebevoll!
Thou gentle one, farewell,	Du trauter Jüngling, lebe wohl,
Until I see thee once again!	Bis ich dich wieder seh'.
(Exeunt.)	(Sie entfernen sich.)
(PAPAGENO in a dress of feathers, with a large bird cage on his back, which he raises high over his head, and which contains various birds, hastens in. In his hands he holds a fawn-flute.)	(PAPAGENO in einem Federkleid, auf dem Rücken einen grossen Vogelbauer, der sich hoch über seinen Kopf erhebt und verschiedene Vögel enthält, eilt von links herbei. In den Händen hält er ein Faunenflötchen.)

DER VOGELFANGER BIN ICH JA—*A FOWLER BOLD IN ME YOU SEE*

Air (Papageno)

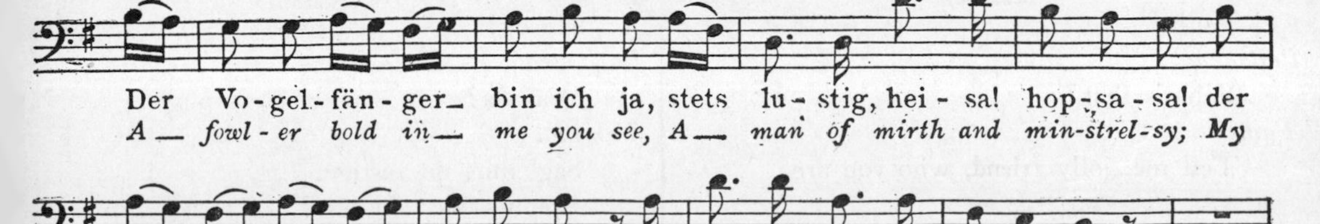

(whistles and takes down the bird cage.)

The fowler merry and gay am I,
Ever happy, heigh ho high!
The merry fowler too is known,
By young and old from zone to zone
A net for maidens I should like,
Would catch the pretty dears by dozens.
I'd shut them safely up at home
And never from me would they roam.
Then I would some sugar buy,
And to her who loved me, I
Gladly would the sugar give,
And if she kissed me tenderly,
Man and wife we then would be.
At my side she then would lie,
And I'd sing her a lullaby.

(He pipes and goes to the right exit.)

(Er pfeift und nimmt dann den Vogelbauer ab.)

Der Vogelfänger bin ich ja,
Stets lustig, heisa, hopsasa!
Der Vogelfänger ist bekannt
Bei Alt und Jung im ganzen Land,
Ein Netz für Mädchen möchte ich,
Ich fing sie dutzendweis für mich;
Dann sperrte ich sie bei mir ein,
Und alle Mädchen wären mein.
Wenn alle Mädchen wären mein,
Dann tauschte ich brav Zucker ein,
Die, welche mir am liebsten wär',
Der gäb' ich gleich den Zucker her.
Und küsste sie mich zärtlich dann,
Wär' sie mein Weib und ich ihr Mann,
Sie schlief an meiner Seite ein,
Ich wiegte wie ein Kind sie ein.

(Er pfeift und wendet sich dann zum Abgang nach rechts.)

(TAMINO and PAPAGENO.)

Tamino
(awakes.)
Holla!

Papageno.
What's that?

Tamino.
Tell me, jolly friend, who you are.

Papageno.
Who I am?
(aside.)
Foolish question.

(TAMINO, PAPAGENO.)

Tamino
(er erwacht.)
He da!

Papageno.
Was da?

Tamino.
Sag' mir, du lustiger
Freund, wer du bist?

Papageno.
Wer ich bin?
(für sich.)
Dumme Frage!

(Aloud.)

A man like you.—And if I should ask who you are?

Tamino.

My father is a King who rules over many lands and peoples; therefore am I called Prince.

Papageno

(aside).

How he stares at me! I am beginning now to fear him. Do not approach, I tell you, and do not trust me, for I have gigantic strength.

Tamino.

Gigantic strength?

(He looks at the serpent.)

So you were my deliverer, who conquered this poisonous serpent?

Papageno.

Serpent?

(He looks around, and trembling, takes a few steps backward.)

Is it dead or alive?

Tamino.

How on earth have you conquered this monster? You are without weapons!

Papageno.

I need none! My hands serve me better than weapons.

Tamino.

Then you have strangled it?

Papageno.

Strangled!

(Aside.)

Never have I been so strong as to-day!

(The three LADIES appear, veiled, from the right; the FIRST LADY carries a vase of water, the SECOND a stone, the THIRD a padlock and a portrait for a medallion.)

The three Ladies

(they still keep at a distance, threaten and shout all together).

Papageno!

Papageno.

Aha! they call me!

(To TAMINO.)

Look around, friend.

(Laut.)

Ein Mensch wie du.—Wenn ich dich nun fragte, wer du bist?

Tamino.

Mein Vater ist Fürst, der über viele Länder und Menschen herrscht; darum nennt man mich Prinz.

Papageno

(für sich).

Wie er mich so starr anblicht! Bald fang' ich an, mich vor ihm zu fürchten. Bleib zurück, sag' ich, und traue mir nicht, denn ich habe Riesenkraft.

Tamino.

Riesenkraft?

(Er sieht auf die Schlange.)

Also warst du wohl gar mein Erretter, der diese giftige Schlange bekämpfte?

Papageno.

Schlange?

(Er sieht sich um, weicht zitternd einige Schritte surück.)

Ist sie todt oder lebendig?

Tamino.

Aber um alles in der Welt, Freund, wie hast du dieses Ungeheuer bekämpft? Du bist ohne Waffen!

Papageno.

Brauch' keine! Bei mir ist ein starker Druck mit der Hand mehr als Waffen.

Tamino.

Du hast sie also erdrosselt?

Papageno.

Erdrosselt!

(Für sich.)

Bin in meinem Leben nicht so stark gewesen, als heute.

(Ersieht sich um, weicht zitternd einige Schritte zurück.)

(Die drei DAMEN erscheinen verschleiert von rechts; die erste DAME trägt ein Gefäss mit Wasser, die zweite DAME einen Stein, die dritte DAME ein Vorhängeschloss und ein Medaillonbildnis.)

Die drei Damen

(halten sich noch zurück, drohen und rufen zugleich).

Papageno!

Papageno.

Aha! Das geht mich an.

(Halblaut zu TAMINO.)

Sieh dich um, Freund!

Tamino (in a low tone).
Who are these ladies?

Papageno (in a low tone).
I really do not know who they are.

Tamino (in a low tone).
They are doubtless very beautiful.

Papageno (in a low tone).
I do not think so. For were they beautiful they would not thus conceal their faces.

The three Ladies (drawing nearer, and threatening).
Papageno!

Papageno (in a low tone).
Be still! They chide me now. Here, my fair ones, here are my birds!
(The three LADIES stand between TAMINO and PAPAGENO.)

First Lady (hands PAPAGENO the vase with water).
In return our princess sends to-day clear water instead of wine.

Second Lady (steps into her place).
And she commanded me to give you this stone instead of cake.
(She gives him the stone.)

Third Lady (steps into her place).
And instead of sweet figs I have the honor to put this golden padlock on your mouth.
(To TAMINO.)
'Twas we, dear youth, who freed you. Here, this picture our great princess sends to you. 'Tis the portrait of her daughter!
(She presents it.)
Farewell!

Second Lady.
Adieu, sir Papageno!
(The second and third take the bird-cage and go with it to the right.)

Tamino (halblaut).
Wer sind diese Damen?

Papageno (ebenso).
Wer sie eigentlich sind, weiss ich selbst nicht.

Tamino (ebenso).
Sie sind vermuthlich sehr schön?

Papageno (ebenso).
Ich denke nicht! Denn wenn sie schön wären, würden sie ihre Gesichter nicht bedecken.

Die drei Damen (näher tretend, drohend).
Papageno!

Papageno (halblaut).
Sei still! sie drohen mir schon. Hier, meine Schönen, übergeb' ich meine Vogel.
(Die drei DAMEN nehmen die Mitte zwischen TAMINO und PAPAGENO.)

Erste Dame (reicht PAPAGENO das Gefäss mit Wasser).
Dafür schickt dir unsere Fürstin heute zum erstenmal statt Wein reines, helles Wasser.

Zweite Dame (tritt an deren Stelle).
Und mir befahl sie, dass ich, statt Zuckerbrot, diesen Stein dir überbringen soll.
(Sie überreicht PAPAGENO den Stein.)

Dritte Dame (an die Stelle der zweiten DAME tretend).
Und statt der süssen Feigen hab' ich die Ehre, dir dies goldene Schloss vor den Mund zu legen.
(Zu TAMINO.)
Wir waren's, Jüngling, die dich befreiten. Hier, dies Gemälde überschickt dir die grosse Fürstin, es ist das Bildnis ihrer Tochter!
(Sie überreicht es.)
Auf Wiedersehen!

Zweite Dame.
Adieu, Monsieur Papageno!
(Die zweite und dritte DAME fassen den Vogelbauer und gehen damit rechts ab.)

First Lady.

He did not drink that so quickly.

(She follows the two others, laughing.)

(PAPAGENO hastens away in dumb astonishment to the left.)

(TAMINO, immediately upon the receipt of the picture, gives his whole attention to it.)

Tamino.

Oh, beauteous form with semblance fair,
No mortal may with thee compare!
What rapture does the sight impart,
What mingled feelings fill my heart.
I know not how this state to call,
But with its fire it fills me all.
And is it love that in me wakes?
'Tis only love that this form takes!
O could I but her now behold,
Could she but now before me stand!
O I would then be pure and true,
What would I be? I her would woo,
Press her fair form to my warm heart
And she ne'er from me would depart!

(A short, loud clap of thunder.)

(It grows dark.)

Tamino.

Great gods, what is it?

The three Ladies.

Courage!

First Lady.

It announces the approach of our Queen.

(Thunder.)

The three Ladies.

She comes!

(Very loud thunder.)

CHANGE OF SCENE.

(The mountains open up. A starry heaven appears, in the middle of which stands the star-covered throne of the QUEEN OF THE NIGHT. Clear, bluish moonlight.)

Queen.

O tremble not, beloved son!
You're innocent, devout and wise.
A youth like you does sure know best
A mother's heart to put at rest.
For I am doomed to mourn and sorrow.
My daughter left me in dismay.
With her my happiness has vanished,

Erste Dame.

Fein nicht so hastig getrunken!

(Sie folgt lachend den beiden andern.)

(PAPAGENO eilt in stummer Verlegenheit nach links ab.)

(TAMINO hat gleich nach dem Empfang des Bildnisses seine Aufmerksamkeit nur diesem zugewendet.)

Tamino.

Dies Bildnis ist bezaubernd schön,
Wie noch kein Auge je gesehn!
Ich fühl' es, wie dies Götterbild
Mein Herz mit neuer Regung füllt.
Dies Etwas kann ich zwar nicht nennen.
Doch fühl' ich's hier wie Feuer brennen.
Soll die Empfindung Liebe sein?
Ja, ja! die Liebe ist's allein.—
O, wenn ich sie nur finden könnte!
O, wenn sie doch schon vor mir stände!
Ich würde—würde—warm und rein—
Was würde ich?—Ich würde sie voll Entzücken
An diesen heissen Busen drücken,
Und ewig wäre sie dann mein.

(Kurzer, starker Donner.)

(Es wird dunkel.)

Tamino.

Ihr Götter! Was ist das?

Die drei Damen.

Fasse dich!

Erste Dame.

Es verkündet die Ankunft unserer Königin.

(Donner.)

Die drei Damen.

Sie kommt!

(Sehr starker Donner.)

OFFENE VERWANDLUNG.

(Die Berge theilen sich, man erblickt einen Sternenhimmel und in dessen Mitte den mit Sternen gezierten Thron der KÖNIGIN DER NACHT. Helles, blaues Mondlicht.)

Königin.

O zitt're nicht, mein lieber Sohn!
Du bist unschuldig, weise, fromm;
Ein Jüngling, so wie du, vermag am besten,
Das tiefbetrübte Mutterherz zu trösten.
Zum Leiden bin ich auserkoren,
Denn meine Tochter fehlet mir;

A scoundrel bore my child away.
I still see her shiver,
Tremble and quiver,
I still hear her shrieking,
In vain for aid seeking.
I had to see her stolen from me,
"Oh, help!" was all the poor child said
Alas! in vain was all her pleading,
Too weak, O heaven, was my aid!

Durch sie ging all mein Glück verloren.
Ein Bösewicht entfloh mit ihr.
Noch seh' ich ihr Zittern
Mit bangem Erschüttern,
Ihr ängstliches Beben,
Ihr schüchternes Streben.
Ich musste sie mir rauben sehen,
Ach helft! war alles, was sie sprach;
Allein vergebens war ihr Flehen,
Denn meine Hilfe war zu schwach.

DU WIRST SIE ZU BEFREIEN—*THOU SHALT RESCUE MY CHILD* Air (Queen)

(She steps back.)
(Very loud thunder.)
(TAMINO stands in the foreground greatly moved.)

Papageno
(points sadly at the lock on his mouth).
Hm, hm, hm, hm, hm, hm.

Tamino.
He was guilty of a falsehood
And as a penalty he's dumb.

Papageno.
Hm! hm! hm! hm! hm! hm! hm!

Tamino.
I can do nothing, except sympathize with you,
As I am powerless to help.

Papageno.
Hm! hm! hm! hm! hm! hm! hm!

(The three LADIES appear from the right. The FIRST LADY carries a flute and chimes.)
(The three LADIES step between TAMINO and PAPAGENO.)

The first Lady
(to PAPAGENO).
The Queen is merciful,
(She takes the lock off from his mouth, and hands it to the SECOND LADY.)
And remits your punishment through me.

Papageno.
Now Papageno will chatter again.

Second Lady.
Yes, chatter, but never lie again.

Papageno.
I'll never lie again, no, never, never.

The three Ladies.
Let this lock your warning be!

Papageno.
This lock shall my warning be.

All.
If every tongue, when falsehool speaking,

(Sie tritt zurück.)
(Sehr starker Donner.)
(TAMINO bleibt bewegt im Vordergrund stehen.)

Papageno
(zeigt traurig auf das Schloss an seinem Mund.)
Hm! hm! hm! hm! hm! hm! hm! hm!

Tamino.
Der Arme kann von Strafe sagen,
Denn seine Sprache ist dahin.

Papageno.
Hm! hm! hm! hm! hm! hm! hm! hm!

Tamino.
Ich kann nichts thun, als dich beklagen,
Weil ich zu schwach zu helfen bin.

Papageno.
Hm! hm! hm! hm! hm! hm! hm! hm!

(Die drei DAMEN erscheinen von rechts; die erste DAME trägt eine Flöte und ein Glockenspiel.)
(Die drei DAMEN treten zwischen TAMINO und PAPAGENO.)

Erste Dame
(zu PAPAGENO).
Die Königin begnadet dich,
(sie nimmt ihm das Schloss vom Mund und übergiebt es der zweiten DAME)
Erlässt die Strafe dir durch mich.

Papageno.
Nun plaudert Papageno wieder.

Zweite Dame.
Ja, plaud're! Lüge nur nicht wieder.

Papageno.
Ich lüge nimmermehr. Nein! Nein!

Die drei Damen.
Dies Schloss soll deine Warnung sein!

Papageno.
Dies Schloss soll meine Warnung sein!

Alle.
Bekämen doch die Lügner alle

Could have a lock his lips to seal,
Instead of grief and scandal seeking,
We all would love and friendship feel.

Ein solches Schloss vor ihren Mund:
Statt Hass, Verleumdung, schwarzer Galle,
Bestünde Lieb' und Bruderbund.

First Lady (gives TAMINO the golden flute).
O prince, take this rare gift from me,
Which our fair princess sends to thee!
This Magic Flute possesses power
To guide thee safe in danger's hour!

Erste Dame (übergiebt TAMINO die goldene Flöte).
O Prinz, nimm dies Geschenk von mir!
Dies sendet uns're Fürstin dir.
Die Zauberflöte wird dich schützen,
Im grössten Unglück unterstützen.

The three Ladies.
The power lies now in your hand
All human passions to command.
The sad will ever happy be,
The loveless ne'er from love be free.

Die drei Damen.
Hiermit kannst du allmächtig handeln,
Der Menschen Leidenschaft verwandeln.
Der Traurige wird freudig sein,
Den Hagestolz nimmt Liebe ein.

All.
O such a flute is worth its weight in gold,
Bringing both love and happiness untold.

Alle.
O, so eine Flöte ist mehr als Gold und Kronen werth,
Denn durch sie wird Menschenglück und Zufriedenheit vermehrt.

Papageno.
And now, ladies,
With your leave I'll go.

Papageno.
Nun, ihr schönen Frauenzimmer,
Darf ich—so empfehl' ich mich.

The three Ladies.
You can freely go,
But the princess fair commands you
With the prince to take your way
To the castle of Sarastro.

Die drei Damen.
Dich empfehlen kannst du immer,
Doch bestimmt die Fürstin dich,
Mit dem Prinzen ohn' Verweilen
Nach Sarastros Burg zu eilen.

Papageno.
No, I thank for the honor,
But myself I've heard you say
That he is a very tiger!
And he would without delay,
Have me plucked and quickly roasted,
For his dogs a tasty prey.

Papageno.
Nein, dafür bedank' ich mich!
Von Euch selber hörte ich,
Dass er wie ein Tigerthier!
Sicher liess ohn' alle Gnaden
Mich Sarastro rupfen, braten,
Setzte mich den Hunden für.

The three Ladies.
Trust the Prince, for he'll protect you,
You'll his faithful servant be.

Die drei Damen.
Dich schützt der Prinz, trau' ihm allein!
Dafür sollst du sein Diener sein.

Papageno (aside).
The Prince may risk his royal being,
But I value mine more.
He may repent when all too late,
I'd rather now decline.

Papageno (für sich).
Dass doch der Prinz beim Teufel wäre!
Mein Leben ist mir lieb;
Am Ende schleicht bei meiner Ehre,
Er von mir wie ein Dieb.

First Lady (presents PAPAGENO with a casket containing chimes).
Pray, take this treasure, it is thine.

Erste Dame (übergiebt PAPAGENO ein Kästchen mit einem Glockenspiel).
Hier, nimm dies Kleinod, es ist dein.

Papageno.
Oh, oh, what can it be?

The three Ladies.
Within you can hear the bells ringing.

Papageno.
And will I, too, have power to play them?

The three Ladies.
Why certainly; of course you will.

The three Ladies.
Silver bells and flute of magic
To protect you are attuned,
Fare thee well, we must away,
Now we bid you both good day.

Papageno and Tamino.
Silver bells and flute of magic
To protect us are attuned.
Fare thee well, we must away,
Now we bid you all good day.

(The three LADIES go to the right.)
(TAMINO and PAPAGENO go at the same time to the left; coming back.)

Tamino.
Fair ladies, will you tell us, pray—

Papageno.
To this castle great the way?

Both.
How to find the way to this great castle?

The three Ladies.
Three handsome youths will fly before you,
And point you out the way;
Follow the counsel they may give,
Farewell, away, away!

Tamino and Papageno.
Three handsome youths will fly before us
And point us out the way.

All.
Fare thee well, we must away,
Now we bid you both good day.

(The three LADIES go away to the right.)
(TAMINO and PAPAGENO go at the same time to the left.)

Papageno.
Ei, ei! was mag darinnen sein?

Die drei Damen.
Darinnen hörst du Glöckchen tönen.

Papageno.
Werd' ich sie auch wohl spielen können?

Die drei Damen.
O ganz gewiss! ja, ja, gewiss!

Die drei Damen.
Silberglöckchen, Zauberflöten
Sind zu eurem Schutz vonnöten.
Lebet wohl! wir wollen gehn,
Lebet wohl; auf Wiedersehn.

Tamino und Papageno.
Silberglöckchen, Zauberflöten
Sind zu unserm Schutz vonnöten.
Lebet wohl! wir wollen gehn,
Lebet wohl! auf Wiedersehn.

(Die drei DAMEN wenden sich nach rechts.)
(TAMINO und PAPAGENO wenden sich gleichzeitig nach links; zurückkommend.)

Tamino.
Doch, schöne Damen, saget an:

Papageno.
Wie man die Burg wohl finden kann?

Beide
Wie man die Burg wohl finden kann?

Dei drei Damen
(ebenso).
Drei Knäbchen, jung, schön, hold und weise,
Umschweben euch auf eurer Reise;
Sie werden eure Führer sein,
Folgt ihrem Rathe ganz allein.

Tamino und Papageno.
Drei Knäbchen, jung, schön, hold und weise,
Umschweben uns auf unsrer Reise.

Alle.
So lebet wohl! wir wollen gehn,
Lebt wohl, lebt wohl! Auf Wiedersehn!

(Die drei DAMEN ab nach rechts.)
(TAMINO und PAPAGENO gleichzeitig ab nach links.)

CHANGE OF SCENE.

(Sumptuously furnished room of PAMINA in Sarastro's palace.)

(MONOSTATOS, PAMINA, Slaves enter.)

Monostatos

(patting PAMINA'S hand).

Come in, little dove!

Pamina.

Oh, wretched martyrdom, direful pain!

Monostatos.

Your life is lost.

Pamina.

The pains of death I fear not,
But my poor mother dies of grief,
With no one to bring her relief!

Monostatos

(to the slaves who are waiting in the back).

Hola, slaves, let her straight be bound!
My hatred will be sated.

(Slaves rush up to bind PAMINA.)

Pamina.

Oh, let me, tyrant, rather die,
For nothing has your rage abated.

(She sinks down unconscious on a couch.)

Monostatos.

Away! Leave me alone with her!

(The slaves withdraw with the chains.)

(PAPAGENO appears in the middle door.)

(MONOSTATOS absorbed in watching PAMINA does not notice PAPAGENO'S arrival.)

Papageno

(still in the door).

Where am I now? Where can I be?
Aha, I see some people,
I'll even venture in.

(He comes in and approaches the couch.)

A maiden greets my sight,
As snow so pure and white.

(MONOSTATOS turns around.)

(PAPAGENO is terrified by MONOSTATOS'S gaze; the one is frightened by the other.)

Both.

That is the devil sure as fate,
Have mercy and commiserate!
Alas, alas, alas!

(They run away, looking back at each other cautiously over the shoulder. At the middle door they run into each other and rush with a cry through the middle door in different directions.)

VERWANDLUNG.

(Reich ausgestattetes Zimmer der PAMINA in SARASTRO'S Palast. Mittelthür.)

(MONOSTATOS, PAMINA, Sklaven treten ein.)

Monostatos

(PAMINA an der Hand hereinschleudernd).

Du feines Täubchen, nur herein!

Pamina

(zu seiner Rechten).

O welche Marter! Welche Pein!

Monostatos

Verloren ist dein Leben.

Pamina.

Der Tod macht mich nicht beben,
Nur meine Mutter dauert mich;
Sie stirbt vor Gram ganz sicherlich.

Monostatos

(zu den im Hintergrund verweilenden Sklaven).

He, Sklaven! Legt ihr Fesseln an!
Mein Hass soll dich verderben.

(Sklaven eilen hinzu, um PAMINA zu fesseln.)

Pamina.

O lass mich lieber sterben,
Weil nichts, Barbar! dich rühren kann.

(Sie sinkt ohnmächtig rechts vorn auf eine Ottomane.)

Monostatos.

Nun fort! lasst mich bei ihr allein.

(Sklaven eilen mit den Fesseln durch die Mitte ab.)

(PAPAGENO erscheint in der Mittelthür.)

(MONOSTATOS im Anschauen PAMINA'S versunken, bemerkt das Erscheinen PAPAGENO'S nicht.)

Papageno

(noch in der Thür).

Wo bin ich wohl? Wo mag ich sein?
Aha, da find' ich Leute!
Gewagt, ich geh' herein.

(Er tritt ein und nähert sich der Ottomane rechts vorn.)

Schön Mädchen, jung und fein,
Viel weisser noch als Kreide!

(MONOSTATOS wendet sich.)

(PAPAGENO steht bei MONOSTATOS Anblick erstarrt; einer erschrickt über den andern.)

Beide.

Hu! Das ist—der Teu..fel si..cherlich!
Hab' Mitleid—und verschone mich!
Hu! hu! hu!

(Sie laufen, indem sie sich gegenseitig verstohlen über die Schulter zu beobachten trachten, nach der Mittelthür; dort stossen sie aufeinander und eilen mit einem Aufschrei durch die Mitte nach verschiedenen Seiten hin davon.)

Pamina

(alone, awakening, speaks as in a dream).

Mother! Mother! Mother!

(She recovers and looks around.)

What? Does my heart still beat? Does it awake to new tortures? O, 'tis so cruel, so cruel! 'Tis more bitter than death!

(PAPAGENO with careful steps comes in and watches her.)

Papageno.

Am I not a fool that I allowed myself to be frightened? There are black birds in this world then why not black people?

(He notices PAMINA.)

Ah, behold! here is the lovely maiden still!

(To PAMINA.)

O daughter of the Queen of night!

Pamina.

I am she.

Papageno.

I'll know that right away.

(He examines the portrait which the Prince received and which PAPAGENO now wears on a ribbon around his neck.)

Blue eyes (black)—very blue (black)—red lips—very red—blond (brown) hair—blond (brown) hair. Everything tallies.

Pamina.

Permit me—

(PAPAGENO shows her the portrait.)

Pamina.

Yes, it's I. How did it come into your hands?

Papageno.

I must relate it to you in very great detail. I came very early, as is my custom, to your mother's palace to deliver my birds, when I saw a man before me who is called Prince. This Prince so charmed your mother that she gave him your portrait, and ordered him to free you. His resolution was as hasty as his love for you.

Pamina

(allein, erwachend, spricht wie im Traum).

Mutter! Mutter! Mutter!

(Sie erholt sich, sieht sich um.)

Wie? Noch schlägt dieses Herz? Zu neuen Qualen erwacht? O, das ist hart, sehr hart—mir bitterer als der Tod!

(PAPAGENO mit vorsichtigen Schritten beobachtend durch die Mitte.)

(PAMINA. PAPAGENO zu ihrer Linken.)

Papageno.

Bin ich nicht ein Narr, dass ich mich schrecken liess? Es giebt ja schwarze Vögel in der Welt, warum denn nicht auch schwarze Menschen?

(Er erblickt PAMINA.)

Ach, sieh da! Hier ist das schöne Mädchen noch.

(Zu PAMINA.)

Du Tochter der nächtlichen Königin.

Pamina.

O, ich bin es.

Papageno.

Das will ich gleich erkennen.

(Er prüft das Porträt, welches der Prinz zuvor empfangen, und das PAPAGENO nun an einem Band am Hals trägt.)

Die Augen blau (schwarz)—richtig blau (schwarz)—die Lippen roth—richtig roth—blonde (braune) Haare—blonde (braune) Haare. Alles trifft ein.

Pamina.

Erlaube mir—

(PAPAGENO zeigt ihr das Porträt.)

Pamina.

Ja, ich bin's. Wie kam es in deine Hände?

Papageno.

Ich muss dir das umständlicher erzählen. Ich kam heute früh, wie gewöhnlich, zu deiner Mutter Palast meine Vögel abzugeben, dort sah ich einen Menschen vor mir, der sich Prinz nennen lässt. Dieser Prinz hat deine Mutter so eingenommen, dass sie ihm dein Bildnis schenkte und ihm befahl, dich zu befreien. Sein Entschluss war so schnell, als seine Liebe zu dir.

Pamina.

Love?

(Joyfully.)

Then he loves me? Tell it to me once again, for I rejoice at the sound of that word.

Papageno.

And I believe you (without swearing) for you are a maiden—Where did I leave off?

Pamina.

At the word love.

Papageno.

Yes, you are right, at the word love. (I call that having a fine memory!) Now we are here to hasten you to your mother's palace.

Pamina.

Well then, let us attempt it. And if he be a villain in Sarastro's employ?

(She looks attentively at him.)

Papageno.

I a villain? What are you thinking of? I am the best man on earth.

Pamina.

Dear friend, forgive me if I have offended you. You have a loving heart.

Papageno.

Ah, luckily I have a loving heart. But what is the good of it? I sometimes want to pluck out all my feathers when I remember that Papageno has no loving mate.

Pamina.

Poor man! So you have no wife?

Papageno.

Not even a fair maiden, the less a wife. And every one of us has his happy moments which he would like to spend in company.

Pamina.

Liebe?

(Freudig.)

Er liebt mich also? O sage mir das noch einmal, ich höre das Wort Liebe gar zu gern.

Papageno.

Das glaub' ich dir (ohne zu schwören), du bist ja ein Mädchen.—Wo blieb ich denn?

Pamina.

Bei der Liebe.

Papageno.

Richtig, bei der Liebe. (Das nenn' ich ein Gedächtnis haben.) Nun sind wir hier, in den Palast deiner Mutter zu eilen.

Pamina.

Wohl denn, es sei gewagt! Wenn dieser nun ein böser Geist von Sarastro's Gefolge wäre?

(Sie sieht ihn bedenklich an.)

Papageno.

Ich ein böser Geist? Wo denkst du hin. Ich bin der beste Geist von der Welt.

Pamina.

Freund, vergieb, vergieb, wenn ich dich beleidigte. Du hast ein gefühlvolles Herz.

Papageno.

Ach, freilich hab' ich ein gefühlvolle Herz. Aber was nützt mir das alles Ich möchte mir oft alle meine Feder ausrupfen, wenn ich bedenke, dass Papa geno noch keine Papageno hat.

Pamina.

Armer Mann! Du hast also noch kei Weib?

Papageno.

Noch nicht einmal ein Mädchen, ve weniger ein Weib! Und unsereiner h doch auch bisweilen seine lustigen Stu den, wo man gern gesellschaftlic Unterhaltungen haben möchte.

Pamina.

Patience, my friend; heaven will reward you. It will send you a companion before you know it.

Papageno.

Would that it did it soon!

Pamina.

Geduld, Freund! Der Himmel wird auch für dich sorgen; er wird dir eine Freundin schicken, ehe du dir's vermuthest.

Papageno.

Wenn er sie nur bald schickte.

BEI MANNERN WELCHE LIEBE FUHLEN—*THE MANLY HEART*

Duet (Pamina and Papageno)

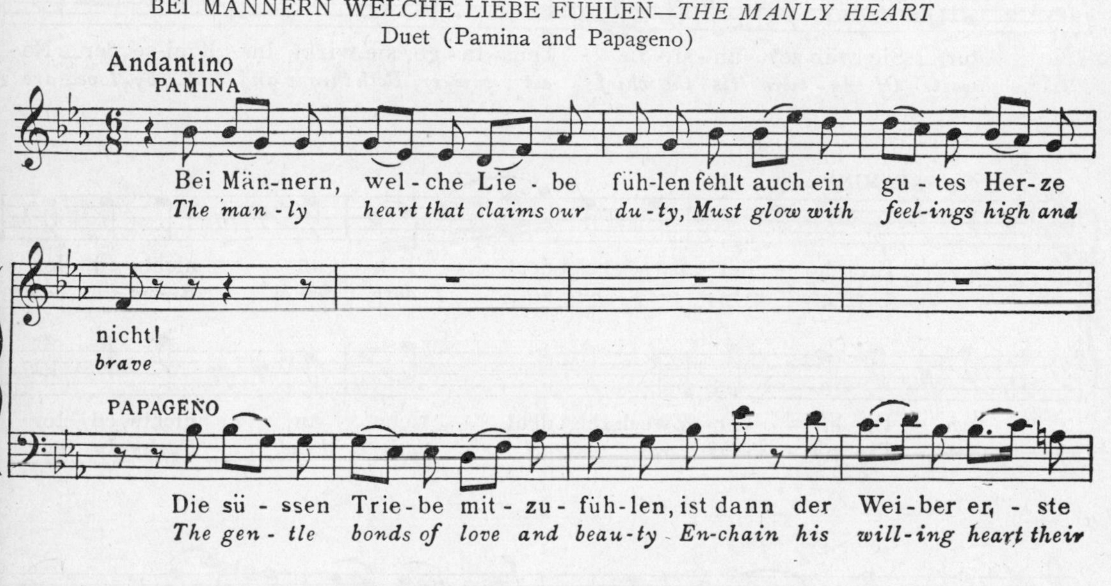

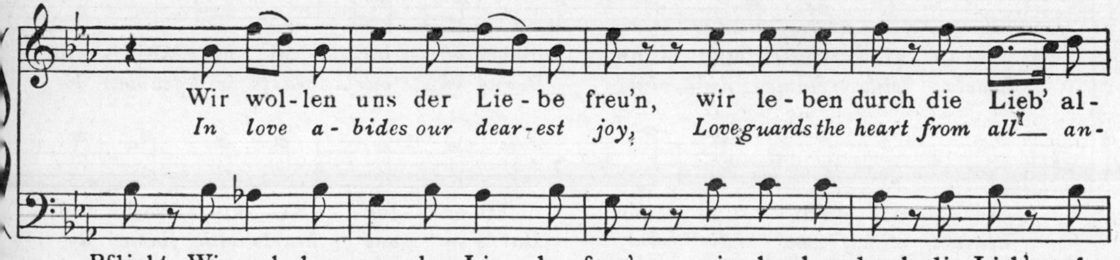

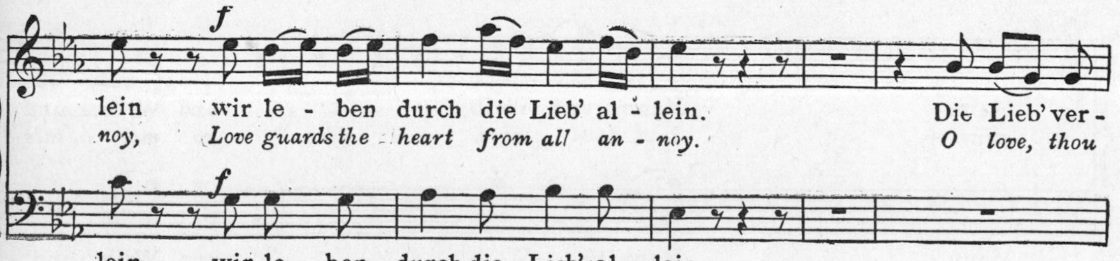

sü - sset je - de_ Pla - ge, ihr o - pfert je - de_ Kre - a -
art_ of life___ the_ flow - er, The world with - out ___ thee were ___ a_
PAPAGENO
tur._ Sie wür-zet un - sre Le - bens - ta - ge, sie wirkt im Krei-se der_ Na-
waste Of na - ture 'tis the chief est pow - er, Both throne and cot_ by love_ are

PAMINA
Ihr ho - her Zweck zeigt deut - lich an, nichts ed - ler
Thy glo - rious ray on all ___ doth shine, Burns in our
tur. Ihr ho - her Zweck zeigt deut - lich an, nichts ed - ler
graced. Thy glo - rious ray on all doth shine, Burns in our

sei als Weib_ und Mann, nichts ed - ler_ sei als_ Weib und_
hearts with flame_ di - vine, Burns in_ our_ hearts with flame di
sei als Weib und Mann, nichts ed - ler sei als Weib und
hearts with flame di - vine, Burns in our hearts with flame di

Mann. Mann_ und Weib, und Weib_ und
vine. Love_ di vine, to mor - tals
Mann, Mann und Weib, und Weib und
vine, Love di - vine, to mor - tals

(Exeunt.)

(Beide durch die Mitten ab.)

CHANGE OF SCENE.

(Sacred grove in the middle of which are three temples.)

(The three youths with silver palm branches in their hands come out from the left accompanying TAMINO. His flute hangs at his side.)

The three Youths.

To the goal this path will lead,
But heroic you must be!
Therefore to our counsel heed
And you'll set the captive free.

VERWANDLUNG.

(Hain, in dessen Mitte drei Tempel.)

(Die drei KNABEN mit silbernen Palmzweigen in der Hand von links vorn kommend, geleiten TAMINO, der seine Flöte umgehängt trägt.)

Die drei Knaben.

Zum Ziele führt dich diese Bahn.
Doch musst du, Jüngling, männlich siegen.
Drum höre uns're Lehre an:
Sei standhaft, duldsam und verschwiegen.

Tamino.

Fair youths, an answer true I crave—
Think ye Pamina I can save?

The three Youths.

To make this known rests not with us,
Be steadfast, patient and discreet!
Think of our words and be a man,
And this will help you if aught can.

(They go out.)
(TAMINO alone, voices.)

Tamino.

The wisdom of these fair youths three,
May in my heart engraved be!
Where am I now? Where did I roam?
Is this perhaps of gods the home?
The portals and the gates impart,
It is the home of work and art,
Where industry full sway obtains,
Vice no more can hold the reins.

(He points to the right.)

I'll boldly enter the temple door,
My purpose is noble and good and pure.
Tremble, villain bold. Beware!
To save Pamina is my care!

(He approaches the temple door at the right.)

Voices

(chorus).

Back!

Tamino.

Back? Here must I try my luck.

(He goes to the temple door at the left.)

Voices.

Back!

Tamino.

Here too they call: back!

(He goes to the middle temple door.)

There I see another door,
Perhaps I'll find one entrance more.

(While he goes to the middle door it opens and a priest with white hair and beard comes out.)

Priest.

Where are you going, daring youth?
What in this sanctuary do you seek?

Tamino.

The home of virtue and of love.

Tamino.

Ihr holden Kleinen, sagt mir an,
Ob ich Pamina retten kann?

Die drei Knaben.

Dies kund zu thun, steht uns nicht an;
Sei standhaft, duldsam und verschwiegen.
Bedenke dies; kurz, sei ein Mann,
Dann, Jüngling, wirst du männlich siegen.

(Sie gehen ab.)
(TAMINO allein. STIMMEN.)

Tamino.

Die Weisheitslehre dieser Knaben
Sei ewig mir ins Herz gegraben.
Wo bin ich nun? Was wird mit mir?
Ist dies der Sitz der Götter hier?
Es zeigen die Pforten, es zeigen die Säulen,
Dass Klugheit und Arbeit und Künste hier weilen;
Wo Thätigkeit thronet und Mässiggang weicht,
Erhält seine Herrschaft das Laster nicht leicht.

(Er zeigt nach rechts.)

Ich wage mich muthig zur Pforte hinein,
Die Absicht ist edel und lauter und rein.
Erzitt're, feiger Bösewicht!
Pamina retten ist mir Pflicht.

(Er nähert sich mit einigen Schritten der Tempelpforte rechts.)

Stimmen

(Chor).

Zurück!

Tamino.

Zurück? So wag ich hier mein Glück!

(Er wendet sich nach der Tempelpforte links.)

Stimmen

(Chor).

Zurück!

Tamino.

Auch hier ruft man; zurück?

(Er wendet sich nach der Tempelpforte in der Mitte.)

Da sehe ich eine Thür,
Vielleicht find' ich den Eingang hier.

(Indem er sich der Mittelpforte nähert, öffnet sich diese und ein PRIESTER in weissem Haar und Bart tritt heraus.)

Priester.

Wo willst du, kühner Fremdling hin?
Was sucht du hier im Heiligthum?

Tamino.

Der Lieb' und Tugend Eigenthum.

Priest.

Thy words are certainly high sounding,
But where do you expect to find these?
Love and courage do not guide you,
Death and vengeance dire inflame you.

Tamino.

Only for vengeance on the villain.

Priest.

You surely will not find him here.

Tamino.

Does Sarastro govern here?

Priest.

Yes, Sarastro governs here.

Tamino.

But in the Temple of Wisdom?

Priest.

Yes, in the Temple of Wisdom.

Tamino (stepping to the left).

Then all is but hypocrisy.

Priest.

Wilt thou depart again, then?

Tamino.

Yes, I will gladly go from here,
And never again your temple see.

Priest.

Explain yourself to me: a mistake deludes you.

Tamino.

Sarastro governs here,
That is enough for me.

Priest.

If your life you prize,
Speak, and here remain!
Do you hate Sarastro?

Tamino.

I hate him, yes; and ever shall.

Priest.

And pray, what are your reasons?

Tamino.

He is a tyrant and a brute.

Priest.

Where is the proof of what you say?

Tamino.

By a luckless woman 'tis confessed,
Who by great sorrow is oppressed.

Priester.

Die Worte sind von hohem Sinn!
Allein wie willst du diese finden?
Dich leitet Lieb' und Tugend nicht,
Weil Tod und Rache dich entzünden.

Tamino.

Nur Rache für den Bösewicht.

Priester.

Den wirst du wohl bei uns nicht finden.

Tamino.

Sarastro herrscht in diesen Gründen?

Priester.

Ja, ja! Sarastro herrschet hier!

Tamino.

Doch in dem Weisheitstempel nicht?

Priester.

Er herrscht im Weisheitstempel hier.

Tamino (mit einigen Schritten nach links).

So ist denn alles Heuchelei!

Priester.

Willst du schon wieder gehn?

Tamino.

Ja, ich will gehn, froh und frei,
Nie euren Tempel sehn.

Priester.

Erklär' dich näher mir,
Dich täuschet ein Betrug.

Tamino.

Sarastro wohnet hier,
Das ist mir schon genug.

Priester.

Wenn du dein Leben liebst,
So rede, bleibe da!
Sarastro hassest du?

Tamino.

Ich hass' ihn ewig! Ja!

Priester.

Nur gieb mir deine Gründe an.

Tamino.

Er ist ein Unmensch, ein Tyrann.

Priester.

Ist das, was du gesagt, erwiesen?

Tamino.

Durch ein unglücklich' Weib bewiesen,
Das Gram und Jammer niederdrückt.

Priest.
'Tis then a woman who beguiled you?
Women do little and talk much.
Do you give heed to empty talk?
But still Sarastro has explained
The motives of his actions.

Tamino.
His motives are, alas! too clear,
Did not the robber without pity
Tear Pamina from her mother's arms?

Priest.
Yes, youth, all you say is true.

Tamino.
Where is she whom he stole away?
Perhaps by this time sacrificed?

Priest.
To tell you this, dear friend,
Is not yet permitted.

Tamino.
Explain this riddle—do not deceive me.

Priest.
My tongue is bound by oath and duty.

Tamino.
When then will it be released?

Priest.
As soon as friendship's hand shall lead you
Into the sanctuary of immortal union.
(He turns around and goes out slowly through the middle door.)
(TAMINO alone, voices.)

Tamino.
Oh, endless night, how soon wilt thou have vanished?
When will the daylight greet my sight?

Voices
(chorus behind the middle door).
Soon, youth, or never!

Tamino.
Soon, say you, or never?
Tell me, invisible ones,
Does Pamina still live?

Voices.
Pamina still lives!

Tamino
(rejoicing).
She lives? I thank you all for that.
(He takes his flute in his hand.)

Priester.
Ein Weib hat also dich berückt?
Ein Weib thut wenig, plaudert viel.
Du, Jüngling, glaubst dem Zungenspiel?
O legte doch Sarastro klar
Die Absicht seiner Handlung dar.

Tamino.
Die Absicht ist nur allzuklar;
Riss nicht der Räuber ohn' Erbarmen
Pamina aus der Mutter Armen?

Priester.
Ja, Jüngling! Was du sagst, ist wahr.

Tamino.
Wo ist sie, die er uns geraubt?
Man opferte vielleicht sie schon?

Priester.
Dir dies zu sagen, theurer Sohn,
Ist jetzt und mir noch nicht erlaubt.

Tamino.
Erklär' dies Räthsel, täusch' mich nicht.

Priester.
Die Zunge bindet Eid und Pflicht.

Tamino.
Wann also wird die Decke Schwinden?

Priester.
Sobald dich führt der Freundschaft Hand
Ins Heiligthum zum ew'gen Band.
(Er wendet sich und geht langsam durch die Mittelpforte ab.)
(TAMINO allein. STIMMEN.)

Tamino.
O ewige Nacht! wann wirst du schwinden?
Wann wird das Licht mein Auge finden?

Stimmen
(Chor hinter der Mittelpforte).
Bald, Jüngling, oder nie!

Tamino.
Bald, sagt ihr, oder nie?
Ihr Unsichtbaren, sagt mir,
Lebt denn Pamina noch?

Stimmen
(Chor).
Pamina lebet noch!

Tamino
(freudig).
Sie lebt? Ich danke euch dafür.
(Er nimmt seine Flöte zur Hand.)

Oh, if I only had the power,
Almighty ones, in praise of you,
My thanks with each tone to express,
To show the feelings in my heart!

(Points to his heart.)

(He plays on his flute. Instantly wild animals and birds of every kind appear. He stops and they flee.)

Wenn ich doch nur imstande wäre,
Allmächtige, zu euer Ehre,
Mit jedem Tone meinen Dank
Zu schildern, wie or hier

(aufs Herz zeigend)

Entsprang!

(Er spielt auf seiner Flöte.)

(Sogleich erscheinen wilde Thiere und Vögel aller Art. Er hört auf und sie fliehen.)

WIE STARK IST NICHT DEIN ZAUBERTON—*THY MAGIC TONES SHALL SPEAK FOR ME* Air (Tamino)

(He plays.)

Pamina! hear, oh hear me!
In vain!

(He plays.)

Where?
Oh, where can I find you?

(PAPAGENO answers with his fawn-flute.)

(Er spielt.)

Pamina! höre, höre mich!
Umsonst!

(Er spielt.)

Wo? Ach, wo find' ich dich?

(PAPAGENO antwortet von links hinten mit seinem Faunflötchen.)

Tamino.

Ah, that is Papageno's tone!

(He plays.)

(PAPAGENO answers as before.)

Perhaps he has already seen Pamina,
Perhaps with him she comes to me,
Perhaps these tones will lead me to her.

(He goes out.)

(PAPAGENO and PAMINA appear when TAMINO has disappeared. They wear no chains.)

Pamina and Papageno.

Nimble feet and dauntless courage
May save us from the foe's dread rage.
Could we but Tamino find!
Now, they surely will surprise us.

Pamina

(takes a few steps back, calling).

Handsome youth!

Papageno.

Be still, I'll do it better.

(He whistles.)

(TAMINO answers with his flute from behind.)

Both.

Can there be a greater joy?
Friend Tamino hears us now.

(Pointing to the left.)

From here came the sweet tones.
O what joy when I shall find him!
Quick, quick, let us hasten to him!

(They run to the left. MONOSTATOS meets them.)

Monostatos

(mocking her.)

Quick, quick, let us hasten to him!
Ha, ha, I have caught you then?
Quickly, bind these daring ones!
Wait, I'll teach you manners!
You will ne'er again deceive me!
Hither, slaves, come here and bind them!
Take your ropes and bind them fast.

(Slaves come up with chains.)

Pamina and Papageno.

Ah, it is all over with us!

Papageno.

Who ventures much, much ofttimes wins.
Come, magic set of bells,
Let your soft tones fill the air
And resound in every ear!

(He plays.)

Tamino

Ha, das ist Papagenos Ton!

(Er spielt.)

(PAPAGENO antwortet wie vorher.)

Vielleicht sah er Pamina schon,
Vielleicht eilt sie mit ihm zu mir,
Vielleicht führt mich der Ton zu ihr.

(Er eilt nach links hinten ab.)

(PAPAGENO und PAMINA eilen, wenn TAMINO verschwunden ist, ohne Fesseln von links vorn herbei.)

Pamina und Papageno.

Schnelle Füsse, rascher Muth,
Schützt vor Feindes List und Wuth,
Fänden wir Tamino doch,
Sonst erwischen sie uns noch.

Pamina

(mit einigen Schritten nach hinten rufend.)

Holder Jüngling!

Papageno.

Stille, stille, ich kann's besser.

(Er pfeift.)

(TAMINO antwortet links hinten mit seiner Flöte.)

Beide.

Welche Freude ist wohl grösser?
Freund Tamino hört uns schon;

(nach links hinten zeigend.)

Hierher kam der Flötenton.
Welch ein Glück, wenn ich ihn finde,
Nur geschwinde! nur geschwinde!

(Sie wollen nach links hinten davon eilen.)
(MONOSTATOS tritt ihnen von dort her entgegen.)

Monostatos

(ihrer spottend.)

Nur geschwinde! nur geschwinde!
Ha, hab' ich euch noch erwischt?
Nur herbei mit Stahl und Eisen;
Wart, ich will euch Mores weisen.
Den Monostatos berücken!

(Nach links hinten rufend.)

Nur herbei mit Band und Stricken,
He, ihr Sklaven, kommt herbei!

(Sklaven kommen von links hinten mit Fesseln.)

Pamina, Papageno.

Ach, nun ist's mit uns vorbei!

Papageno.

Wer viel wagt, gewinnt oft viel,
Komm' du schönes Glockenspiel!
Lass' die Glöckchen klingen, klingen,
Dass die Ohren ihnen singen.

(Er spielt sein Glockenspiel.)

Monostatos and the Slaves
(they are subdued by the sound, sing and dance in time).
Its sound is so soothing, its sound is so sweet,
Tralala, lalala, tralalalala!
Oh, never, oh, never did I its equal meet!
Tralalala, trala, lalala!
(They withdraw singing and dancing.)

Papageno and Pamina.
If but every one could own
Bells of such melodious tone,
All our enemies would flee
And we all would happy be.
Without them each one can live
In the greatest harmony.
Only friendship's harmony
Softens every malady.
And without its sympathy,
No happiness on earth can be.
(There is heard a loud march with trumpets and kettle-drums.)

Voices
(from without).
Long live Sarastro! Long live Sarastro!

Papageno
(with a few steps to the right).
What can this mean? I tremble, I shudder!

Pamina
(following him).
O friend, we are lost forever!
The great Sarastro is announced.

Papageno.
O were I but a little mouse,
In some dark corner I would hide.
And were I as a snail,
I'd creep into my little house,
My child, what words will now avail?

Pamina.
Let's speak the truth, at any cost.
(Enter SARASTRO and his suite. The priest goes through the middle door to the left, the soldiers and the people to the right; the women behind the chariot of SARASTRO at the right. The slaves at the right and left. SARASTRO is borne in on an elephant.)

Chorus.
Long live Sarastro, long live Sarastro!
'Tis he to whom we are all so devoted.
May he as a wise man enjoy life forever.
Our idol is he whom we worship and love!

Monostatos und die Sklaven
(davon besänftigt, singen und tanzen nach dem Takt).
Das klinget so herrlich, das klinget so schön!
Tralla lalala trallalalala!
Nie hab' ich so etwas gehört und gesehn!
Trallalala tralla lalala!
(Sie entfernen sich singend und tanzend nach links hinten.)

Papageno and Pamina.
Könnte jeder brave Mann
Solche Glöckchen finden,
Seine Feinde würden dann
Ohne Mühe schwinden,
Und er lebte ohne sie
In der besten Harmonie.
Nur der Freundschaft Harmonie
Mildert die Beschwerden;
Ohne diese Sympathie
Ist kein Glück auf Erden!
(Ein starker Marsch mit Trompeten und Pauken fällt ein.)

Stimmen
(Chor von aussen).
Es lebe Sarastro! Sarastro lebe!

Papageno
(mit einigen Schritten nach rechts).
Was soll das bedeuten? Ich zittre, ich bebe!

Pamina
(ihm folgend).
O Freund, nun ist's um uns gethan!
Dies kündigt den Sarastro an.

Papageno.
O wär' ich eine Maus,
Wie wollt ich mich verstecken!
Wär' ich so klein wie Schnecken,
So kröch ich in mein Haus.
Mein Kind, was werden wir nun sprechen?

Pamina.
Die Wahrheit, sei sie auch Verbrechen.
(SARASTRO und GEFOLGE treten ein. Die PRIESTER durch die Mittelpforte und von links ganz vorn; die Bewaffneten und das Volk von rechts; die Frauen hinter dem Wagen des SARASTRO von rechts; die Sklaven von rechts und links.)
(SARASTRO zuletzt von rechts auf einem Elefanten.)

Chor.
Es lebe Sarastro! Sarastro soll leben!
Er ist es, dem wir uns mit Freuden ergeben!
Stets mög' er des Lebens als Weiser sich freun,
Er ist unser Abgott, dem alle sich weihn

Pamina

(kneels).

O Lord, 'tis true that I am guilty,
That I from your power wished to flee.
The guilt rests not only on me—
The wicked Moor desired my love,
Therefore, O sire, I fled from thee.

Sarastro.

Arise, my love, and happy be,
For without further questioning thee,
I know the secret of thy heart.
For thou already lov'st another.
To love I never will compel thee,
And yet I cannot give you freedom.

Pamina.

My filial duty calls me,
For my mother—

Sarastro.

Is in my power.
Your happiness would all be ended
Were I to give you up to her.

Pamina.

The name of mother sounds so sweet,
'Tis she. . . .

Sarastro.

A haughty woman,
Only a man should guide your hearts.
Without him, woman is accustomed
To wend her way out of her sphere.

(MONOSTATOS and TAMINO come from the left.)

Monostatos.

Proud youth, come hither, here you see
Sarastro, our dear lord.

Pamina.

'Tis he!

Tamino.

'Tis she!

Pamina.

I scarcely can believe it.

Tamino.

'Tis she!

Pamina.

'Tis he!

Tamino.

'Tis no dream.

(They approach each other.)

Pamina

(kniet).

Herr, ich bin zwar Verbrecherin!
Ich wöllte deiner Macht entfliehn,
Allein die Schuld ist nicht an mir—
Der böse Mohr verlangte Liebe;
Darum, O Herr! entfloh ich dir.

Sarastro.

Steh' auf, erheitere dich, O Liebe!
Denn ohne erst in dich zu dringen,
Weiss ich von deinem Herzen mehr:
Du liebest einen andern sehr.
Zur Liebe will ich dich nicht zwingen,
Doch gib' ich dir die Freiheit nicht.

Pamina.

Mich rufet ja die Kindespflicht,
Denn meine Mutter--

Sarastro.

Steht in meiner Macht.
Du würdest um dein Glück gebracht,
Wenn ich dich ihren Händen liesse.

Pamina.

Mir klingt der Muttername süsse;
Sie ist es—

Sarastro.

Und ein stolzes Weib.
Ein Mann muss eure Herzen leiten,
Denn ohne ihn pflegt jedes Weib
Aus seinem Wirkungskreis zu schreiten.

(MONOSTATOS mit TAMINO von links.)

Monostatos

Nun, stolzer Jüngling, nur hierher,
Hier ist Sarastro, unser Herr.

Pamina.

Er ist's!

Tamino.

Sie ist's!

Pamina.

Ich glaub' es kaum!

Tamino.

Sie ist's!

Pamina.

Er ist's!

Tamino.

Es ist kein Traum!

(Sie nähern sich beiderseitig.)

Pamina.

Oh, I would embrace him!

Tamino.

Oh, I would embrace her!

Both.

Even if it brought death upon me.

(They embrace.)

All.

What does that mean?

Monostatos.

What hardihood!

(He steps between PAMINA and TAMINO, and separates them.)

Stop it at once. You go too far!

(He kneels to SARASTRO.)

Thy slave is kneeling at thy feet,
Make the presumptuous youth do penance.
How impudent the bold youth is!
By the tricks of this rare bird

(Pointing at PAPAGENO.)

He sought to rob thee of Pamina.
But I alone 'twas who could track him.
You know me and my vigilance—

Sarastro

(beckons).

Deserves the laurel wreath.
Here! Give to this gentleman at once—

Monostatos.

Alone your favor makes me rich.

Sarastro.

But seventy-seven bastinado stripes.

Monostatos.

Ah, sir, I did not merit such reward!

Sarastro.

Preserve your thanks, 'tis but my duty.

(MONOSTATOS is led away by slaves.)

All.

Long live Sarastro, the sage divine!
He justly punishes and rewards.

Sarastro.

Lead these two strangers
To our temple of probation.
Cover their heads,
For they must first be purified.

(Two priests go out and come back with veils and cover the heads of TAMINO and PAPAGENO.)

Pamina.

Es schling' mein Arm sich um ihn her!

Tamino.

Es schling' mein Arm sich um sie her!

Beide.

Und wenn es auch mein Ende wär'!

(Sie umarmen sich.)

Alle.

Was soll das heissen?

Monostatos.

Welch' eine Dreistigkeit!

(Indem er zwischen PAMINA und TAMINO tritt und sie trennt.)

Gleich auseinander, das geht zu weit!

(Er kniet vor SARASTRO.)

Dein Sklave liegt zu deinen Füssen,
Lass den vermess'nen Frevler büssen!
Bedenk', wie frech der Knabe ist:
Durch dieses selt'nen Vogels List

(auf PAPAGENO zeigend)

Wollt' er Pamina dir entführen.
Allein ich wusst ihn auszuspüren!
Du kennst mich! Meine Wachsamkeit—

Sarastro

(winkt).

Verdient, dass man ihr Lorbeer streut.
He! Gebt dem Ehrenmann sogleich—

Monostatos.

Schon deine Gnade macht mich reich.

Sarastro.

Nur siebenundsiebzig Sohlenstreich'.

Monostatos.

Ach Herr, den Lohn verhofft' ich nicht!

Sarastro.

Nicht Dank', es ist ja meine Pflicht!

(MONOSTATOS wird von einigen Sklaven, die vortreten, nach rechts abgeführt.)

Alle.

Es lebe Sarastro, der göttliche Weise!
Er lohnet und strafet in ähnlichem Kreise.

Sarastro.

Führt diese beiden Fremdlinge
In unsere Prüfungstempel ein;
Bedecket ihre Häupter dann,
Sie müssen erst gereinigt sein.

(Zwei Priester gehen ab, kommen zurück mit Schleiern und bedecken damit die Häupter von TAMINO und PAPAGENO.)

Chorus.

When virtue joined to justice
Strews the path with fame,
Then earth a heaven is indeed,
And mortal men are like to gods!

(SARASTRO takes PAMINA's hand and goes with her to the middle door.)

(TAMINO and PAPAGENO go out with the two priests. The priests, soldiers, women, populace, slaves turn toward the background.)

(Curtain.)

Schlusschor.

Wenn Tugend und Gerechtigkeit
Den grossen Pfad mit Ruhm bestreut,
Dann ist die Erd' ein Himmelreich,
Und Sterbliche den Göttern gleich.

Sarastro

(reicht PAMINA die Hand und geht mit ihr zur Mittelpforte).

(TAMINO, PAPAGENO wenden sich an der Hand der beiden Priester nach rechts.)

(Die Priester, die Bewaffneten, die Frauen, das Volk, die Sklaven wenden sich dem Hintergrunde zu.)

(Der Vorhang fällt.)

ACT II.

(A Subterranean Temple.)

(The priests come in from the right and left, walk to the front and meet in the center. They shake hands, cross themselves, pass each other, go to the right and left. SARASTRO appears and takes his place in the middle. In front of him the two SPEAKERS; to his right and left the priests.)

Sarastro

(after a pause).

You, in the Temple of Wisdom ordained servants of the great gods, Osiris and Isis! With a pure heart I declare to you that our meeting of to-day is the most important of our time. Tamino, the son of a king waits before the north door of our temple. To protect this virtuous youth, to extend a friendly greeting to him, is to-day one of our most urgent duties. If you hold him worthy then follow my example.

(SARASTRO and the priests blow once into the horns.)

Sarastro.

Moved by the unanimity of your hearts, Sarastro thanks you in the name of humanity. Let Tamino and his companion be led to the vestibule of our temple.

(To the SPEAKER who kneels before him.)

And you, friend, fulfill your holy office, and teach them to recognize the power of the gods.

(The priests form a semi-circle around SARASTRO.)

ZWEITER AUFZUG.

(Unterirdischer Tempel.)

(Die PRIESTER treten von rechts und links ein, schreiten nach vorn, begegnen sich in der Mitte; reichen sich die Hand, kreuzen sich, gehen nach rechts und links. SARASTRO erscheint zuletzt und nimmt die Mitte; vor ihm die beiden SPRECHER, zu seiner Rechten und Linken die PRIESTER.)

Sarastro

(nach einer Pause).

Ihr, in dem Weisheitstempel eingeweihten Diener der grossen Götter Osiris und Isis! Mit reiner Seele erklär' ich euch, dass unsere heutige Versammlung eine der wichtigsten unserer Zeit ist. Tamino, ein Königssohn, wandelt an der nördlichen Pforte unseres Tempels. Diesen Tugendhaften zu bewachen, ihm freundschaftlich die Hand zu bieten sei heute eine unserer wichtigsten Pflichten. Haltet ihr ihn für würdig, so folgt meinem Beispiel.

(SARASTRO und die PRIESTER blasen dreimal in die Hörner.)

Sarastro.

Gerührt über die Einigkeit Eurer Herzen dankt Sarastro euch im Namen der Menschheit. Man führe Tamino mit seinem Reisegefährten im Vorhof des Tempels ein.

(Zum SPRECHER, der vor ihm niederkniet.)

Und du, Freund, vollziehe dein heiliges Amt und lehre sie die Macht der Götter erkennen.

(Die PRIESTER bilden um SARASTRO einen Halbkreis.)

O ISIS UND OSIRIS—*O ISIS AND OSIRIS* Air and Chorus (Sarastro and Priests)

(SARASTRO and the priests depart in solemn procession.)

(SARASTRO und die PRIESTER entfernen sich in feierlicher Weise.)

(Tamino, Speaker, Papageno, Second Priest.)

Speaker.

Stranger, what do you seek or ask from us?

Tamino.

Friendship and love.

Speaker.

And are you prepared e'en if it cost you your life?

Tamino.

I am.

Speaker.

Give me your hand!

(They shake hands.)

So!

Second Priest

(to Papageno).

Will you, too, struggle for the love of wisdom?

Papageno.

Fighting is not my business. I am a son of nature, content with sleep, food, and drink, and were it only possible, I should like to find a pretty little wife.

Second Priest.

But you will ne'er obtain one, if you do not submit to our probation.

Papageno.

Of what does it consist?

Second Priest.

To follow all our laws, and not to shrink from death.

Papageno.

I'll remain single.

Second Priest.

But if Sarastro has reserved for you a pretty maid who in dress and color is just like you?

Papageno.

Just like me? Is she young?

Second Priest.

Young and beautiful.

Papageno.

And her name?

Tamino rechts vorn, Sprecher zu seiner Linken, Papageno links vorn. Zweiter Priester zu seiner Rechten.)

Sprecher.

Ihr Fremdlinge! was sucht oder fordert ihr von uns?

Tamino.

Freundschaft und Liebe.

Sprecher.

Bist du bereit, es mit deinem Leben zu erkämpfen?

Tamino.

Ja.

Sprecher.

Reiche mir deine Hand!

(Sie reichen sich die Hände.)

So!

Zweiter Priester

(zu Papageno).

Willst auch du dir Weisheitsliebe erkämpfen?

Papageno.

Kämpfen ist meine Sache nicht. Ich bin so ein Naturmensch, der sich mit Schlaf, Speis' und Trank begnügt; und wenn es ja sein könnte, dass ich nur einmal ein schönes Weibchen fänge.

Zweiter Priester.

Die wirst du nie erhalten, wenn du dich nicht unseren Prüfungen unterziehst.

Papageno.

Worin besteht diese Prüfung?

Zweiter Priester.

Dich allen unseren Gesetzen zu unterwerfen, selbst den Tod nicht zu scheuen.

Papageno.

Ich bleibe ledig.

Zweiter Priester.

Wenn nun aber Sarastro dir ein Mädchen aufbewahrt hätte, das an Farbe und Kleidung dir ganz gleich wäre?

Papageno.

Mir gleich? Ist sie jung?

Zweiter Priester.

Jung und schön.

Papageno.

Und heisst?

Second Priest.
Papagena.

Papageno.
What?—Pa—?

Second Priest.
Papagena.

Papageno.
Papagena? I'd like to see her out of mere curiosity.

Second Priest.
You can see her.

Papageno.
And when I shall have seen her, must I die?

(SECOND PRIEST makes a sign of doubt.)

Papageno.
If so, then single I remain.

Second Priest.
You can see her, but till the appointed hour you must not speak to her.

Speaker
(to TAMINO.)
And on you too, prince, the gods impose a holy silence. You shall see Pamina, but must not speak to her. The time of your probation now commences.

Speaker and Priest.
Beware of woman's treachery,
'Tis the first duty to observe,
Many a wise man was ensnared.
He failed, and then was led astray.
He saw himself at last forsaken,
His faithfulness was met with scorn.
Alas, he wrung his hands in vain,
For his reward was death and pain.

(Both Priests leave. It grows dark.)

Papageno.
Here, let us have light! Light!

Tamino.
Come, hear it patiently, it is the will of God!

(The three LADIES rush in with torches. It grows lighter.)

The three Ladies.
What? what? what?
You are in this place of terror?

Zweiter Priester.
Papagena.

Papageno.
Wie—Pa—?

Zweiter Priester.
Papagena.

Papageno.
Papagena? Die möchte ich aus blosser Neugierde sehen.

Zweiter Priester.
Sehen kannst du sie!

Papageno.
Aber wenn ich sie gesehen habe, hernach muss ich sterben?

(ZWEITER PRIESTER macht eine zweifelnde Bewegung.)

Papageno.
Ja?—Ich bleibe ledig.

Zweiter Priester.
Sehen kannst du sie, aber bis zur verlaufenen Zeit kein Wort mit ihr sprechen.

Sprecher
(zu TAMINO.)
Auch dir, Prinz, legen die Götter ein heilsames Stillschweigen auf. Du wirst Pamina sehen, aber nicht sie sprechen dürfen; dies ist der Anfang eurer Prüfungszeit.

Sprecher und Priester.
Bewahret euch vor Weibertücken:
Dies ist des Bundes erste Pflicht!
Manch' weiser Mann liess sich berücken,
Er fehlte und versah sich's nicht.
Verlassen sah er sich am Ende,
Vergolten seine Treu mit Hohn!
Vergebens rang er seine Hände,
Tod und Verzweiflung war sein Lohn.

(Beide PRIESTER ab nach rechts. Es wird dunkel.)

Papageno.
He! Lichter her! Lichter her!

Tamino.
Ertrag' es mit Geduld und denke, es ist der Götter Wille.

(Die drei DAMEN eilen mit Fackeln von links herbei.) (Es wird heller.)

Die drei Damen.
Wie? Wie? Wie?
Ihr an diesem Schreckensort?

Never! never! never!
Will you come out safe from here.
Tamino, you are sworn to death!
Papageno, you are lost!

Papageno.
No, no, no, that is too much!

Tamino.
Papageno, pray be still!
Do you want to break your oath
Never here to speak to women?

Papageno.
You hear, we both are lost!

Tamino.
Still! I tell you, pray be still!

Papageno.
All you say is "still, still, still"!

The three Ladies.
The Queen is very near you.
She stole secretly into the temple.

Papageno.
What? How? She is in the temple?

Tamino.
Silence, I tell you, silence!
Will you ever be so bold
And forget what you have sworn?

The three Ladies.
Tamino, listen! You are lost!
Think of the wretched Queen.
Much is whispered in these realms
Of the priests' false nature.

Tamino
(aside.)
A wise man heedeth not
What by the vulgar crowd is said.

The three Ladies.
They say who to their union swears
Is doomed for all his life!

Papageno.
One would not e'en expect it of the devil!
Tell me, Tamino, is it true?

Tamino.
But idle talk, that women have repeated
And that bigots have invented!

Papageno.
Still our Queen has said it too.

Nie, nie, nie,
Kommt ihr wieder glücklich fort!
Tamino, dir ist Tod geschworen!
Du, Papageno, bist verloren!

Papageno.
Nein, nein, nein! Das wär' zu viel.

Tamino.
Papageno, schweig still!
Willst du dein Gelübde brechen,
Nichts mit Weibern hier zu sprechen?

Papageno.
Du hörst ja, wir sind beide hin.

Tamino.
Stille, sag' ich! schweige still!

Papageno.
Immer still und immer still!

Die drei Damen.
Ganz nah' ist euch die Königin!
Sie drang im Tempel heimlich ein.

Papageno.
Wie? Was? Sie soll im Tempel sein?

Tamino.
Stille, sag' ich! schweige still!
Wirst du immer so vermessen
Deiner Eidespflicht vergessen?

Die drei Damen.
Tamino, hör'! Du bist verloren!
Gedenke an die Königin!
Man zischelt viel sich in die Ohren
Von dieser Priester falschem Sinn.

Tamino
(für sich.)
Ein Weiser prüft und achtet nicht,
Was der gemeine Pöbel spricht.

Die drei Damen.
Man sagt, wer ihrem Bunde schwört,
Der ist verwünscht mit Haut und Haar.

Papageno.
Das wär' beim Teufel unerhört!
Sag' an, Tamino, ist das wahr?

Tamino.
Geschwätz, von Weibern nachgesagt,
Von Heuchlern aber ausgedacht.

Papageno.
Doch sagt es auch die Königin.

Tamino.

She is a woman, has but woman's sense,
Be silent, let my word suffice.
Think of your duty and be prudent!

The three Ladies

(to TAMINO).

Why are you so shy with us?

(TAMINO intimates to them that he must not speak.)

The three Ladies.

And Papageno too is silent—speak!

Papageno

(secretly to the LADIES).

I'd like to, but—

Tamino.

Be still!

Papageno

(aside).

You see I must not.

Tamino.

Still!
That you cannot leave off talking
Is really a disgrace!

Papageno.

That I cannot leave off talking
Is really a disgrace!

The three Ladies.

We must leave you now with shame,
No one speaks with surety,
He is a man with judgment sound,
Who's not afraid to speak his mind.

Tamino, Papageno.

They must leave us now with shame,
No one speaks with surety;
He is a man with judgment sound
Who's not afraid to speak his mind.

(The three LADIES are about to go.)

Chorus of Priests

(from without).

The sacred threshold is defiled!
Away, away with women!

(Thunder.)

The three Ladies

(rush out in despair).

O woe, O woe, O woe!

Papageno

(falls down in fright).

O woe, O woe, O woe!

(The three YOUTHS come in. One carries the flute, the other the bells.)

Tamino.

Sie ist ein Weib, hat Weibersinn,
Sei still, mein Wort sei dir genug,
Denk' deiner Pflicht und handle klug.

Die drei Damen

(zu TAMINO.)

Warum bist du mit uns so spröde?

(TAMINO deutet bescheiden an, dass er nicht sprechen darf.)

Die drei Damen.

Auch Papageno schweigt—so rede!

Papageno

(heimlich zu den DAMEN.)

Ich möchte gern—wohl—

Tamino.

Still!

Papageno

(heimlich.)

Ihr seht, dass ich nicht soll.—

Tamino.

Still!
Dass du nicht kannst das Plaudern lassen
Ist wahrlich eine Schand für dich!

Papageno.

Dass ich nicht kann das Plaudern lassen,
Ist wahrlich eine Schand' für mich!

Die drei Damen.

Wir müssen sie mit Scham verlassen,
Es plaudert keiner sicherlich;
Von festem Geiste ist ein Mann,
Er denket, was er sprechen kann.

Tamino, Papageno.

Sie müssen uns mit Scham verlassen,
Es plaudert keiner sicherlich;
Vom festen Geiste ist ein Mann,
Er denket, was er sprechen kann.

(Die drei DAMEN wollen sich nach links entfernen.)

Chor der Priester

(von aussen.)

Entweiht ist die heilige Schwelle!
Hinab mit den Weibern zur Hölle!

(Donner.)

Die drei Damen

(stürzen entsetzt nach links hinaus.)

O weh! o weh! o weh!

Papageno

(fällt vor Schrecken zu Boden.)

O weh! o weh! o weh!

(Die drei KNABEN kommen von links; der eine trägt die Flöte, andere das Glockenspiel.)

The three Youths.

A second time be you here welcome,
Dear friends, in Sarastro's kingdom.
He sends you what he's taken from you,
Your mellow flute and bells.

(A golden table covered with food and drink appears.)

If you do not scorn our table,
Drink and eat freely from it.
When a third time we shall meet,
You'll be with happiness rewarded.
Tamino, courage, near is your goal,
And, Papageno, you be still!

(They present the flute to TAMINO, the bells to PAPAGENO; exit.)

Papageno.

Tamino, shall we eat?

(TAMINO plays his flute.)

Papageno.

You blow on your flute and I will eat.

(He goes to the table and eats.)

Sir Sarastro has a fine kitchen! Now I shall see if his cellar is just as good.

(He fills his glass and drinks.)

Ha, this is nectar!

(TAMINO stops playing his flute.)

(PAMINA rushes in from the left.)

(TAMINO, PAMINA, PAPAGENO eating and drinking at the table in the middle.)

Pamina

(happily).

Are you here? Good gods, I thank you! But you are sad. Won't you even say a word to your Pamina? Papageno, tell me what is the trouble with my friend.

Papageno

(motions to her, with full mouth, to go away).

Hm, hm, hm.

Pamina.

What? you too? That is worse than death.
Oh, I feel that all has vanished,
The happiness of love has flown
From my heart; forever banished
Are the blissful hours I've known.
These my tears Tamino see,
Love, they flow alone for thee,

Die drei Knaben.

Seid uns zum zweitenmal willkommen,
Ihr Männer in Sarastros Reich.
Er schickt, was man euch abgenommen,
Die Flöte und die Glöckchen euch.

(Ein goldener, mit Speisen und Getränken reich versehener Tisch kommt von rechts.)

Wollt ihr die Speisen nicht verschmähen,
So esset, trinket froh davon.
Wenn wir zum drittenmal uns sehen,
Ist Freude eures Muthes Lohn!
Tamino, Muth! nah' ist das Ziel.
Du, Papageno, schweige still!

(Während des Terzetts überreichen sie TAMINO die Flöte, PAPAGENO das Glockenspiel und entfernen sich dann nach links.)

Papageno.

Tamino! wollen wir nicht speisen?

(TAMINO bläst auf seiner Flöte.)

Papageno.

Blase du nur fort auf deiner Flöte, ich will meine Brocken blasen.

(Er tritt hinter den Tisch und isst.)

Herr Sarastro führt eine gute Küche. Nun, ich will sehen, ob auch der Keller so gut bestellt ist.

(Er schenkt sich ein und trinkt.)

Ha, das ist Götterwein!

(TAMINO beendet sein Flötenspiel.)

(PAMINA eilt von links herbei.)

(TAMINO rechts vorn. PAMINA zu seiner Linken. PAPAGENO essend und trinkend hinter dem Mitteltisch.)

Pamina

(freudig).

Du hier? Gütige Götter! Dank euch! Aber du bist traurig? Sprichst nicht eine Silbe mit deiner Pamina? Papageno, sage du mir, was ist meinem Freund?

Papageno

(winkt ihr mit gefülltem Mund, fortzugehen.)

Hm, hm, hm!

Pamina.

Wie? Auch du? O das ist mehr als Tod!
Ach, ich fühl's, es ist verschwunden,
Ewig hin der Liebe Glück!
Nimmer kommt ihr, Wonnestunden,
Meinem Herzen mehr zurück!
Sieh' Tamino, diese Thränen,
Fliessen, Trauter, dir allein.

If you do not feel love's longing,
Rest in death will be for me.

(She goes out sadly.)

Papageno

(eats hastily).

Is it not true, Tamino, that I too can be silent if it's necessary?

(Drinks.)

Long live the cook and the butler!

(Three trumpet calls.)
(Exit TAMINO.)

Papageno.

You go first, and I will follow. Now I can really begin to enjoy it. I should go when my appetite is at its best? I'd like to see anyone get me away.

(PAPAGENO, VOICES, SPEAKER.)

Papageno

(from without).

Tamino! Tamino!

(He looks about him.)

If I only knew where I am!

Voice

(calls to him).

Go back!

(Thunder clap. Fire darts out of the door.)

Papageno.

Merciful gods! Where shall I go?
If I only knew which way I came in!

(Goes to the door through which he came.)

Voice

(calls to him).

Back!

(Thunder and fire as above.)

Papageno.

Now I go neither forward nor backward,

(he weeps)

and must perhaps die of hunger in the bargain! Serves me right! Why did I come along?

Speaker.

Man, you deserve to wander forever in the dark recesses of the earth!

Papageno.

Perhaps; still there are many like me on this earth. Now I'd enjoy a glass of wine better than anything!

Fühlst du nicht der Liebe Sehnen,
So wird Ruh' im Tode sein!

(Sie geht traurig ab nach links.)

Papageno

(isst hastig.)

Nicht wahr, Tamino, ich kann auch schweigen, wenn's sein muss?

(Er trinkt.)

Der Herr Koch und der Herr Kellermeister sollen leben!

(Dreimaliger Posaunenton.)
(TAMINO geht durch die Mitte ab.)

Papageno.

Geh' du nur vorous, ich komm' schon nach. Jetzt will ich mir's erst recht wohl sein lassen. Da ich in meinem besten Appetit bin, soll ich gehen? Dass lass ich wohl bleiben.

(PAPAGENO, Stimmen, SPRECHER.)

Papageno

(von aussen rechts.)

Tamino! Tamino!

(Er sucht von rechts herein).

Wenn ich nur wenigstens wüsste, wo ich wäre?

Stimme

(ruft ihm entgegen.)

Zurück!

(Donnerschlag, Feuer schlägt zur Thür hinaus.)

Papageno.

Barmherzige Götter! Wo wend' ich mich hin? Wenn ich nur wüsste, wo ich hereinkam.

(Er kommt zur Thür rechts vorn, durch die er hereinkam.)

Stimme

(ruft ihm entgegen.)

Zurück!

(Donner und Feuer, wie oben.)

Papageno.

Nun kann ich weder zurück noch vorwärts,

(er weint)

muss vielleicht am Ende gar verhungern! Schon recht! Warum bin ich mitgereist!

Sprecher.

Mensch, du hättest verdient, auf immer in finsteren Klüften der Erde zu wandern.

Papageno.

Je nun, es giebt ja noch mehr Leute meinesgleichen. Mir wäre jetzt ein gutes Glas Wein das grösste Vergnügen.

Speaker.

Have you no other wish at all?

Papageno.

So far none other.

Speaker.

You will be served some.

(Exit.)

(A large jug filled with wine comes up from the ground.)

Papageno.

Hurrah! There it comes!

(He drinks.)

Great!—Heavenly! Divine! My heart feels quite strange; I'd like—I wish—now, what then?

(Plays on the bells.)

For why fair maidens should like me
Does Papageno sigh.
O such a gentle turtle-dove
Is a blessing from on high!
Then never while eating nor drinking
Would I envy fair princes, I'm thinking.
Like wise man I'd find joy in life
If only I got me a wife!
For maiden fair, etc.
For my fair maidens should like me
Far less than others I can't see.
Help me in my misery.
Else for death I'll praying be!
For maiden fair, etc.
If no one grants her love to me,
By flames of love consumed I'll be!
Still if one kiss I should receive,
I would revive—this I believe!

(The old WOMAN dancing and leaning on her cane, comes to the scene.)

Woman.

Here I am now, my fair angel!

Sprecher.

Sonst hast du keinen Wunsch in dieser Welt?

Papageno.

Bis jetzt nicht.

Sprecher.

Man wird dich damit bedienen.

(Ab nach links.)

(Ein grosser mit Wein gefüllter Becher kommt aus der Erde.)

Papageno.

Juhe! Da ist er schon!

(Er trinkt.)

Herrlich!—Himmlisch!—Göttlich!
Ha! Mir wird ganz wunderlich ums
Herz; ich möchte—ich wünschte—ja, was denn?

(schlägt dazu das Glockenspiel.)

Ein Mädchen oder Weibchen
Wünscht Papageno sich.
O so ein sanftes Täubchen
Wär' Seligkeit für mich!
Dann schmeckte mir Trinken und Essen.
Dann könnt ich mit Fürsten mich messen.
Des Lebens als Weiser mich freu'n,
Und wie im Elysium sein.
Ein Mädchen oder Weibchen
Wünscht Papageno sich.
O, so ein sanftes Täubchen
Wär' Seligkeit für mich.
Ach, kann ich denn keiner von allen
Den reizenden Mädchen gefallen?
Helf' eine mir nur aus der Noth,
Sonst gräm' ich mich wahrlich zu Tod.
Ein Mädchen oder Weibchen
Wunscht Papageno sich.
O, so ein sanftes Täubchen
Wär' Seligkeit für mich.
Wird keine mir Liebe gewähren,
So muss mich die Flamme verzehren!
Doch küsst mich ein weiblicher Mund,
So bin ich schon wieder gesund!

(Das alte WEIB, tanzend und sich dabei auf einen Stock stützend, kommt von rechts und tritt ihm zur Linken.)

Weib.

Da bin ich schon, mein Engel!

Papageno (turns around).

Did you take pity on me?

Woman.

Yes, my angel! Come, give me your hand as a pledge of our union.

Papageno.

Not quite so hasty, dear angel!

Woman.

Papageno, I advise you, do not hesitate. Your hand or you are here imprisoned forever.

Papageno.

Imprisoned?

Woman.

Bread and water will be your daily meal.

Papageno.

Bread and water? To renounce the world? If that is so, I'd rather take an old one than none at all. Here is my hand with the assurance that I will always remain true to you,

(aside)

as long as I see no fairer one.

Woman.

Do you swear that?

Papageno.

Yes, I swear it to you.

(The WOMAN changes into a young woman, who is dressed like PAPAGENO.)

Papageno.

Pa-Pa Papagena!

(He tries to embrace her.)

(The SPEAKER comes in quickly between the two.)

Speaker (takes her quickly by the hand).

Away with you, young woman, he is not yet worthy of you!

(He takes her away.)

CHANGE OF SCENE.

(Garden with a lake in the background. To the right a bench overhung with roses. Clear moonlight floods the scene.)

(PAMINA sleeping on the bench under the roses. MONOSTATOS in the back.)

Monostatos.

Ah, here I find the timid maiden. The flame which in me burns will consume me.

(He looks around.)

Papageno (drecht sich un.)

Du hast dich meiner erbarmt?

Weib.

Ja, mein Engel! Komm, reich mir zum Pfand unseres Bundes deine Hand.

Papageno.

Nur nicht so hastig, lieber Engel!

Weib.

Papageno, ich rathe dir, zaudre nicht. Deine Hand, oder du bist auf immer hier eingekerkert.

Papageno.

Eingekerkert?

Weib.

Wasser und Brod wird deine tägliche Kost sein.

Papageno.

Wasser trinken? Der Welt entsagen? Nein, da will ich doch lieber eine Alte nehmen, als gar keine. Nun, da hast du meine Hand, mit der Versicherung, dass ich dir immer getreu bleibe,

(für sich)

solange ich keine Schönere sehe.

Weib.

Das schwörst du?

Papageno.

Ja, das schwör' ich dir!

(WEIB verwandelt sich in ein junges Weib, welches ebenso gekleidet ist, wie PAPAGENO.)

Papageno.

Pa—pa Papagena!

(Er will sie umarmen.)

(SPRECHER tritt rasch von links ein und zwischen beide.)

Sprecher (nimmt sie hastig bei der Hand.)

Fort mit dir, junges Weib, er ist deiner noch nicht würdig.

(Er drängt sie nach links ab.)

VERWANDLUNG.

(Garten mit einem See im Hintergrund. Rechts ein von blühenden Rosen überhangener Sitz. Heller Mondschein überfluthet die Gegend.)

(PAMINA schlafend auf dem Sitz unter den Rosen. MONOSTATOS von links hinten.)

Monostatos.

Ha! Da find' ich ja die spröde Schöne! Das Feuer, das in mir glimmt, wird mich noch verzehren.

(Er siecht sich um.)

If I only knew whether I am alone and no one listening. A little kiss, I should think would be excusable.
Love in every heart is reigning,
Bills and coos, caresses and embraces,
But my love she is disdaining
Just because my skin is brown.
Have I not a heart within me?
Why should maidens at me frown?
Without wife ever to dwell,
Is worse than the fire of hell.
Therefore will I while I live,
Bill and kiss and tender be.
Dear good moon, forgive, forgive,
A white maid has enticed me.
White is lovely, I must kiss.
Moon, oh hide thyself the while,
And if it disturbs thy bliss,
Close thine eyes, and take it not amiss.

(He creeps up slowly and softly to PAMINA.)
(The QUEEN enters hastily.)

Queen

(to MONOSTATOS).

Back!

Monostatos.

Heavens!

(PAMINA, the QUEEN, MONOSTATOS.)

Wenn ich wüsste—dass ich so ganz allein und unbelauscht wäre! Ein Küsschen, dächte ich, liesse sich entschuldigen.
Alles fühlt der Liebe Freuden.
Schnäbelt, tändelt, herzt und küsst;
Und ich soll die Liebe meiden,
Weil ein Schwarzer hässlich ist!
Ist mir denn kein Herz gegeben?
Ich bin auch den Mädchen gut!
Immer ohne Weibchen leben,
Wäre wahrlich Höllengluth!
Drum so will ich, weil ich lebe,
Schnäbeln, küssen, zärtlich sein!
Lieber guter Mond, vergebe,
Eine Weisse nahm mich ein,
Weiss ist schön! ich muss sie küssen;
Mond, verstecke dich dazu!
Sollt' es dich zu sehr verdriessen,
O so mach' die Augen zu!

(Er schleicht langsam und leise zu PAMINA hin.)
(Die KÖNIGIN eilt von rechts hinten herbei.)

Königin

(gebietend zu MONOSTATOS.)

Zurück!

Monostatos.

O weh!

(PAMINA rechts vorn schlafend, die KÖNIGIN mit drohender Geberde die Mitte nehmend. MONOSTATOS zu ihrer Linken.)

DER HÖLLE RACHE KOCHT IN MEINEM HERZEN—*THE PANGS OF HELL ARE RAGING* Air (Queen)

Rejected be forever and forlorn,
To pieces all the ties of nature torn,
If through thee vile Sarastro dies not now,
Hear, gods of vengeance, hear a mother's vow!

Verstossen sei auf ewig und verlassen,
Zertrümmert alle Bande der Natur,
Wenn nicht durch dich Sarastro wird erblassen!
Hört! Rachegötter! Hört der Mutter Schwur!

Pamina

(arising).

Mother, mother, my mother!

(She falls into her arms.)

Pamina

(sich erhebend.)

Mutter! Mutter! Meine Mutter!

(Sie fällt ihr in die Arme.)

Queen

(draws out a dagger).

Do you see this steel? It is sharpened for Sarastro. You are to kill him and bring back to me the powerful zodiac.

(She forces the dagger on her.)

Pamina.

But, dearest mother!

Queen.

Not a word!

(Thunder. The QUEEN disappears.)

Pamina

(with dagger in hand).

Murder must I? Gods! That I cannot. What shall I do?

Monostatos

(takes away her dagger).

Trust in me.

Pamina

(frightened).

Ha!

Monostatos.

Why do you tremble?
Is it because of my black skin or the intended murder?

Pamina

(timidly).

Then you know?

Monostatos.

All. Only one way is left you now to save yourself and your mother.

Pamina.

Which is?

Monostatos.

To love me.

Pamina

(trembling, aside).

Heavens!

Monostatos.

Now, maiden, yes or no!

Pamina

(decidedly).

No!

Monostatos

(in anger).

No? then die!

Sarastro

(comes between them, raises a threatening arm, and hurls MONOSTATOS back).

Back!

Königin

(zieht einen Dolch hervor.)

Siehst du hier diesen Stahl? Er ist für Sarastro geschliffen. Du wirst ihn tödten und den mächtigen Sonnenkreis mir überliefern.

(Sie dringt ihr den Dolch auf.)

Pamina.

Aber liebste Mutter!

Königin.

Kein Wort!

(Donner. Sie verschwindet.)

Pamina

(den Dolch in der Hand, mit einigen Schritten nach links.)

Morden soll ich? Götter! Das kann ich nicht. Was soll ich thun?

Monostatos

(nimmt ihr den Dolch weg.)

Dich mir anvertrauen.

Pamina

(erschrickt.)

Ha!

Monostatos.

Warum zitterst du? Vor meiner schwarzen Farbe oder vor dem ausgedachten Mord?

Pamina

(schüchtern.)

Du weisst also?

Monostatos.

Alles! Du hast also nur einen Weg, dich und deine Mutter zu retten.

Pamina.

Der wäre?

Monostatos.

Mich zu lieben!

Pamina

(zitternd, für sich.)

Götter!

Monostatos.

Nun, Mädchen, ja oder nein!

Pamina

(entschlossen.)

Nein!

Monostatos

(voll Zorn.)

Nein? So fahr' hin!

Sarastro

(tritt gebietend zwischen beide, erhebt drohend den Arm und schleudert MONOSTATOS zurück.)

Zurück!

Monostatos
(turning around like a flash and falling at SARASTRO's feet).
Sir, I am not guilty!

Sarastro.
I know that your soul is as black as your face. Go!
(Exit MONOSTATOS.)

Pamina.
Master, do not punish my mother!

Sarastro.
I know all. You shall see how I shall vengeance take upon your mother.

Monostatos
(sich blitzschnell um sich selbst drehend und vor SARASTRO auf die Knie fallend.)
Herr, ich bin unschuldig!

Sarastro.
Ich weiss, dass deine Seele eben so schwarz als dein Gesicht ist. Geh!
(Er eilt nach rechts hinten ab.)

Pamina.
Herr! Strafe meine Mutter nicht!

Sarastro.
Ich weiss alles. Du sollst sehen, wie ich mich an deiner Mutter räche.

IN DIESEN HEIL'GEN HALLEN—*WITHIN THIS HALLOWED DWELLING*—Air (Sarastro)

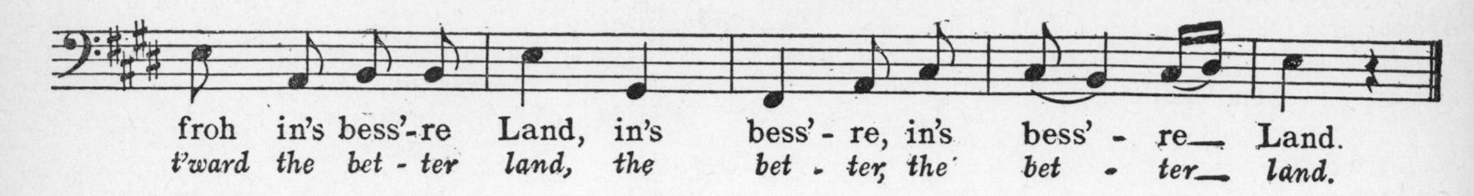

Within these holy walls
Where man loves brother man,
There can no traitor lurk.
The enemy is forgiv'n.
He whom this teaching does not gladden,
Does not deserve to be a man.

(Exit both.)

CHANGE OF SCENE.

(Temple of Isis and Osiris.)

(SPEAKER, PRIESTS, SARASTRO.)

Chorus of Priests

(standing around SARASTRO in semi-circle).

O Isis and Osiris! O the ray
Of rising Phoebus drives the night away.
The noble youth will soon feel joys of heaven,
When to our service he is fully given.
With courage bold, and heart that's free,
Of us he soon will worthy be.

Sarastro.

Prince, your behaviour till now has been manly and composed. Give me your hand!

(He makes a sign.)

Let Pamina be brought in.

(Two priests go out and come back at once with PAMINA, who is wrapped in the veil of the initiated.)

Pamina.

Where am I? Tell me where is my lover?

Sarastro

(removes the veil from TAMINO).

Here!

Pamina

(in rapture).

Tamino!

Tamino

(beckoning to her).

Go back!

Pamina.

May I never see you again?

Sarastro.

You'll surely see each other again.

In diesen heil'gen Mauern,
Wo Mensch den Menschen liebt,
Kann kein Verräther lauern,
Weil man dem Feind' vergiebt.
Wen solche Lehren nicht erfreun,
Verdienet nicht ein Mensch zu sein.

(Beide gehen nach links ab.)

VERWANDLUNG.

(Tempel der Götter Isis und Osiris.)

(SPRECHER, PRIESTER, SARASTRO, die Mitte einnehmend.)

Chor der Priester

(SARASTRO im Halbkreis umstehend.)

O Isis und Osiris, welche Wonne.
Die düstre Nacht verscheucht der Glanz der Sonne.
Bald fühlt der edle Jüngling neues Leben;
Bald ist er unserm Dienste ganz ergeben.
Sein Geist ist kühn, sein Herz ist rein,
Bald wird er unser würdig sein.

Sarastro.

Prinz! Dein Betragen war bis hierher männlich und gelassen. Deine Hand!

(Er giebt einen Wink nach links hin.)

Man bringe Pamina!

(Zwei PRIESTER entfernen sich nach links vorn und kommen sogleich mit PAMINA zurück, welche mit dem Schleier der Eingeweihten bedeckt ist.)

Pamina.

Wo bin ich? Sagt, wo ist mein Jüngling?

Sarastro

(löst TAMINOS Schleier.)

Hier.

Pamina

(enzückt.)

Tamino!

Tamino

(sie von sich weisend.)

Zurück!

Pamina.

Soll ich dich, Theurer, nicht mehr sehn?

Sarastro.

Ihr werdet froh euch wieder sehn.

Pamina.
Deadly dangers await you!
Tamino.
May the gods protect me!
Pamina.
Deadly dangers await you!
Sarastro.
May the gods protect him!
Tamino.
May the gods protect me!
Pamina.
From death you cannot now escape,
My saddened heart forebodes it!
Sarastro.
May the will of the gods be done,
And their desire be law for him.
Tamino.
May the will of the gods be done,
And their desire be law for me.
Pamina.
O if you were to love like me,
You surely would not be so calm!
Sarastro.
Yes, he loves with equal passion,
And ever will your lover be!
Tamino.
Yes, I love with equal passion,
And ever will your lover be!
Sarastro.
The hour has come when you must part!
Tamino and Pamina.
How bitter are the pains of parting!
Sarastro.
The hour has come when you must part!
Tamino and Pamina.
How bitter are the pains of parting!
Sarastro.
Tamino must at once depart!
Tamino.
Yes, I must at once depart!
Pamina.
Tamino must at once depart!
Sarastro.
He must depart!

Pamina.
Dein warten tödliche Gefahren!
Tamino.
Die Götter mögen mich bewahren!
Pamina.
Dein warten tödliche Gefahren!
Sarastro.
Die Götter mögen ihn bewahren!
Tamino.
Die Götter mögen mich bewahren!
Pamina.
Du wirst dem Tode nicht entgehen;
Mir flüstert dieses Ahnung ein.
Sarastro.
Der Götter Wille mag geschehen,
Ihr Wink soll ihm Gesetze sein.
Tamino.
Der Götter Wille mag geschehen,
Ihr Wink soll mir Gesetze sein!
Pamina.
O liebtest du, wie ich dich liebe,
Du würdest nicht so ruhig sein.
Sarastro.
Glaub' mir, er fühlet gleiche Triebe,
Wird ewig dein Getreuer sein.
Tamino.
Glaub' mir, ich fühle gleiche Triebe,
Werd' ewig dein Getreuer sein!
Sarastro.
Die Stunde schlägt, nun müsst ihr scheiden!
Tamino und Pamina.
Wie bitter sind der Trennung Leiden!
Sarastro.
Die Stunde schlägt, nun müsst ihr scheiden!
Tamino und Pamina.
Wie bitter sind der Trennung Leiden!
Sarastro.
Tamino muss nun wieder fort.
Tamino.
Pamina, ich muss wirklich fort!
Pamina.
Tamino muss nun wirklich fort!
Sarastro.
Nun muss er fort!

Tamino.
I must depart!
Pamina.
He must depart!
Tamino.
Pamina, fare thee well!
Pamina.
Tamino, fare thee well!
Sarastro.
Now hasten away,
Your promise calls you!
The time has come! We'll meet again!
Tamino and Pamina.
O longed-for calm, return again.
(She is led away by two priests.)
(SARASTRO leaves with TAMINO; exit the priests.)

CHANGE OF SCENE.

(Small palm garden. Twilight. It grows gradually lighter.)
(The three YOUTHS come from the left.)

The three Youths.
The sun comes in the night to banish,
And beams upon earth brilliantly.
All superstition must soon vanish,
The wise man goes to victory.
O heavenly quiet, now descend,
Return into the heart of man.
Then will the earth as a heaven be
And mortals like Divinity.

First Youth.
But see, Pamina's in despair.
Second and Third Youth.
Where is she?
First Youth.
She is out of her mind.
The three Youths.
She suffers pangs of disdained love,
Let us endeavor to console her,
Her fate indeed has greatly moved me,
Would that her lover here would be!
She comes, let us draw aside,
So that we better can observe her!
(They step to the back of the stage.)
(PAMINA rushes in half insane, with the dagger given her by the QUEEN.)

Tamino.
Nun muss ich fort!
Pamina.
So musst du fort!
Tamino.
Pamina, lebe wohl!
Pamina.
Tamino, lebe wohl!
Sarastro.
Nun eile fort.
Dich ruft dein Wort.
Die Stunde schlägt, wir sehn uns wieder!
Tamino und Pamina.
Ach, goldne Ruhe, kehre wieder!
(Sie wird von zwei Priestern nach rechts vorn abgeführt.)
(SARASTRO entfernt sich mit TAMINO an der Hand und allen PRIESTER nach links vorn.)

VERWANDLUNG.

(Kurzer Palmengarten. Halbdunkel. Es wird nach und nach ganz hell.)
(Die drei KNABEN kommen von links.)

Die drei Knaben.
Bald prangt, den Morgen zu verkünden,
Die Sonn' auf gold'ner Bahn!
Bald soll der Aberglaube schwinden,
Bald siegt der weise Mann.
O holde Ruhe, steig' hernieder.
Kehr' in der Menschen Herzen wieder;
Dann wird die Erd' ein Himmelreich,
Und Sterbliche den Göttern gleich.
Erster Knabe.
Doch seht, Verzweiflung quält Paminen.
Zweiter und dritter Knabe.
Wo ist sie denn?
Erster Knabe.
Sie ist von Sinnen.
Die drei Knaben.
Sie quält verschmähter Liebe Leiden.
Lasst uns der Armen Trost bereiten!
Fürwahr, ihr Schicksal geht mir nah!
O wäre nur ihr Jüngling da!—
Sie kommt, lasst uns beiseite gehn,
Damit wir, was sie mache, sehn.
(Sie ziehen sich nach links hinten zurück.)
(PAMINA, halb wahnsinnig, mit dem Dolch, den sie von der KÖNIGIN empfing, herbeistürzend.)

Pamina
(to her dagger).
In you my bridegroom now I see,
Through you my grief will ended be!

The Youths
(aside).
Oh, woe! what said Pamina here!
And see, she is to madness near!

Pamina.
Patience, beloved, I am thine.
Soon shall we now united be.

The Youths
(draw nearer).
Madness lurks in her poor brain,
Suicide she contemplates.
(To PAMINA)
Gracious maiden, here behold us!

Pamina.
Die I must, since the man
Whom detest I never can
His loved one has forsaken!
(Raises the dagger.)
This my mother gave to me.

The three Youths.
Suicide by God is punished.

Pamina.
Better by this steel to die,
Than through grief and love to perish,
Mother, alas, I suffer through thee,
And your curse pursueth me!

The three Youths.
Maiden, will you go with us?

Pamina.
The measure of my grief is full,
Faithless lover, fare thee well!
See, Pamina dies through thee.
May this dagger destroy me!
(She tries to stab herself.)

The three Youths
(come up and snatch the dagger from her).

Hold, unhappy one, and hear.
Were your lover this to see,
He with sorrow would expire,
For he loves but you alone.

Pamina
(recovers herself).
What? He, too, felt love?
And concealed his feelings for me?

Pamina
(zu dem Dolch.)
Du also bist mein Bräutigam?
Durch dich vollend' ich meinen Gram!

Die Knaben
(beiseite.)
Welch' dunkle Worte sprach sie da?
Die Arme ist dem Wahnsinn nah'.

Pamina.
Geduld, mein Trauter, ich bin dein,
Bald werden wir vermählet sein.

Die Knaben
(treten näher.)
Wahsinn tobt ihr im Gehirne;
Selbstmord steht ihr auf der Stirne.
(Zu PAMINA.)
Holdes Mädchen, sieh uns an!

Pamina.
Sterben will ich, weil der Mann,
Denn ich nimmermehr kann hassen,
Seine Traute kann verlassen.
(Den Dolch erhebend.)
Dies gab meine Mutter mir.

Die Knaben.
Selbstmord strafet Gott an dir.

Pamina.
Lieber durch dies Eisen sterben,
Als durch Liebesgram verderben.
Mutter, durch dich leide ich,
Und dein Fluch verfolget mich.

Die Knaben.
Mädchen, willst du mit uns gehn?

Pamina.
Ha, des Jammers Mass ist voll!
Falscher Jüngling, lebe wohl!
Sieh, Pamina stirbt durch dich:
Dieses Eisen tödte mich.
(Sie will sich erstechen.)

Die Knaben
(treten, zwei von rechts, einer von links, zu PAMINA vor und entreissen ihr den Dolch.)
Ha, Unglückliche! halt ein!
Sollte dies dein Jüngling sehen,
Würde er vor Gram vergehen;
Denn er liebet dich allein.

Pamina
(erholt sich.)
Was? Er fühlte Gegenliebe?
Und verbarg mir seine Triebe,

Turned his countenance away.
Why did he not speak to me?

The three Youths.

This, alas, we must not tell,
But we will now show him to you.
And you will see with surprise,
That he gave his heart to you,
And for you his life he'd give!

Pamina.

Take me where I now can see him!

The three Youths.

Come to him, we now wil' lead you.

All Four.

Two hearts that with true love are burning
Can human weakness never part.
Vain are the efforts of the enemy,
For by the gods they will protected be!

(Exeunt.)

Wandte sein Gesicht von mir?
Warum sprach er nicht mit mir?

Die Knaben.

Dieses müssen wir verschweigen,
Doch, wir wollen dir ihn zeigen!
Und du wirst mit Staunen sehn,
Dass er dir sein Herz geweiht,
Und den Tod für dich nicht scheut.

Pamina.

Führt mich hin, ich möcht' ihn sehen.

Die Knaben.

Kommt, wir wollen zu ihm gehen.

Alle Vier.

Zwei Herzen, die von Liebe brennen,
Kann Menschenohnmacht niemals trennen.
Verloren ist der Feinde Müh',
Die Götter selbst beschützen sie.

(Sie gehen nach rechts ab.)

CHANGE OF SCENE.

(Wild mountain spot, with an iron middle gate. To the right and left, iron doors as entrances. In the background, on both sides of the middle door, small caves in the rocks. Within the one to the right, one sees through an iron gate, a roaring stream. In the one to the left, a brightly glowing fire. Twilight.)

(TAMINO with two priests. PAMINA's voice heard without.)

Men.

He who pursueth his path with dangers full
Becometh pure by fire, water, air and earth
If he can overcome the pangs of death,
From out of earth he rises unto heaven.
Thus purified he then will able be,
To devote himself to Isis' mystery.

Tamino.

I fear not death, for as a man
I'll follow ever virtue's path,
Open the gates of horror wide,
I'll gladly risk the dangerous tide!

Pamina

(from without).

Tamino, wait! for I must see you!

VERWANDLUNG.

(Wilde Felsengegend mit einem eisernen Mittelthor. Rechts und links eiserne Thore als Eingänge. Im Hintergrund zu beiden Seiten des Mittelthores Felsenhöhlen; in der einen rechts sieht man durch ein eisernes Gitter eine brausende Wasserfluth, in der andern links eine hellflammende Feuergluth,—Es ist halbdunkel.)

(TAMINO mit zwei PRIESTERN von links. PAMINA's Stimme rechts draussen.)

Die zwei Geharnischten.

Der, welcher wandert diese Strasse voll Beschwerden.
Wird rein durch Feuer, Wasser, Luft und Erden;
Wenn er des Todes Schrecken überwinden kann,
Schwingt er sich aus der Erde himmelan.
Erleuchtet wird er dann imstande sein,
Sich den Mysterien der Isis ganz zu weihn.

Tamino.

Mich schreckt kein Tod, als Mann zu handeln,
Den Weg der Tugend fortzuwandeln.
Schliesst mir die Schreckenspforten auf,
Ich wage froh den kühnen Lauf.

Pamina

(von rechts draussen.)

Tamino, halt! Ich muss dich sehen.

Tamino.
What do I hear? Pamina's voice?
Men.
Yes, yes, it is Pamina's voice.
Tamino.
Now she can surely go with me,
Nothing can us separate,
Even if death should be our fate.
Men.
Now she can surely go with you,
Nothing can you separate,
Even if death should be your fate.
Tamino.
Is it permitted me to speak to her?
Men.
It is permitted you to speak to her.
(The two priests exit.)
Tamino.
What happiness if we should meet again!
Men.
What happiness if we should meet again!
Tamino and Men.
Joyfully go hand in hand to the temple,
A wife whom neither night nor death dismay
Is worthy, and will be ordained.
(Priests come back with PAMINA.)
(Above. PAMINA.)
Pamina
(embracing TAMINO).
Tamino mine! What happiness is this!
Tamino.
Pamina mine! What happiness is this!
(He points to both mountain caverns.)
Here are the gates of horror,
They threaten danger dire and death.
Pamina.
I will always.
Be your true companion.
Myself I lead you,
And love guides me on:
(Takes him by the hand.)
Love will deck thy thorny way,
And the path with roses strew.
Now your magic flute you'll play,
It will protect us on our way.
My father in a magic hour
Fashioned it himself

Tamino.
Was hör' ich? Paminens Stimme?
Die Geharnischten.
Ja, ja, das ist Paminens Stimme.
Tamino.
Wohl mir, nun kann sie mit mir gehn,
Nun trennet uns kein Schicksal mehr,
Wenn auch der Tod beschieden wär'!
Die Geharnischten.
Wohl dir, nun kann sie mit dir gehn,
Nun trennet euch kein Schicksal mehr,
Wenn auch der Tod beschieden wär!
Tamino.
Ist mir erlaubt, mit ihr zu sprechen?
Die Geharnischten.
Dir sei erlaubt, mit ihr zu sprechen!
(Die zwei PRIESTER gehen rechts ab.)
Tamino.
Welch' Glück, wenn wir uns wiedersehn.
Die Geharnischten.
Welch' Glück, wenn wir euch wiedersehn.
Tamino und die Geharnischten.
Froh Hand in Hand im Tempel gehn.
Ein Weib, das Nacht und Tod nicht scheut,
Ist würdig und wird eingeweiht.
(Die beiden PRIESTER kommen mit PAMINA von rechts zurück.)
(Die Vorigen, PAMINA.)
Pamina
(TAMINO unarmend).
Tamino mein! o welch' ein Glück!
Tamino.
Pamina mein! o welch' ein Glück!
(Er zeigt nach den beiden Felsenhöhlen.)
Hier sind die Schreckenspforten,
Die Noth und Tod mir dräun.
Pamina.
Ich werd' an allen Orten
An deiner Seite sein.
Ich selber führe dich,
Die Liebe leite mich.
(Sie nimmt ihn bei der Hand.)
Sie mag den Weg mit Rosen streun,
Weil Rosen stets bei Dornen sein.
Spiel du die Zauberflöte an,
Sie schütze uns auf unsrer Bahn.
Es schnitt in einer Zauberstunde
Mein Vater sie aus tiefstem Grunde

Out of a thousand-year old oak,
In thunder, lightning, storm and gale,
Now your magic flute you'll play,
It will protect us on our way.

Tamino, Pamina.

We wander by the flute's sweet might,
Merrily into death and night.

Men.

They wander by the flute's sweet might,
Merrily into death and night.

(TAMINO and PAMINA go toward the cavern of fire, through which they pass, PAMINA keeping her hand on TAMINO's shoulder, and TAMINO playing his flute. As soon as they emerge from the purgation by fire, they embrace.)

Both.

We wandered through the flames,
And bravely met the dangers.

(To the flute.)

May your tones protect us in the flood of waters,
As they did when fire was near.

(TAMINO and PAMINA proceed into the cave of water. They soon come out of the purgation by water.)

(Above. SARASTRO, Priests high up in the temple.)

Tamino, Pamina.

Oh gods, what a glorious sight!
The joy of Isis is upon us!

Chorus of Priests.

Triumph, triumph, noble pair,
The danger you have overcome.
To Isis you we consecrate;
Walk now within the temple gate.

(TAMINO and PAMINA take their way to the temple.)

CHANGE OF SCENE.

(Small garden. To the right a tree with a dried up branch. It is daylight.)

(PAPAGENO, alone, with a rope around his waist.)

Papageno

(calls on his pipe).

Papagena, Papagena, Papagena!
Little darling, little dove!
In vain I sigh, to me she's lost.
Oh, I am born to misery!
I talked, I know, and that was wrong.
And so they'll say it served me right.

Der tausendjähr'gen Eiche aus,
Bei Blitz und Donner, Sturm und Braus.
Nun komm' und spiel' die Flöte an,
Sie leite uns auf grauser Bahn.

Tamino, Pamina.

Wir wandeln durch des Tones Macht,
Froh durch des Todes düst're Nacht!

Die Geharnischten.

Ihr wandelt durch des Tones Macht,
Froh durch des Todes düst're Nacht.

(TAMINO und PAMINA wenden sich nach links zur Feuerhöhle, die sie durchwandern, indem PAMINA ihre Hand auf TAMINO's Schulter legt, wobei TAMINO seine Flöte bläst. Sobald sie aus der Feuerprobe heraus kommen, umarmen sie sich und bleiben in der Mitte.)

Beide.

Wir wandelten durch Feuergluthen,
Bekämpften muthig die Gefahr.

(Zur Flöte.)

Dein Ton sei Schutz in Wasserfluthen,
So wie er es im Feuer war.

(TAMINO und PAMINA wenden sich nun ganz wie vorhin nach rechts zur Wasserhöhle. Sobald sie aus der Wasserprobe herauskommen:)

(Die Vorigen, SARASTRO, die PRIESTER hoch oben im Tempel.)

Tamino, Pamina.

Ihr Götter! Welch' ein Augenblick!
Gewähret ist uns Isis Glück.

Chor der Priester.

Triumph! Triumph! du edles Paar!
Besieget hast du die Gefahr,
Der Isis Weihe ist nun dein,
Kommt, tretet in den Tempel ein!

(TAMINO und PAMINA wenden sich nach hinten zum Tempel.)

VERWANDLUNG.

(Kurze Gartendekoration; rechts ein Baum mit einem verdorrten Ast.—Es ist hell.)

(PAPAGENO allein, mit einem Strick umgürtet.)

Papageno

(ruft mit seinem Pfeifchen.)

Papagena! Papagena! Papagena!
Weibchen! Täubchen! Meine Schöne!
Vergebens! Ach, sie ist verloren!
Ich bin zum Unglück schon geboren.
Ich plauderte—und das war schlecht,
Darum geschieht es mir schon recht.

But since I tasted of that wine,
And since her eyes had first met mine,
A constant fire burns in my heart,
And I am tortured day and night!
Papagena, light of life,
Papagena, darling wife!
In vain for thee again I sigh,
So naught is left me but to die!
I'm tired of life, so from it part,
To quench the flame that fires my heart!

(He takes off the rope.)

I will single out this tree,
And from its high branches swing.
For since life has lost its worth,
I will say farewell to earth.
Since to me you are so cruel,
And refuse to grant my prayer,
All is over, I shall die,
Since there's none to mourn or sigh,
Still if only one there be,
Who would love or pity me,
Then I will not end my woe.
Only tell me, yes or no—
No one hears me, all is still.

(Looks around.)

Tell me, then, is it your will?
Papageno, swing on high,
And nobly like a hero die!

(He looks around.)

Now I'm waiting, let it be
While I'm counting, one, two, three!

(He whistles.)

One!

(He looks around and whistles.)

Two!
Two's already past!

(He whistles.)

Three!

(He looks around.)

Now away, and let it be!
There is nothing to keep me!
Good night, false world, farewell to thee!

(He tries to hang himself.)

(The three YOUTHS hurry in.)

The three Youths.

Stop, Papageno, and prudent be,
Man lives but once—be this enough for thee!

Seit ich gekostet diesen Wein.
Seit ich das schöne Weibchen sah,
So brennt's im Herzenskämmerlein,
So zwickt es hier, so zwickt es da.
Papagena! Herzenstäubchen!
Papagena! liebes Weibchen!
's ist umsonst! Es ist vergebens!
Müde bin ich meines Lebens!
Sterben macht der Lieb' ein End',
Wenn's im Herzen noch so brennt.

(Er nimmt den Strick von seiner Mitte.)

Diesen Baum da will ich zieren,
Mir an ihm den Hals zuschnüren,
Weil das Leben mir missfällt;
Gute Nacht, du falsche Welt.
Weil du böse an mir handelst,
Mir kein schönes Kind zubandelst:
So ist's aus, so sterbe ich,
Schöne Mädchen, denkt an mich.
Will sich eine um mich Armen,
Eh' ich hänge, noch erbarmen,
Wohl, so lass ich's diesmal sein!
Rufet nur, ja—oder nein.—
Keine hört mich, alles stille!

(Er sieht sich um.)

Also ist es euer Wille?
Papageno, frisch hinauf!
Ende dienen Lebenslauf.

(Er sieht sich um.)

Nun, ich warte noch, es sei,
Bis man zählet, eins, zwei, drei.

(Er pfeift.)

Eins!

(Er sieht sich um und pfeift.)

Zwei!
Zwei ist schon vorbei.

(Er pfeift.)

Drei!

(Er sieht sich um.)

Nun wohlan, es bleibt dabei!
Weil mich nichts zurücke hält!
Gute Nacht, du falsche Welt.

(Er will sich aufhängen.)

(Die drei KNABEN eilen von links herbei.)

Die drei Knaben.

Halt ein, o Papageno, und sei klug;
Man lebt nur einmal, dies sei dir genug.

Papageno.

Your talk and joking's very fine,
Still, if your hearts would burn like mine,
You, too, would after fair maids run.

The three Youths.

Then let your sweet bells ring,
They will your maiden to you bring.

Papageno.

Fool that I am, to forget the magic thing,
Ring, bells, ring, ring, ring!
My little wife I now would see.

(Rings.)

Ring, bells, ring, ring, ring!
My little maiden to me bring!
Ring, bells, ring, ring, ring!
My little maiden to me bring!

(At the sound the three YOUTHS go out and return with PAPAGENA.)

Now, Papageno, look about you!

(Exit the YOUTHS.)
(PAPAGENO looks around—silly dumb show.)
(PAPAGENO, PAPAGENA at his left.)

Papageno

(dancing around her).

Pa—Pa—Pa—Pa—Pa—Papagena!

Woman

(dancing around him).

Pa—Pa—Pa—Pa—Pa—Papageno!

Both.

Pa—Pa—Pa—Pa—Pa—Papageno!
Papagena!

Papageno.

Are you now all my own?

Woman.

Now I am all your own.

Papageno.

Well, then be my little love!

Woman.

Well, then be my turtledove!

Both.

What a joy we now shall feel,
When the gods their gifts reveal,
Little boys and girls galore,
All we want and many more!

Papageno.

First a little Papageno.

Woman.

Then a little Papagena.

Papageno.

Ihr habt gut reden, habt gut scherzen.
Doch brennt es euch, wie mich im Herzen,
Ihr würdet auch nach Mädchen gehn.

Die drei Knaben.

So lasse deine Glöckchen klingen,
Dies wird dein Mädchen zu dir bringen.

Papageno.

Ich Narr vergass der Zauberdinge!
Erklinge, Glockenspiel, erklinge!
Ich muss mein liebes Mädchen sehn.

(Er schlägt sein Glockenspiel.)

Klinget, Glöckchen, klinget,
Schafft mein Mädchen her!
Klinget, Glöckchen, klinget,
Bringt mein Weibchen her!

(Die drei KNABEN eilen unter diesem Schlagen nach link ab und kehren sogleich mit PAPAGENA zurück.)

Nun, Papageno, sieh' dich um!

(Sie entfernen sich nach links.)
(PAPAGENO sieht sich um, komisches Spiel.)
(PAPAGENO, PAPAGENA zu seiner Linken.)

Papageno

(sie umtanzend.)

Pa—Pa—Pa—Pa—Pa—Papagena!

Weib

(ihn umtanzend.)

Pa—Pa—Pa—Pa—Pa—Papageno!

Beide.

Pa—Pa—Pa—Pa—Pa—Papageno!
Papagena!

Papageno.

Bist du mir nun ganz gegeben?

Weib.

Nun bin ich dir ganz gegeben.

Papageno.

Nun, so sei mein liebes Weibchen!

Weib.

Nun, so sei mein Herzenstäubchen!

Beide.

Welche Freude wird das sein!
Wenn die Götter uns bedenken,
Uns'rer Liebe Kinder schenken,
So liebe kleine Kinderlein!

Papageno.

Erst einen kleinen Papageno!

Weib.

Dann eine kleine Papagena!

Papageno.
Then another Papageno.
Woman.
Then another Papagena.
Both.
Papagena! Papagena! Papagena!
It is the greatest pleasure,
When many, many, many, many
Pa—Pa—Pa—Pa—geno,
Pa—Pa—Pa—Pa—gena,
The blessing of fond parents are!
(Both go out arm in arm.)

CHANGE OF SCENE.

(Rugged cliffs. It is dark.)
(MONOSTATOS, the QUEEN with her three LADIES IN WAITING; they carry lighted torches.)

Monostatos (at the left of the QUEEN).
Now silence, silence, silence!
Soon we will enter the temple.
All the Ladies.
Now silence, silence, silencc!
Soon we will enter the temple.
Monostatos.
But, princess, thou wilt keep thy word—
Thy child must be my wife.
Queen.
I keep my word, it is my will!
All the Ladies.
Her child must be his wife.
(Thunder, noise, rushing of water.)
Monostatos.
Be still! I hear a horrid noise,
Like thunder and like water-fall.
Queen and Ladies.
Yes, a horrible noise,
Like thunder and like water-fall.
Monostatos.
Now we are in the temple hall.
All.
There, we will surprise them,
Remove the hypocrites from the earth,
With sword and fire destroy them!
Ladies and Monostatos.
To you, Queen of the Night,
We'll bring our sacrifice.
(Thunder, lightning, storm.)

Papageno.
Dann wieder einen Papageno!
Weib.
Dann wieder eine Papagena!
Beide.
Papagena! Papagena! Papagena!
Es ist das höchste der Gefühle,
Wenn viele, viele, viele, viele
Pa—Pa—Pa—Pa—geno,
Pa—Pa—Pa—Pa—gena,
Der Segen froher Eltern sein.
(Beide eilen Arm in Arm nach links ab.)

VERWANDLUNG.

(Kurze Felsengegend. Es ist Nacht.)
(MONOSTATOS, Die KÖNIGIN mit ihren drei DAMEN von rechts; sie tragen schwarze, brennende Fackeln in der Hand.)

Monostatos (der KÖNIGIN zur Linken.)
Nur stille! stille! stille! stille!
Bald dringen wir im Tempel ein.
Alle Damen (zurückstehend.)
Nur stille! stille! stille! stille!
Bald dringen wir im Tempel ein.
Monostatos.
Doch Fürstin, halte Wort! Erfülle—
Dein Kind muss meine Gattin sein.
Königin.
Ich halte Wort; es ist mein Wille.
Alle Damen.
Ihr Kind soll deine Gattin sein.
(Man hört dumpfen Donner, Geräusch und Wasser.)
Monostatos.
Doch still! ich höre schrecklich Rauschen,
Wie Donnerton und Wasserfall.
Königin und Damen.
Ja, fürchterlich ist dieses Rauschen,
Wie fernen Donners Wiederhall.
Monostatos.
Nun sind sie in des Tempels Hallen.
Alle.
Dort wollen wir sie überfallen—
Die Frömmler tilgen von der Erd'
Mit Feuersgluth und mächt'gem Schwert.
Die drei Damen und Monostatos.
Dir grosse Königin der Nacht,
Sei unsrer Rache Opfer gebracht.
(Sie versinken. Man hört starken Donner, Sturm.)

Monostatos, Queen, Ladies.

Destroyed and demolished is our power,
We all will be hurled into darkness.

(They sink into the earth.)

CHANGE OF SCENE.

(Temple of the Sun.)

(Priests and Priestesses, SARASTRO, elevated, TAMINO and PAMINA before him, both in priestly garb. Priests on both sides. The three YOUTHS hold flowers in their hands.)

Sarastro.

The rays of the sun chase away the night,
Destroy the sneaking power of the dissembler.

Chorus of Priests.

Glory to the consecrated! You passed through darkness,
May thanks to thee, Isis and Osiris, be given!
May the strong conquer!
And bring to wisdom and beauty
The crown eternal!

THE END.

Monostatos, Königin und die Damen.

Zerschmettert, vernichtet ist unsere Macht,
Wir alle gestürzet in ewige Nacht.

(Exeunt.)

OFFENE VERWANDLUNG.

(Sonnentempel.)

(PRIESTER und PRIESTERINNEN, SARASTRO steht erhöht. Vor ihm TAMINO und PAMINA, beide in priesterlicher Kleidung, DIE PRIESTER auf beider Seiten, die drei KNABEN halten Blumen.)

Sarastro.

Die Strahlen der Sonne vertreiben die Nacht,
Zernichten der Heuchler erschlichene Macht.

Chor der Priester.

Heil sei euch Geweihten! Ihr dranget durch Nacht,
Dank sei dir, Osiris und Isis, gebracht!
Es siegte die Stärke und krönet zum Lohn—
Die Schönheit und Weisheit mit ewiger Kron'!

ENDE.

THE BARTERED BRIDE

(DIE VERKAUFTE BRAUT)

by

FRIEDRICH SMETANA

CHARACTERS

KRUSCHINA, a peasant . . . . . . *Baritone*	HANS, Micha's son by a former marriage . *Tenor*
KATHINKA, his wife . . . . *Soprano*	KETSAL, matrimonial agent . . . . . *Bass*
MARIE, their daughter . . . . . . *Soprano*	SPRINGER, director of a troupe of itinerant actors . . . . *Bass*
MICHA, landed proprietor . . . . . . *Bass*	ESMERALDA, dancer . . . . *Soprano*
AGNES, his wife . . . . *Mezzo-Soprano*	MUFF, an Indian comedian . . . . . *Tenor*
WENZEL, their son . . . . *Tenor*	

VILLAGERS, ACTORS.

Place: A large village in Bohemia. Time: the present.

First performed in New York, in Bohemian, May 12, 1894.
First performed in New York, in German, at the Metropolitan Opera House.

PREFATORY NOTE

BEDRICH (or Friedrich) SMETANA, the greatest of Czech composers, was born in 1824. He was at first a pupil of Proksch at Prague, and subsequently studied with Liszt, under whom he became a skilled pianist. Although he lived for a while in Sweden as director of the Philharmonic Society at Gothenburg, the greater part of his life was spent in his native Bohemia, where he composed industriously and held the position of conductor at the Theater in Prague. Into his later life there entered an element of tragedy which places him in the not inconsiderable company of great composers who have been tried by the fierce fires of suffering. Deafness, which first showed itself in connection with an affection of the throat, gradually increased through seven years, and physicians were unable to stop the progress of his malady, which had a distressing accompaniment in the form of a perpetual buzzing and whistling noise in a high octave. He was obliged to exercise great care as conductor, as there were days when all voices and all octaves sounded confused and false. In 1874, after an opera performance which had given him great enjoyment, he improvised for an hour at the piano. The next day he was stone deaf, and remained so until his death. This put an end to his activities as conductor, but his powers in composition were not impaired, and the years of his deafness were marked by the production of great works. Finally, however, the perpetual nervous suffering affected his reason; he was not allowed to compose, and became the victim of strange hallucinations. At last the destruction of his mind became complete, and he died in an insane asylum at Prague (May 12, 1884) in utter darkness.

Although Smetana's work has been slower in becoming known outside of his own country than that of his compatriot Dvořák, his fame is based upon a more enduring achievement. Though he deliberately took his stand as an exponent of the art of his native country, he is a great deal more than this, for his work is marked by those universal qualities which make it the property of no particular place or race. Chiefly known hitherto in English-speaking countries by one or two of his great symphonic poems, and by the overture to his comic opera "The Bartered Bride," he composed during his connection with the theater several operas which attained great popularity in Bohemia. This popularity his now famous opera, "The Bartered Bride" is winning in other countries, and most deservedly, since it is one of the most beautiful of modern comic operas, and when presented by performers who understand the true comic traditions it must always impress itself upon the audience. Filled with lovely music, in which the national dance rhythms are refreshingly evident, vivid in orchestration and fluent in melody, it is from beginning to end quite original and characteristic. Thus far it is the only one of his operas which has crossed the borders of Bohemia, but it is in itself sufficient to assure Smetana's fame in the world's opera houses, and will probably suffice to obtain ultimately an introduction for others of his dramatic works.

C. F. M.

ARGUMENT

ACT I. — The scene is laid in a small village in Bohemia, at the season of the yearly church fair and festival. It is a time of rejoicing. The opera opens with a chorus, in the market-place before an inn, singing of love and marriage. Hans and Marie have fallen in love and the latter bewails the fact that her parents want to marry her to a man she does not care for. Hans consoles her, bidding her trust in him and that all will turn out well in the end.

At the sound of approaching footsteps, Hans goes away and Marie hides. Then appears Ketsal, a matrimonial agent, a feature at such festivals, who is negotiating with Krushina and Kathinka, Marie's father and mother, about a proposed marriage of Marie to Wenzel, son of Micha, who owns property in the same town. Marie knows nothing of this, nor of the man to whom she is to be betrothed. Ketsal, however, praises the young man so highly that the parents declare themselves agreeable to the match, particularly as Krushina is in debt to Micha. But Marie flatly refuses her consent to this arrangement in spite of the existence of a document in which her father, in view of the obligation, promises to give her in marriage to Micha's son. She loves Hans and will have no one else. Then Ketsal proposes that Krushina should go to Micha himself and have a talk, while he will try to arrange matters with Hans. The people then come out and gather in front of the inn to sing and dance.

ACT II. — The act opens in a room in the interior of the inn. The young people are seated at tables singing the praises of beer, the great national drink. Hans then extols love above everything else, whereupon Ketsal puts money above all. Of course they disagree. The young people then dance and leave the inn.

Now Marie comes in and accidentally meets Wenzel, who stutters and is a simpleton. She induces him to give up all idea of marrying Marie, and to swear that he will not have her, nor even see her, because she will worry him to death ; but she knows of another girl who is dying for love of him, and she pretends to be that girl. This is only to get rid of him, as he has never seen her, and of course does not know her. Meanwhile Ketsal meets Hans, and after trying various arguments resorts to money. He offers Hans one hundred, two hundred, and even three hundred florins. At last Hans yields, and promises to give up Marie, but with the express proviso that she will marry Micha's son and no other. He could safely enter into such agreement, because he himself is a son of Micha by a first wife. This is known to no one, not even Marie, since he had been away from home so long that Ketsal could not know him, and he had up to this time carefully avoided his parents. A contract is then drawn up and signed, to the disgust of the young people who knew of this love affair and who revile Hans.

ACT III. — The scene is once more outside the inn. A traveling company of athletes and circus performers comes to the town. Wenzel admires one of the dancers, Esmeralda, and even makes love to her. While he is doing so the ring-master and manager is told that the man who did the part of the bear is dead drunk and cannot appear, thus threatening to spoil one of the most attractive features of the show. So he and Esmeralda use their wiles to induce Wenzel to impersonate the part, to which the latter ultimately consents. Just then his mother, Agnes, comes to lead him to Marie, and he refuses, saying that she will worry him to death.

Marie is then told of her lover's apparent faithlessness, and although she refuses to believe in his perfidy she is finally forced to acknowledge the documentary proof, the contract itself. She then meets Hans and upbraids him, whereupon he tries to explain, but she will not listen to him. So he banters her and Ketsal and gets them to call the parents and witness. As he expected, he was at once recognized by his parents, and dumbfounds Ketsal, who sees before him another son of Micha. He then gives the choice to Marie, who at last sees how matters stand, and joyfully throws herself into Hans's arms. Ketsal runs away in disgrace followed by the jeers of the people. Wenzel then appears in the disguise of a bear, and that and the fact of his being a simpleton decides Micha to acknowledge Hans as his son, and to give his blessing to the happy pair.

Thus the Bartered Bride receives the congratulations and good wishes of all concerned.

THE BARTERED BRIDE

ACT I.

(Main square in the village, with an inn at the side, at the time of the church fair in spring.)

SCENE I.

MARIE and HANS. Chorus of Villagers.

ERSTER ACT.

(Der Hauptplatz des Dorfes mit Wirthshaus zur Zeit des Kirchweihfestes im Frühling.)

ERSTE SCENE.

Chor der Landleute. MARIE und HANS.

CHORUS OF VILLAGERS

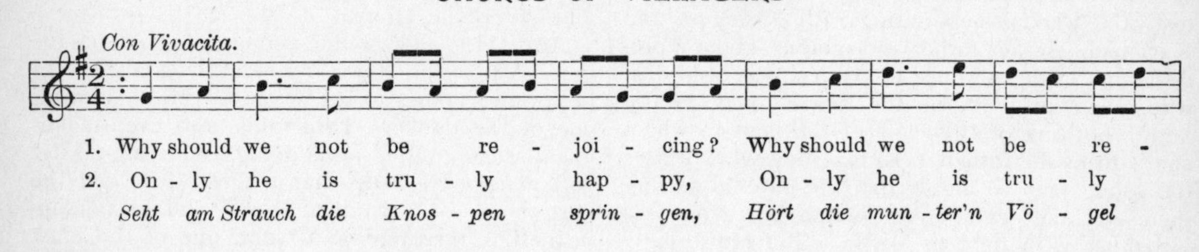

joi - cing When we have the best of health, best of health, When we have the
hap - py Who pos - ses - ses this great wealth, this great wealth, Who pos - ses - ses
sin - gen! Glanz und Ju - bel weit und breit, weit und breit! O du schö - ne

best of health, best of health, When we have the best of health, best of health?
this great wealth, this great wealth, Who pos - ses - ses this great wealth, this great wealth.
Früh- lings - zeit, Früh- lings - zeit! O du schö - ne Früh- lings - zeit, Früh - lings- zeit!

Those who mar - ried should have tar- - ried, For to them all joys are end - ed.
Je - der leicht ein Schät - zlein fin - det In der Ju - gend heis - sen Jah - ren,

Hus - band out to seek his pleas - ure, Wife at home, no mo - ment's lei - sure.
Doch be - vor man fest sich bin - det, Soll man kei - ne Vor - sicht spa - ren.

Chorus. Woe's me!
Woe's me!
Pleasure at an end;
Cares their bosom rend,
Troubles and vexations.
Why should we not be rejoicing
When we have the best of health?
Why should we not be rejoicing
When we have the best of health?
Only he is truly happy
Who possesses this great wealth.
Only he is truly happy
Who possesses this great wealth.

Hans. Why are you so downcast
And so sad, my darling?

Marie. Sad, sad is my fate!
My dear mother told me
That the man chosen to be my husband
Is to meet me here to-day.
O God! How will all this end?

Hans. Listen!
Have no fear, and trust to me;
Then will all be well. Only if your will
Is strong and firm, to their wishes
You'll not incline. Then you'll be mine.

Chorus. Stop your sighing, stop complaining.
Your true love will sure be gaining
Its reward for e'er remaining.
Why should we not be rejoicing
If we have the best of health?
Why should we not be rejoicing
If we have the best of health?
Only he is truly happy
Who possesses this great wealth.
Only he is truly happy
Who possesses this great wealth.
O come with us, dance and warble;
Let not anger fill your bosom.
Come then! To music lightly step.
Sing and dance.

(Exit Chorus.)

Chor. Ehe,
Wehe
Sind gar nah' verwandt!
Mög' uns Gott bewahern!
Mancher hat's erfahren.
Liebe lockt uns in die Falle,
Das ist leider weltbekannt!
Darum nehmt in Acht Euch Alle,
Ihr Verliebten rings im Land!

Hans. Sprich, mein liebes Herz, warum
Du so schweigsam bist und traurig!

Marie. Wie auch sollte ich's nicht sein!?
Hat die Mutter doch gesagt,
Dass er, der für mich Erwählte,
Heute zu uns kommen würde!
Weisst Du keine Hilfe?

Hans. Höre!
Wenn der Freier Dir verhasst,
Mög' er immer kommen nur.
Bleibe standhaft! Glaube mir:
Niemand zwingt ein starkes Herz!

Chor. Nur nicht klagen, nicht verzagen!
Liebe lehrt uns Leid ertragen,
Alles, Alles darf sie wagen!
Seht am Strauch die Knospen springen,
Hört die munter'n Vögel singen!
Glanz und Jubel weit und breit!
O, du schöne Frühlingszeit!
Aber nehmt in Acht Euch Alle,
Ihr Verliebten, rings im Land:
Liebe lockt uns in die Falle,
Das ist leider weltbekannt!
Nun zum Tanze! Rührt die Glieder!
Lustig geht es auf und nieder!
Hei, da zeige Jedermann,
Was er kann!

(Chor ab.)

SCENE II.

MARIE and HANS.

Marie. Then is it really all to happen? . . .
Unhappy me!

Hans. Why! my darling! What makes you so very sad?
What has happened?

Marie. Do not be surprised!
To-day Micha and his son are to visit us
And ask for my hand.

Hans. And you!
What will be your answer?

Marie. What will be my answer?
How can you ask me such a question?
Can I belong to any one but you,
Hans, my darling? But my father is under obligations.

Hans. That is really awful.

Marie. You seem timid, Hans! or even bashful,
As if you were afraid of something, or somebody.
Swear to me, Hans, that you have no other love,
Nor obligation, that binds you.
Believe me,
That more than once I had an idea
That you had another sweetheart.

Hans. No, never!

Marie. If I ever should find out
That such a thing is really so,
I would turn against you,
Hatred take the place of love's pure glow.
Tell me now, my dearest lover,
How came you to such a pass,
As to leave your home in anger,
And perhaps give up a lass?
Tell me now, as your past is shrouded in deep mystery,
So that my father even noticed it, and spoke of it.

ZWEITE SCENE.

MARIE und HANS.

Marie. Zum Tanze rufen sie mich heut' umsonst. . . .
O, mir ist weh' um's Herz!

Hans. Mein Liebchen, wie? Noch immer trübe Augen?
Was kann es helfen?

Marie. Kaum zu denken wag' ich's!
Bald werden kommen sie zur Brautschau: Micha,
Vater und Sohn, und um mich werben!

Hans. Nun gut. . .
Was willst Du thun?

Marie. Was soll ich thun? Ja, wollte
Gott, dass ich etwas wüsste! Eins nur weiss ich,
Dass ich für alle Zeiten bin die Deine!
Wenn nur die Eltern mich nicht zwingen werden!

Hans. Das wäre freilich traurig.

Marie. Doch Dich scheint
Es wenig zu bekümmern. . . Gar so ruhig, Freund? . . .
Wenn Dir der widrige Fall gelegen käme? . . .
Ich bin verzweifelt, voller Angst und Sorgen,
Und Dich berührt dies Alles kaum! . . . Ach, wenn
Mein treues Herz Du hintergingest, wenn heimlich
Du eine Andere geliebt!?

Hans. O niemals!

Marie. Gern ja will ich Dir vertrauen,
Gläubig blicken auf zu Dir!
Ach, worauf noch könnt' ich bauen,
Wärst Du, Liebster, untreu mir!
Der von fern Du hergekommen,
Wer Du bist, ich weiss es nicht,
Habe Dich zum Schatz genommen
Auf Dein ehrliches Gesicht!
O sage, was Dich fort von Hause in
Die Fremde trieb? Von Deiner frühen Jugend
Sprachst Du noch nie zu mir!

Hans. My! history is really a painful subject.
I am a son of parents comfortably well off.
But I lost my mother very early.
Unfortunately my father married a second time,
And my stepmother soon drove me out of the house.
I went out into the world,
And made my living among strangers.
Sweetest blessing is a mother,
A curse who takes her place!
With no feeling for another,
But only hatred in her face.

Marie. Sweetest blessing is a mother,
A curse who takes her place,
With no feeling for another
But only hatred in her face.

Hans. There may happen what will,
True and pure affection
Will resist all force
To bring about defection.

Hans. Nur ungern red' ich
Davon, es ist zu schmerzlich! . . . Wohl bin ich
Aus einem reichen Hause, doch es starb
Mir die geliebte Mutter. Bald darauf
Nahm sich der Vater eine zweite Frau.
Voll Falschheit hat sie mir des Vaters Herz
Entwendet, . . . aus dem Hause jagt' er mich!
Bei fremden Leuten dien' ich nun um's Brot.
Mit der Mutter sank zu Grabe
Meiner Jugend ganzes Glück,
Was ich früh verloren habe,
Bringt kein Sehnen mir zurück!

Marie. O Du guter, armer Knabe,
Wie beklag' ich Dein Geschick!
Doch getrost nur: freundlich labe
Dich ein warmer Liebesblick.

Hans. Nun wirst Du länger wohl nicht zweifeln! Heimath
Und Vaterhaus ist Deine Liebe für
Den Frühverwaisten!

DUET

We have sworn e - ter - nal love, And our word shall be a -
Wol - len mit - ei - nand' durch's Le - ben Wie ein Schwalben - pär - chen schwe -
love, And . . . . our word is . . . . a - bove
ben Wie ein Schwalben-pärchen schwe - - - ben,
bove All time and change. We will be
ben, Hof - - - - fen und ver - trau - en,
All time and change. We will, we will, We will be faith - ful for
Hof - fen und ver - trau - en uns ein Nestchen bau - en, Hof - fen und ver - trau-en, uns ein
faith - ful for - ev - - er. Love, ... love,
und uns ein Nest - chen bau'n Heim - - - - lich,
ev - - - er. We . . have sworn e - ter - nal love, And
Nest - chen bau'n, Heim - lich uns, ver - stohl' - ner Wei - - se Un - ser
And our word is, is a - bove all
und lei - se nur un - ser Glück ver -
our word is a - bove All time and change.
Glück ver - kün - den lei - - - se! Hof - fen und ver - trau - en,
time . . . . and change. We will be
kün - - - - - - den, hof - fen und ver -
We will, we will, We will be faith - ful for
Uns ein Nest - chen bau - en, Hof - fen und ver - trau - en, Uns ein

Marie. Here they are! Father is coming with them. They are looking for me.	*Marie.* Doch still! Man kommt! O, grosser Gott, der Vater! Man sucht mich schon!
Hans. They must not see me. Farewell, my love' Think often of me. (HANS exit.) (MARIE hides.)	*Hans.* Dann ist's Zeit wohl, dass ich geh'! Scheiden! Scheiden! Das thut weh. Lebwohl, bis ich Dich wiederseh'! (Ab.) (MARIE verbirgt sich.)

SCENE III.

KRUSHINA, KATHINKA, and KETSAL.

Ketsal. Now I say, with great assurance,
You gave your word and promise
To uphold your pact and bargain,
Then ev'rything is done.
Only trust to my experience
And my great wisdom.
For many a doubtful case,
Which to others was a problem,
I brought to a happy close.
And perhaps if your dear daughter
Should refuse to marry,
Then you'll see how I'll teach her to yield
And to obey you. So trust to me.

Krushina. (to Kathinka).
Well! what do you think, mother?
I — I am satisfied.

Kathinka. This is so sudden, and too much for one day,
For we must stop to consider, and ask the bride,
If there is no impediment
Or some other objection in the way.

Ketsal. What objection! What objection!
Your decision and my craft
Will overcome ev'ry obstacle.

Kathinka. It depends on who is the bridegroom.

Ketsal. Who the bridegroom?
In vain is such a question.
You can see that he is proper,
If security go I.
Tobias Micha you know surely.
But perhaps not. Then I say,
For his farm and buildings
I'll give forty thousand cash.
Now I say with great assurance,
You gave your word and promise
To uphold your pact and bargain,
Then ev'rything is done.

Kathinka. This is so sudden, and too much for one day.

Krushina (to himself).
I — I am satisfied.

DRITTE SCENE.

KRUSCHINA, KATHINKA und KEZAL.

Kezal. Alles ist so gut wie richtig,
Und das Eine nur ist wichtig:
Euer Wort gabt Ihr zum Pfande.
Und somit ist Alles gut.
Ja, was glücklich ist im Lande,
Bracht' ich Alles unter'n Hut.
Denn auf Scharfblick und Verstande
Der Erfolg allein beruht.
Kommt das Pärchen erst zusammen,
Ei, so soll mich Gott verdammen,
Stehen beide nicht in Flammen,
Lodern beide nicht in Gluth!

Kruschina. (zu KATHINKA).
Nun, so sag', was meinst Du, Alte?
Steh' ich doch schon halb im Wort!

Kathinka. Eines ich mir vorbehalte:
Soll es sein, dann nicht sofort!
Ohne uns'rer Tochter Beirath
Kommt zu Stande keine Heirath;
Bin zu fragen gern erbötig,
Ob sie schon entschlossen sei!

Kezal. Gar nicht nöthig, gar nicht nöthig!
Euer Wort. . . es bleibt dabei.

Kathinka. Doch erst seh'n muss sie den Freier.

Kezal. Auch noch sehen? Ei, zum Geier!
Nichts da giebt es zu bekritteln!
Würd' ich sonst wohl hier vermitteln?
Bin ich denn zum Spasse da?
Micha's lieber Sohn wird Allen,
Gleich dem Vater, wohlgefallen!
Nun, Ihr kennt ihn ja!
Hochgeehrt!
Sein Besitz ist unter Brüdern
Volle dreissig Tausend werth.
Alles ist so gut wie richtig,
Und das Eine nur ist wichtig:
Euer Wort gabt Ihr zum Pfande,
Und somit ist Alles gut.

Kathinka. Doch man will erst wissen, was man thut.

Kruschina (für sich).
Ihr zu widersprechen, fehlt der Muth.

Ketsal. Only trust to my experience
And my great wisdom, . . . happy close.

Krushina. Surely! I knew Tobias Micha when he was a child.
He had two sons,
Hans by the first wife
And Wenzel by the second.
Of these, I know neither one nor the other.

Ketsal. That is true. Many years ago,
Before witnesses, you promised
To give your daughter
To his son for a wife.

Kathinka. But say! for which of the sons are you speaking?

Ketsal. For which one? He has only one,
And his name is Wenzel.
The other one, by the first
Wife, is a tramp and good for
Nothing. Nobody knows where he is.

Krushina. Well, what kind of a fellow is this Wenzel?
Why did you not bring him with you at once?

Ketsal. He did not come now because he is bashful.
He is not flighty but thoroughly in earnest.
He is as gentle as gentlest lamb, though of high condition.
Faults he has not any, neither vices.
Ev'ry mother would be proud to have a son
With such a lovely disposition.
He is neither tall nor little,
Nor's his health so very brittle.
Neither proud, nor very haughty,
Neither loud, nor rough, nor naughty,
Neither lavish, nor too stingy.
Well, in short, he is as normal
As a human being can be.
With a farm worth thirty thousand.
Well then! Well then!
Who can ask for more!
He did not come now because he is bashful.
He is not flighty but thoroughly in earnest.
He is as gentle as gentlest lamb,
Though of high condition.

Kezal. Ja, was glücklich ist im Lande,
Bracht' ich Alles unter'n Hut.

Kruschina. Nun freilich! Den Tobias Micha kannte
Als Kind ich schon, doch wenig habe ich
Erfahren noch von seinen beiden Söhnen,
Kaum, dass ich ihrer Namen mich erinn're

Kezal. Wie seltsam! Denn vor wenig Jahren habt
Ihr ihm versprochen Euer Töchterlein
Dem Sohn zur Frau zu geben!

Kathinka. Sagt doch, sagt:
Für welchen von den beiden denn bewerbt
Ihr Euch?

Kezal. Könnt Ihr noch fragen? Hat er ja
Nur Einen, der heisst Wenzel. Denn der Sohn
Von seiner ersten Frau ist längst verschollen,
Ja, wie man glaubt, gestorben.

Kruschina. Und was ist
Mit unserm Wenzel? Wohl nicht ohne Grund
Hält er sich fern, versteckt?

Kezal. Gekommen wär' er mit, wie gerne!
Doch zarte Rücksicht hält ihn ferne,
Er sieht auf Anstand, feinen Ton.
Ja, seine Tugenden und Sitten,
Sie machen überall ihn wohlgelitten,
Wohl jede Mutter wünscht sich solchen Sohn.
's ist kein Schlemmer und kein Säufer,
Spätausgeher, Kneipenläufer,
Auch kein Prahler und kein Pracher,
Kartenspieler, Schuldenmacher,
Kein verweg'ner Messerträger,
Pascher, Schwärzer, wilder Jäger,
Auch kein Zänker
Und kein Stänker,
Läst'rer, Flucher,
Händelsucher!
Er ist wohlabgeschliffen,
Er ist leicht von Begriffen,
Nüchtern,
Schüchtern,
Fein im Ton . . .
Doch, das sagt' ich schon.

Krushina and Kathinka.
Your description is sufficient,
Your description is sufficient.
We trust to your honesty.

SCENE IV.

MARIE and the preceding.

Ketsal. Now we have her, now we have her.
Seriously, we now can take her.

Marie. My dear father, my dear mother!
Are you looking for me?

Ketsal. I just asked them if you love somebody,
If you have not any swain
Who to your love would attain.
I can bring you a young man
Who will be to your gain.

Marie. What! who will be to my gain?

Krushina. You will see him
And can judge for yourself.

Kathinka (whispers to MARIE).
If you do not like him,
Why, he can go by himself.

Marie. I shall see him,
And can judge for myself.
If I do not like him,
Why, he can go by himself.

Kathinka. You will see him,
And can judge for yourself.
If you do not like him,
Why, he can go by himself.

Krushina and Ketsal.
You will see him,
And can judge for yourself.
If you do not like him,
Why, he can go by himself.

Ketsal. Then let us at once
The contract put together.
Let Marie give her consent now,
And all will be fixed forever.

Marie. That — that cannot be done as quickly as you think. No, really not,
For there is a something which will prevent it.

Kruschina und Kathinka.
Wär' er nur gleich mitgekommen!
Staunend haben wir's vernommen,
Und sind sehr erstaunt davon.

VIERTE SCENE.

MARIE und die VORIGEN.

Kezal. Seht, da kommt sie sonder Ahnung!
Zeit jetzt wär 'es zur Vermahnung!

Marie. Lieber Vater, liebe Mutter,
Was wollt Ihr mir sagen?

Kezal. Darf ich, schönstes Kindchen,
Dich wohl fragen:
Hast Du nicht daran gedacht,
Dass ich Dir was mitgebracht?
Rathe schnell, wer rathen kann! . . .
Einen jungen Mann.

Marie. Was geht mich an
Ein fremder Mann?

Kruschina. Sollst sein Weibchen sein,
Liebes Töchterlein!

Kathinka (leise zu MARIE).
Willst Du aber ihn nicht haben.
Nun, so sagst Du nein!

Marie. Ich sein Weibchen sein?
Ei, was fällt Euch ein!?
Er mag ruhig weiter traben
Und wo anders frei'n!

Kathinka. Sollst sein Weibchen sein,
Liebes Töchterlein!
Willst Du aber ihn nicht haben,
Nun, so sagst Du nein!

Kruschina und Kezal.
Sollst sein Weibchen sein,
Liebes Töchterlein!
Diesem feinen jungen Knaben
Deine Liebe weih'n!

Kezal. Nicht lange mehr sich zieren!
Nur keine Zeit verlieren!
Ein fröhlich Ja gesprochen,
Und Hochzeit giebt es in vier Wochen!

Marie. Fein langsam! Denn es eilt nicht sehr.
Ein Umstand ist dagegen
Gewichtig, voll und schwer.

Ketsal. Something this, something that,
No obstacle can ever stop me.
To whate'er I put my mind
A complete success will surely be.

Marie. I love another
More than a brother.

Ketsal. Give him up as you'll be no pair,
Let him seek his fortune elsewhere.

Marie. My word I gave him, and my troth.

Ketsal. Word and troth are of no value.

Marie. Our contract also has been signed.

Ketsal. We shall tear it into pieces.

Marie. Just you try, just you try.

Ketsal. Trust all to my ready wit.
All will be well if you have grit.
And my massive brain,
My mind, my mind,
Will soon conquer the whole world.
What no one can unravel
That my great mind can achieve.

Marie, Krushina, Kathinka.
What no one can unravel
That his great mind can achieve.

Marie. My Hans will never give me up,
I can stake my life on it.

Krushina (with forceful energy).
Give you up, or not give you up,
That is not the question.
(To KATHINKA to excuse himself.)
I put myself under obligation
To Tobias Micha before witnesses.

Kathinka. But pray, dear husband!
What obligation?

Ketsal (drawing out a paper).
Here it is! Black on white!
Signed by Micha, Krushina, and witnesses.

Marie. What does that amount to?
(Knocks the paper out of his hand.)
That is of no value.
Hans and I know nothing of it, and we never can yield.

(Exit.)

Kezal. Umstand hin . . . Umstand her . . .
Was ist daran gelegen!
Nein, Hindernisse giebt's nicht mehr,
Wo meine Kräfte sich regen!

Marie. So muss ich bekennen?
Muss meinen Liebsten nennen?

Kezal. Pah! Von solchen Kindereien
Will ich Dich gar bald befreien!

Marie. Treue hab' ich ihm geschworen . . .

Kezal. Damit ist noch nichts verloren!

Marie. Der zur Gattin mich erkoren!

Kezal. Laufen lass den armen Thoren!

Marie. Ihm gehören Herz und Hand.

Kezal. Das war eitel Spiel und Tand!
Wozu hätte ich Verstand?
Dafür bin ich ja bekannt!
Und zum Ziele wird gelangen,
Wer die rechte Strasse fand.

Marie, Kruschina, Kathinka.
Ja, zum Ziele wird gelangen,
Wer die rechte Strasse fand.

Marie. Mit Hans bin ich vereinigt, denn wir haben
Uns ew'ge Treue heute noch gelobt!

Kruschina (mit gewaltsamer Energie).
Was? Ohne Vorspruch und Bewilligung?
Ich, als der Vater, sage: Nein!
(Zu KATHINKA, sich gleichsam entschuldigend.)
Ich steh'
Dem Micha doch im Wort, sie seinem Sohn
Zu geben.

Kathinka. O, wie ungeschickt von Dir,
Dass Du's versprochen hast!

Kezal (zieht ein Papier hervor).
Ja, schwarz auf weiss!
Hier steht es Alles deutlich, unterschrieben
Von den Parteien und den Zeugen auch.

Marie. Nur bin ich nicht dabei!
(Schlägt ihm das Papier aus der Hand.)
Und also gilt
Es nichts! Was ich gesagt, ist meine Meinung
Und soll es bleiben!

(Ab.)

Ketsal. Oh, what a perverted world this is.

Krushina. Where did you leave Micha, and his son, that honored and respected bridegroom?
It would have been proper for him to speak to Marie.

Ketsal. Oh well! of course he is not accustomed to speak to women.
He is as bashful as a country maiden.

Krushina. Then the courting will be hard.

Ketsal. And, now, my dear sir, I think it best for you to go over
To the other inn, and meet Micha and his son as if by chance.
It will be noisy here;
They are going to dance.
Meanwhile, I'll look up Hans and convince him
That it's for his best.

(They go off in different directions.)

Kezal. Darauf war ich nicht gefasst!

Kruschina. Von Euch war es ein grosser Fehler,
Allein zu kommen! Warum habt Ihr uns
Den Wenzel nicht gleich mitgebracht? Er hätte
Bei seiner Braut sich vorgestellt zum Mind'sten.

Kezal. Ja freilich! Doch er war nicht zu bewegen.
Er ist verzagt und schüchtern, des Verkehres
Mit Weibern gänzlich ungewohnt.

Kruschina. Dann wird es schwerlich etwas werden.

Kezal. Hört,
Was ich Euch rathen will: Das Beste wäre,
Ihr sprächet Euch jetzt einmal gründlich aus.
Mit Vater Micha in dem Wirthshaus dort!
Man stört Euch nicht, denn Alles läuft zum Tanze.
Mit Hans will ich inzwischen reden, ich
Krieg' ihn herum!

(Sie gehen nach verschiedenen Seiten ab.)

SCENE V.

(The villagers come in. The older ones seat themselves at the tables and drink. The younger ones prepare to dance.)

Chorus. Come, my darling!
Start the bounding
While the Polka
Still is sounding.
Hands entwining,
Eyes in trance,
Let the whole world
Join the dance.
Hear the basses
Set in motion,
All the band
In great commotion.
All the earth
Is moving fast.
Let us dance
While life does last.

END OF ACT I.

FÜNFTE SCENE.

(Das Landvolk versammelt sich vor dem Wirthshause, die Aelteren setzen sich an die Tische und trinken; die Jüngeren bereiten sich zum Tanz vor.)

Chor. Durch die Reihen
Hinzufliegen!
Sich zu Zweien
Anzuschmiegen!
Herz am Herzen
Fühlt man schlagen.
Unter Scherzen.
Fortgetragen!
Frohe Weise,
Laut und leise
Sollst Du geben
Neues Leben!
Ging' es, wie es uns gefällt,
Tanze mit die ganze Welt!
Violin' und Clarinette
Jauchzen trillernd um die Wette
Selbst dem alten Rumpelbass
Macht das tolle Wesen Spass.

ENDE DES ERSTEN ACTES.

ACT II.

Interior of the inn.

SCENE I.

(HANS, with young villagers, sits at a table on the one side and KETSAL on the other side of the room. They drink beer.)

Chorus. Oh, beer a blessing really is unto all;
For troubles and worries it drives to the wall,
And gives us the strength to bear our fate.
Hurrah!
A man who does not drink is a solemn guest.
The world full of troubles is e'en at its best.
So let us partake and not come late.
Hurrah!

Hans

(gets up).

Well, boys, believe me, I say it from my heart,
That love really is above all wine and beer
The only thing that makes life worth living,
And makes us hopefully look to the future.

Chorus (*Tenors*).

Hans, you are in love, we see with half an eye.

Chorus (*Basses*)

(alluding to Ketsal).

Look, that one his finger may put in your pie!

Ketsal

(also stands up).

No, if it should be so, he thereby will be no loser.
Good advice and real·sound money
Are the greatest powers in this world.
He who uses them with wisdom
Cannot, cannot ever go astray.

(Raises his glass.)

Here's to sound money.

Hans

(raises his glass).

Here's to love the best of all.

ZWEITER ACT.

Wirthsstube.

ERSTE SCENE.

(HANS, mit jungen Landleuten, sitzt am Tisch auf der einen, KEZAL auf der anderen Seite der Stube. Sie trinken Bier.)

Chor. Wie schäumst Du in den Gläsern, edler Gerstensaft!
An Dir trinkt sich ein Jeder Feuer und Kraft!
Dich preisen die Jungen und Alten.
Heissassa!
Wenn wir bei'm Biere sitzen, Mann gereiht an Mann,
Was geht uns das Andere weiter noch an?
In Gnaden wird uns Gott erhalten!
Heissassa!

Hans

(steht auf).

Ihr Freunde, wohl stimm' ich von Herzen mit ein,
Doch denk' ich dabei auch an das Liebchen mein.
Denn das allein ist Himmelslust auf Erden:
Zu lieben und geliebt zu werden!

Chor. (*Tenöre.*)

Aus Liebe verlierst Du den Kopf noch, Du Thor!

(*Basse.*)

(auf KEZAL anspielend).

Sieh' lieber beizeiten vor Dem da Dich vor!

Kezal

(steht ebenfalls auf).

Was hilft die Liebe Dem, der Hab' und Gut verlor'!?
Zuverlässig ist nur Eines,
Und das ist das baare Geld!
Armer Schlucker, hast Du keines,
Dann verlacht Dich alle Welt!

(Erhebt das Glas.)

Hoch das baare Geld!

Hans

(erhebt das Glas).

Mein Mädchen ist's die mir gefällt!

(Girls enter one by one, and take part in the dance, after the drinking song.)

Chorus. Oh, beer a blessing really is unto us all;
For troubles and worries it drives to the wall,
And gives us strength to bear our fate.
Hurrah!

(Dance Furiant, a Bohemian national dance. After the dance the girls drag the young men out of the room.)

(Exeunt.)

SCENE II.

Wenzel

(enters timidly)

Mo-mother dear
Said to me
That she would like
Soon to see
Me get happ'ly
Married.
So long had
I tarried
That they all,
Round about,
Do think me
A great big lout.

SCENE III.

Marie and Wenzel.

(Both begin to laugh, when they catch sight of one another.)

(Recitative.)

Marie. Are you not the one chosen to become Marie Krushina's husband?

Wenzel

(first afraid, then more trustingly).

Ye-ye-yes, of course. But ho-how did you know it?

Marie. Why! Cannot every one see it?
How dressed up you are!
The whole town is talking about you
And is sorry for you.

Wenzel

(anxiously).

So-so-sorry for me! and why?

(Mädchen treten nach und nach herein und betheiligen sich an dem Tanze nach dem Trinkliede.)

Chor. Wie schäumst Du in den Gläsern, edler Gerstensaft,
An Dir trinkt sich ein Jeder Feuer und Kraft!
Dich preisen die Jungen und Alten.
Heissassa!

(Tanz Furiant).

(Nach dem Tanze ziehen die Mädchen die jungen Leute aus der Wirthsstube. Alle ab.)

ZWEITE SCENE.

Wenzel

(schüchtern eintretend).

Theu' . . . theurer Sohn,
Sprach Mütterlein,
Zeit ist es schon
Für Dich zu frei'n!
Fa . . . fass' Dir Muth
Und sei ein Mann:
Was Jeder thut,
Ist wohlgethan.
Si . . . sicherlich,
Kehrt' ich nach Haus,
La . . . lachte mich.
A . . . alles aus.

DRITTE SCENE.

Marie und Wenzel.

(Beide lachen laut, wie sie sich erblicken.)

(Recitativ.)

Marie. Seid der Verlobte Ihr von Kruschina's Mariechen nicht?

Wenzel

(erst erschreckt, dann zutraulicher).

A . . . allerdings, mein schö . . .
Schö . . . schönes Kind, der bin ich.

Marie. Hab' ich's Euch
Doch angesehen . . . Nein, wie hübsch Ihr seid!
Die Mädchen alle hier im Dorfe schon
Beklagen Euch.

Wenzel

(ängstlich).

Beklagen mich? Warum?

Marie. Because she will deceive you.
She loves another.

Wenzel
(stupidly).

Ho-how can she love another
If she's to have me?

Marie
(laughs).

Ha ha! You? Does she know you? Or you her?

Wenzel. She-she does not. But she knows
That I am to be her hu-hu-husband.

Marie. Of course she does,
And that is why she enjoys the prospect of teasing you, deceiving
You, and worrying you to death.

Wenzel
(horrified).

Wh-why, that's awful!
Bu-but my mo-mother told me
That I must marry,
So-so marry I must.

Marie. Of course! Why not? Such a fine fellow!
(Coquettishly.)

There are lots of fine girls here.
Pick one out yourself!

Wenzel
(relieved).

I will.

Marie. I know a charming maiden
Wants you with all her might.
With love her heart is laden,
Without you all is night.

Wenzel
(joyously).

Oh, oh, what ecstasy!
When such a girl really loves me.
Oh, oh, what ecstasy!
Bu-but, Marie! What will she say?

Marie. Euere Braut — ich sag's Euch — meint's nicht ehrlich.
'nen Andern liebt sie!

Wenzel
(einfältig).

Ka . . . ka . . . kann sie lieben
Denn einen Anderen? Ich bin ja da!

Marie
(lacht).

Haha! Kennt sie Euch denn, und kennt Ihr sie?

Wenzel. Ke . . . kennen? Nein. Do . . . doch sie weiss, dass ich
Ihr Ga . . . Ga . . . Gatte werde!

Marie. Mag wohl sein,
Und eben d'rum lacht sie Euch aus!
Sie wird
Euch schmäh'n, Euch hintergeh'n,
Euch quälen bis
Zu Tode.

Wenzel
(entsetzt).

Wa . . . was sagst Du da? Doch wenn
Die Mutter haben will, dass ich sie nehme!
Heirathen mu . . . mu . . . muss ich nun einmal!

Marie. Ei, freilich, warum nicht? Das sollt Ihr auch!
(Kokett.)

Es giebt ja hier noch and're Mädchen! — Sucht
Euch eine aus!

Wenzel
(erleichtert).

Ich will's.

Marie. Ich weiss Euch einen lieben Schatz,
Den Mancher schon begehrt,
Ein schönes Mädchen, hier am Platz,
Die lange Euch verehrt.

Wenzel
(froh).

Wär's möglich wohl? Versteh' ich recht?
Ein schönes Kind? Das wär' nicht schlecht!
Jedoch Mariechen wird sich grämen.

Marie

(decidedly).

Naught! For surely
After marrying you
She'll run away.

Wenzel. Bu-but my mother!
She will raise a row.

Marie. As soon as she'll see the bride
A smile will light her brow.

Wenzel. Is she then so lovely?

Marie. Just the same as Marie.

Wenzel. A-and is she young, too?

Marie. Just the same as Marie.

Wenzel. A-a-and that one would really take me?

Marie. If you would not want her
Grief sure would make her rave, and water be her grave.
Charcoal would end her days and she would weep always, if she could not get you.

(She pretends to be crying.)

Wenzel

(touched).

Wh-why do you weep?

Marie. Oh, because you do not want her.

Wenzel

(undecided).

I, I do not dare.
My mother is there.

Marie

(reproachfully).

You only make excuses,
And she who loves you dearly
You let grieve so sorely.

Wenzel

(puzzled).

No, no, no. I do not.

(Timidly.)

If she is just like you, then,

(Decidedly.)

Her I'll love.

Marie

(coquettishly).

You would love me all your life?

Wenzel. My-my life.

Marie. Make me your own darling wife?

Marie

(immer überlegen und doppelsinnig).

Die wird sich schon den Andern nehmen.

Wenzel. Doch mein Mütterlein,
Das wird Zeter schrei'n.

Marie. Sie wird mit Eurer Wahl zufrieden sein.

Wenzel. Ist schön die Andre?

Marie. Gerade wie Mariechen.

Wenzel. Und jung an Jahren?

Marie. Gerade wie Mariechen.

Wenzel. Doch will sie mich denn auch zum Mann?

Marie. Wenn ohn, Euch sie nicht leben kann!
Verzichtet auf Marie,
Sonst geht zu Grunde sie,
Die Tag und Nacht
An Euch gedacht!

(Sie thut, als ob sie weine.)

Wenzel

(gerührt).

Wei . . . wei . . . weinen seh' ich Dich?

Marie. Ach, ihr Loos bekümmert mich!

Wenzel

(schwankend).

Ich darf es ja nicht,
Mich bindet die Pflicht!

Marie

(vorwurfsvoll).

So grausam fand ich Keinen!
Vor Gram um Euch zehrt sie sich auf,
Ihr aber lasst sie weinen.

Wenzel

(rathlos).

Wer sagt mir, was ich thu'?

(schüchtern.)

Ja, wäre sie wie Du,
Dann . . .

(entschlossen.)

nur immerzu!

Marie

(kokettirend).

So wie ich? Wollt Ihr sie so?

Wenzel. Ja, Ja, gerade so.

Marie. Macht' Euch meine Liebe froh?

Wenzel. My-my wife.

Marie

(affectionately).

Then you I'll love with all my heart,
And from you never part.

(Determinedly.)

Put your hand in mine, here.
You must swear now.
You must swear you are in earnest and sincere,
To resign and give up Marie
From now, for evermore.
You must swear that.

Wenzel

(suspiciously).

Must I swear? That makes me sore.

Marie

(apparently grieved.)

Well, I see you are a fool.
You will only be her tool,
And she'll treat you awfully.
So for the worst prepare,
Unless you will now swear.

(Pretends to go away.)

Wenzel

(holds her back.)

Wa-wait. I'll swear.

Marie. "Marie solemnly I give up."

Wenzel. I-I-gi-give up.

Marie. Never hope to see her again.
Wenzel. S-s-see her again.
Marie. Never hope to hear of her, then.
Wenzel. He-he-hear of her, then.
I'll give her up for evermore.
Marie. I know a charming maiden
Wants you with all her might.
With love her heart is laden,
Without you all is night.
Wenzel. O-oh, ecstasy and joy!
You have fully conquered this boy!

(He tries to embrace her, but she dodges him, and laughing runs away; he after her.)

Wenzel. Ja, sie macht mich froh.

Marie

(innig).

Dem halt' ich Treue bis an's Grab,
Den ich in's Herz geschlossen hab'!

(bestimmt.)

Was ich jetzt Euch sage, höret:
Ihr beschwöret,
Dass Ihr fest entschlossen seid,
Von Marie Euch loszusagen,
Jetzt und alle Zeit!

Wenzel

(misstrauisch).

Nu . . . nu . . . nur nicht schwören!
Da . . . das geht zu weit!

Marie

(scheinbar gekränkt).

Ihr wollt nicht? Gut, lasst es sein!
Eure Lieb' ist wahrlich klein.
Möget Ihr es nie bereuen,
An Marien's Seite Euch
Eures Lebens freuen!

(Thut, als wollte sie gehen.)

Wenzel

(sie zurückrufend).

Ha . . . ha . . . halt! Ich schwöre ja!

Marie

(den Schwur vorsprechend).

„Was geschieht und was geschah,"

Wenzel

(nachstammelnd).

Ge . . . geschieht und ge . . . geschah. .

Marie. „Niemals komm' ich mehr ihr nah,"
Wenzel. Me . . . mehr ihr na . . . na . . .nah . .
Marie. „Und für mich ist sie nicht da!"
Wenzel. Sie . . . sie . . . sie nicht da . . . da . . . da.
Marie. Ich weiss Euch einen lieben Schatz,
Den Mancher schon begehrt,
Ein schönes Mädchen hier am Platz,
Die lange Euch verehrt!
Wenzel. Wär's möglich, und versteh' ich recht?
Du ha . . . ha . . . hast mein Herz bekehrt.

(Er will sie umarmen; sie entzieht sich ihm und läuft lachend davon. WENZEL hinter ihr her.)

SCENE IV.

HANS and KETSAL.

Ketsal

(drags Hans in).

Come, my friend, don't make a row!
Something good I'll tell you.

Hans.

(struggling).

Let me go, I'm busy now,
Else I'd not repel you.

Ketsal. Don't you know then who I am?

Hans. I have not that honor, sir!
Neither do you, who I am.

Ketsal. You are quick, and smart and bright;
They tell me you're a wonder.
But beyond this, you're beloved
By a maiden yonder.
Have you enough of money?

Hans. No, but many a happy pair
So got along, it seems.
Honest maidens, blithe and fair,
Love men and not their means.

Ketsal. Believe me, I have knowledge great
And tell you that to shun.
Without cash, marriage is only confusion.
Tell me now whence you come,
And perhaps something you'll hear
To your advantage.

Hans. From afar do I come,
From a distant country.
Where the Moldau rolls
Is my childhood's home.

Ketsal. Then at once to it return.
To love a stranger our
Maidens never learn.

VIERTE SCENE.

HANS und KEZAL.

Kezal

(zieht HANS herein).

Komm', mein Söhnchen, auf ein Wort!
Will Dir was vertrauen!

Hans

(sträubt sich).

Lasst mich gehen, ich muss fort,
Auf die Felder schauen!

Kezal. Weisst Du denn nicht, wer ich bin?

Hans. Ja, man sagt' es mir vorhin;
Und wonach steht Euer Sinn?

Kezal. Bist gescheidt, flink und gewandt,
Magst zu Vielem taugen,
Einem Mädchen, wie bekannt,
Stachst Du in die Augen.
Hast Du auch Vermögen?

Hans. Meinetwegen Sorgen gar?
Steht in Gottes Segen
Doch ein jedes treue Paar!

Kezal. Thorheit! Das lieget auf der Hand:
Dass Dein Glück nicht von Bestand!
Ohne Geld ist alles Tand.
Drum ein Sümmchen sparen! . . .
Hab' es selbst erfahren
Einst in jungen Jahren.

(Verlegenheitspause.)

Eines noch
Sag' mir doch:
Gern hätt' ich vernommen,
Wo Du hergekommen?

Hans. Weit von hier
Wohnen wir.
Von der Moldau Wogen
Bin ich hergezogen.

Kezal Dort sollst Du Dein Weibchen finden!
In der Fremde sich zu binden,
Thut nicht gut, das glaube mir!

Hans. All may think that way but one.
That one I have surely won.
She to me is all my life,
And her I'll make my wife.

Ketsal. Every one like you
Thinks his love is true;
In her naught but
Goodness he believes.
But how dreadful
When she him deceives!
Then he sighs and weeps,
And so quietly reaps
What he cannot cure.
Then he sighs and weeps,
And so quietly reaps
What he must endure.
But a man of sense
Will well prepare,
And before the time
All things weigh with care.
He will count
The profit
All the same,
And if none,
Why he will
Quit the game.

Hans

(impatiently).

What do you mean with all this?
I do not understand you.

Ketsal. That I know a better bride, for you, my dear boy.

Hans. Was ich in der Fremde fand,
Bietet mir kein Heimathland.
Einen Engel nenn' ich mein,
Und der soll mein Weibchen sein!

Kezal. Wer in Lieb' entbrannt,
Hält aus Unverstand
Weiber für Engel,
Meint in Schwärmerei
Dass sein Mädchen sei.
Ganz ohne Mängel.
Ja, so manches Schätzchen
Ist ein Schmeichelkätzchen,
Das mit Sammetpfötchen Dich umspielt:
Aber, wie entsetzlich,
Wenn man später plötzlich
Ihre scharfen Tigerkrallen fühlt!
Einer sorgt und sinnt
Um ein schönes Kind,
Bis er sie gewinnt,
Und das Glück ist gross;
Leider hinterher
Seufzt er bang und schwer:
Du, mein Gott und Herr,
Wär' ich sie erst los!
Doch ein Praktikus
Stets sich wohl bewahrt;
Vielerlei Verdruss
Bleibt ihm dann erspart.
Nichts schlägt ihn darnieder,
Weil das Für und Wider
Er zuvor sich weislich überlegt.
Der kann heiter scherzen,
Der nicht blos im Herzen
Seinen Schatz, nein, auch im Beutel trägt!
Was ist Dir geblieben?
Freund, hab' Acht!
Froher Sinn und Lieben
Gute Nacht!

Hans

(unwirsch).

Bin ich dafür Dank Euch schuldig?
Treibt mit Andern Euren Spass!

Kezal. Freundchen, nur nicht ungeduldig!
Dir zu bieten hab' ich 'was.

Allegro commodo.
8
Hans.
He knows a
Weiss er doch
8
Ketsal.
I know a maid - en, She has the mon - ey, has the mon - ey!
Weiss ich doch ei - ne die hat Du - ka - ten, hat Du - ka - ten!
maid - en, She has the mon - ey, has the mon - ey.
ei - ne die hat Du - ka - ten, hat Du - ka - ten.
She will al - so
Wer die klei - ne
She will al - so get a house from
Wer die klei - ne nennt die Sei - ne
get a house from pa, you bet, my hon - ey.
nennt die Sei - ne, der ist gut be - ra - then.
pa, you bet, my hon - ey.
der ist gut be - ra - then.
I know a maid - en, She has the mon - ey, has the mon - ey.
Nicht zu ver-schwei-gen, was noch ihr Ei - gen, was ihr Ei - gen,
He knows a maid - en, She has the mon - ey, has the mon - ey.
Nicht zu ver-schwei - gen, Was noch ihr Ei - gen, was ihr Ei - gen.
She will al - so
Je - des hof - fen,

She will al - so get a house from
Je - des hof - fen er sagt's of - fen
get a house from Pa, you bet, my hon - ey,
ich sag's of - fen wil - les ü - ber - stei - gen,
Pa, you bet, my hon - ey.
wil - les ü - ber - stei - gen.
She has two cows, And one calf to match them;
Häu - schen und Gar - ten Vieh al - ler Ar - ten!
Fowls by the doz - en, pigs you can't watch them; A great big farm and
Mil - chen - de Kü - he, loh - nen - der Mü - he Schwein - chen im Ko - ben
well filled bran new till, a well filled, well filled bran new till, A great big
hoch zu lo - ben, Hüh - ner, Tau - ben kaum zu glau - ben, Trö - ge, Wan - nen,
She has two
Häu - schen und
farm, a great big farm, And well filled, well filled bran new till. She has two cows, And
Krü - ge, Kan - nen, in der Tru - he Klei - der, Schu - he! Häu - schen und Gar - ten,

cows, And one calf to match them. Fowls by the doz - en, Pigs you can't
Gar ten, Vieh al - ler Ar - ten! Milch - en - de Kü - he loh - nen - der
one calf to match them. Fowls by the doz - en, Pigs you can't watch them,
Vieh al - ler Ar - ten! Milch - en - de Kü - he loh - nen - der Mü - he,
watch them, A great big farm, And well filled, well filled bran new till, and well filled,
Mü - he, Schweinchen im Ko - ben, hoch zu lo - ben! Hüh - ner, Tau - ben kaum zu
A great big farm, And well filled bran new till. And well filled, well filled bran new
Schweinchen im Ko - ben, hoch zu lo - ben! Hüh - ner, Tau - ben kaum zu glau - ben!
well filled bran new till; A great big farm, a great big farm, A great big
glau - ben! Trö - ge, Wan - nen, Krü - ge, Kan - nen, in der Tru - he Klei - der
till. A great big farm, And well filled, well filled bran new till, A great big
Trö - ge, Wan - nen, Krü - ger, Kan - nen, in der Tru - he Klei - der, Schu - he,
farm, and well filled, well filled bran new till.
Schu - he, und ein na - gel - neu - er Schrank.
farm, And well filled, well filled bran new till. Now that would be a some- thing,
o - ben - drein ein na - gel - neu - er Schrank. Düf - te kein Prinz sich schäm - en,
some - thing, Now that would be a some-thing, some-thing, now that would be a some-thing,
hörst Du! son - dern sich bald be - que - men, hörst Du! solch ei - ne Braut zu neh - men
Too well I
Ich seh' es
now that would be a some - thing which would thrill, that would be a some -thing, some-thing,
wür - de wohl gar mit ihr zu - frie - den sein, dürf - te sich ein Prinz nicht schä - men,

know, still I say no, Too well I
ein, doch sag ich nein, ich seh' es
some-thing, Now that would be a some-thing, some-thing, Now that would be a some-thing,
hörst Du! son-dern sich gleich be-que-men, hörst Du, solch ei-ne Braut zu neh-men
marcato.
know, still I say no, He knows, he
ein doch sag ich nein, Ich seh' es
Now that would be a some-thing which would thrill, I know a maid-en, She
wür-de gar wohl mit ihr zu-frie-den sein Weiss ich doch ei-ne die
knows a maid-en, She has, she has the mon-
ein doch sag ich nein, Ich seh' es ein doch sag ich
has the mon-ey, I know a maid-en, She has the mon-ey,
hat Du-ka-ten, und wer sie nimmt der ist gut be-ra-then,
ey,
nein.
Yes, too well I know, still I say
Ja, ich seh' es ein, doch sag ich
that would be a some-thing which would thrill, ... Now
wird gar wohl mit ihr zu-frie-den sein, ... der
no, ... Yes, yes, too well I know, still I say no!
nein . . . . . . ja, ja, ich seh' es ein doch sag ich nein.
that would be a some-thing which would thrill, Which would thrill.
wird gar wohl mit ihr zu-frie-den sein, zu-frie-den sein.

Ketsal. If you will stop this flirtation,
I shall moreover pay you something.
Will you? Here I give you my promise,
A hundred florins,
If you'll give up your love.

Hans. One hundred only?
That is little money for such an
Amount of love;
I cannot sell it so cheaply.

Ketsal

(eagerly).

I will give you twice as much.

Hans. Even that is too little.

Ketsal. Then, three hundred florins.
I do it only because I want the thing over with.
But if you do not consent now,

(Threateningly.)

I will do my very, very best to have
You finally sent away from
Here in disgrace. And then
You will neither have the girl
Nor the three hundred florins.

Hans. Well, well! but who is going to give me the promised sum?

Ketsal. I! I!

Hans

(surprised and distrustful).

You? Surely not for yourself?
I would not give her to you for a million!

Ketsal. Don't be silly! I don't want her for myself. I have one of
My own, up to the neck. Don't
You know that I am arranging
This for the son of Tobias Micha?
As soon as the contract is
Signed, you will get your
Money, and then away with you!

Hans. Well, then, I consent.
Money is money!
Put down the cash, and all
Will be settled.

Kezal. Gieb doch die dumme Liebschaft auf! Es soll
Dich nicht gereuen! . . . Willst Du? . . Ohne Faxen:
Ich lass' es hundert Gulden kosten mich.

Hans. Nur hundert Gulden? So viel also gälte
Ein solches Opfer Euch!? Nein, lieber Herr,
Das nehm' ich nicht!

Kezal

(eifrig).

Mein'thalb' das Doppelte!

Hans. Was Euch nicht einfällt!

Kezal. Na, dreihundert Gulden!
Doch eilig zugegriffen, dass die Sache
Einmal zum Ende kommt! . . . Wie? Du zögerst
Noch immer?

(Drohend.)

Hüte Dich! Ich habe hier
Sehr gute Freunde; sag' ich nur ein Wort,
Bringt man Dich weg von hier der Schub! Sodann
Hast weder eine Braut Du, noch'nen Kreuzer!

Hans. Und wer giebt die versproch'ne Summe her?

Kezal. Ich! Ich!

Hans

(stellt sich erstaunt und ungläubig).

Ihr? Etwa für Euch selbst? Euch liess' ich
Das Mädchen nicht, um keine Million!

Kezal. Was für ein Einfall! Ich bin längst versehen,
Hab' an der Meinen auch genug schon! — Weisst
Du nicht, dass ich vermitt'le für den Sohn
Tobias Micha's nur? Wir setzen auf
Ein kleines Schriftstück, Du bekommst Dein Geld . . .
Dann aber, mach' Dich auf den Weg!

Hans. Nun, also,
Sei's d'rum! Es ist ein schönes Geld Habt Ihr.
Gezahlt, dann ist in Ordnung Alles.

(Hesitatingly.)

Under one condition,
That nobody else will get
My Marie, but the son of
Tobias Micha! Otherwise,
This contract will be null and void.

Ketsal. Why, of course, most assuredly!
That nobody else gets her, or
Will be allowed to take her, but Micha's son.

Hans. And I shall leave her to no
Other than Micha's son.
That must specially be stated
When you draw up the contract.

Ketsal. I shall write out the contract at once and call the witnesses together.

Hans. Still another word.
It shall also be stated, that
As soon as Marie and Micha's son have joined hands
In wedlock, then shall
The elder Micha cease from
Insisting on the payment of Krushina's debt.
It shall be regarded as wiped out.

Ketsal. Yes, I agree to that.

(Exit, contented.)

SCENE V.

Hans

(alone).

When you'll see who by the bargain has profited,
You'll return quite discomforted.
Who could believe
That I'd sell
My darling Marie!
The angel of my life,
My crowning glory when
She'll be my wife.
Not for a thousand would I her exchange.

(Zögernd.)

Doch noch Eins beding' ich aus: Kein Anderer
Darf sie bekommen, die Marie, als
Der Sohn Tobias Micha's! Andernfalls
Gilt der Vertrag für nichts!

Kezal. Ganz selbstverständlich!
Das will ja ich! Kein And'rer soll sie haben
Als Micha's Sohn.

Hans. Nur unter der Bedingung
Setz' ich den Namen hin; denn keinem Andern
Tret' ich sie ab. So laut' es deutlich im Vertrage!

Kezal. Gleich will ich schreiben den Vertrag und auch
Die Zeugen schnell beschaffen!

Hans. Ferner bitt' ich,
Ausdrücklich sei vermerkt: sobald
Als meine früh're Braut und Micha's Sohn
Die Hände sich gereicht zum Ehebunde,
Darf Micha von Mariens Vater nicht
Des Geldes Rückbezahlung mehr verlangen.
Er trägt des Kaufes Preis allein!

Kezal. Das ist
Sehr klug und wohlbemerkt.

(Er geht vergnügt ab.)

FÜNFTE SCENE.

Hans

(allein).

Armer Narr, Du glaubtest mich zu fangen?
Bist nun selber in das Netz gegangen!
Es muss gelingen!
Alles soll
Nach Wunsch und Willen gehen!
So feine Schlingen,
Kann Liebeslust nur drehen.
Schlau und toll,
Dir, Treue, Süsse,
Viel tausend Grüsse!

In the whole world
There's none like her, I know.
She loves but me, and I too love her so.

In wenig Stunden
Ist es gescheh'n,
Dass wir, verbunden,
Uns wiederseh'n!
Nach Wetterschlägen,
Nach Angst und Pein,
Nach Sturm und Regen
Lacht Sonnenschein,
Himmlischer Segen:
Bald bist Du mein!

SCENE VI

HANS, KETSAL, KRUSHINA and people.

Ketsal (holding off the curious ones).

Not so wildly there
Without tension!
Follow the contract
With attention.

Chorus. We'll follow that contract with attention.

Ketsal. Bear in mind that this document
Is of the whole transaction a record true.
All therein let me now proclaim,

(Reads.)

"To my bride I give up all claim."

Chorus (crowding in around him).

All therein let him now proclaim,
To his bride he gives up all claim.

Hans (points to the paper and reads).

"But to none other than the honorable and honored son of Sir Tobias Micha."

Ketsal. Yes, son of Sir Tobias Micha.

Hans (as above).

If indeed he truly loves,
And to her devotes his life,
And before the people swears
That he freely makes her his wife.

SECHSTE SCENE.

HANS, KEZAL, KRUSCHINA und VOLK.

Kezal (die Neugierigen abwehrend).

Nicht zu hitzig! Ihr werdet hören
Alles, was wir abgemacht!
Den Verlauf der Sache nicht zu stören,
Haltet Ruhe, gebet Acht!

Chor. Ja, wir wollen's endlich hören!

Kezal. Denkt daran: Ihr müsst beschwören,
Ob es richtig zu Papier gebracht!
Was hier steht, lasst mich berichten:

(Liest.)

„Auf die Braut will ich verzichten" . . .

Chor. (sich um KEZAL drängend).

Ja, so steht's! Was für Geschichten!?
Auf die Braut will er verzichten!?

Hans (zeigt auf das Papier und liest).

„Doch zu Gunsten keines Andern,
Als des Sohns des hochverehrten,
Wackeren Tobias Micha!"

Kezal. Ja, des Sohns Tobias Micha's.

Hans (wie oben).

„Wenn er sie von Herzen liebt,
Wenn er treu sich ihr ergiebt,
Wenn vor Zeugen er beschwört,
Dass nur ihr sein Herz gehört."

Ketsal. Here it's written, as he said it.
See, it's all here.

Chorus. We cannot grasp now what has happened.

Krushina

(to HANS).

I would never have believed
That you have such a noble heart,
And so quickly us relieved
Of great trouble, on your part.

Ketsal. This affair is almost ended,
But with other matter blended.

(To KRUSHINA.)

You to him are under no great obligations.
I agreed to pay three hundred florins.
And for this price you here behold,
His Marie he has sold.

Chorus. What a shame. Oh, what a shame.
To sell his bride, to sell his bride.

Krushina. What! Have you been guilty of such an act?
Then I must say you are a rascal for a fact.

Ketsal. Punctum, satis. Let all things go on as in the pact.
Now affix your names.

(To HANS.)

First of all you, Hans,
Then the witnesses.

Hans. Here 'tis written.

(Signs.)

Hans Ehrentraut.

Chorus. He has sold his bride,
Oh, what a shame!

END OF ACT II.

Kezal. Ganz genau so steht's geschrieben,
Ueberzeugt Euch, meine Lieben!

(Er lässt die Umstehenden in den Vertrag sehen.)

Chor. Nicht versteh'n wir, was geschehen!

Kruschina

(zu HANS).

Dankbar sollst Du stets mich sehen!
Gott sei Lob, wir sind so weit!
Weg ist jede Schwierigkeit.

Kezal. Ja, Gottlob, wir sind im Reinen!
Etwas noch will wichtig scheinen!

(Zu KRUSCHINA.)

Braucht ihm weiter keinen Dank zu schulden,
Denn ich zahl' ihm baar dreihundert Gulden.
Um diesen Preis, so steht's allhier,
Verkauft er die Marie!

Chor. Ha, wie schändlich, zu verschachern seine Braut!

Kruschina. Dass er auf das Geld nur schaut —
Frei will ich es Euch gestehen, —
Hätt'ich ihm nicht zugetraut!

Kezal. Punctum, satis. So geschehen
Nach Gesetzeslaut.
Unterschreibt nun!

(Zu Hans.)

Du zuerst.
Hier, mein Lieber! Dann die Zeugen!

Hans. Hier mein Nam':

(unterschreibt.)

Hans Ehrentraut.

Chor. Er verkaufte seine Braut!
O Schande.

ENDE DES ZWEITEN ACTES.

ACT III.

(Stage setting the same as for Act I.)

SCENE I.

Wenzel

(alone. Very downhearted.)

It wo-won't go out of my head,
Tha-that I soon may be dead!
She wi-will worry me; I'll die;
The-then will bury me, oh, my!
She wi-will tease me, she says,
And de-deceive me, I guess.
It wo-won't go out of my head,
Tha-that I soon may be dead!

SCENE II.

WENZEL, RINGMASTER and ESMERALDA, Acrobats.

Ringmaster

(announces).

We hereby announce to the
Honored audience here assembled,
That we shall give them a performance
In the air and on the ground,
Never before witnessed by mortal eyes.
First of all we present

(Flare of trumpets.)

Senorita Esmeralda Salamanka,
The celebrated Spanish dancer,
Queen of the tight-rope,
Daughter of the air, who will
Perform numerous graceful,
Daring and hazardous feats.
Then will appear

(Flare of trumpets.)

A real Indian from the Fiji
Islands, especially brought over at an enormous
Expense of money and trouble.

DRITTER ACT.

(Dekoration wie im ersten Act.)

ERSTE SCENE.

Wenzel

(allein. Sehr niedergeschlagen).

Wa . . . was ich mich betrübe!
Schwie . . . schwierig ist die Liebe!
Kä . . . Kämpfe mich bedrohen!
Mä . . . Mädchen ist entflohen!
Sche . . . Schelten wird die Mutter!
He . . . Herz ist weich wie Butter!
We . . . Wenzel, weh Dir, Armer!
Hi . . . hilf, Du, mein Erbarmer!

ZWEITE SCENE.

WENZEL, SPRINGER und ESMERALDA, STATISTEN.

Springer

(ruft aus).

Dem nie genug verehrten Publikum
Wird unterthänigst bekannt gemacht,
Dass heut' Nachmittag eine Vorstellung
Zwei- und vierbeiniger Celebritäten
Von seltener Niedagewesenheit
Schlag drei Uhr pünktlich vor sich gehen wird,
Theils auf der Erde, theils auch in der Luft.
Besond're Zierden der Gesellschaft sind:

(Fanfare.)

Vorerst die wunderschöne Esmeralda,
Gebor'ne Spanierin aus Napagedos,
„Die Königin des Drathseils," „Tochter der Luft" —
Springt auf Verlangen über ihren Schatten.

(Fanfare.)

Sodann der Indianerhäuptling Murru,
Gefangen auf der Insel Bummerang,
Die hunderttausend Meilen weit entfernt,
Waschecht und braun bei Sonnenschein und Regen,

Although he must now
Content himself with ordinary
Fare, he is really a man-eating cannibal.
He will swallow wives — I mean
Knives and swords with great alacrity.
Then will appear the most wonderful number of the whole programme.

(Flare of trumpets.)

A real American Grizzly Bear,
Whom I tamed myself.
After performing many astonishing
Feats, such as walking and hopping
On his hind legs and front paws,
He will dance a Ballet with
Esmeralda in the most approved
Graceful and artistic manner.
That you may not think that
I too highly praised this collection,
I will give you a small production.
But more hereafter.
And now! Let's begin.

(Dance and performance of acrobats, who then retire, and the people after them.)

Wenzel

(casting admiring glances at ESMERALDA).

Oh my, oh my! How lovely!
And that Spanish dancer, what beautiful legs she has!

Esmeralda

(to WENZEL).

And is this fine gentleman coming to our show?

Wenzel. Why, of course. I would love
To see you dance on the tight-rope.

Muff, the Indian

(rushes in excitedly).

Ringmaster! Ringmaster!
A great misfortune has happened.
Mike got drunk in the other
Inn, and there he lies under
The table, and I cannot
Induce him to play the bear,
Try as I may.

Von Haus aus Kannibal' und Menschenfresser. —
Er thut Euch nichts! — Jetzt frisst er nur noch Hühner
Und Tauben — die man mitzubringen hat! —
Mit Haut und Haar und schluckt nebstbei auch Gabeln.

(Fanfare.)

Doch das Erstaunlichste von Allem kommt
Zuletzt, „Das Wunder der Dressur!" Ein grosser
Lebend'ger Landbär aus Amerika,
Den ich mir selbst gezähmt. Mit Esmeralda
Tanzt er ein Pas de deux wie im Ballet,
Geht auf den Zeh'n und hüpft auf einem Bein.
Damit man sehe, dass ich nicht zuviel
Gesagt, so finde gleich die Probe statt.
Das Weit're folgt dann . . . He! Hollah! Fangt an!

(Tanz und Production der Komödianten, die dann abziehen, das Volk hinter ihnen her.)

Wenzel

(der ESMERALDA mit Entzücken bewundert hat).

Ei, ei, ei, ei, wie rei . . . rei . . . reizend! Was
Die Spa . . . pa . . . panierin für Füsschen hat!

Esmeralda

(zu WENZEL).

Kommt wohl der schöne Herr heut' Mittag auch?

Wenzel. Versteht sich! Wenn Ihr auf dem Seile tanzt,
So will ich kommen!

Muff, der Indianer

(kommt eilig und erschreckt).

Direktor! Herr Direktor!
Sagt' ich es doch: ein Unglück giebt's! Der Michel
Hat sich betrunken, vollständig betrunken!
Im Wirthshaus liegt er unterm Tische da
Und rührt sich nicht! Und Keinen sonst, der uns
Den Bären spielt, besitzen wir!

Ringmaster. The deuce! the deuce! It is our best number.

(Aside.)

If the bear cannot appear, we cannot perform
The celebrated ballet. No, no, no, that cannot be! That must not be!

(Aloud.)

We will have to look for somebody else —
Any old youngster out of the town.

Muff. He would give it away,
And the people would ridicule us.
Where could we find somebody?
He must be fully grown;
Otherwise the bear's skin will not fit him.
The people are coming in, and
We really have no time left to look around.

Ringmaster. What can we do, Esmeralda?

Wenzel

(who during all this time has been casting loving glances at Esmeralda).

What a fine girl she is!
Her I like! Well, well, if
She should become my wife,
The whole town would admire, and envy me.

Esmeralda

(encouraging him).

I like you very much, and would like to marry you.

Wenzel

(bashfully.)

Ma-marry me?

Muff

(who took WENZEL in with the eye of a connoisseur, to RINGMASTER.)

That one the bear's skin would fit like a glove,
As if expressly made for him.

Springer. Den Teufel!
's ist unsre beste Nummer!

(Für sich.)

Was zu thun?
Nein, ohne Bären geht's nun einmal nicht!
Sonst prügeln uns am End' die Bauern durch . . .
Mein Künstlerruf steht auf dem Spiel dabei.

(Laut.)

Lauf' nur und such' mir einen Andern. Irgend
Ein Bursche find't sich schon.

Muff. Es ist vergebens,
Besehen hab' ich Alles. Keiner ist,
Der passte: Der zu dick und der zu dünn,
Einer zu gross, ein Anderer zu klein!
In's Fell will Niemand auch hinein, und Zeit
Ist weiter nicht mehr zu verlieren, sollen
Wir fertig sein!

Springer. Was meinst Du, Esmeralda?

Wenzel

(der die ganze Zeit über ESMERALDA mit verliebten Blicken betrachtet hat).

Das wär 'ein Mädchen, die . . . die mir gefällt,
So schön! We . . . wenn ich die zur Frau bekäme!
Beneiden sollte mich das ganze Dorf!

Esmeralda

(ihn ermuthigend).

Was seht Ihr mich so an? Gelt ja, Ihr habt
Noch eine Frage?

Wenzel

(verschämt).

Kö . . . kö . . . könntet Ihr
Mich lieben wohl?

Muff

(der den WENZEL mit Kennerblicken gemustert hat, zu SPRINGER).

Ei, seht mir doch: dem sässe
Das Bärenfell so trefflich, dass man schwört',
Es sei für ihn gemacht!

Ringmaster. Well, then, go and announce the performance!
This young man I will look after myself.

(Exit Muff.)

(To Wenzel.)

Well, my dear sir! If you really love Esmeralda, then you
Can easily get her.
Become one of the members of my troupe,
And you shall yet dance to-day with Esmeralda.

Wenzel

(joyfully).

I da-dance?

(Sadly.)

I do not know how!

Esmeralda. My love will teach you how to do everything.

Wenzel

(happily).

Love! Well, that's worth hearing.

Ringmaster. You will always have a happy time with us.
Bright and lively,
Late and early,
Dancing, singing,
Joking, springing.
Here to-day and gone to-morrow.
Well, as you see, we are honored as actors,
Yes, the profession of actor is called the art of all arts;
Malum malorum, as they call it in Latin.
We know all the world is a stage;
And the people actors more or less.
Only their play is important and more serious,
But not as entertaining as ours,
Nor as gay.

Esmeralda. Well, then, my dear!
Come and join us.
My love shall be to you the sweetest of rewards.

Springer. So geh' und ruf' die
Vorstellung aus! Und Den da nehm' ich gleich
Hier in die Arbeit.

(Der Indianer ab.)

(Zu Wenzel.)

He, mein Theuerster!
Liebt Ihr sie, meine Esmeralda, dann
Den Segen geb' ich Euch! Ihr tretet gleich
Bei meiner Truppe ein; mit Esmeralda
Sollt Ihr noch heute tanzen!

Wenzel

(froh bestürzt).

Ta . . . ta . . . tanzen!?

(Traurig.)

Ach, tanzen ka . . . ka . . . kann ich nicht!

Esmeralda. Gar leicht
Lehrt Euch die Liebe, was Euch etwa fehlt.

Wenzel

(beglückt).

Die Liebe! Lasst doch hören!

Springer. Euch erwartet
Vergnügtes Leben: immer frisch und lustig!
Von früh bis Abends singen, scherzen, springen!
Heut' hier und morgen dort! Und angeseh'n
Sind allenthalben wir als Künstler! Ja,
Den Stand der Komödianten nennt man wohl
Den Stand der Stände auch, malum malorum,
So heisst es auf Lateinisch! Komödie wird
Gespielt allüberall, nicht im Theater nur,
Ja, manchmal besser noch und täuschender
Im Leben, aber nicht so heiter, harmlos,
Als wie bei uns.

Esmeralda. Wie? Ihr bedenkt Euch noch?
Fasst Euch ein Herz! Die Liebe reiche Euch
Den ersten Lorbeer!

Ringmaster. What can happen to you?
You are not bound as yet.
Try it for once,
You can now.

Esmeralda. Yes, to-day you can try it.
Come, my darling, only once!
And then
I shall be yours forever.

Wenzel. What must I do?

Esmeralda. Dance the ballet.

Wenzel. Dance the ballet?
What is that?

Esmeralda. We are to dance together;
You with me, and I with you.

Wenzel. Bu-but my mother!

Esmeralda. She will not know you.

Esmeralda and Ringmaster.
A most charming creature
We will make of you.
It will be a feature
Only known to few.
We will put a lovely mask o'er face and nose,
And the softest shoes upon your feet and toes.
You will be a cherub
Who will all entrance,
And the people
Will hasten to see you dance.
A most charming creature
We will make of you.
It will be a feature
Only known to few.

(Esmeralda and Ringmaster go because they see the people approaching. They motion to Wenzel to follow.)

Springer. Was kann Euch geschehen?
Ihr seid ja nicht gebunden! Eine Probe . . .
Und heute nur!

Esmeralda. Lasst Ihr umsonst mich bitten?
Ach, mein Geliebter, thätet Ihr's, ja dann . . .
Wär' ich die Eure!

Wenzel
(bekommt Lust).
Wa . . . was soll ich machen?

Esmeralda. Tanzen!

Wenzel. Ta . . . tanzen, kann ich's denn?

Esmeralda. Ich will's
Euch zeigen: beide tanzen wir zusammen!

Wenzel. Doch die Mu . . . Mutter!

Esmeralda. Die erkennt Euch nicht.

Esmeralda und Springer.
Alles geht am Schnürchen,
Da man Dich nicht quält,
Hab' ein hübsches Thierchen
Für Dich ausgewählt.
Prinz im Märchen,
Braunes Bärchen
Sollst Du sein!
Das verstehst Du,
Artig gehst Du,
Schmuck und fein!
Freundlich musst Du nicken,
Denn Du bist in mich verliebt!
Hold und zärtlich blicken . . .
's wird ein Spass, wie's keinen giebt!
Alles geht am Schnürchen,
Da man Dich nicht quält,
Hab' ein hübsches Thierchen
Für Dich ausgewählt.

(Esmeralda und Springer ab [weil sie die neu Auftretenden von Weitem sehen]. Sie winken Wenzel nachzukommen.)

SCENE III.

WENZEL, then MICHA, AGNES and KETSAL.

Wenzel.

(sadly).

Oh, poor unfortunate me!
All the girls want to marry me, and then kill me.

(He practices dancing.)

Agnes. O why are you so sad, my dear boy!
Brace up and be joyful!
You get married and all
Your troubles and sorrows will
Quickly be ended.

Wenzel. I-I am afraid.

Agnes. What are you afraid of, my darling?
Nothing bad can ever happen to you.
You will get a wife,
And that is the finest thing in the world.

Ketsal. Yes, just so! Wenzel will here sign the contract.
And everything will be settled.

Wenzel. What-what kind of a contract is this?

Micha. That you promise to make Marie Krushina your wife.

Wenzel. I-I do not want her!

Agnes, Micha and Ketsal.
What, really, not want her!
What can it be that makes him waver?
Speak, speak, Wenzel!
What nonsense were you led
To take into your head?

Wenzel. I'm-I'm afraid she'll tease me all my life,
And will deceive me, and worry me to death.

Agnes, Micha and Ketsal.
Oh, what a foolish notion!
Speak, where did you get it?

Wenzel. Someone told me and warned me to-day.

Agnes, Micha and Ketsal.
Who was that villainous person?

Wenzel. A beautiful girl.

DRITTE SCENE.

WENZEL. Gleich darauf MICHA, AGNES und KEZAL.

Wenzel. A . . . ach, wie wird es mir ergehen? Alle
Die schönen Mädchen, sie entbe . . . be . . . brennen
Für mich in Liebe.

(Er übt sich im Tanzen.)

Agnes. Endlich sieht man Dich!
Was treibst Du denn? Bist Du von Sinnen? Komm'
Jetzt mit uns, damit wir zu dem niedlichsten
Bräutchen des Dorfs Dich führen!

Wenzel. Lasst mich gehen!

Agnes. Nimm doch Vernunft an! Vater und ich. wir haben
Geordnet Alles. Zeit wird es nun endlich,
Dir 'ne verständ'ge Frau zu geben!

Kezal. Wenzel
Wird das hier unterschreiben, abgethan
Ist dann die Sache.

Wenzel. Wo . . . wozu verpflichtet
Mich das Papier?

Micha. Dass Du Maria Kruschina
Zum Weibe nehmen wirst!

Wenzel. Nei . . . nein! Die will
Ich gar nicht haben.

Agnes, Micha und Kezal.
Ha, das trifft wie ein Donnerschlag!
Ich weiss nicht, trau' ich meinen Ohren?
So sage mir doch, Wenzel, sag',
Wo hast Du den Verstand verloren?

Wenzel. Das Schicksal kenn' ich, das mir droht:
Sie will mich quälen bis zum Tod!

Agnes, Micha und Kezal.
Woher stammt diese Kunde?
O sprich, aus wessen Munde?

Wenzel. Je . . . jemand, der sein Herz mir bot . . .

Agnes, Micha und Kezal.
Der feindlich Deinem Bunde.

Wenzel. O nein, O nein!
Ein rei . . . rei . . . reizend Mägdelein.

Agnes, Micha and Ketsal.
And what did she say to you?
Wenzel. She said to me, she loves me so!
Agnes. And do you know her?
Wenzel. No, not I!
(He runs away.)

Agnes, Micha and Ketsal.
This is a pesky matter.
Someone has spoken to him,
And turned his trusting mind.
I'll the culprit find.

SCENE IV.

MARIE, KRUSHINA, KATHINKA, and the foregoing, later WENZEL.

Marie
(rushes in, followed by KRUSHINA and KATHINKA).
No, no, no!
I cannot believe that!
It is a mere trick put up to deceive me.
My love can never be a rascal.

Krushina. And still it is the truth.
Ketsal. What, is she still in doubt?
Krushina. Hans gave you up forsooth!
Ketsal. Here it is in black and white!
(Shows her the paper.)
For three hundred florins
Hans did sell to us his bride.
Marie. Oh, what an awful blow this is!
(Weeping.)
O men, ye are deceitful!
His solemn word he gave to me,
That all the world he'd brave for me.

Krushina. Take comfort, my dear child.
Though you on him relied,
You will now another find,
Who will be always kind.
Ketsal. Now you will sign, my hearty!
(WENZEL appears in the background.)
And our Wenzel, where is he?
Kathinka. Just see him on the common.
What is he staring at?

Agnes, Micha und Kezal.
Was machte Dir das Mädchen weis?
Wenzel. Sie sagt' es mir, sie liebt mich heiss!
Agnes. Und kennst Du sie?
Wenzel. Ach nein!
(Läuft davon.)

Agnes, Micha und Kezal.
Das sind verwünschte Dinge!
Man legt' ihm eine Schlinge!
Drum, wie ich zur Vernunft ihn bringe,
Soll meine Sorge sein.

VIERTE SCENE.

MARIE, KRUSCHINA, KATHINKA und die VORIGEN. Später WENZEL

Marie
(stürzt herein, KRUSCHINA und KATHINKA hinter ihr her).
Nein, nein, nein!
Es ist erlogen!
Sie lästern, schreien,
Uns zu entzweien!
Sie lästern, schreien,
Mein Liebster habe mich betrogen.
Kruschina. Die Arme zweifelt noch!
Kezal. Komm' her und schaue doch.
Kruschina. Er gab Dich schämlos preis.
Kezal. Hier steht es schwarz auf weiss!
(Zeigt das Papier.)
Ja, um dreihundert Gulden
Verkauft' er seine Braut.
Marie. Wer hätte das ihm zugetraut!?
(Weinend.)
Gott mög' es ihm verzeih'n!
Hab' ich verdient so tiefe Schmach?
Noch immer klingt es in mir nach:
„Ja, Dein bin ich allein!"
Kruschina. Sei ruhig, armes Kind,
Vergiss den Sausewind!
Nimm einen Besser'n Dir,
Der rein und treu gesinnt!
Kezal. Hier unterschreib' geschwind!
(WENZEL ist im Hintergrunde wieder sichtbar.)
Nun, Wenzel, schnell herbei!
Kathinka. Mein Kind, Du musst Dich fassen,
Es sei nun, wie es sei!

Marie. I'll never sign this contract,
For Wenzel I'll not take!
I'd rather, rather live alone and all my friends forsake.

The Others. You cannot do that now!
The moments hasten!
You must decide.

Ketsal
(catches sight of WENZEL and calls him).
Hey, Wenzel, hey, Wenzel dear!
Come and drop your bashfulness.

Wenzel
(comes up angrily).
Well, what is now the matter?
(Notices MARIE, agreeably surprised.)
She-she-she spoke to me this morning.

Kathinka, Agnes, Krushina, Micha, Ketsal.
Was it really Marie then
Who did scare him thus?

Wenzel. She told me that all apart,
Me she loved with all her heart.

Kathinka, Agnes, Krushina, Micha, Ketsal.
Well, this is the lady we picked to be your wife.

Wenzel. Yes, yes, her do I like.

Ketsal. Then let us not wait longer,
For that won't make it stronger,
But sign the contract now.

Marie. Leave me here a moment all alone to think.

Marie. Und hat er mich verlassen,
Ich bleibe dennoch frei!
Vertrauern will ich meine Zeit
In stiller Einsamkeit!

Die Andern. Wohl in Vergessenheit
Wird Dir entschwinden bald Dein Leid!

Kezal
(erblickt WENZEL und ruft).
He, Wenzel! He, mein Wenzelchen!
Lass fahren Deine Blödigkeit!

Wenzel
(kommt hervor, ärgerlich).
Was giebt es denn schon wieder?
(Erblickt Marie, freudig erstaunt.)
Die-die-die sprach ich heute Morgen!
Nu . . . nun ist nichts mehr zu besorgen!

Kathinka, Agnes, Kruschina, Micha, Kezal.
Weiss ich doch nicht wo und wie?
Sprach er wirklich mit Marie?

Wenzel. Ja, heut' Morgen in der Früh'!
Ich gefiel' ihr, sagte sie.

Kathinka, Agnes, Kruschina, Micha, Kezal.
Das ist ja das Bräutchen,
Das Dir zugedacht!

Wenzel. Dann ist's abgemacht!

Kezal. Nicht lange mehr geplaudert,
Gezweifelt und gezaudert,
Jetzt sind am Ziele wir!

Marie. Ich bitte, nur ein Weilchen
Lasst noch allein mich hier!

SEXTETTE

KATHINKA, KRUSHINA, AND KETSAL, *repeat* AGNES, MICHA, AND KETSAL, *then all together.*

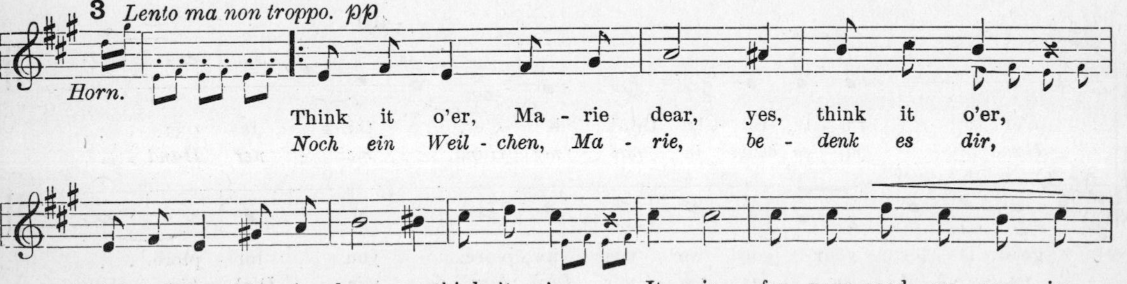

(All exeunt but Marie.)

SCENE V.

Marie

(alone).

What shall I do?
Deserted now, and weighed down by my
sorrow.
Still I cannot understand it.
His name is there most plainly.
How can he countermand it?
Perhaps, I doubt him vainly!
Would to God that out of all
This confusion no harm my love befall.

(Dreamily.)

My dream of love how fair it was,
So full of rapture and hope.
It shone so brightly in my heart
It seemed we would never part.
What happy life I pictured here
With Hans, to live together;
But love is killed, I greatly fear
It's killed by wintry weather.

(As if awakening.)

No, can there happen such deceit,
Can love live on unfulfilled?
The world would shed a tear, indeed,
O'er love that's so cruelly killed.
My dream of love how fair it was,
It shone so brightly in my heart;
It seemed we would never part.
My dream of love, how fair it was!

FÜNFTE SCENE.

Marie

(allein).

Endlich allein!
Allein mit mir, mit meinem Grame!
Noch immer kann ich es nicht glauben,
Steht auch dabei sein Name! . . .
Was hier noch leise für ihn spricht.
Ich darf es hören nicht.
War seine Liebe nur ein Wahn?
Wehe mir Armen!
Was hab' ich ihm gethan?

(Träumerisch.)

Wie fremd und todt ist Alles umher,
Und war so traut, voll Leben!
Die Welt hat keine Freuden mehr,
Ich muss mich d'rein ergeben.
O Lenz, Dein buntes Blumenkleid,
Wie welk ist es geworden!
Der böse Herbst kam vor der Zeit
Einhergeweht von Norden . . .

(Wie erwachend.)

Nein! Alles ist noch, wie es war
Und will nur anders scheinen,
Weil trübe ward mein Augenpaar
Vom Weinen.
Du Maienzeit, wie warst Du schön
Mit Deinen frischen Trieben!
Ade nun, helles Lustgetön!
Ade, Du junges Lieben!

SCENE VI.

Marie and Hans.

Hans

(rushes in joyfully).

How you I sought,
My darling Marie!
Star of my being!
O speak, do you still know of aught
That might prevent our marriage?

SECHSTE SCENE.

Marie und Hans.

Hans.

(stürmt fröhlich herein).

So find' ich Dich, Feinsliebchen, hier,
Mein Sehnen, mein Verlangen?
O sprich, erzähle, wie es Dir
Inzwischen ist ergangen!

Marie. Away! I am your star no more,
Our dream of love is o'er.
You stole my heart and lower'd yourself
By selling it for worthless pelf.
Speak, is it true, or is it not?
But yes or no, one word alone!

Hans (teasingly).
So simply—that cannot be done!

Marie. I want no explanations, now!
Speak, is it true as written?

Hans (the same).
Yes, then, yes, then, yes, then!

Marie. Now go away, and never more
Let me behold your features.

Hans (affectionately, playfully).
O let me all explain before
I go, you loveliest of creatures!

Marie. Our love is ended, bear in mind,
And I am going to marry Wenzel.

Hans (laughs).
Ha, ha, ha, that would truly be
A stupendous joke!

Marie (angrily).
What, is this all so very gay?

Hans (still laughing).
I want to tell you something.
Then listen, only let me say—

Marie. No, you can tell me nothing.

Hans. You are an awful stubborn case
For you'll not let me tell you.
How could I look into your face
If really I did sell you.
You are an awful stubborn case
For you'll not let me tell you.

Marie. Hinweg! Nicht bin ich mehr Dein Lieb,
Lass' Deinen schlechten Scherz!
Erst stahlst Du mir, ehrloser Dieb,
Und dann verkauftest Du mein Herz!
Sag', ist es Wahrheit oder nicht?
Ein Wort allein:
Ja oder nein!

Hans (übermüthig).
So einfach geht es schwerlich an!

Marie. Ich will nur Antwort, falscher Mann!
Sag', war's Du so abscheulich?

Hans (wie vorher).
Nun ja doch, freilich, freilich

Marie. Von Reue zeigst Du keine Spur,
Genug hab' ich vernommen!

Hans (zärtlich, schalkhaft).
O Du Geliebte, lass' mich nur
Einmal zu Worte kommen!

Marie. Mit uns'rer Liebe
Ist's aus nun, merk Dir das!
Ich nehme mir den Wenzel!

Hans (lacht).
Ha, ha, ha, ha!
Das ist wahrhaftig
Ein höchst gelung'ner Spass!

Marie (zornig).
Ha, Spott ist meiner Liebe Lohn?

Hans (immer lachend).
Ich muss Dir was erzählen,
Zwar stimmt's nicht zu dem Trauerton.

Marie (unterbricht).
Ich lass' mich nimmer quälen.

Hans. Mein lieber Schatz, nun aufgepasst.
Ich geb' Dir was zu hören!
Nur gönne mir ein wenig Rast
Und wolle mich nicht stören!
Mein lieber Schatz, nun aufgepasst,
Ich geb' Dir was zu hören!

Marie. You are an awful wicked case,
The devil cannot beat you.
I'll never look into your face,
And never want to meet you,
You are an awful wicked case,
The devil cannot beat you.

SCENE VII.

KETSAL and the foregoing.

Ketsal. Here, Hans! You, I suppose, wait for your money?
Well, have a little patience!
As soon as Marie signs the contract
You will get every penny.

Marie. Ha, how disgraceful!

Ketsal. Well, and you? Will you take for your husband Micha's son?

Hans. Of course she will, I say!
That he will get her and nobody else, is fixed by the contract,
And to that, I swear.

Ketsal. You're a good boy, with good understanding.

Marie. You're a villainous liar!
No, no, now surely not!
I will not take him
If I die on the spot for it.

Hans. What will you give if I induce her
That she will take Tobias Micha's son?

Marie. What! Hans, you want to induce
Me to do such a thing!
No, such a bold proceeding
The world never did see nor ever hear.

Hans. Have patience, and do not give up hope,
But trust to me as you did ne'er before.
You hardly know what happiness
For you there is in store.

Marie. Ein Märchen wohl, von Dir verfasst,
Um Dich herauszuschwören?
Ich weiss, was Du verbrochen hast,
Du wirst mich nicht bethören . . .
Ein Märchen wohl, von Dir verfasst,
Um Dich herauszuschwören?

SIEBENTE SCENE.

KEZAL und die VORIGEN.

Kezal. He, Hans? Du möchtest wohl Dein Geld schon haben?
Warte nur noch ein Bischen hier!
Giebt die Marie mir ihre Unterschrift,
Erhälst Du, was Dir zukommt!

Marie. Ha!
Der glatte Heuchler!

Kezal (zu Marie).
Nun, und Du? Nimmst Du
Dafür zu Deinem Mann des Micha Sohn?

Hans. Ja, das verburg' ich Euch! Sie wird ihn nehmen.
Kein Anderer als er soll sie bekommen.
So ward es abgemacht!

Kezal (scherzend).
Und so ist's recht.
Du Heirathsmittler!

Marie. Nichts da! Er lügt Euch an!
Nein, sag' ich, nein, nein! Nun und nimmermehr!
Und stürb' ich d'rum hier auf der Stelle!

Hans. Was wollt Ihr wetten, dass sie's dennoch thut?
Wenn ich es will, so nimmt sie Micha's Sohn!

Marie. Wie? Hans? Und dazu wollest Du
Im Ernst mich bringen? Solch' ein Ungeheuer
Hab's auf der Welt noch nie! Du Teufel, Du!

Hans. Gesegnet, wer da liebt und auch vertraut!
Kein Zweifel trübt sein Glück.
Bald kehret Dir, verkaufte Braut,
Was Du verlorst, zurück!

He loves you more than anything
In this wide world of ours,
And Micha's son will brighten your life
With bliss and all its powers.

Marie. O heavens, O heavens, how these
Words are racking my poor heart!

Ketsal. I never heard a wiser word.

(Aside.)

He is indeed a glorious bird.

(Aloud.)

Now let us call the parents here
And witnesses together,
As nothing more will interfere
To end this joyous matter.

(Exit.)

Marie

(resigned).

Now I will call my parents here
And all my friends together,
As nothing more will interfere
To end this painful matter.

Hans. Yes, you may call the parents here
And witnesses together,
As nothing more will interfere
To end this lud'crous matter.

(To Marie.)

What, do you still not understand?

Marie. Go! What do you want here?

Es liebt Dich jenes Micha Sohn
Wie keiner sonst auf Erden,
Für Deine Treue Dank und Lohn
Kann Dir von ihm nur werden!

Marie. Ein Schmeichler und ein Heuchler so
Macht hier sein Meisterstück!

Kezal. Das ist ein zweiter Salomo!

(Für sich.)

Oder ein Galgenstrick!
Jetzt rufen wir die Eltern her,
Dazu die andern Zeugen!
Nun kommt mir nichts mehr in die Quer,
Der Himmel hängt voll Geigen.

(Geht ab.)

Marie

(ergeben).

Ich habe keine Wünsche mehr
Und will in's Joch mich beugen,
Mein Sinn ist trüb', mein Herz ist schwer,
Was kann ich thun als schweigen?

Hans. Die Alten, ja, das freut mich sehr!
Willkommen sind die Zeugen,
Und käme gleich ein ganzes Heer,
Was mein ist, bleibt mein Eigen!

(Zu Marie.)

Des Micha Sohn wird doch Dein Mann!

Marie. Nur fort! Ich schaue Dich nicht an!

SCENE VIII.

Agnes, Kathinka, Krushina, Micha, Ketsal, Chorus and the preceding.

Chorus. Have you decided and thought out with care,—
Speak—what you shall do in this mixed up affair?

Marie

(aside).

I'll have revenge, and I shall do,
What to prevent he is trying.
O sadly and mournfully
Me he'll be eyeing.

ACHTE SCENE.

Agnes, Kathinka, Kruschina, Micha, Kezal. Chor und die Vorigen.

Chor. Kommen wir gerne, so kommen wir gleich!
Aber Mariechen, weshalb so bleich?

Marie

(für sich).

So räch' ich mich für den Verrath!
Er soll mich nimmer äffen!
Um was er höhnisch erst mich bat,
Ich thu's, um ihn zu treffen!

(Aloud with exertion.)

I shall do all that you desire.

Shorus. Good luck, to you, Marie!
All discontent must emigrate.
The marriage feast we'll celebrate.

Hans

(stepping to the front).

The marriage feast we'll celebrate,
And all the world will think it great.

Agnes and Micha.
What do I see? Is this really Hans?

Hans. Yes, father! Many a long and weary day
From you I've been away.
I have no wish again to roam,
And so shall found my own sweet home.

Ketsal. What, is it truth or only fun?
That simple chap, old Micha's son,
The elder, is that truly so?
I thought he'd gone to fight the foe.

Hans. I am truly old Micha's son,
From foreign part; and not for fun
But no real earnest battles fought,

(Referring to AGNES and KETSAL.)

'Gainst adverse foes my fortune sought.

Agnes. And you have time enough on hand
To do it more! You understand?

Hans. I know, that goes without saying,
I am not a welcome guest.
But never mind we'll pass the rest,
Since to my love I have a claim,
I, Micha's son by blood and name.

Agnes. That is not fair, that's cheating quick!

Hans. Not cheating, but only a trick.
'Tis written here, 'tis written.
See, we are two, put it to her.
Let her say whom she'll prefer!

(To Marie.)

Whom do you want to marry?

Marie. Now, at last, I understand.

(Throws herself into HANS' arms.)

Thee, my darling Hans'
I'm thine, I'm thine!

(Laut, mit Anstrengung.)

Was Ihr gewollt, das thu' ich gern!

Chor. Das Brautpaar soll leben!
Mariechen kriegt nun einen Herrn!
Der Tag der Hochzeit ist nicht fern!

Hans

(vortretend).

Ja, lustig wird es werden da,
Denn solch' ein Paar noch Keiner sah!

Agnes und Micha.
Was seh' ich? Das ist ja der Hans!

Hans. Herr Vater und Frau Mutter auch,
Da bin ich wieder, heil und ganz!
Bin aus der Fremde heimgekehrt,
Zu gründen einen eig'nen Herd!

Kezal. Ei! Soll ich's glauben oder nicht,
Was dieser Flausenmacher spricht?
Er wäre, Micha, Euer Sohn?
Der ist ja wohl gestorben schon!

Hans. Erkannten mich die Eltern doch!
Und schätzt mich auch nicht jeder hoch,

(mit Beziehung auf KEZAL und die Stiefmutter.)

Das Beste ist: ich lebe noch!

Agnes. Hier bist Du nicht am rechten Ort
Mit Deinen alten Ränken!

Hans. Ich kann es mir wohl denken,
Gern schicktet Ihr mich wieder fort!
Doch wenn ich geh', dann nicht allein!
Mit Micha's Sohn die Liebste sein
Marie, die nun für ewig mein!

Agnes. Das gilt nicht, weil Betrug es ist!

Hans. Betrug nicht, nein, nur eine List;
Geschrieben ist geschrieben!
Ihr bleibt die Wahl: Den Wenzel oder mich!

(Zu MARIE.)

Triff die Entscheidung nun und sprich:
Wen von uns willst Du lieben?

Marie. Hab' ich doch läugst entschilden!

(Eilt HANS in die Arme.)

Ja, Dein bin ich, ja, Dein bin ich!

Ketsal. This fellow is a tricky scamp,
He's beaten me all over.
A great big blot upon my name,
My reputation gone, my fame,
How can I them e'er again recover?

Micha

(sarcastically to KETSAL).

Your wisdom has just left you,
Truly and for a fact.

Agnes

(the same).

And may we mention, made you
Do and perform a very stupid act.

Marie, Hans, Kathinka and Krushina.
Your wisdom has just left you,
Truly and for a fact.

Chorus. Ha, ha, ha, ha, a stupid act.

(KETSAL runs away.)

LAST SCENE.

(A loud noise behind the scenes. Boys run across the stage. One boy cries: "Run for your life! The bear got loose." Another, "He's coming this way, run!")

WENZEL and Foregoing.

Wenzel

(disguised as a bear)

Don't be afraid! I am not a wild bear! I am Wenzel!

Agnes

(enraged).

You donkey, what are you doing?
Oh, what a disgrace! Get away from here,
You ninny, and get out of that rank disguise.

(She drags WENZEL away.)

Krushina. Now, my dear friend Micha, you
Yourself must acknowledge that
There can be no talk of Wenzel.
Why, he hasn't his reason yet.

Kezal. Wer hätte das von ihm gedacht!
Mir schwillt vor Zorn die Galle!
Um Einfluss, um Gewicht und Macht
Hat der Hallunke mich gebracht,
Ich ging ihm in die Falle!

Micha

(höhnisch zu KEZAL).

Lasst Euch bewundern! Ja, das habt
Ihr wirklich gut gemacht!

Agnes

(ebenso).

Der Wichtigthuer, hochbegabt!
Nun wird er ausgelacht!

Marie, Hans, Kathinka, Kruschina.
Lasst Euch bewundern! Ja, das habt
Ihr wirklich gut gemacht!

Chor. Ha, ha, ha, ha! Er wird verlacht!

(KEZAL läuft wüthend fort.)

LETZTE SCENE.

(Grosser Lärm hinter der Bühne. Knaben rennen über die Bühne. Ein Knabe schreit: „Rettet Euch, der Bär ist los!" Ein Anderer: „Er rennt geradenwegs hierher!")

WENZEL und die VORIGEN.

Wenzel

(als Bär verkleidet).

Seid ohne Furcht! Ich bin kein Landbär, nur
Der We . . . We . . . Wenzel!

Agnes

(erbost).

Du Gimpel, was hast Du gethan? O Schande!
Schere, Du Narr, Dich weg von hier! Denn man
Verlacht uns und verspottet uns!

(Sie zieht WENZEL mit sich fort.)

Kruschina. Gevatter Micha werdet selbst begreifen
Wohl, dass sein Kind man ihm verweigert! Ja,
Da ist der Hans mir lieber!

(Coaxingly.)

But bear in mind that Hans is, too,
Your son and you're his father.

Kathinka. You should be glad that your son
Has returned from a foreign land.
Receive him joyfully with love,
And extend to him your hand.

Micha. Well, well, so be it, so be it!
I'll give you now my blessing.

(He blesses the pair kneeling before him.)

All and Chorus.
Let us sing and shout and rattle,
For true love has won the battle.
We now wish with joy and pride
Happiness to the "Bartered Bride."

END OF THE OPERA.

(Begütigend.)

's ist Euer Blut,
Ihr seid der Vater!

Kathinka. Ja, Gnade hat Euch Gott verlieh'n,
Dass Ihr ihn noch bekommen,
An Eurer Stelle hätt' ich ihn
Mit Freuden aufgenommen!

Micha. Nun meinetwegen, meinetwegen!
Da habt Ihr meinen Vatersegen!

(Er segnet das vor ihm niederknieende Paar.)

Alle und Chor.
So ist's recht, es freut uns Alle!
Stimmet ein mit Jubelschalle!
Und von Herzen tön' es laut:
Vivat die „verkaufte Braut"!

ENDE DER OPER.

HÄNSEL AND GRETEL

An Opera in Three Acts

by

Engelbert Humperdinck

Libretto by
Adelheid Wette

THE opera opens in a poor broom-maker's hut in a forest in the Harz mountains. Hansel and Gretel are alone, working and bemoaning the lack of food. Eventually they start playing and dancing about when suddenly their mother enters, tired and discouraged. She scolds them and sends them out to pick a basketful of wild strawberries for supper. Later, their father returns after a good day but when he learns that the children are out alone in the forest he is terribly fearful that the evil witch of the woods may have captured them.

In Act II we see the children in the woods. At first they gaily pick the berries. Then as it gets darker they get lost and frightened by fears of vague shapes and haunts. But a Sandman comes, they say their "fourteen angels" prayer and fall asleep. We see their dream of the fourteen angels guarding them.

At dawn (Act III) the children awake and sing. Suddenly they see an amazing cottage all made of cake and candy. It is the trap of the witch who lures little boys and girls. Once she catches them she bakes them into gingerbread, her favorite food. Hansel and Gretel start nibbling away at the wonderful house and the witch casts her spell over them. She cages Hansel but when she tries to shove Gretel into the oven, the two children shove the witch in, instead. Then all the gingerbread around the house is retransformed into boys and girls who thank Hansel and Gretel for their rescue. Father and mother come on the scene and all dance and sing a hymn of joy.

HÄNSEL UND GRETEL

ACT I

AT HOME

SCENE I

(A small and poorly furnished room. In the background a door; a small window near it, looking on to the forest. On the left a fireplace with chimney above it. On the walls are hanging brooms of various sizes. Hansel is sitting by the door, making brooms, and Gretel opposite him by the fireplace, knitting a stocking.)

Gretel. Susy, little Susy, pray what is the news?
The geese are running barefoot, because they've no shoes!
The cobbler has leather, and plenty to spare,
why can't he make the poor goose a new pair?

Hänsel. Then they'll have to go barefoot!
Eia-popeia, pray what's to be done?
Who'll give me milk and sugar, for bread I have none?
I'll go back to bed and I'll lie there all day;
where there's nought to eat, then there's nothing to pay!

Gretel. Then we'll have to go hungry!

Hänsel. If mother would only come home again!
Yes, I am so hungry,
I don't know what to do!
For weeks I've eaten nought but bread—
It's very hard, it is indeed!

Gretel. Hush, Hänsel, don't forget what father said,
when mother, too, wished she were dead:
"When past bearing is our grief,
The Lord God, will send relief!"

Hänsel. Yes, yes, that sounds all very fine,
but of course off maxims we cannot dine!
O Gret, it would be such a treat
if we had something nice to eat!
Eggs and butter and suet paste,
I've almost forgotten how they taste.
O Gretel, I wish—

Gretel. Hush, don't give way to grumps;
have patience awhile, no doleful dumps!
This woeful face, whew! what a sight!
Looks like a horrid old crosspatch fright!
Crosspatch, away!
Leave me, I pray!
Just let me reach you,
quickly I'll teach you
how to make trouble,
soon mount to double!
Crosspatch, crosspatch,
what is the use,
growling and grumbling,
full of abuse?
Off with you, out with you,
shame on you, goose!

Hänsel. Crosspatch, away!
Hard lines, I say.

ERSTES BILD

DAHEIM

ERSTE SCENE

(Dürftige Stube. Im Hintergrunde rechts eine niedrige Thür, in der Mitte ein kleines Fenster mit Aussicht in den Wald. Links ein Herd mit einem Rauchfang darüber. An der rechten Wand hängen Besen in verschiedenen Formen. Hänsel, an der Thüre mit Besenbinden, Gretel, am Herde Strumpfstricken beschäftigt, sitzen einander gegenüber.)

Gretel. Suse, liebe Suse,
was raschelt im Stroh?
Die Gänse gehn barfuss
und haben kein' Schuh.
Der Schuster hat's Leder,
kein'n Leisten dazu.
Drum kann er den Gänslein
auch machen kein' Schuh.

Hänsel. Eia popeia,
das ist eine Not!
Wer schenkt mir einen Dreier
zu Zucker und Brot?
Verkauf ich mein Bettlein
und leg mich auf's Stroh,
sticht mich keine Feder
und beisst mich kein Floh!
Ach, käm doch die Mutter nun endlich nach Haus!

Gretel. Auch ich halt's kaum noch vor Hunger aus.

Hänsel. Seit Wochen nichts als trocken Brot;
ist das ein Elend! Potz schwere Not!

Gretel. Still, Hänsel, denk daran, was Vater sagt,
wenn Mutter manchmal so verzagt:
Wenn die Not auf's höchste steigt,
Gott der Herr die Hand euch reicht!"

Hansel. Jawohl, das klingt ganz schön und glatt,
aber leider wird man davon nicht satt.
Ach, Gretel, wie lang' ist's doch schon her,
dass wir nichts Gutes geschmauset mehr!
Eierfladen und Butterwecken—
kaum weiss ich noch, wie die thun schmecken.
Ach, Gretel, ich wollt' . . .

Gretel. Still, nicht verdriesslich sein:
Gedulde dich fein, sieh freundlich drein!
Dies lange Gesicht,—hu, welcher Graus!
Siehst ja wie der leibhaftige Griesgram aus!
Griesgram, hinaus!
Fort aus dem Haus!
Ich will dich lehren,
Herz zu beschweren,
Sorgen zu mehren,
Freuden zu wehren:
Griesgram, Griesgram, greulicher Wicht,
griesiges, grämiges Galgengesicht,
packe dich, trolle dich, schäbiger Wicht!

Hänsel. Griesgram, hinaus!
Halt's nicht mehr aus!

Hänsel. When I am hungry,
surely I can say so,
cannot allay so,
can't chase away so!

Gretel. If I am hungry,
I'll never say so,
will not give way so,
chase it away so!

Gretel. That's right. Now, if you leave off complaining,
I'll tell you a most delightful secret!

Hansel. O delightful! it must be something nice!

Gretel. Well, listen, brotherkin—won't you be glad!
Look here in the jug, here is fresh milk,
'twas given to-day by our neighbour,
and mother, when she comes back home,
will certainly make us a rice-blancmange.

Hänsel. Rice-blancmange!
When blancmange is anywhere near,
then Hänsel, Hänsel, Hänsel, is there!
How thick is the cream on the milk;
let's taste it! O Gemini!
wouldn't I like to drink it!

Gretel. What, Hänsel, tasting? Aren't you ashamed?
Out with your fingers quick, greedy boy!
(Gives him a rap on the fingers.)
Get back to your work again, be quick,
that we may both have done in time!
If mother comes and we haven't done right,
then badly it will fare with us to-night!

Hänsel. Work again? No, not for me!
That's not my idea at all;
it doesn't suit me! It's such a bore!
Dancing is jollier far, I'm sure!

Gretel.
(Delighted.)
Dancing, dancing! O yes, that's better far;
and sing a song to keep us in time!
One that our grandmother used to sing us:
sing then, and dance in time to the singing!
(Claps her hands.)
Brother, come and dance with me,
both my hands I offer thee;
right foot first,
left foot then,
round about and back again!

Hänsel. I would dance, but don't know how,
when to jump, and when to bow;
show me what I ought to do,
so that I may dance like you.

Gretel. With your foot you tap, tap, tap;
with your hands you clap, clap, clap;
right foot first,
left foot then,
round about and back again!

Hänsel. With your hands you clap, clap, clap;
with your foot you tap, tap, tap;
right foot first,
left foot then,
round about and back again!

Immer mich plagen,
Hungertuch nagen,
muss ja verzagen,
mag's nicht ertragen!

Griesgram, Griesgram, greulicher Wicht,
griesiges, grämiges Galgengesicht,
packe dich, trolle dich, schäbiger Wicht!

Gretel. So recht! Und willst du nun nicht mehr klagen,
so will ich dir auch ein Geheimnis sagen.

Hansel. Ein Geheimnis? Wird wohl was Rechtes sein!

Gretel. Ja, hör nur, Brüderchen! Darfst dich schon freun,
Guck her in den Topf, Milch ist darin,
die schenkte uns heute die Nachbarin.
Mutter kocht uns, kommt sie nach Haus,
gewiss einen leckeren Reisbrei daraus.

Hänsel. Reisbrei, Reisbrei, herrlicher Brei!
Giebt's Reisbrei, da ist Hänsel dabei!
Wie dick ist der Rahm auf der Milch! Lass schmecken!
Herrjemine, den möcht' ich ganz verschlecken!
Wie, Hänsel, naschen? Schämst du dich nicht?

Gretel. Fort mit den Fingern, du naschhafter Wicht!
(Giebt ihm eins auf die Finger.)
Und jetzt an die Arbeit zurück, geschwind,
dass wir beizeiten fertig sind!
Kommt Muter heim, und wir thaten nicht recht,
Dann, weisst du, geht es den Faulpelzen schlecht.

Hänsel. Arbeiten? Brr! Wo denkst du hin?
Danach steht mir jetzt nicht der Sinn.
Immer mich plagen, das fällt mir nicht ein,
jetzt lass uns tanzen und fröhlich sein!

Gretel.
(Entzückt.)
Tanzen? Das wär' auch mir eine Lust!
Dazu ein Liedchen aus froher Brust,
wie's uns die Muhme gelehrt zu singen:
Tanzliedchen soll jetzt lustig erklingen!
(Klatscht in die Hände.)
Brüderchen, komm, tanz' mit mir,
beide Händchen reich' ich Dir; einmal hin, einmal her,
rund herum, es ist nicht schwer!

Hänsel. Tanzen soll ich armer Wicht,
Schwesterlein, und kann es nicht.
Darum zeig' mir, wie es Brauch,
dass ich tanzen lerne auch!

Gretel. Mit den Füsschen tapp tapp tapp,
mit den Händchen klapp klapp klapp,
einmal hin, einmal her,
rund herum, es ist nicht schwer.

Hänsel. Mit den Füsschen tapp tapp tapp,
mit den Händchen klapp klapp klapp,
einmal hin, einmal her,
rund herum, es ist nicht schwer.

Gretel. That was very good indeed,
O, I'm sure you'll soon succeed!
Try again, and I can see
Hänsel soon will dance like me!
With your head you nick, nick, nick;
with your fingers you click, click, click;
right foot first,
left foot then,
round about and back again.

Hänsel. With your head you nick, nick, nick;
with your fingers you click, click, click;
right foot first,
left foot then,
round about and back again!

Gretel. Brother, watch what next I do,
you must do it with me too.
You to me your arm must proffer,
I shall not refuse your offer!
Come!
What I enjoy is dance and jollity,
love to have my fling;
in fact, I like frivolity,
and all that kind of thing.
Tralala, tralala, tralala!

Come and have a twirl, my dearest Hänsel,
come and have a turn with me, I pray;
come here to me, come here to me,
I'm sure you can't say nay!

Hänsel. Go away from me, go away from me,
I'm much too proud for you:
with little girls I do not dance,
and so, my dear, adieu!

Gretel. Go, stupid Hans, conceited Hans,
you'll see I'll make you dance!
Tralala, tralala, tralala!
Come and have a twirl, my dearest Hänsel,
come and have a turn with me, I pray!

Hänsel. O Gretel dear, O sister dear,
your stocking has a hole!

Gretel. O Hänsel dear, O brother dear,
d'you take me for a fool?
With naughty boys I do not dance,
and so, my dear, adieu!

Hänsel. Now don't be cross.
you silly goose,
you'll see I make you dance!

Gretel. Tralala, tralala, tralala!
Come and have a twirl, my dearest Hänsel,
come and have a turn with me, I pray.
Sing lustily hurrah! hurrah!
while I dance with you;
and if the stockings are in holes,
why, mother'll knit some new!

Hänsel. Tralala, tralala, tralala!
Sing lustily hurrah! hurrah!
while I dance with you;
and if the shoes are all in holes,
why mother'll buy some new!
Tralala, tralala, tralala!

Gretel. Ei, das hast Du gut gemacht,
ei, das hätt' ich nicht gedacht!
Seht mir doch den Hänsel an,
wie der tanzen lernen kann!
Mit dem Köpfchen nick nick nick,
mit dem Fingerchen tick tick tick,
einmal hin, einmal her,
rund herum, es ist nicht schwer!

Hänsel. Mit dem Köpfchen nick nick nick,
mit dem Fingerchen tick tick tick,
einmal hin, einmal her,
rund herum, es ist nicht schwer!

Gretel. Hänsel, komm und gieb mal acht,
wie's die Gretel weiter macht!
Lass uns Arm in Arm verschränken,
unsre Schrittchen paarweis lenken!
Ich liebe Tanz und Fröhlichkeit
und bin nicht gern allein;
ich bin kein Freund von Traurigkeit,
und fröhlich will ich sein.
Tralala, tralala, tralala la la,
Dreh dich herum, mein lieber Hans!

Gretel. Komm her zu mir, komm her zu mir,
zum Ringelreigentanz!

Hänsel. Geh weg von mir, geh weg von mir,
ich bin der stolze Hans!
Mit kleinen Mädchen tanz ich nicht,
das ist mir viel zu dumm!

Gretel. Geh, dummer Hans, geh, stolzer Hans,
ich krieg dich doch herum!
Tralala, tralala, tralala la la,
dreh dich herum, mein lieber Hans!

Hänsel. Ach, Schwesterlein, ach, Gretelein,
Du hast im Strumpf ein Loch!

Gretel. Ach Brüderlein, ach Hänselein,
Du willst mich hänseln noch!
Mit bösen Buben tanz ich nicht,
das ist mir viel zu dumm!

Hänsel. Nicht böse sein, lieb Schwesterlein,
ich krieg Dich doch herum!
Tralala, tralala, tralala, la la,
Dreh dich doch herum, mein Gretelein!

Hänsel. Tanz lustig, heissa, lustig tanz!
Lass dich's nicht gereu'n;
und ist der Strumpf auch nicht mehr ganz,
die Mutter strickt dir 'n neu'n!
Dreh dich doch herum!
Sei nicht so dumm!
Tralala, tralala u. s. w.

Gretel. Tanz lustig, heissa, lustig tanz!
Lass dich's nicht gereu'n;
und ist der Schuh' auch nicht mehr ganz,
der Schuster flickt dir 'n neu'n!
Dreh dich doch herum!
Sei nicht so dumm!
Tralala, tralala u. s. w.

(They dance round each other as before. They then seize each other's hands and go round in a circle, quicker and quicker, until at last they lose their balance and tumble over one another on the floor. Suddenly the door opens, the mother appears and the children jump up.)

SCENE II

Mother. Hallo!

Hänsel and Gretel.
Heavens! Here's mother!

Mother. What is all this disturbance?

Gretel. 'Twas Hänsel, he wanted—

Hänsel 'Twas Gretel, she said I—

Mother. Silence, idle and ill-behaved children!

(The mother comes in, unstraps the basket, and puts it down.)

Call you it working, yodelling and singing?
As through 'twere fair time, hopping and springing!
And while your parents from early morning
till late at night are slaving and toiling!
Take that!
(Gives Hänsel a box on the ear.)
Now come, let's see what you've done.
Why, Gretel, your stocking not ready yet?
And you, you lazybones, have you nothing to show?
Pray how many brooms have you finished?
I'll fetch my stick, you useless children,
and make your idle fingers tingle!

(In her anger at the children she gives the milk-jug a push, and it smashes.)

Gracious! there's goes the jug all to pieces!
What now can I cook for supper?

(She looks at her skirt, down which the milk is streaming. Hänsel covertly titters.)

How, saucy, how dare you laugh?

(Going with a stick after Hänsel ,who is running out of the open door.)

Wait, wait till the father comes home!

(She snatches a basket from the wall, and pushes it into Gretel's hands.)

Off, off, to the woods!
There seek for strawberries! Quick, away!
And if you don't bring the basket brimful,
I'll whip you so that you'll both run away!

(The children run off into the forest. She sits down exhausted by the table.)

Alas! there my poor jug lies all in pieces!
Yes, blind excitement only brings ruin.
O Heaven, send help to me!
Nought have I to give them—
(Sobbing.)

No bread, not a crumb, for my starving children!

(Dann fassen sie sich bei den Haenden und drehen sich immer schneller im Kreise, bis sie schliesslich das Gleichgewicht verlieren und uebereinander auf den Boden hinpurzeln. In diesem Augenblicke geht die Thuere auf; die Mutter wird sichtbar, worauf die Kinder schnell vom Boden aufspringen.)

ZWEITE SCENE

Mutter. Holla!

Hänsel und Gretel.
Himmel, die Mutter!

Mutter. Was ist das für eine Geschichte?

Gretel. Der Hänsel . . .

Hänsel. Die Gretel . . .

Gretel. Er wollte . . .
Hänsel.
Ich sollte . . .

Mutter.
(In Zorn ausbrechend.)
Wartet, ihr ungezogenen Wichte!
Nennt ihr das Arbeit? Johlen und singen?
Wie auf der Kirmes tanzen und springen?
Indes die Eltern vom frühen Morgen
bis spät in die Nacht sich mühen und sorgen?
Dass dich!
(Giebt Hänseln einen Puff.)
Lasst seh'n, was habt ihr beschickt?
—Wie, Gretel, den Strumpf nicht fertig gestrickt?
—Und du?—Du, Schlingel! In all den Stunden
nicht mal die wenigen Besen gebunden?
Ihr unnützigen Kinder! Den Stock will ich holen,
den Faulpelz werd' ich euch beiden versohlen!

(In ihrem Eifer hinter den Kindern her stösst sie den Milchtopf vom Tisch, dass er klirrend zu Boden fällt.)

Jesses! Nun auch den Topf noch zerbrochen!
(Weinend.)
Was soll ich nun zum Abend kochen?

(Besieht ihren mit Milch begossenen Rock; Hänsel kichert verstohlen.)

Was, Bengel, du lachst mich noch aus?

(Mit dem Stock hinter Hans her, der zur offenen Thür hinausrennt.)

Wart, kommt nur der Vater nach Haus—

(Lays her head down on her arm and drops to sleep.)

(Reisst einen kleinen Korb von der Wand und drängt ihn Gretel in die Hand.)

Marsch, fort—in den Wald!
Dort sucht mir Erdbeeren!—Nun, wird es bald?

(Treibt auch Gretel zur Stube hinaus und droht mit dem Stocke den sich furchtsam umschauenden Kindern.)

Und bringt ihr den Korb nicht voll bis zum Rand,
so hau ich euch, dass ihr fliegt an die Wand!

(Setzt sich erschöpft an den Tisch.)

Da liegt nun der gute Topf in Scherben!
Ja, blinder Eifer bringt immer Verderben.—
Herrgott, wirf Geld herab! Nichts hab' ich zu leben,

No crust in the cupboard, no milk in the pot—
(Resting her head on her hands.)
Weary am I, weary of living!
Father, send help to me!

kein Krümchen den Würmern zu essen zu geben;
kein Tröpfchen im Topfe, kein Krüstchen im Schrank,
schon lange nichts als Wasser zum Trank.
(Stützt den Kopf mit der Hand.)
Müde bin ich—müde zum Sterben—
Herrgott, wirf Geld herab——
(Legt den Kopf auf den Arm und schläft ein.)

SCENE III

(A voice is heard in the distance.)
Tralala, tralala! little mother, here am I!
Tralala, tralala! bringing luck and jollity!
O, for you and me, poor mother,
every day is like the other;
with a big hole in the purse,
and in the stomach an even worse.
Tralala, tralala!
Hunger is the poor man's curse!
Tralala, tralala!
Hunger is the poor man's curse!
(The father appears at the window, and during the following he comes into the room in a very happy mood, with a basket on his back.)
'Tisn't much that we require;
just a little food and fire!
But alas! it's true enough,
life on some of us is rough!
Hunger is a customer tough!
Yes, the rich enjoys his dinner,
while the poor grows daily thinner!
Strives to eat, as well he may,
somewhat less than yesterday!
Tralala, tralala!
hunger is the devil to pay!
Tralala, tralala!
hunger is the devil to pay!
(He puts down his basket.)
Yes, hunger's all very well to feel,
if you can get a good square meal;
but when there's nought, what can you do,
supposing the purse be empty too?
Tralalala, tralalala!
O for a drop of mountain dew!
Tralalala, tralalala!
Mother, look what I have brought!
(Reels over to his sleeping wife and gives her a smacking kiss.)

Mother.
(Rubbing her eyes.)
Oho!—
Who's sing-sing-singing
all around the house,
and tra-la-la-ing me
out of my sleep?

Father.
(Inarticulately.)
How now!—
The hungry beast
within my breast
called so for food
I could not rest!
Tralala, tralala!
Hunger is an urgent beast!
Tralala, tralala!
pinches, gnaws, and gives no rest!

Mother.
So, so!

DRITTE SCENE

(Man hört eine Stimme von weitem:)
Ach, wir armen, armen Leute!
Alle Tage so wie heute:
In dem Beutel ein grosses Loch
und im Magen ein gröss'res noch—
Rallalala, rallalala,
Hunger ist der beste Koch!
(Am Fenster wird der Kopf des Vaters sichtbar, der während des Folgenden in angeheitertem Zustande mit einem Kober auf dem Rücken in die Stube tritt.)
Ja, ihr Reichen könnt euch laben!
Wir, die nichts zu essen haben,
nagen, ach, die ganze Woch',
sieben Tag an einem Knoch'!
Rallalala, rallalala,
Hunger ist der beste Koch!
Ach, wir sind ja gern zufrieden,
denn das Glück ist so verschieden,
aber, aber wahr ist's doch:
Armut ist ein schweres Joch!
Rallalala, rallalala,
Hunger ist der beste Koch!
(Er setzt seinen Kober nieder und tritt an die Rampe.)
Ja ja, der Hunger kocht schon gut,
sofern er kommandieren thut.
Allein was nutzt der Kommandör,
fehlt euch im Topf die Zubehör?
Rallalala, rallalala,
Kümmel ist mein Leiblikör!
Rallalala, rallalala,
Mutter, schau, was ich bescheer!
(Giebt ihr einen derben Schmatz.)

Mutter.
(Sich die Augen reibend.)
Hoho!—
Wer spek—spektakelt
mir da im Haus
und rallalakelt
aus dem Schlaf mich heraus?

Vater.
(Lallend.)
Das tolle Tier,
im Magen hier,
das bellte so, das glaube mir!
Rallalala, rallalala,
Hunger ist ein tolles Tier.
Rallalala, rallalala,
beisst und kratzt, das glaube mir!

Mutter.
So, so!

And this wild beast,
you gave him a feast.
He's had his fill,
to say the least!

Father. Well, yes! H'm it was a lovely day,
don't you think so, dear wife?

Mother.
(Angrily.)
Have done! You have no troubles to bear,
'tis I must keep the house!

Father. Well, well,—then let us see, my dear,
what we have got to eat to-day.

Mother. Most simple is the bill of fare,
our supper's gone, I know not where!
Larder bare, cellar bare,
nothing, and plenty of it to spare!

Father. Tralalala, tralalala!
Cheer up, mother, for here am I,
bringing luck and jollity!
(He takes his basket and begins to display the contents.)
Look, mother, doesn't all this food please you?

Mother. Man, man, what see I?
Ham and butter,
flour and sausage—
eggs, a dozen . . .
(Husband, and they cost a fortune!)
Turnips, onions, and—for me!
Nearly half a pound of tea!

Father. Tralala, tralala,
hip hurrah!
Won't we have a festive time!
Tralala, hip hurrah!
Won't we have a happy time!
Now listen how it all came to pass!
(Sits down. Meanwhile the mother packs away the things, lights a fire, breaks eggs into a saucepan, etc.)
Yonder to the town I went,
there was to be a great event,
weddings, fairs, and preparation
for all kinds of jubilation!
Now's my chance to do some selling,
and for that you may be thankful!
He who wants a feast to keep,
he must scrub and brush and sweep.
So I brought my best goods out,
tramped with them from house to house:
"Buy besoms! good besoms!
Buy my brushes! sweep your carpets,
sweep your cobwebs!"
And so I drove a roaring trade,
and sold my brushes at the highest prices!
Now make haste with cup and platter,
bring the glasses, bring the kettle—
here's a health to the besom-maker!

Mother. Here's a health to the besom-maker!

Father. But stay, why, where are the children?
Hänsel, Gretel, what's gone with Hans?

Mother. Gone with Hans? O, who's to know?
But at least I do know this,
that the jug is smashed to bits.

Das tolle Tier,
es ist wohl schier
stark angezecht—das glaube mir!

Vater. Nun ja, 's war heut ein heitrer Tag!
Fondst du nicht auch, lieb' Weib?

Mutter.
(Ärgerlich.)
Ach geh! Du weisst, nicht leiden mag
ich Wirtshaus-Zeitvertreib!

Vater. Auch gut! So sehen wir, wenn's beliebt,
was es für heut zu schmausen giebt.

Mutter. Höchst einfach ist das Speisregister
der Abendschmaus—zum Henker ist er!
Teller leer,
Keller leer,
und im Beutel ist gar nichts mehr.

Vater. Rallalala, rallalala,
lustig, Mutter, bin auch noch da!
Rallalala, rallalala,
bringe Glück und Gloria!
(Nimmt den Kober und kramt aus.)
Schau, Mutter!
Wie gefällt Dir dies Futter?

Mutter. Mann, was seh' ich? Speck und Butter!
Mehl und Würste! . . . vierzehn Eier—
—Mann! Sie sind jetztunder teuer!—
Bohnen, Zwiebeln und—herrjeh!
Gar ein viertel Pfund Kaffee!

Vater.
Rallalala, hopsassa!
Heute woll'n wir lustig sein!
Ja, hör nur, Mütterchen, wie's geschah!

(Er setzt sich nieder, die Mutter kramt inzwischen die Sachen ein, zuendet Feuer im Herd an, schlaegt Eier in eine Pfanne u.s.w.)

Drüben hinterm Herrenwald
prächt'ge Feste giebt's da bald,
Kirmes, Hochzeit, Jubiläum,
Böllerknall und gross Tedeum.
Mein Geschäft kommt nun zur Blüte;
dessen froh sei Dein Gemüte!
Sieh! wer feines Fest will feiern,
der muss kehren, schrubben und scheuern.
Bot drum meine Waren aus,
zog damit von Haus zu Haus:
"Kauft Besen! Gute Feger!
Feine Bürsten! Spinnejäger!"
Sieh, da verkauft' ich massenweise
meine Waren zum höchsten Preise!—
Schnell nun her mit Topf und Pfanne,
her mit Kessel, Schüssel, Kanne!

Mutter. Vivat hoch die Besenbinder!

Vater. Doch halt—wo bleiben die Kinder?
Hänsel! Gretel!—Wo steckt der Hans?

Mutter. Wo er steckt? Ja, wüsste man's!
Nur das weiss ich klar wie Tag,
dass der Topf in Scherben lag!

Father.	What! the jug is smashed to bits?	*Vater.*	(Zornig.) Was? der neue Topf entzwei?
Mother.	And the cream all run away.	*Mutter.*	Und am Boden quoll der Brei!
Father.	(Striking his fist on the table in a rage.) Hang it all! So those little scapegraces have been again in mischief!	*Vater.*	(Mit der Faust auf den Tisch schlagend.) Donnerkeil! So haben die Rangen Unfug wieder angefangen?
Mother.	Been in mischief? I should think so! Nothing have they done but their mad pranking; as I came home I could hear them hopping and cutting the wildest capers, till I was so cross that I gave a push— and the jug of milk was spilt!	*Mutter.*	Unfug viel und Arbeit keine hatten sie getrieben alleine. Hörte schon draussen sie juchzen und johlen, hopsen und springen wie wilde Fohlen. wusste nicht, wie mir stand der Kopf. Und vor Zorn
Father.	And the jug of milk was spilt! Ha ha ha ha! (Both laughing.) Such anger, mother, don't take it ill, seems stupid to me, I must say! But where, where think you the children can be?	*Vater.*	—zerbrach der Topf. Hahahaha! (Beide lachen aus vollem Halse.) Na, Zornmütterchen, nimm mir's nicht krumm, solche Zorntöpfe find' ich recht dumm! Doch sag, wo mögen die Kinderchen sein?
Mother.	(Snappishly and curtly.) For aught I know, at the Ilsenstein!	*Mutter.*	(Schnippisch.) Meinethalben am *Ilsenstein!*
Father.	(Horror-struck.) The Ilsenstein! Come, come, have a care! (Fetches a broom from the wall.)	*Vater.*	(Erschrocken.) Am Ilsenstein?—Ei, juckt Dich das Fell? (Nimmt einen Besen von der Wand.)
Mother.	The broom, just put it away again!	*Mutter.*	Den Besen lass nur an seiner Stell.
Father.	(Lets the broom fall and wrings his hands.) My children astray in the gloomy wood, all alone without moon or stars! Dost thou not know the awful magic place, the place where the evil one dwells?	*Vater.*	(Lässt den Besen fallen und ringt die Hände.) Wenn sie sich verirrten im Walde dort, in der Nacht, ohne Stern und Mond! Kennst Du nicht den schauerlich düstern Ort? Weisst nicht, dass die *Böse* dort wohnt?
Mother.	The evil one! What mean'st thou?	*Mutter.*	Die Böse? Wen meinst Du?
Father.	(With mysterious emphasis.) The gobbling ogress! (The mother draws back, the father takes up the broom again.)	*Vater.*	(Mit geheimnisvollem Nachdruck.) Die *Knusperhexe!*—
Mother.	The gobbling ogress! But—tell me, what help is the besom!	*Mutter.*	(Fährt zusammen.) Die Knusperhexe!— Mein! Sag doch, was soll denn der Besen?
Father.	The besom, the besom, why what is it for? They ride on it, they ride on it, the witches! An old witch within that wood doth dwell and she's in league with the powers of hell. At midnight hour, when nobody knows, away to the witches' dance she goes. Up the chimney they fly, on a broomstick they hie— over hill and dale, o'er ravine and vale, through the midnight air they gallop full tear—	*Vater.*	Der Besen! Der Besen! Was macht man damit? Was macht man damit? Es reiten drauf, es reiten drauf die Hexen! Eine Hex' steinalt, haust tief im Wald, vom Teufel selber hat sie Gewalt! Um Mitternacht, wann niemand wacht, dann reitet sie aus zur Hexenjagd, Zum Schornstein hinaus auf dem Besen, o Graus!

on a broomstick, on a broomstick,
hop hop, hop hop, the witches!

Mother. O horror!
But the gobbling witch?

Father. And by day, they say, she stalks around,
with a crinching, crunching, munching sound,
and children plump and tender to eat
she lures with magic gingerbread sweet.
On evil bent,
with fell intent,
she lures the children, poor little things,
in the oven red-hot
she pops all the lot;
she shuts the lid down
until they're done brown,
in the oven, in the oven,
the gingerbread children!

Mother. And the gingerbread children?

Father. Are served up for dinner!

Mother. For the ogress?

Father. For the ogress!

Mother. O horror!
Heav'n help us! the children!
O what shall we do?
(Runs out of the house)

Father. Hi, mother, mother, wait for me!
(Takes the whiskey bottle from the table and runs after her.)
We'll both go together the witch to seek!
(The curtain falls quickly.)

ACT II

IN THE FOREST

SCENE I

(The curtain rises. The middle of the forest. In the background is the Ilsenstein, thickly surrounded by fir-trees. On the right is a large fir-tree, under which Gretel is sitting on a mossy tree-trunk and making a garland of wild roses. By her side lies a nosegay of flowers. Amongst the bushes on the left is Hänsel, looking for strawberries. Sunset.)

Gretel.
(Humming quietly to herself.)
There stands a little man in the wood alone,
he wears a little mantle of velvet brown.
Say, who can the mankin be,
standing there beneath the tree,
with the little mantle of velvet brown?
His hair is all of gold, and his cheeks are red,
he wears a little black cup upon his head
Say, who can the mankin be,
standing there so silently,
with the little black cap upo nhis head?
(She holds up the garland of roses, and looks it all round.)
with the little black cap upon his head?

Braus!
Über Berg und Kluft,
Über Thal und Gruft
durch Nebelduft
im Sturm durch die Luft:
Ja so reiten, ja so reiten,
juchheissa, die Hexen!

Mutter. Entsetzlich!

Vater. Ja, bei Tag, o Graus:
zum Hexenschmaus
ins Knisper-Knasper-Knusperhaus
die Kinderlein,
Armsünderlein,
mit Zauberkuchen lockt sie herein.
Doch übelgesinnt
ergreift sie geschwind
das arme Kuchen knuspernde Kind.
In den Ofen, hitzhell,
schiebt's die Hexe blitzschnell;
dann kommen zur Stell,
gebräunt das Fell,
aus dem Ofen, aus dem Ofen
die *Lebkuchenkinder!*

Mutter. Und die Lebkuchenkinder?

Vater. Die werden gefressen!

Mutter. Von der Hexe?

Vater. Von der Hexe.

Mutter.
(Händeringend.)
O Graus!
Hilf, Himmel! die Kinder! Ich halt's nicht mehr aus!
(Rennt aus dem Hause.)

Vater.
(Nimmt die Kümmelflasche vom Tisch.)
He, Alte, so wart' doch! Nimm mich mit!
Wir wollen ja beide zum Hexenritt!
(Eilt ihr nach. Der Vorhang fällt schnell.)

ZWEITES BILD

IM WALDE

ERSTE SCENE

(Im Hintergrunde der Ilsenstein, von dichtem Tannengehölz umgeben. Rechts eine mächtige Tanne; darunter sitzt Gretel auf einer moosbedeckten Wurzel und windet einen Kranz von Hagebutten; neben ihr liegt ein Blumenstrauss. Links, abseits im Gebüsch, Hänsel, nach Erdbeeren suchend Abendrot.)

Gretel. Ein Männlein steht im Walde
ganz still und stumm;
es hat von lauter Purpur
ein Mäntlein um.
Sagt, wer mag das Männlein sein,
das da steht im Wald allein
mit dem purpurroten Mäntelein?
Das Männlein steht im Walde
auf einem Bein
und hat auf seinem Kopfe
schwarz Käpplein klein.
Sagt, wer mag das Männlein sein,
das da steht im Wald allein
mit dem kleinen schwarzen Käppelein?

Hänsel.
(Comes out, swinging his basket joyfully.)
Hurrah! my strawberry basket is nearly **brimful!**
O won't the mother be pleased with Hänsel!

Gretel. My garland is ready also!
Look! I never made one so nice before!
(Tries to put the wreath on Hänsel's head.)

Hänsel.
(Drawing back roughly.)
You won't catch a boy wearing that!
It is only fit for a girl!
(Puts the wreath on her.)
Ha, Gretel! "Fine feathers!"
O the deuce!
You shall be the queen of the wood!

Gretel. If I am to be queen of the wood,
then I must have the nosegay too!

Hänsel. Queen of the wood, with sceptre and crown,
I give you the strawberries,
but don't eat them all!
(He gives the basket full of strawberries into her other hand, at the same time kneeling before her in homage. At this moment the cuckoo is heard.)
Cuckoo, cuckoo, how d'you do?

Gretel. Cuckoo, cuckoo, where are you?
(Takes a strawberry from the basket and pokes it into Hänsel's mouth; he sucks it up as though he were drinking an egg.)

Hänsel.
(Jumping up).
Oho, I can do that just like you!
(Takes some strawberries and lets them fall into Gretel's mouth.)
Let us do like the cuckoo too.
who takes more than his lawful due!
(It begins to grow dark.)

Hänsel.
(Helping himself again).
Cuckoo, cuckoo, how are you?

Gretel. Cuckoo, where are you?

Hänsel. In your neighbour's nest you go.

Gretel.
(Helping herself.)
Cuckoo, cuckoo!

Hänsel. Cuckoo, why do you do so?
(Pours a handful of strawberries into his mouth.)

Gretel. And you are very greedy too!
Tell me, cuckoo, why are you?

Hänsel. Cuckoo, cuckoo!
(They get rude and begin to quarrel for the strawberries. Hänsel gains the victory, and puts the whole basket to his mouth until it is empty. During this time, it has grown dark.)

Gretel.
(Horrified, clasping her hands together.)
Hänsel, what have you done?
O Heaven! all the strawberries eaten.
You glutton! Listen, you'll have a punishment
from the mother—this passes a joke!

Hänsel.
(Kommt hervor und schwenkt jubelnd sein Körbchen.)
Juchhe!
Mein Erbelkörbchen ist voll bis oben;
wie wird die Mutter den Hänsel loben!

Gretel. Mein Kränzel ist auch schon fertig, sieh!
So schön wie heute ward's noch nie!
(Will den Kranz Hänsel auf den Kopf setzen.)

Hänsel.
(Barsch abwehrend.)
Buben tragen doch so was nicht,
's passt nur für ein Mädchengesicht.
(Setzt ihr den Kranz auf.)
Hei, Gretel, feins Mädel!
Ei, der Daus,
siehst ja wie die Waldkönigin aus!

Gretel. Seh ich wie die Waldkönigin aus,
so reich' mir auch den Blumenstrauss!

Hänsel. Waldkönigin mit Scepter und Kron',
da nimm auch die Erbeln, doch nasch' nicht davon!
(Reicht ihr das Körbchen voll Erdbeeren und hockt, gleichsam huldigend, vor ihr nieder. In diesem Augenblick ertönt der Ruf eines Kuckucks.)

Hänsel. Kuckuck! Eierschluck!

Gretel.
(Schalkhaft.)
Kuckuck! Erbelschluck!
(Nimmt eine Beere aus dem Körbchen und hält sie Hänsel hin, der sie schlürft, als ob er ein Ei austränke.)

Hänsel.
(Springt auf.)
Hoho! Das kann ich auch! Gieb nur acht!
(Nimmt einige Beeren und lässt sie Gretel in den Mund rollen.)
Wir machen's, wie der Kuckuck schluckt,
wenn er in fremde Nester guckt.
(Es beginnt zu dämmern.)

Hänsel.
(Greift wieder zu.)
Kuckuck! Eierschluck!

Gretel.
(Ebenso.)
Kuckuck! Erbelschluck!

Hänsel. Setzest Deine Kinder aus!
Kuckuck!
Trinkst die fremden Eier aus!
Gluckgluck!
(Lässt sich eine ganze Handvoll Erdbeeren in den Mund rollen.)

Gretel. Sammelst Beeren schön zuhauf!
Kuckuck!
Schluckst sie, Schlauer, selber auf!
Schluckschluck!
(Sie werden übermütiger und raufen sich schliesslich um die Beeren. Hänsel trägt den Sieg davon und setzt den Korb vollends an den Mund, bis er gänzlich leer geworden. Indessen hat die Dunkelheit immer mehr zugenommen.)

Gretel.
(Hänsel den Korb entreissend.)
Hänsel, was hast Du gethan! O Himmel!
Alle Erbeln gegessen, Du Lümmel!
Wart' nur, das giebt ein Strafgericht,
denn die Mutter, die spasst heute nicht!

Hänsel.

(Quietly.)

Now come, don't make such a fuss;
you, Gretel, you did the same thing yourself!

Gretel. Come, we'll hurry and seek for fresh ones!

Hänsel. What, here in the dark, under hedges and bushes?
Why, naught can we see of fruit or leaves!
It's getting dark already here!

Gretel. O Hänsel! O Hänsel! O what shall we do?
What bad disobedient children we've been!
We ought to have thought and gone home sooner!

(Cuckoo behind the scenes rather nearer than before.)

Hänsel. Hark, what a noise in the bushes!
Know you what the forest says?
"Children, children," it says,
"Are you not afraid?"

(Hänsel spies all around uneasily, at last he turns in despair to Gretel.)

Gretel, I cannot find the way!

Gretel.

(Dismayed.)

O God! what say you?
Not know the way?

Hänsel.

(Pretending to be very brave).

Why, how ridiculous you are!
I am a boy, and know not fear!

Gretel. O Hänsel, some dreadful thing may come!

Hänsel. O Gretel, come, don't be afraid!

Gretel. What's glimmering there in the darkness?

Hänsel. That's only the birches in silver dress.

Gretel. But there, what's grinning so there at me?

Hänsel.

(Stammering.)

Th— that's only the stump of a willow-tree.

Gretel.

(Hastily.)

But what a dreadful form it takes,
and what a horrid face it makes!

Hänsel.

(Very loud.)

Come, I'll make faces, you fellow!
D'you hear?

Gretel.

(Terrified.)

There, see! a lantern,
it's coming this way!

Hänsel. Will-o'-the-wisp is hopping about—
Gretel, come, don't lose heart like this!
Wait, I'll give a good loud call!

(Goes back some steps to the back of the stage and calls through his hands.)

Who's there?

Echo. You there!
There!

(The children cower together.)

Hänsel.

(Ruhig.)

Ei was, stell Dich doch nicht so an, ...
Du, Gretel, hast es ja selber gethan!

Gretel. Komm nur, wollen rasch neue suchen!

Hänsel. Im Dunkeln wohl gar, unter Hecken und Buchen?
Man sieht ja nicht Blatt, nicht Beere mehr!
Es wird schon dunkel rings umher!

Gretel. Ach, Hänsel, Hänsel! Was fangen wir an?
Was haben wir thörichten Kinder gethan?
Wir durften hier gar nicht so lange säumen!

Hänsel. Horch, wie rauscht es in den Bäumen!—
Weisst Du, was der Wald jetzt spricht?
"Kindlein!" sagt er, "fürchtet ihr euch nicht?"

(Späht unruhig umher.)

Gretel! Ich weiss den Weg nicht mehr!

Gretel.

(Bestürzt.)

O Gott! Was sagst Du? den Weg nicht mehr?

Hänsel.

(Sich mutig stellend.)

Was bist Du doch für ein furchtsam Wicht!
Ich bin ein Bub', ich fürchte mich nicht!

Gretel. Ach, Hänsel! Gewiss geschieht uns ein Leid!

Hänsel. Ach, Gretel, geh, sei doch gescheit!

Gretel. Was schimmert denn dort in der Dunkelheit?

Hänsel. Das sind die Birken im weissen Kleid.

Gretel. Und dort, was grinset daher vom Sumpf?

Hänsel.

(Stotternd.)

D— d— das ist ein glimmender Weidenstumpf!

Gretel. Was für ein wunderlich Gesicht
Macht er soeben—siehst Du's nicht?

Hänsel.

(Sehr laut.)

Ich mach' dir ne Nase, hörst du's, Wicht?

Gretel.

(Angstlich.)

Da, sieh', das Lichtchen—es kommt immer näh'r!

Hänsel. Irrlichtchen hüpfet wohl hin und her!
Gretel, Du musst beherzter sein—
wart, ich will einmal tüchtig schrein!

(Ruft durch die hohlen Hände.)

Wer da?

Echo. Er da!

(Die Kinder schmiegen sich erschreckt aneinander.)

Gretel. Is some one there?

Echo. Where?
Here!

Gretel. Did you hear? a voice said, "Here!"
Hänsel, surely some one's near.
(Crying.)
I'm frightened, I"m frightened,
I wish I were home!
I see the wood all filled with goblin forms!

Hänsel. Gretelkin, stick to me close and tight,
I'll shelter you, I'll shelter you!

(A thick mist rises and completely hides the background.)

Gretel. I see some shadowy women coming!
See, how they nod and beckon, beckon!
They're coming, they're coming,
they'll take us away!

(Crying out, rushes horror-struck under the tree and falls on her knees, hiding herself behind Hänsel.)

Father! mother! Ah!

(At this moment the mist lifts on the left; a little grey man is seen with a little sack on his back.)

Hänsel. See there, the mankin, sister dear!
I wonder who the mankin is?

SCENE II

Sandman.
(The little man approaches the children with friendly gestures, and the children gradually calm down. He is strewing sand in the children's eyes.)

I shut the children's peepers, sh!
and guard the little sleepers, sh!
for dearly do I love them, sh!
and gladly watch above them, sh!
And with my little bag of sand,
By every child's bedside I stand;
then little tired eyelids close,
and little limbs have sweet repose.
And if they're good and quickly go to sleep,
then from the starry sphere above
the angels come with peace and love,
and send the children happy dreams,
while watch they keep!
Then slumber, children, slumber,
for happy dreams are sent you
through the hours you sleep.
(Disappears. Darkness.)

Hänsel.
(Half asleep.)
Sandman was there!

Gretel.
(Ditto.)
Let us first say our evening prayer.
(They cower down and fold their hands.)

Both. When at night I go to sleep,
fourteen angels watch do keep:
two my head are guarding,
two my feet are guiding,
two are on my right hand,
two arc on my lcft hand,
two who warmly cover,
two who o'er me hover,
two to whom 'tis given
to guide my steps to Heaven.

(They sink down on to the moss, and go to sleep with their arms twined round each other. Complete darkness.)

Gretel. Ist jemand da?

Echo. Ja!
(Die Kinder schaudern zusammen.)

Gretel. Hast du's gehört? 's rief leise: Ja!
Hänsel, sicher ist jemand nah'!
(Weinend:)
Ich fürcht' mich, ich fürcht' mich!—O wär' ich zu Haus!
Wie sieht der Wald so gespenstig aus!

Hänsel. Gretelchen, drücke Dich fest an mich!
Ich halte Dich, ich schütze Dich!

(Ein dichter Nebel steigt auf und verhüllt den Hintergrund gänzlich.)

Gretel. Da, kommen weisse Nebelfrauen,
sieh', wie sie winken und drohend schauen.
Sie schweben heran!
Sie fassen uns an!
(Schreiend:)
Vater! Mutter!

(Eilt entsetzt unter die Tanne und verbirgt sich, auf die Knie stürzend, hinter Hänsel. In diesem Augenblicke zerreisst links der Nebel; ein kleines graues Männchen, mit einem Säckchen auf dem Rücken, wird sichtbar.)

Hänsel. Sieh' dort das Männchen, Schwesterlein!
Was mag das für ein Männchen sein?

ZWEITE SCENE

Sandmännchen.
(Nähert sich mit freundlichen Gebärden den Kindern die sich allmählich beruhigen, und wirft ihnen beim Singen Sand in die Augen.)

Der kleine Sandmann bin ich—s-t!
und gar nichts Arges sinn ich—s-t!
Euch Kleinen lieb ich innig—s-t!
bin euch gesinnt gar minnig—s-t!
Aus diesem Sack zwei Körnelein
euch Müden in die Äugelein;
die fallen dann von selber zu,
damit ihr schlaft in sanfter Ruh.
Und seid ihr fein geschlafen ein,
dann wachen auf die Sterne,
und nieder steigen Engelein
aus hoher Himmelsferne
und bringen holde Träume.
Drum träume, Kindchen, träume!
(Verschwindet. Völlige Dunkelheit.)

Hänsel.
(Schlaftrunken.)
Sandmann war da!

Gretel.
(Ebenso.)
Lass uns den Abendsegen beten!
(Sie kauern nieder und falten die Hände.)

Beide. Abends, will ich schlafen gehn,
vierzehn Engel um mich stehn,
zwei zu meinen Häupten,
zwei zu meinen Füssen,
zwei zu meiner Rechten,
zwei zu meiner Linken,
zweie, die mich decken,
zweie, die mich wecken,
zweie, die mich weisen
zu Himmelsparadeisen.

(Sie sinken aufs Moos zurück und schlummern Arm in Arm verschlungen alsbald ein.)

SCENE III

(Here a bright light suddenly breaks through the mist which forthwith rolls itself together into the form of a staircase, vanishing in perspective, in the middle of the stage. Fourteen angels, in light floating garments, pass down the staircase, two and two, at intervals, while it is getting gradually lighter. The angels place themselves, according to the order mentioned in the evening hymn, around the sleeping children; the first couple at their heads, the second at their feet, the third on the right, the fourth on the left, the fifth and sixth couples distribute themselves amongst the other couples, so that the circle of the angels is completed. Lastly the seventh couple comes into the circle and takes its place as "guardian angels" on each side of the children. The remaining angels now join hands and dance a stately step around the group. The whole stage is filled with an intense light. Whilst the angels group themselves in a picturesque tableau, the curtain slowly falls.)

DRITTE SCENE

(Vierzehn Engel, die kleinsten voran, die grössten zuletzt, schreiten paarweise, während das Licht an Helligkeit zunimmt, in Zwischenräumen die Wolkentreppe hinab und stellen sich, der Reihenfolge des Abendsegens entsprechend, um die schlafenden Kinder auf, das erste Paar zu Häupten, das zweite zu Füssen, das dritte rechts, das vierte links; dann verteilen sich das fünfte und sechste Paar zwischen die übrigen Paare, so dass der Kreis der Engel vollständig geschlossen wird. Zuletzt tritt das siebente Paar in den Kreis und nimmt als „Schutzengel" zu beiden Seiten der Kinder Platz waehrend sie sich zu einem malerischen Schlussbilde ordnen, schliesst sich langsam der Vorhang.)

ACT III

THE WITCH'S HOUSE

SCENE I

(The curtain rises. Scene the same as the end of Act II. The background is still hidden in mist, which gradually rises during the following. The angels have vanished. Morning is breaking. The Dew Fairy steps forward and shakes dewdrops from a bluebell over the sleeping children.)

Dew Fairy. I'm up with early dawning,
and know who loves the morning,
who'll rise fresh as a daisy,
who'll sink in slumber lazy!
Ding! dong! ding! dong!
And with the golden light of day
I chase the fading night away,
fresh dew around me shaking,
and hill and dale awaking.
Then up, with all your powers
enjoy the morning hours,
the scent of trees and flowers—
then up, ye sleepers, awaken!
The rosy dawn is smiling,
then up, ye sleepers, awake, awake!

(Hurries off singing. The children begin to stir. Gretel rubs her eyes, looks around her, and raises herself a little, whilst Hänsel turns over on the other side to go to sleep again.)

Gretel. Where am I? Waking? Or do I dream?
How come I in the wood to lie?
High in the branches I hear a gentle twittering,
birds are beginning to sing so sweetly;
from early dawn they are all awake,
and warble thier morning hymn of praise.
Dear little singers, little singers,
good morning!

(Turns to Hänsel.)

See there, the sleepy lazybones?
Wait now, I'll wake him!
Tirelireli, it's getting late!
Tirelireli, it's getting late!
The lark his flight is winging,
on high his matin singing,
Tirelireli! tirelireli!

Hänsel.

(Suddenly jumps up with a start.)

Kikeriki! it's early yet!
Kikeriki! it's' early yet!
Yes, the day is dawning;
awake, for it is morning!
Kikeriki! kikeriki!

DRITTES BILD

DAS KNUSPERHÄUSCHEN

ERSTE SCENE

(Scene wie vorhin. Der Hintergrund noch von Nebel verhüllt, der sich während des Folgenden langsam verzieht. Die Engel sind verschwunden.)

(Früher Morgen. Taumännchen tritt auf und schüttelt aus einer Glockenblume Tautropfen auf die schlafenden Kinder.)

Taumännchen.

Der kleine Tau-Mann heiss' ich—kling!
Mit Mutter Sonne reis' ich—klang!
Von Ost bis Westen weiss ich—kling!
Wer faul ist und wer fleissig—klang!
Ich komm mit lichtem Sonnenschein
und strahl in eure Äugelein,
und weck mit kühlem Taue,
was schläft auf Flur und Aue.
Dann springet auf, wer fleissig
zur frühen Morgenstunde,
denn sie hat Gold im Munde.
Drum, Schläfer, auf, erwachet,
der lichte Tag schon lachet!

(Ab.)

(Öffnet die Augen, richtet sich halb auf und blickt verwundert um sich, während Hänsel sich auf die andere Seite legt, um weiter zu schlafen.)

Gretel.

Wo bin ich? Wach ich? Ist es ein Traum?
Hier lieg' ich unterm Tannenbaum.
Hoch in den Zweigen lispelt es leise,
Vöglein singen so süsse Weise.
Wohl früh schon waren sie aufgewacht
und haben ihr Morgenlied dargebracht.
Guten Morgen, liebe Vöglein, guten Morgen!

(Sie erblickt Hänsel.)

Sieh da, der faule Siebenschläfer!
Wart nur, Dich weck' ich!
Tirelireli,
's ist nicht mehr früh!
Die Lerche hat's gesungen
und hoch sich aufgeschwungen.
Tirelireli,

Hänsel.

(Aufspringend.)

Kikeriki!
's ist noch früh!
Ja, hab's wohl vernommen,
der Morgen ist gekommen,
Kikeriki!

I feel so well, I know not why!
I never slept so well, no, not I!

Gretel. But listen, Hans; here 'neath the tree
a wondrous dream was sent to me!

Hänsel. Really! I, too, had a dream!

Gretel. I fancied I heard a murmuring and rushing,
as though the angels in Heav'n were singing;
rosy clouds above me were floating—
hovering and floating in the distance away,
Sudden—all around a light was streaming,
rays of glory from Heaven beaming,
and a golden ladder saw I descending,
angels adown it gliding,
such lovely angels with shining golden wings.

Hänsel. Fourten angels there must have been!

Gretel.
(Astonished.)
And did you also behold all this?

Hänsel. Truly, 'twas wondrous fair!
And upward I saw them float.

(He turns towards the background; at this moment the last remains of the mist clear away. In place of the firtrees is seen the "Witch's house at the Ilsenstein," shining in the rays of the rising sun. A little distance off, to the left, is an oven; opposite this, on the right, a large cage, both joined to the Witch's house by a fence of gingerbread figures.)

SCENE II

Gretel.
(Holds Hänsel back in astonishment.)
Stand still, be still!

Hänsel.
(Surprised.)
O Heaven, what wondrous place is this,
as ne'er in all my life have I seen!

Gretel.
(Gradually regains her self-possession.)
What odor delicious!
O say, do I dream?

Both. A cottage all made
of chocolate cream.
The roof is all covered
with Turkish delight
the windows with lustre
of sugar are white;
and on all the gables
the raisins invite,
and think! all around
is a gingerbread hedge!
O magic castle,
how nice you'd be to eat!
Where hides the princess
who enjoys so great a treat?
Ah, could she but visit
our little cottage bare,
she'd ask us to dinner,
her dainties to share!

Mir ist so wohl, ich weiss nicht wie;
so gut wie heute schlief ich nie.

Gretel. Doch höre nur! Hier unter dem Baum,
da hatt' ich einen wunderschönen Traum.

Hänsel. Richtig! Auch mir träumte so was!

Gretel. Mir träumt' ich hört' ein Rauschen und Klingen,
wie Chöre der Engel ein himmlisches Singen;
lichte Wölkchen im rosigen Schein
wallten und wogten ins Dunkel herein.
Siehe, hell ward's mit einem Male,
lichtdurchflossen vom Himmelsstrahle;
eine goldene Leiter sah ich sich neigen,
Englein zu mir herniedersteigen,
Engel mit goldenen Flügelein—

Hänsel. Vierzehn müssen's gewesen sein!

Gretel.
(Erstaunt.)
Hast Du denn alles das auch gesehn?

Hänsel. Freilich! 's war halt wunderschön—
Und dort hinaus sah ich sie gehn!

(Er wendet sich nach dem Hintergrunde. In diesem Augenblick zerreisst der letzte Nebelschleier. An Stelle des Tannengehölzes erscheint glitzernd im Strahl der aufgehenden Sonne das „Knusperhäuschen" am Ilsenstein. Links davon in einiger Entfernung befindet sich ein Backofen, diesem rechts gegenüber ein grosser Käfig, beide mit dem Knusperhäuschen durch einen Zaun von Kuchenmännern verbunden.)

ZWEITE SCENE

Gretel.
(Hält Hänsel betroffen zurück.)
Bleib stehn! Bleib stehn!

Hänsel. Himmel, welch Wunder ist hier geschehn!
Nein, so was hab ich mein Tag nicht gesehn!

Gretel.
(Gewinnt allmählich die Fassung wieder.)
Wie duftet's von dorten,
O schau nur die Pracht!
Von Kuchen und Torten
Ein Häuslein gemacht!
Mit Fladen, mit Torten
ist's hoch überdacht!
Die Fenster wahrhaftig
wie Zucker so blank,
Rosinen gar saftig
den Giebel entlang!
Und—traun!
Rings zu schaun
gar ein Lebkuchen-Zaun!

Beide. O herrliches Schlösschen,
Wie bist du schmuck und fein
Ach wär' doch zu Hause
die Wald-Prinzessin fein
Sie lüde zum Schmause
bei Kuchen und Wein
zum herrlichen Schmause
sie lüde zur Klause
uns beide wohl ein!

Hänsel.

(After a while.)

No sound do I hear; no, nothing is stirring!
Come, let's go inside it!

Gretel.

(Pulling him back horrified.)

Are you senseless?
Hänsel, however can you make so bold?
Who knows who may live there,
in that lovely house?

Hänsel. O look, do look how the house seems to smile!

(Enthusiastically.)

Ah, the angels did our footsteps beguile!

Gretel.

(Reflectively.)

The angels? Yes, it must be so!

Hänsel. Yes, Gretel, the angels are beck'ning us in!
Come, let's nibble a bit of the cottage.

Both. Come, let's nibble it,
like two mice persevering!

(They hop along, hand in hand, towards the back of the stage; then stand still, and then steal along cautiously on tiptoe to the house. After some hesitation Hänsel breaks off a bit of cake from the right-hand corner.)

SCENE III

A Voice from the House.
Nibble, nibble, mousekin,
who's nibbling at my housekin?
who's nibbling at my housekin?

Hänsel.
(Hänsel starts, and in his fright lets the piece of cake fall.)

Gretel.

(Somewhat timidly.)

The wind—

Hänsel. The Wind!

Both. The heavenly wind!

Gretel.

(Picks up the piece of cake and tastes it.)

H'm!

Hänsel.

(Looking longingly at Gretel.)

D'you like it?

Gretel.

(Lets Hänsel bite it.)

Just taste and try it!

Hänsel.

(Lays his hand on his breast in rapture.)

Hi!

Gretel.

(Ditto.)

Hi!

Both. Hi, hi! O cake most delicious,
some more I must take!
It's really like Heaven
to eat such plum-cake!

Hänsel. O how good, how sweet, how tasty!

Hänsel.

(Nach einer Pause.)

Alles bleibt still. Nichts regt sich da drinnen.
Komm lass uns hineingehn!

Gretel.

(Erschrocken ihn zurückhaltend.)

Bist du bei Sinnen?
Junge, wie magst du so dreist nur sein?
Wer weiss, wer da drin wohl im Häuschen fein?

Hänsel.

O sieh nur, wie das Häuschen uns lacht!

(Begeistert.)

Die Englein haben's uns hergebracht!

Gretel.

(Sinnend.)

Die Englein?—Ei, so wird es wohl sein!

Hänsel. Ja, Gretel, sie laden freundlich uns ein!
Komm, wir knuspern ein wenig vom Häuschen!

Beide. Ja, knuspern wir, wie zwei Nagemäuschen!

(Sie hüpfen Hand in Hand nach dem Hintergrunde, bleiben wiederum stehen und schleichen dann vorsichtig auf den Fussspitzen bis an das Häuschen heran. Nach einigem Zögern bricht Hänsel an der rechten Kante ein Stückchen Kuchen heraus.)

DRITTE SCENE

Stimme aus dem Häuschen.
Knusper, knusper Knäuschen,
wer knuspert mir am Häuschen?

Hänsel.

(Lässt erschrocken das Stück zu Boden fallen.)

Gretel.

(Zaghaft.)

Der Wind!

Hänsel. Der Wind!

Beide. Das himmlische Kind.

Gretel.

(Hebt das Stück wieder auf und versucht es.)

Hm!

Hänsel.

(Gretel begehrlich anschauend.)

Wie schmeckt das?

Gretel.

(Ihn beissen lassend.)

Da hast du auch was!

Hänsel.

(Legt entzückt die Hand auf die Brust.)

Hei!

Gretel.

(Ebenso.)

Hei!

Beide. O köstlicher Kuchen,
Wie schmeckst du nach mehr!
Mir ist ja, als wenn ich
im Himmel schon wär!

Hänsel. Hei, wie das schmeckt! 's ist gar zu lecker!

Gretel. How tasty, how sweet!
It's p'r'aps the house of a sweety-maker!

Hänsel. Hi, sweety-maker! Have a care!
A little mouse your sweeties would share!
(He breaks a big piece of cake off the wall.)

A Voice from the House.
Nibble, nibble, mousekin,
who's nibbling at my housekin?

Hänsel and Gretel.
The wind, the wind,
the heavenly wind!

(The upper part of the house-door opens gently and the Witch's head is seen at it. The children at first do not see her, and go on feasting merrily.)

Gretel. Wait, you gobbling mousekin,
here comes the cat from the housekin!

Hänsel. Eat what you please,
and leave me in peace!

Gretel.
(Snatches the piece from his hand.)
Don't be unkind,
Sir wind, Sir wind!

Hänsel.
(Takes it back from her.)
Heavenly wind,
I take what I find!

Both.
(Laughing.)
Ha, ha, ha!

The Witch. Hi, hi! hi, hi!

Hänsel.
(Horror-struck.)
Let go! Who are you?
Let me go!

The Witch. Angels both!
(And goosey-ganders!)
You've come to visit me, that is sweet!
You charming children, so nice to eat!

Hänsel. Who are you, ugly one?

The Witch. Now, darling, don't give yourself airs!
Dear heart, what makes you say such things?
I am Rosina Dainty-mouth,
and dearly love my fellow-men.
I'm artless as a new born child!
That's why the children to me are so dear,
so dear, so dear, ah, so che-arming to eat!

Hänsel.
(Turning roughly away.)
Go, get you gone from my sight!
I hate, I loathe you quite!

The Witch. Hi hi! hi hi!
These dainty morsels I'm really gloating on,
and you, my little maiden, I'm doting on!
Come, little mousey,

Gretel. Vielleicht gar wohnt hier ein Zucker-bäcker!

Hänsel. He, Zuckerbäcker, nimm dich in acht,
Ein Loch wird dir jetzt vom Mäuslein gemacht!
(Bricht ein grosses Stück aus der Wand heraus.)

Stimme aus dem Häuschen.
Knusper, knusper Knäuschen,
wer knuspert mir am Häuschen?

Hänsel und Gretel.
Der Wind, der Wind,
das himmlische Kind!

(Der obere Teil der Hausthüre öffnet sich leise, und der Kopf der Knusperhexe wird sichtbar. Die Kinder bemerken sie nicht und schmausen lustig weiter.)

Gretel. Wart, du näschiges Mäuschen,
gleich kommt die Katz' aus dem Häuschen!

Hänsel. Knuspre nur zu
und lass mich in Ruh!

Gretel.
(Entreisst ihm ein Stück Kuchen.)
Nicht so geschwind,
Herr Wind, Herr Wind!

Hänsel.
(Nimmt es ihr wieder ab.)
Himmlisches Kind,
ich nehm, was ich find!

Hexe.
(Kichernd.)
Hihi, hihi, hihihi!

Hänsel.
(Entsetzt.)
Lass los!—Wer bist du?

Hexe.
Engelchen!
Und du, mein Zuckerbengelchen!
Ihr kommt mich besuchen?—Das ist nett!
Liebe Kinder!—So rund und fett!

Hänsel. Wer bist du, Garstige?—Lass mich los!

Hexe. Na, Herzchen, zier dich nicht erst gross!
Wisst denn, dass euch vor mir nicht graul:
Ich bin *Rosina Leckermaul*,
höchst menschenfreundlich stets gesinnt,
unschuldig wie ein kleines Kind.
Drum hab ich die kleinen Kinder so lieb,
So lieb—ach zum Aufessen lieb!

Hänsel.
(Barsch abwehrend.)
Geh!—bleib mir doch aus dem Gesicht!
Hörst du? Ich mag dich nicht!

Hexe. Hihihi!
Was seid ihr für leckere Teufelsbrätchen,
besonders du, mein herzig Mädchen!
(Lockend.)
Kommt, kleine Mäuslein,

come into my housey!
Come with me, my precious,
I'll give you sweetmeats delicious!
Of chocolate, tarts, and marzipan
you shall both eat all you can,
and wedding-cake and strawberry ices,
blancmange, and everything else that nice is,
and raisins and almonds,
and peaches and citrons are waiting—
you'll both find it quite captivating,
yes, quite captivating!

Hänsel. I won't come with you, hideous fright!
You are quite too friendly!

The Witch. See, see, see how sly!
Dear children, you really may trust me in this,
and living with me will be perfect bliss!
Come, little mousey,
come into my housey!
Come with me, my precious,
I'll give you sweetmeats delicious!

Gretel. But say, what will you with my brother do?

The Witch. Well, well!
I'll feed and fatten him up well,
with every sort of dainty delicious,
to make him tender and tasty.
And if he's brave and patient too,
and docile and obedient like a lamb,
then, Hänsel, I'll whisper it you,
I have a great treat in store for you!

Hänsel. Then speak out loud and whisper not.
What is the great treat in store for me?

The Witch. Yes, my dear children, hearing and sight
in this great pleasure will disappear quite!

Hänsel. Eh? both my hearing and seeing are good!
You'd better take care you do me no harm!
(Resolutely.)
Gretel, trust not her flattering words,
come, sister, come, let's run away!

(He has in the meantime got out of the rope and runs with Gretel to the foreground. Here they are stopped by the Witch, who imperiously raises against them both a stick which hangs at her girdle, with repeated gestures of spellbinding.)

The Witch. Hold.
(The stage becomes gradually darker.)
Hocus pocus, witches' charm!
Move not, as you fear my arm!
Back or forward do not try,
fixed you are by the evil eye!
Head on shoulders fixed awry!
Hocus, pocus, now comes jocus,
children, watch the magic head,
eyes are staring, dull as lead!
Now, you atom, off to bed!

(Fresh gestures; then she leads Hänsel, who is gazing fixedly at the illuminated head, into the stable, and shuts the lattice door upon him.)

Hocus pocus, bonus jocus,
malus locus, hocus pocus,
bonus jocus, malus locus!

(The stage gradually becomes lighter, whilst the light of the magic head diminishes.

Now Gretel, be obedient and wise,
while Hänsel's growing fat and nice.

kommt in mein Häuslein!
Sollt es gut bei mir haben,
Will drinnen köstlich euch laben.
Schokolade, Torten, Marzipan,
Kuchen, gefüllt mit süsser Sahn',
Johannisbrot und Jungfernleder
und Reisbrei—auf dem Ofen steht er—
Rosinen, Mandeln und Feigen,
's ist alles im Häuschen eur eigen!

Hänsel. Ich geh nicht mit dir, garstige Frau!—
Du bist gar zu freundlich.

Hexe. Schau, schau, wie schlau,
Ihr Kinder, ich mein's doch so gut mit euch,
seid ja bei mir wie im Himmelreich!
Kommt, kleine Mäuslein!
kommt in mein Häuslein!
Sollt es gut bei mir haben,
will drinnen köstlich euch laben!

Gretel. Was willst du meinem Bruder thun?

Hexe. I nun, ich will ihn fuettern und nudeln
mit allerhand vortrefflichen Sachen
will ich ihn zart und wohlschmeckend machen
und ist er dann recht zahm und brav,
geduldig und fügsam wie ein Schaf,
dann—höre, Hänsel, ich sag dir's ins Ohr:
dir steht eine grosse Freude bevor!

Hänsel. So sag's doch laut und nicht ins Ohr!
Welche Freude steht mir bevor?

Hexe. Ja liebe Kinder, Hoeren und Sehen
wird euch bei diesem Vergnügen vergehn!

Hänsel. Ei, meine Augen und Ohren sind gut,
haben wohl acht, was Schaden mir thut.
Gretel, trau nicht dem gleissenden Wort
(Leise.)
Schwesterchen, komm, wir laufen fort!

(Er hat sich inzwischen von der Schlinae befreit und will mit Gretel fortlaufen, sie werden aber von der Hexe zurückgehalten, die gebieterisch einen Stab gegen die beiden erhebt.)

Hexe. Halt!
(Die Bühne verfinstert sich.)
Hocus pocus, Hexenschuss!
Rühr dich, und dich deisst der Fluss!
Nicht mehr vorwärts, nicht zurück,
bann dich mit dem bösen Blick;
Kopf steh starr dir im Genick!
Hocus pocus, nun kommt Jocus!
Kinder, schaut den Zauberknopf!
Äuglein, stehet still im Kopf!—
Nun zum Stall hinein, du Tropf!
Hocus pocus, bonus jocus,
Malus locus, hocus pocus!

(Leitet Hänsel zum Stalle und schliesst hinter ihm die Gitterthüre.)

Hexe.
(Vergnügt zu Gretel.)
Nun, Gretelchen, sei vernünftig und nett!
Der Hänsel wird nun balde fett.
Wir wollen ihn, so ist's am besten,
mit Mandeln und Rosinen mästen.

We'll fed him up, you'll see my reason,
and with sweet almonds and raisins season.
I'll go indoors, the things to prepare,
and you remain here where you are!

(She grins as she holds up her finger warningly, and goes into the house.)

Gretel.

(Stiff and motionless.)

O, what a horrid witch she is!

Hänsel. Gretel, sh! don't speak so loud!
Be very sharp, watch well and see
whatever she may do to me!
Pretend to do all she commands—
O, there she's coming back, sh! hush!

(The Witch comes out, satisfies herself that Gretel is still standing motionless, and then spreads before Hänsel almonds and raisins from a basket.)

The Witch. Now, little man,
come prithee enjoy yourself!

(Sticking a raisin into Hänsel's mouth.)

Eat, minion, eat or die!
Here are cakes, O so nice!

(Turns to Gretel and disenchants her with a juniper-branch.)

Hocus pocus, elder-bush!
Rigid body loosen, hush!

(Gretel moves again.)

Now up and move again, bright and blithesome,
limbs are become again supple and lithesome.
Go, my poppet, go my pet,
you the table now shall set,
little knife, little fork, little dish, little plate,
little serviette for my little mate!
Now get everything ready and nice,
or else I shall lock you up too in a trice!

(She threatens and titters. Gretel hurries off. The Witch, to Hänsel, who pretends to be asleep.)

The fool is slumb'ring, it does seem queer
how youth can sleep and have no fear!
Well, sleep away, you simple sheep,
soon you will sleep your last long sleep!
But first with Gretel I'll begin—
off you, dear maiden, I will dine;
you are so tender, plump, and good,
just the thing for witches' food!

(She opens the oven door and sniffs in it, her face lighted up by the deep red glare of the fire.)

The dough has risen, so we'll go on preparing.
Hark, how the sticks in the fire are crackling!

(She pushes a couple more faggots under, the fire flames up and then dies down again. The Witch, rubbing her hands with glee.)

Yes, Gretel mine,
how well off you I'll dine!
See, see, O how sly!
When in the oven she's peeping,
quickly behind her I'm creeping!
One little push, bang
goes the door, clang!
Then soon will Gretel be
just done to a T!
and when from the oven I take her

Ich geh ins Haus und hol sie schnell—
Du rühre dich nicht von der Stell!

(Hinkt ins Haus.)

Gretel.

(Starr und unbeweglich.)

Hu—Wie mir vor der Hexe graut!

Hänsel. Gretel! Pst! sprich nicht so laut!
Sei hübsch gescheit und gieb fein acht
auf jedes, was die Hexe macht.
Zum Schein thu alles, was sie will—
da kommt sie schon zurück—Pst! Still!

(Dem Hänsel aus einem Korbe Mandeln und Rosinen hinstreuend.)

Hexe.

Nun, Jüngelchen,
ergötze dein Züngelchen!
Friss, Vogel, oder stirb—
Kuchen-Heil dir erwirb!

(Wendet sich zu Gretel und entzaubert sie mit einem Wachholderbusch.)

Hocus pocus, Holderbusch!
Schwinde, Gliederstarre, husch!
Nun wieder kregel, süsses Kleinchen,
rühr mir geschwind die runden Beinchen!
Geh, Zuckerpüppchen, flink und frisch
und decke drinnen hübsch den Tisch!
Schüsselchen, Tellerchen, Messerchen, Gäbelchen,
Serviettchen für mein Schnäbelchen;
und mach nur alles recht hurtig und fein,
sonst sperr ich auch dich in den Stall hinein!

(Sie droht kichernd; Gretel eilt ins Haus.)

Hexe.

(Zu dem sich schlafend stellenden Hänsel.)

Der Lümmel schläft ja nun—sieh mal an,
wie doch die Jugend schlafen kann!
Na, schlaf nur brav, du gutes Schaf,
bald schläfst du deinen ewigen Schlaf.
Doch erst muss mir die Gretel dran;
mit dir, mein Liebchen, fang ich an,
bist so niedlich, zart und rund,
wie gemacht für Hexen-Mund!

(Sie öffnet die Backofenthür und riecht hinein.)

Der Teig ist gar, wir können voran machen.
Hei, wie im Ofen die Scheite krachen!
Ja, Gretelchen,
wirst bald ein Brätelchen!
Schau, schau,
wie ich schlau bin, so schlau!
Sollst gleich im Backofen hucken
und nach dem Lebkuchen gucken.
Und bist du dann drin—schwaps,
geht die Thür—klaps!
Dann ist fein Gretelchen
mein Brätelchen!

she'll look like a cake from the baker,
by magic fire red
changed into gingerbread!
See, see how sly!
Hi hi! hi hi!

(In her wild delight she seizes a broomstick and begins to ride upon it.)

So hop, hop, hop,
gallop, lop, lop!
My broomstick nag,
come do not lag!

(She rides excitedly round on the broomstick.)

At dawn of day
I ride away,
am here and there
and everywhere!

(She rides again; Gretel meanwhile is watching at the window.)

At midnight hour, when none can know,
to join the witches' dance I go!
And three and four
are witches' lore,
and five and six
are witches' tricks,
and nine is one,
and ten is none,
and seven is nil,
or what she will!
And thus they ride till dawn of day!

(Hopping madly along, she rides to the back of the stage and vanishes for a time behind the cottage. Here the Witch becomes visible again; she comes to the foreground, where she suddenly pulls up and dismounts.)

Prr, broomstick, hi!

(She hobbles back to the stable and tickles Hänsel with a birch twig till he awakes.)

Up, awake, my mankin young;
come show to me your tongue!

(Hänsel puts his tongue out. The Witch smacks with her tongue.)

Dainty morsel! dainty morsel!
Little toothsome mankin come,
now let me see your thumb!

(Hänsel pokes out a small bone.)

Gemini! Oho!
O how scraggy, how lean!
Urchin, you're a scraggy one,
as bad as a skeleton!

(Calls.)

Maiden, Gretel!

(Gretel appears at the door.)

Bring some raisins and almonds sweet,
Hänsel wants some more to eat.

(Gretel runs into the house and returns immediately with a basket full of almonds and raisins.)

Gretel. Here are the almonds.

(Whilst the Witch is feeding Hänsel, Gretel gets behind her and makes the gestures of disenchantment with the juniper-branch.)

Gretel.

(Softly.)

Hocus pocus, elder-bush,
Rigid body loosen, hush!

The Witch.

(Turning suddenly round.)

What were you saying, little goose?

Das Brätelchen soll sich verwandeln
in Kuchen mit Zucker und Mandeln!
Im Zauberofen mein
wirst du ein Lebkuchen fein!
Hurr, hopp, hopp, hopp!
Galopp, Galopp!
mein Besengaul,
hurr, hopp, nit faul!
Sowie ich's mag
am lichten Tag
spring kreuz und quer
um Häuschen her!
Bei dunkler Nacht,
wann niemand wacht,
zum Hexenschmaus
am Schornstein raus!
Aus fünf und sechs,
so sagt die Hex,
mach sieb und acht,
so ist's vollbracht;
und neun ist eins,
und zehn ist keins,
und viel ist nichts,
die Hexe spricht's.
So reitet sie
bis morgens früh—
Prr! Besen! hüh!
Auf, auf, mein Jüngelchen!
Zeig mir dein Züngelchen!

(Hänsel streckt die Zunge heraus.)

(Schnalzend.)

Schlicker, schlecker,
lecker, lecker!
Kleines leckres Schlingerchen,
Zeige mir dein Fingerchen!

(Hänsel streckt ein Stöckchen heraus.)

Jemine, je!
Wie ein Stöckchen, o weh!
Bübchen, deine Fingerchen
sind elende Dingerchen!

(Ruft.)

Mädel! Gretel!

(Gretel zeigt sich an der Thür.)

Bring Rosinen und Mandeln her;
Hänsel meint, es schmeckt nach "mehr!"

(Gretel springt in's Haus und kehrt alsbald mit einem Körbchen voll, Rosinen und Mandeln zurueck. Sie stellt sich, waehrend die Hexe den Haensel fuettert, hinter sie und macht mit dem Wachholder die Entzauberungsgebaerde.)

Gretel.

(Leise.)

Hocus pocus, Holderbusch!
Schwinde, Gliederstarre—husch!

Hexe.

(Sich rasch umwendend.)

Was sagtest du, mein Gänselchen!

Gretel.

(Confusedly.)

Only—much good may it do to Hans!

The Witch. Eh?

Gretel.

(Louder.)

Much good may it do to Hans!

The Witch. He he, he, my little miss,
I'll stop your mouth with this!
(Sticks a raisin into Gretel's mouth.)
Eat, minion, eat or die!
Here are cakes, O so nice!

(She opens the oven door; the heat has apparently diminished. Meanwhile Hänsel makes violent signs to Gretel.)

Hänsel.

(Softly opening the stable door.)

Sister dear,
O beware!

The Witch.

(Looking greedily at Gretel.)

She makes my mouth water,
this pretty little daughter!
Come, Gretel mine,
sugar-maiden mine!
(Gretel comes towards her.)
Peep in the oven, be steady,
see if the gingerbread's ready!
Carefully look, pet,
whether it's cooked yet,
but if it wants more,
shut quick the door!
(Gretel hesitates.)

Hänsel.

(Slipping out of the stable.)

Sister dear,
have a care!

Gretel.

(Making herself out very awkward.)

I don't understand what I have to do!

The Witch. Just stand on tip-toe,
head bending forward;
try it, I pray,
it's merely play!

Hänsel.

(Pulling Gretel back by her frock.)

Sister dear,
now take care!

Gretel.

(shyly.)

I'm such a goose, don't understand!
You'll have to show me
how to stand on tip-toe!

The Witch.

(Makes a movement of impatience.)

Do as I say,
it's' merely play!

(She begins creeping up to the oven, muttering all the time, and just as she is bending over it, Hänsel and Gretel give her a good push, which sends her toppling over into it, upon which they quickly shut the door.)

Hänsel and Gretel.

(Mocking her.)

Then "One little push, bang
goes the door, clang!"
You, not Gretel, then will be
just done to a T!

(Hänsel and Gretel fall into ane another's arms.)

Gretel. Meint' nur: wohl bekomm's, mein Hänselchen!

Hexe. Hihihi! Mein gutes Tröpfchen,
da—steck dir was ins Kröpfchen!
Friss, Vogel, und stirb—
Kuchen-Heil dir erwirb!

(Sie öffnet die Backofenthür; Hänsel giebt Gretel lebhafte Zeichen.)

Hänsel.

(Leise die Stallthür öffnend.)

Schwesterlein,
hüt dich fein!

Hexe.

(Gretel gierig betrachtend.)

Wie wässert mir das Mündchen
nach diesem süssen Kindchen!
Komm, Gretelchen!
Zuckermädelchen!
Sollst in den Backofen hucken
und nach den Lebkuchen gucken,
sorgfältig schaun—ja,
ob sie schon braun da,
oder ob's zu früh—
's ist kleine Müh!

Hänsel.

(Aus dem Stall schleichend.)

Schwesterlein,
hüt dich fein!

Gretel.

(Sich ungeschickt stellend.)

Ei, wie fang ich's an,
dass ich komme dran?

Hexe. Musst dich nur eben
ein bisschen heben,
Kopf vorgebeugt—
's ist kinderleicht!

Hänsel. Schwesterlein,
hüt dich fein!

Gretel.

(Schüchtern.)

Bin gar so dumm,
nimm mir's nicht krumm;
drum zeige mir eben,
wie soll ich mich heben?

Hexe.

(Macht eine ungeduldige Bewegung.)

Kopf vorgebeugt!
's ist kinderleicht!

(Sie schickt sich murrend an, in den Backofen zu krieehen: indem sie sich mit halbem Leibe vorbeugt, geben ihr Haensel und Gretel einen derben Stoss, so dass sie vollends hineinfliegt, und schlagen dann rasch die Tuere zu.)

Hänsel und Gretel.

Und bist du dann drin—schwaps!
Geht die Thür—klaps!
Du bist dann statt Gretelchen ein
Brätelchen!

(Hänsel und Gretel fallen sich jubelnd in die Arme, fassen sich bei der Hand und tanzen.)

Both. Hurrah! now sing the witch is dead, really dead!
No more to dread!
Hurrah! now sing the witch is still, deathly still!
We can eat our fill!
Now all the spell is o'er,
really o'er!
We fear no more!
They seize each other's hands.)
Yes, let us happy be,
dancing so merrily;
now the old witch is gone,
we'll have no end of fun!
Hey! hurrah, hurrah!
Hip hurrah! Hip hurrah!
Hurrah!

Hänsel and Gretel.
(Spoken.)
There, see those little children dear,
I wonder how they all came here!

(They take each other around the waist and waltz together, first in the front of the stage, and then gradually in the direction of the Witch's house. When they get there Hänsel breaks loose from Gretel and rushes into the house, shutting the door after him. Then from the upper window he throws down apples, pears, oranges, gilded nuts, and all kinds of sweetmeats into Gretels oustretched apron. Meanwhile the oven begins crackling loudly, and the flames burn high. Then there is a loud crash, and the oven falls thundering into bits. Hänsel and Gretel, who in their terror let their sweetmeats all fall down, hurry towards the oven startled, and stand there motionless. Their astonishment increases when they become aware of a troop of children around them, whose disguise of cakes has fallen from them.)

Juchhei! Nun ist die Hexe tot,
mausetot!
Nun ist geschwunden Angst und Not!
Juchhei! Nun ist die Hexe still,
mäuschenstill,
Und Kuchen giebt's die Hüll und Füll!
Juchhei! Nun ist zu End der Graus,
Hexengraus!
Und böser Zauberspuk ist aus!
Drum lasst uns fröhlich sein,
tanzen im Feuerschein,
halten im Knusperhaus
herrlichsten Freudenschmaus!
Juchhei, juchhei!

(Sie umfassen sich und walzen mit einander, erst im Vordergrund, dann allmachlich in der Richtung auf das Knusperhaeuschen zu. Als sie beim Knusperhaeuschen angekommen sind, reisst sich Haensel von Gretel los, eilt in's Haeuschen, indem er die Tuere hinter sich zuschlaegt, und wirft Gretel durch die obere Luke Aepfel, Birnen, Apfelsinen, vergoldete Nuesse und allerhand Zuckerwerk in die aufgehaltene Schuerze. Mittlerweile faengt der Hexenofen gewaltig an zu knistern; die Flamme Schlaegt hoch empor. Dann gibt's einen starken Krach, und der Ofen stuerzt donnernd zusammen.)

SCENE IV.

The Gingerbread Children.
(Motionless and with closed eyes, as the cake figures were before.)
We're saved, we're freed
for evermore!

Gretel. Your eyes are shut—pray who are you?
You're sleeping, and yet you're singing too!

The Gingerbread Children.
(Always very softly.)
O touch us, we pray,
that we may all awake!

Hänsel.
(To Gretel embarrassed.)
O touch them for me,
I dare not try!

Gretel. Yes, let me stroke this innocent face!
(She caresses the nearest child, who opens its eyes and smiles.)

Other Gingerbread Children.
O touch me too, O touch me too,
that I also may awake!

(Gretel goes and caresses all the rest of the children, who open their eyes and smile, without moving; meanwhile Hänsel seizes the juniper-branch.)

Hänsel. Hocus pocus, elder-bush!
Rigid body loosen, hush!

VIERTE SCENE

Gretel. Da, sieh nur die artigen Kinderlein,
wo mögen die hergekommen sein?

Die Kuchenkinder.
(Ganz leise.)
Erlöst—befreit
für alle Zeit!

Gretel.
Geschlossen sind ihre Äugelein;
sie schlafen und singen doch so fein!

Kuchenkinder.
(Leise.)
O rühre mich an,
dass ich erwachen kann!

Hänsel.
(Verlegen.)
Rühr du sie doch an—ich traue mir's nicht.

Gretel. Ja, streicheln will ich dies hübsches Gesicht!

(Sie streichelt das nächste Kind; dieses öffnet die Augen und lächelt.)

Andre Kuchenkinder.
O rühre auch mich—auch mich rühr' an,
dass ich die Äuglein öffnen kann.

(Gretel geht streichelnd zu den übrigen Kindern, die lächelnd die Augen öffnen, ohne sich zu rühren; endlich ergreift Hänsel den Wachholder.)

Hänsel. Hocus pocus, Holderbusch!
Schwinde, Gliederstarre—husch!

Some of the Children.
(Jump up and hurry towards Hänsel and Gretel from all sides.)
We thank, we thank you both!

The Children.
The spell is broke and we are free,
we'll sing and we'll dance and we'll shout for glee!
Come, children all, and form a ring,
join hands together while we sing.
Then sing and spring,
then dance and sing,
for cakes and all good things we bring.
Then sing and spring,
then dance and sing,
that through the wood
our song of praise may sound,
and echo repeat it all around!
We thank, we thank, we thank!

Hänsel. The angels whispered in dreams to us in silent night
what this happy, happy day has brought tonight.
(Four Gingerbread Children at a time surround Hänsel and Gretel, and bow gracefully to them.)

Gretel. Ye angels, who have watched o'er our steps and led them right,
we thank for all our joy and wondrous delight.

The Gingerbread Children.
(Who all press round Hänsel and Gretel to shake hands with them.)
We'll thank you both all our life!

Father. (Behind the scene.)
Tralala, tralalala!
Were our children only here!
Tralala, tralalala!
(The Father appears in the background with the Mother, and stops when he sees the children.)
Ha! Why, they're really there!

LAST SCENE

Hänsel. (Running towards them.)
Father! mother!

Gretel. (The same.)
Father! mother!

Mother. Children dear!

Father. O welcome,
poor children innocent!
(Joyfully embracing. Meanwhile two of the boys have dragged the Witch, in the form of a big gingerbread cake, out of the ruins of the magic oven. At the sight of her they all burst into a shout of joy. The boys place the Witch in the middle of the stage.)

Father. Children, see the wonder wrought,
how the Witch herself was caught unaware
in the snare
laid for you with cunning rare!

All the Rest.
See, O see the wonder wrought,
how the Witch herself was caught unaware
in the snare
laid for us with cunning rare!
(The two boys drag the Witch in the cottage.)

Father. Such is Heaven's chastisement;
evil works will have an end.
"When past bearing is our grief,
Then God, the Lord, will send us relief!"

All. "When past bearing is our grief,
Then God, the Lord, will send relief!"

Die Kuchenkinder.
Habt Dank, habt Dank
euer Leben lang!
Juchhei!
Die Hexerei
ist nun vorbei;
nun singen und springen wir froh und frei!
Kommt, Kinderlein,
zum Ringelreihn,
reicht allzumal die Händchen fein!
Drum singt und springt,
drum tanzt und singt,
dass laut der Jubelruf durchdringt den Wald,
und rings erschallt
von Lust der Wald.

Hänsel und Gretel.
Die Englein haben's im Traum gesagt in stiller Nacht,
was nun so herrlich uns der Tag hat wahr gemacht.
Ihr Englein, die uns so treu bewacht bei Tag und Nacht,
habt Lob und Dank für all die Pracht, die uns hier lacht.

Die Kuchenkinder.
Habt Dank, habt Dank
euer Leben lang!

LETZTE SCENE

(Aus dem Hintergrund ertönt die Stimme des Vaters.)

Vater. Rallalala, rallalala,
wären doch unsre Kinder da!
Rallalala, rallalala.—
(Er erblickt Hänsel und Gretel.)
Juch—! Ei, da sind sie ja!

Hänsel und Gretel.
(Den Eltern entgegen eilend.)
Vater! Mutter!

Mutter. Kinderchen!

Vater. Da sind ja die armen Sünderchen!
(Frohe Umarmung; unterdes haben zwei Knaben die Hexe als grossen Lebkuchen aus den Trümmern des Zauberofens gezogen.)

Vater. Kinder, schaut das Wunder an,
wie solch Hexlein hexen kann,
wie sie hart,
knusperhart
selber nun zum Kuchen ward!
Merkt des Himmels Strafgericht:
böse Werke dauern nicht!
Wenn die Not aufs höchste steigt,
Gott der Herr die Hand uns reicht!

Alle. Wenn die Not aufs höchste steigt,
Gott der Herr die Hand uns reicht!
(Indem die Kinder einen lustigen Reigen um die Gruppe tanzen, fällt der Vorhang.)

THE END

Allegretto con moto. (♩=100)
(clapping her hands)
Brother come and dance with me,
Fl. Hb.
Hr.
Bass.
Dr.
Both my hands I of-fer thee, Right foot first, Left foot then, Round a-bout and
Str.
(Hänsel tries to do it, but awkwardly.)
Hänsel.
back a-gain.
I would dance, but
Fl. Hb.
Wind.
Hr.
don't know how, When to jump or when to bow, Show me what I ought to do,
Vl.
Str.

Gretel.
So that I may dance like you.
With your foot you tap tap tap,
cresc.
f
Vl.
Hb.
Cl.
p
With your hand you clap clap clap,
Right foot first,
Left foot then,
Round about and
Hänsel.
back a-gain!
With your foot you
tap tap tap,
With your hand you
clap clap clap,
Vl.
Fl.
p
Gretel.
Right foot first, Left foot then, Round and back a-gain!
That was ve-ry good indeed,
cresc.
f
Wind.
f
p

Second Act.
In the forest.
Scene I.

gold, and his cheeks are red, He wears a lit - tle black cap up - on his
Fl.
tr
pp
head, Say who can the mankin be, Standing there so si-lently, With the little
Hr.
Fl.
(She holds up the garland of roses and looks it all round)
black cap up-on his head?
Hr.
Hb.
Cl.
p
m.s.
With the little black cap up-on his head?
Fl.
p

Abendsegen

aus Hänsel und Gretel.

„Abends, will ich schlafen gehn."

Evening-Prayer

from Hänsel and Gretel.

"When at night I go to sleep."

E. Humperdinck

immer leise (sempre p)
zwei zu mei - ner Lin - ken, zwei-e, die mich de - cken,
Two are on my left hand, Two who warm-ly cov - er,
pp subito
mit Steigerung.
cresc.
zwei-e die mich we - cken, zwei-e, die mich wei - sen zu Him-mels Pa - ra -
Two who o'er me hov - er, Two to whom 'tis giv - en To guide my steps to
poco rit.
Tempo.
dei - sen!
Hea - ven.
poco rit.
Tempo.
pp
Ped.
poco ritard.
pp
Ped.
Ped.
Ped.